Kinderen van het kwaad

Nicholas d'Estienne d'Orves

Kinderen van het kwaad

Oorspronkelijke titel: Les orphelins du mal
Vertaling: Hans van Cuijlenborg
Omslagontwerp: Studio Jan de Boer

Eerste druk april 2008

ISBN 978-90-225-4926-1 / NUR 330

Proloog

Ze was volmaakt: hoog voorhoofd, ogen op de juiste afstand, discrete oortjes, wilskrachtige kin, goed getekende lippen, rechte tanden, lang, zijdeachtig haar, blonder dan een pretzel.

'En nu ogen wijdopen graag, *Fräulein*,' vroeg de dokter, terwijl hij zich over de jonge vrouw boog.

'Zo bedoelt u?'

Ze keek als een katuil, bijna komisch, sloeg haar ogen ten hemel. Die grimas ontlokte een glimlach aan de man in de witte jas, die bekendstond om zijn gebrek aan humor bij het werk. Maar er was ook reden tot vreugde! Zelden had hij zo'n overgang gezien tussen cyaan, turkoois, lapis lazuli...

Twee amethisten... dacht hij, terwijl hij met zijn vingers het ooglid optrok om de soepelheid ervan te testen. De kraamvrouw liet hem begaan; ze was een dier bij de veearts.

'De vader?' vroeg de dokter.

De zwangere vrouw schokschouderde met een hulpeloze glimlach.

Een verpleegster las de arts voor wat er op de systeemkaart stond: 'Ingelheim, Gawain. Tweeëntwintig. Untersturmführer. De eerste die van de *Burg* in Sonthofen kwam. Beschikt over een ariërverklaring over twaalf generaties. Heeft Fräulein Greve "ontmoet" op Halgadøm, in de nacht van 12 op 13 mei 1938...'

'Kunt u dat bevestigen?' vroeg de arts aan Fräulein Greve, wier buik hij begon te betasten.

Zij knikte en stamelde: 'De datum klopt... maar dit is de eerste keer dat ik hoor hoe hij heet, *Herr Doktor*...'

De arts fronste zijn wenkbrauwen. Voorzichtig betastte hij die ronde buik, van de pubis tot de navel. Daarop besefte hij dat hij zonder het te willen een partita van Bach aan het spelen was.

'De derde…' realiseerde hij zich, niet zonder trots: gisteravond had hij het stuk voor het eerst zonder haperen kunnen spelen! Zijn kinderen hadden geapplaudisseerd en zijn vrouw had gebloosd van tevredenheid. Zelf was hij helemaal bedwelmd geraakt door dat kleine familierecital. Dat waren zijn favoriete momenten. Die intimiteit tussen kunst en menselijkheid. Die symbiose van de meest volmaakte schepping met de zuiverste soort! Zijn kinderen zouden al snel groot zijn. Binnenkort zouden die jonge ariërs de fakkel overnemen. Zij zijn de toekomst, de toekomst van het ras!

Net als hij… dacht de dokter, terwijl hij het hoofdje door de huid van de buik heen kon onderscheiden. Voorzichtig sloeg hij het laken terug. Het geslacht van de vrouw verscheen, nog blonder, nog zonniger dan de haren op haar hoofd.

Dochter van Eva, wees sterk, reciteerde hij in zichzelf.

Voorzichtig ging de dokter met zijn vingers over de haren, alsof hij ze gladstreek, ze poetste. Verrast verstijfde de verpleegster, maar de toekomstige moeder glimlachte er slechts des te breder om. Haar blik hechtte zich aan die van de verloskundige, zoals ijs oplost in vuur. Een tellurische schok. De geboorte van een wereld.

'Bent u gereed?' vroeg hij aan Fräulein Greve.

'Ik ben… gereed,' antwoordde ze, met hortende stem, niet van angst maar van emotie.

De verpleegster deed een stap vooruit, met een roltafeltje vol metalen instrumenten. Toen kantelde ze het bed van de kraamvrouw waardoor het een operatietafel werd.

'Daar gaan we dan…' zei de arts koeltjes, en hij trok een paar steriele handschoenen aan.

De bevalling was een droom. De moeder meende engelen te horen zingen. Toch waren het slechts haar eigen kreten, haar eigen gekreun, maar ze was zo betrokken, zo ontroerd, dat ze het leed niet meer voelde. Haar geweten overheerste haar zenuwen. Ze voelde hoe haar buik werd toegetakeld, hoe er in haar vlees werd gesneden, maar het gaf haar slechts vreugde, het moest. Ze gaf zich helemaal over, even onbeschreven als bij haar eigen geboorte.

Nog nooit had ze een andere man gekend. Ze was rein gebleven voor die soldaat met wie ze maar één nacht, één uur, in een omhelzing samen was geweest. Maar toen ze hem in haar armen nam, hem in haar opnam, hem haar liet binnendringen, offerde ze haar maagdelijkheid aan de Führer. Ze schonk het Rijk haar maagdelijkheid, haar onschuld, haar schoonheid. Ze was niet zwanger van een man, maar van een land. En die verantwoordelijkheid leidde haar al negen maanden.

Haar broers hadden haar verstoten, haar vader had haar onterfd. Alleen haar moeder had de enige ware reactie getoond: 'Jij wijst ons de weg, Heidi. Neem het hun niet kwalijk, zij komen nog wel…'

Maar ze nam het ze ook niet kwalijk. Hoe zou ze dat kunnen? Haar leven had zin gekregen, terwijl zij nog in het duister woonden. Elke dag van haar zwangerschap was haar geloof gegroeid, zoals dat wezentje, zo zeldzaam, zo echt, in haar binnenste groeide.

Nog één wee. Een schrille kreet, afgrondelijk diep. En de vreugde van de verpleegster.

'Een jongetje!' jubelde ze, terwijl de dokter de navelstreng doorknipte.

Heidi huilde van geluk. Op de klok in de operatiezaal zag ze dat de bevalling bijna vijf uur had geduurd.

Toen kruiste haar blik die van de arts: elke vreugde leek uit hem verdwenen. Met op elkaar geklemde kaken en gefronste wenkbrauwen trok hij met een walgende uitdrukking zijn handschoenen uit.

Op dat moment begreep de jonge moeder dat er iets niet klopte…

'Wat… wat is er aan de hand?' stamelde ze.

Maar ze luisterden niet naar haar. De verpleegster vertrouwde het kind toe aan de arts, die het in zijn armen nam, ondanks zijn ontmoedigende pruillip.

Hij pakte het bij de nek en stak zijn arm uit om het aan de moeder te tonen.

Het kind begon te brullen.

Heidi kon geen woorden vinden. Die baby was een deel van haar. Ze had het gevoel alsof zij bij de haren werd gevat, alsof haar adem werd geblokkeerd.

De baby werd steeds roder, weerde zich alsof hij ging ploffen. De dokter was van verslagenheid overgegaan op neutrale wreedheid. Er viel niets meer af te leiden uit zijn stalen blik.

Heidi was als verlamd. Woorden, haat, angst bestormden haar bewustzijn, maar het lukte haar niet te spreken. De tranen stroomden over haar wangen.

De arts keek streng, zoals een politieagent die slecht nieuws heeft.

Hij ging naast Heidi op bed zitten en legde de baby op haar borst. Instinctief zocht het wurm met zijn hijgende lippen naar de roze moederborst, maar ze durfde het kind niet aan te raken. Alsof ze bang was zich er te zeer aan te hechten, het nooit meer los te zullen laten.

Ze bleef slechts strak naar de gestalte van haar baby kijken, die verschrikt was door pijn, lawaai en licht. De wereld begon voor hem zo wreed. Er zat een monsterlijke roze vlek midden in het gezichtje.

'Schisis,' vonniste de arts.

De moeder wist niet wat ze zeggen moest.

'In de volksmond wordt dat een hazenlip genoemd,' verklaarde de arts met een nog neutralere stem, alsof hij lesgaf. 'Splitsing van het gehemelte... klassiek geval, nietwaar?'

Heidi wist niet wat ze daarop moest antwoorden. Langzaam ontspande haar lichaam en herkreeg ze de macht over haar ledematen.

Het lukte haar om haar hand naar de baby te brengen, maar toen zag ze het gebaar van de verpleegster.

Die was bezig met geconcentreerde blik een spuit te vullen.

Zonder zelfs een vraag te hoeven stellen, had Heidi het al begrepen...

Haar hand raakte het kind, maar de arts deed een stap achteruit en drukte de baby tegen zich aan.

De verpleegster hield hem de spuit voor.

'Dank u, *Schwester*,' zei hij. 'Neem het kind even in uw armen, ik wil niet dat het zich gaat weren.'

'Nee!' brulde de moeder. Het lukte haar niet om overeind te komen, alsof ze gevangenzat in een harnas van gips.

Met één hand tilde de arts het hoofdje van het kind op. Het leek wel alsof hij er een kus op ging drukken, zo zacht en teder was dat gebaar. Met de andere hand bracht hij de spuit tot boven de schedel.

De moeder was verbijsterd. Van haar lippen kwamen stille kreten. Ze zag hoe de naald de fontanel raakte. Het kind schreeuwde niet meer. Het hele vertrek baadde in een wrede stilte. De grote rust voor de dood.

Toen de naald zijn schedel binnendrong, schokte het kind nog eventjes. Het sperde zijn ogen open en instinctief wendde het zich tot de moeder.

De arts duwde de naald nog iets verder en leegde toen de spuit.

Zelfs de verpleegster moest zich inhouden om niet te gaan beven. Ze voelde het wezentje in haar armen verslappen.

Maar de baby bleef als versteend. Versteend in een poging om zijn moeder te zien. Haar te herkennen?

Heidi probeerde afstand te nemen, te vergeten, niet te begrijpen. Maar de ogen van dat kind bleven zo groot en zo gulzig.

Dezelfde ogen als van mij...

Er lag een mengsel van verwijt en geruststelling in.

'De eerste generatie moet gezond zijn,' zei de arts zonder hartstocht, met vermoeide berusting, terwijl hij de spuit terugtrok.

'Geef hem nou maar aan haar,' zei hij tegen de verpleegster.

'*Jawohl, Herr Doktor Schwöll!*'

De verpleegster legde de baby in de armen van zijn moeder. Ondanks zijn mismaakte gezicht, ondanks dat rode straaltje dat over zijn voorhoofd liep, was de zuigeling doortrokken van een vreemde rust.

Heidi nam hem aan, als een stuk porselein. Weer kruisten hun blikken zich. Die van het kind waren nu overtrokken met een beige sluier. De blik verdween, ging terug vanwaar hij gekomen was.

Nog een stuip, een soort hikje, toen liet hij zijn hoofdje achteroverhangen.

De moeder was verpletterd. Ze voelde niet eens de handen van de verpleegster die de baby terugpakten. Ze hoorde amper de stem van de arts, zacht maar beslist.

'Na een maand reconvalescentie wordt u weer overgebracht naar de kliniek van Halgadøm. Daar zullen fantastische officieren klaarstaan om u deze kleine te doen vergeten... Dit was een bedrijfsongeval...'

De arts klopte Heidi met de grijns van een paardenhandelaar op haar wang en voegde eraan toe: 'U bent nog jong, Fräulein Greve, en het Rijk heeft u nog nodig!'

Eerste deel

Anaïs
'Het nazisme is een van die zeldzame momenten van onze beschavingsgeschiedenis geweest waarin een deur werd geopend die uitkwam op iets anders, op luidruchtige en zichtbare wijze.'

— Louis Pauwels en Jacques Bergier, *De dageraad der Magiërs*

2005

'Ken jij een beetje de geschiedenis van het nazisme, het Derde Rijk en zo?'

Clemens legt zijn hand op de mijne, maar ik trek haar meteen terug. Zoals gewoonlijk te snel.

'Heb je een afspraak met me gemaakt om het over geschiedenis te hebben?'

Ik kijk hem aan met mijn 'borende' blik. Het elektrische blauw van mijn ogen onder mijn zwarte haren. Clemens noemt ze mijn 'haaienogen', een blik waaraan hij nooit weerstand heeft kunnen bieden. Hij wringt zich in alle bochten, verschuift zijn stoel om een paar Amerikanen te laten passeren die achter ons gaan zitten, daarbij *'How nice!'* roepend: in het heilige der heiligen van Parijs te zijn! *'Ohlala!'*

Wat een idee om hier met me af te spreken. Clemens weet dondersgoed dat ik *Le Flore* niet kan uitstaan. Over het algemeen boezemt Saint-Germain-des-Prés mij automatisch een bijna boers wantrouwen in. Dat is mijn 'provinciale' kant, vermoed ik.

'Oké, oké.' Clemens zwicht. 'Ik heb je wat te vragen.' Hij verbetert zichzelf: 'Nou ja, ik heb je iets voor te stellen.'

Ik kan het niet nalaten sarcastisch te zeggen: 'Zie je wel, je hebt altijd een dubbele agenda.'

Geconfronteerd met zijn pijnlijke glimlach besef ik dat ik – zoals gewoonlijk – te ver ben gegaan. Je laat je meeslepen, Anaïs, je laat je meeslepen! Hij kan er niets aan doen. Het is wat Lea, mijn beste vriendin, mijn 'trots van alleenstaande vrouw' noemt. Ik ben nog maar vijfentwintig!

Eerlijk gezegd heb ik, sinds we elkaar zeven jaar geleden op de school voor de journalistiek hebben leren kennen, altijd grote oprechtheid in de ogen van Clemens kunnen lezen. Hij heeft de blik van een oude cockerspaniël. En ik draag mijn harnas van ironie, mijn schild van cynisme. Die manie om het leven altijd te beschouwen als een aanslag of als verlakkerij.

13

Voor mij is nooit iets helemaal echt. Wij verschillen te erg: ik ben slechts een wanhopig verwaten bulldozer, Clemens een verwend joch dat bezig is alle banden door te snijden, heen en weer getrokken tussen zijn keurslijf en zijn droom van vrijheid. Twee ontwortelden. Verder kennen we elkaar nu veel te goed. We voelen elkaar aan, bij de minste ademtocht ruiken we elkaar.

'Een diabolo grenadine en een glas melk!'

De ober heeft het ongemak weten te verbreken.

Clemens en ik danken hem aarzelend, alsof hij ons van de verdrinkings-dood heeft gered. Om het goed te maken begin ik de dialoog. Ik ga eens goed op mijn stoel zitten, pak mijn glas melk en flap er op gemaakt jovia-le toon uit: 'Oké, ik luister.'

Maar Clemens lijkt geen haast te hebben. Alsof hij me wil laten boeten voor mijn plagerij, klemt hij voorzichtig zijn lippen om het rietje en zuigt zijn diabolo tot de laatste druppel leeg, met tenenkrommend gegorgel; hij weet dat ik kippenvel krijg van dat soort geluiden. Ik zit te knarsetanden.

'Ik heb werk voor je,' zegt hij vervolgens half hardop.

'Werk?

'Ja, als ghostwriter.'

Mijn reactie moet veelzeggend genoeg zijn, maar Clemens verklaart zich nader: 'Een soort historisch document, en het moet geschreven wor-den met een vent die nog nooit iets heeft geschreven. F.L.K. heeft me per-soonlijk gevraagd iemand te zoeken.'

Ik doe alsof ik zwaar onder de indruk ben, Clemens weet niet of ik hem in het ootje neem of niet.

'Het is een heel grote klus en het betaalt heel goed,' houdt hij vol.

'En waarom ik?'

Hij zet zijn ellebogen op tafel en buigt zich naar me toe. Zijn adem ruikt zoet naar grenadine. En dat wellustige luchtje dat hij altijd draagt. Het-zelfde als zijn vader: Habit Rouge van Guerlain.

'De auteur wil iemand die jong is en liefst een vrouw.'

Ik moet lachen: 'Een vrouw? Is dat een grapje?'

Maar Clemens blijft serieus. Zijn ogen worden groter.

'Een grapje van honderdduizend euro.'

Ik laat mijn lepel vallen! 'Honderdduizend euro! Dat meen je niet!'

Clemens hervindt zijn spottende toon: 'Zie je wel dat je er belangstel-ling voor hebt?'

Ik sta paf. Honderdduizend euro voor een spookklus! Dat is het voor-schot van een successchrijver. Ik ken de tarieven: vorig jaar heb ik een onderzoek geredigeerd naar de markt voor Franse bestsellers, voor de boekenbijlage van *L'Express*. F.L.K. staat bekend als een van de best betalende uitgevers, maar dit is verdacht!

'En wie is die auteur met wie ik moet... met wie ik zou moeten werken?'

'Ik heb hem één keer gezien maar ik kan er niets van zeggen. De baas heeft het me verboden. Hij wil zelf alles uitleggen.'

'Want je hebt het al over mij gehad?'

'Jij hebt een afspraak op het kantoor van Presses F.L.K., Rue Visconti 11, morgenochtend om tien uur.'

'Houdt u van schatzoeken, juffrouw Chouday?'

Wat moet je daar nu op antwoorden? Al een kwartier lang draait François-Laurent Kramer, directeur van de zeer lucratieve Presses F.L.K., rond de hete brij. Die hete brij ben ik!

'Een schrijver is toch een beetje een ontdekkingsreiziger, hè?' begint hij weer, terwijl hij ronddraait in zijn roodlederen bureaustoel.

Het hele vertrek is rood: het behang, de meubels, de boekenkasten, de tafels, de schilderijen, het tapijt. Zelfs de baas gaat in het roze gekleed – een mengsel van roze, fuchsia, vermiljoen, pruimedant – zo op de vroege ochtend word je er een beetje misselijk van. Hij doet me denken aan mijn boterham met rode bessengelei, die ik nog net kon nemen voordat ik de metro moest pakken.

Ik aarzel en bevochtig mijn lippen met wat thee. Op het bureau brandt een te sterk geurende parfumkaars. Ondanks zijn zestig lentes en zijn spaarzame haren is F.L.K. geheel op zijn gemak in de societybijlage van de vrouwenbladen. Zijn scheiding, zijn openlijke homoseksualiteit en zijn mysterieuze verhouding met een Hollandse designer zijn door de boulevardbladen gevreten (met name hun illegale huwelijk op een privé-eiland in de Malediven). Spekje voor het bekje van de journalisten!

Maar deze harlekijn leidt met ijzeren hand een van de grootste onafhankelijke uitgeverijen van Frankrijk, die weigert op te gaan in een grotere groep, ondanks herhaalde aanbiedingen van talloze potentaten.

'Want wat ik u bied is een jacht naar een schat...' zegt hij, terwijl hij opstaat en naar de panoramaruit slentert.

'Ik ben helaas wat te oud voor dat spelletje,' zeg ik voordat ik op mijn lip bijt. Ik weet niet wat ik hiermee aan moet, en daar maakt hij misbruik van.

Gewiekst antwoordt meneer de uitgever niet. Hij tikt met zijn voet tegen de ruit en bekijkt het uitzicht op de grote tuin tussen al die gebouwen.

Sommige bomen hebben al herfstkleuren. Enkele verdiepingen lager maait een tuinman het gazon; hij zigzagt tussen de gesnoeide buxussen door.

F.L.K. draait zich om.

'Dit is geen spelletje, Anaïs.'

Ik huiver ondanks mezelf. Hij is opdringerig, bijna agressief geworden. Alsof er onder zijn mooie granaatrode jas een heel leger scheermessen schuilt. Ik slik eens, stijf op mijn stoel, en vraag me af wat ik hier doe.

F.L.K. ijsbeert nu door zijn kantoor en met de rug van zijn hand streelt hij verliefd zijn boeken. Verstomd, steeds minder op mijn gemak, zie ik de talloze bestsellers die gepubliceerd zijn door Presses F.L.K.: de vrouwen-verhalen van Evelyne Schänkl; de thrillers van de tweeling Leclerc; de historisch-sentimentele romans van Marjolaine Papillon; de spannende boeken van Cédric Meillier. Al die lectuur waar mijn vader zo gek op is. Of was, weet ik veel?

'Het is een diepgaand onderzoek,' vervolgt de uitgever, terwijl hij terugloopt naar zijn stoel. 'Een zeer goedbetaalde klus, dat heeft Clemens je vast wel verteld.'

Ik denk aan de honderdduizend euro waar het om gaat en bloos. Meteen krijgt de uitgever weer zijn vrolijke uitdrukking; hij glimlacht.

'Je bent nog jong, Anaïs. Je hebt talent, je kunt schrijven. Jouw vriend Clemens heeft me je staat van dienst laten zien. Die klus is geknipt voor jou!'

Overtuigend, die vent! Weer zo eentje die in de politiek zou moeten gaan: hij stapt met verbijsterend gemak van de hakbijl over op de pot met stroop. Ik blijf echter rustig en voer aan: 'U hebt me nog niets verteld.'

F.L.K. trekt een la van zijn bureau open. Hij haalt er een blad uit dat hij me voorhoudt, terwijl hij zijn keel schraapt.

'*Der Spiegel*, een groot Duits weekblad,' zegt hij met gesmoorde stem, alsof hij op het punt staat mij een staatsgeheim toe te vertrouwen.

Ik kom uit mijn schulp en pak voorzichtig het tijdschrift aan. De omslagillustratie bezorgt me de rillingen. De tekening stelt vier lijken in een mortuarium voor, en erachter zie je de schaduw van een man met uitgestoken arm. Dat zal Hitler wel zijn. Daaroverheen is een groot vraagteken gezet, dat eindigt in een hakenkruis. Het blad is gedateerd 23 juni 1995.

Het geheel maakt een wat kleffe indruk. Ik heb me nooit aangetrokken gevoeld, laat staan gefascineerd, door de nazitijd. Ik heb eerder de neiging om dat als een verworpen tijd te beschouwen, een blik op de hel. Zoals alle middelbarescholieren heb ik bij geschiedenis *Nacht und Nebel* behandeld gekregen, maar die beelden heb ik al snel in het hokje van door niets overtroffen gruwel gestopt. Maar hoewel ik het nazisme beschouw als een reeds lang gevelde draak, moet ik toegeven dat dat omslag wel erg choquerend is. Komt dat door die felle kleuren? Door die lijken? Door dat bewerkte, bijna elegante hakenkruis?

F.L.K. kijkt wantrouwig om zich heen, buigt zich naar me toe en zegt dan met gedempte stem: 'In mei 1995 heeft de Duitse politie op dezelfde dag op vier verschillende locaties in het land vier lijken aangetroffen.'

'Moorden?'

'Nee,' antwoordt F.L.K. nadrukkelijk, 'zelfmoorden.'

De manier waarop hij het uitspreekt zou een dode nog doen verbleken.

'Nou ja, dat is niet zo vreemd, toch?' zeg ik om mijn verwarring te maskeren.

F.L.K. bijt zich op de lip.

'Ware het niet dat ze op hetzelfde moment en op dezelfde manier zelfmoord hadden gepleegd.'

'Namelijk?'

Hij knijpt zijn ogen toe en laat er slechts de donkere, glimmende knikkers van zien.

'Alle vier zijn naakt aangetroffen, gerold in een militaire deken, met glasscherven tussen de tanden... de scherven van een cyaankalicapsule.'

F.L.K. probeert mijn reactie te peilen, maar ik doe mijn best niets te laten blijken. Waar wil hij toch naartoe, met al zijn theater?

'Ondanks het onderzoek,' vervolgt hij, 'heeft niemand een verband tussen die vier zelfmoorden kunnen leggen. Maar het kan toch geen toeval zijn geweest.'

'En waarom niet?' zeg ik, het spelletje meespelend.

De uitgever bloost lichtjes, blij mij te zien happen.

'Omdat die lijken op vier nogal... uitzonderlijke locaties lagen.'

Hij slaat het tijdschrift open en toont de foto's.

'München, Berchtesgaden, Neurenberg, Spandau.'

Ik frons mijn wenkbrauwen: voor mij is dat astrofysica! Wat wil dat zeggen?

'München: de wieg van het nazisme, Berchtesgaden: het adelaarsnest van Hitler, Neurenberg: de symbolische stad van het regime, waar de kopstukken ervan werden berecht en opgehangen, Spandau: de gevangenis waarin de veroordeelden van Neurenberg werden opgesloten, tot aan de dood van de laatste, Rudolf Hess, in 1987.'

Ik sla mijn ogen ten hemel; deze klus is echt niets voor mij.

'Hoor eens, ik ben geen geschiedkundige. Ik weet niets van de Tweede

Wereldoorlog. Er zijn vast veel competentere mensen dan ik om…'

'Laat me nou uitspreken!'

De uitgever heeft me bruusk onderbroken. Hij kijkt me aan met gezag, als om me eraan te herinneren dat hij de baas is, en het lukt me niet zijn blik te trotseren.

'Er is nog wat: die vier heren liepen allemaal tegen de zeventig. De politie heeft ontdekt dat ze alle vier een valse identiteit gebruikten, maar dat hun afkomst samenvalt met de geheimste organisatie van het Derde Rijk: de Lebensborn.'

'De wat?'

'Letterlijk betekent dat "levensbron", maar…' F.L.K. tikt met zijn wijsvinger op zijn stalen bureau, alsof hij het juiste woord zoekt.

'Maar…?'

'Heb jij ooit gehoord van de… nazistoeterijen?'

'Waar paarden gefokt werden?'

'Nee, Anaïs, ik heb het over menselijke stoeterijen.'

Ik moet even slikken. Weer onderbreekt de uitgever zichzelf, als een acteur die zijn publiek opneemt.

'In de kraamklinieken van de Lebensborn,' vervolgt hij, zonder zijn blik van mij af te wenden, 'werden jonge ariërs met jonge arische vrouwen gekruist, om het hogere ras te kunnen kweken.'

Ik ga verzitten in mijn stoel. Natuurlijk heb ik weleens horen praten over de mythe van die nazistoeterijen.

'Ik heb altijd gedacht dat dat maar een verhaal was.'

'Een verhaal,' zei hij grinnikend, terwijl hij over zijn gladgeschoren kin strijkt.

'En die vier zelfmoordenaars van u zouden daar zijn geboren?'

'Dat weten we niet, maar een gemeenschappelijk detail heeft de aandacht van bepaalde historici getrokken.'

'Wat dan?'

'Een tatoeage,' zegt hij, terwijl hij het tijdschrift doorbladert tot aan de foto van de lijken.

Het is een grote detailfoto: op de bleke, blauwachtige huid zie je ter hoogte van de rechternier de code SS-459-224.

'Nou en?'

'Dat is waarschijnlijk geen tatoeage, maar een stamboom,' vervolgt de uitgever. 'Toen de historici dat beseften en erover wilden spreken, heeft Duitsland meteen alle onderzoek ernaar stopgezet en het dossier gesloten.'

'De Duitsers hebben een groot probleem met die periode, en dan…'

'Nee, ik heb het hier niet over een historisch complex, maar over *omertà*!' antwoordt hij, zich plotseling opwindend. 'Sinds het eind van dat onderzoek zijn drie televisie-uitzendingen geschrapt, een uur voordat ze de lucht in zouden gaan. Een tiental journalisten is met de dood bedreigd. Je zou denken dat de spoken van het Derde Rijk persoonlijk de zaak in de doofpot zijn komen stoppen! Zelfs de magazijnen van *Der Spiegel* zijn op raadselachtige wijze in brand gevlogen.'

Agressief zwaait F.L.K. met het Duitse tijdschrift.

'Ik heb er een paar weken over gedaan voordat ik dit exemplaar te pakken had. En ik kan je zeggen dat ik aardig thuis ben in de coulissen van de Europese pers. Nee, Anaïs, deze zaak verbergt een veel ernstiger geheim! En ook een veel gevaarlijker.'

Hij grijpt mijn pols over de tafel heen en boort zijn blik in de mijne.

'Een geheim dat levensgevaarlijk is.'

Mijn maag verkrampt. F.L.K. kijkt als een fijnproever.

'Dat geheim zou weleens kunnen samenhangen met de kolossale buit die de nazi's tijdens de oorlog verzameld hebben en die nooit is teruggevonden.'

Weer stilte. Ik word moe van die koude douches en ik weet niet meer waar het gevaar ophoudt en waar het reclamepraatje begint.

'Die schat fascineert onze lezers al jaren,' vervolgt hij, wijzend op zijn bibliotheek. 'Je hebt toch weleens een roman van Marjolaine Papillon gelezen? Die leveren ons de beste verkoopcijfers, en al die romans zijn gebaseerd op de raadselen van het Derde Rijk. Het publiek is daar stapelgek op.'

Ik probeer het hoofd koel te houden. Ter zake!

'Maar wat wilt u nu eigenlijk? Een roman?'

F.L.K. klakt met zijn tong.

'Ik wil een onderzoek. Open de zaak, als een smeris. Trek alle aanwijzingen na, ga naar Duitsland, verder als het moet. Deze zaak verbergt een geheim, dat is duidelijk. In dat verenigd Europa moeten er nog dingen worden opgehelderd.'

Ik word bang van zijn roekeloosheid.

'U wilt dus dat ik lijken ga opgraven, terwijl u net zelf het woord "omertà" in de mond hebt genomen, hebt gesproken van doodsbedreigingen, nazispoken, levensgevaarlijke geheimen!'

F.L.K. wordt weer gewiekst.

'Allemaal woorden, Anaïs, dat was bij wijze van spreken. We leven niet meer in het Derde Rijk.'

Dit gezegd hebbende pakt de uitgever zijn telefoon, toetst een nummer in en zet de luidspreker aan. De kiestoon weergalmt door het hele vertrek.

'Ik heb mijn telefoon aangesloten op mijn stereotoren,' verklaart F.L.K. met een raar stemmetje, terwijl hij op twee Bose-blokjes wijst, in de hoeken van het vertrek, hier bijna niet te zien omdat ze roodgeverfd zijn.

De telefoon blijft overgaan.

Ik frons mijn wenkbrauwen, want het geluid staat veel te hard. Het doet me denken aan die vreselijke nachtclubs waar ik elk jaar met Lea naartoe moet voor haar verjaardag.

Er wordt opgenomen.

Een welluidende mannenstem vraagt: 'Hallo?'

'Vidkun?'

'Ja?'

'F.L.K.'

Geconcentreerd begint de uitgever door het vertrek te ijsberen.

'Ja, en?' zegt de tenorstem nog hoger. F.L.K. wendt zich tot mij en kijkt me vernietigend aan.

'De juffrouw is hier en ik denk dat ze wel geïnteresseerd is.'

Ik kan nog zo hard nee schudden, de uitgever beduidt me te blijven zitten en houdt zijn vinger tegen zijn lippen. Ik laat me er zo door overbluffen, dat ik hem gehoorzaam!

'Perfect,' zegt de stem, 'geef haar maar aan mij.'

'Ze zit hier voor me, ze luistert naar u.'

'Anaïs?'

Ik ben versteend.

Die mannenstem is daar de oorzaak van: dat niet thuis te brengen accent doet me denken aan bepaalde acteurs uit de jaren dertig. Afgekapt praten, gecastreerd, maniëristisch, en toch volmaakt natuurlijk.

'Anaïs, ben je daar?'

'Ja?'

'En, gaan wij samenwerken?'

De uitgever maakt een draaiende beweging met zijn vingers, om mij te beduiden door te gaan.

'Dat is te zeggen... ik...'

'Praat wat harder, ik hoor je niet.'

De uitgever wordt vuurrood.

In weerwil van mezelf, schreeuwend om goed te worden verstaan, roep ik: 'Ja!'

Maar wat doe ik in godsnaam, vraag ik me af, terwijl F.L.K. in de zevende hemel belandt en zijn armen over elkaar slaat. De val klapt dicht! Alles gaat veel te snel.

'François-Laurent heeft het met je gehad over het voorschot, dat substantieel is.'

De uitgever knikt.

'Met honderdvijftigduizend euro heb je voorlopig voldoende reserve, niet?'

F.L.K. springt tegelijk met mij op.

'Wat zegt u?'

Ik maak meteen gebruik van de situatie. Dat is dus vijftigduizend euro meer dan voorzien! Wil mijn gesprekspartner de zaak opdrijven? Dan maar alles op alles zetten. Net als bij poker antwoord ik: 'Ja, honderdvijftigduizend euro, meneer F.L.K. is heel genereus.'

De uitgever wankelt naar zijn stoel en ik werp hem een triomfantelijke blik toe.

'Goed,' vervolgt de zalvende, zachte stem, waarin ik iets van ironie meen te ontwaren. 'Nu wij het met elkaar eens zijn, kan hij de contracten opstellen.'

In mijn hoofd is het een warboel, de ene berekening volgt op de andere: honderdvijftigduizend euro, te gek! Geen onderbetaalde artikelen meer, een nieuw appartement, echt leven, echt werk en misschien een echte vent.

Bang voor mijn eigen overmoed kijk ik de uitgever scherp aan en vraag langs mijn neus weg: 'Wanneer kunnen we beginnen?'

F.L.K. is weer rustig. Hij bekijkt me met een zekere medeplichtigheid, laat mij de eer door te knikken. Hij tikt iets in op zijn computer en draait het contract uit.

'Morgenochtend bij mij?' stelt de onbekende stem voor.

Plotseling zet ik me schrap. Het tempo van dit alles jaagt me angst aan. Dat is het, het gaat allemaal veel te snel.

Ik weet het niet, ik weet het niet meer, denk ik; ik zou graag Lea bellen om raad, of even om de hoek kijken bij Clemens, één verdieping hoger. Maar de uitgever smijt het contract al voor me neer, met zijn wijsvinger bij het kolossale bedrag: honderdvijftigduizend euro.

Gevangen in deze onoverwogen en instinctieve beslissing – nooit terugkrabbelen, dat is een levensprincipe! – stamel ik: 'Morgenochtend... goed... uitstekend.'

'François-Laurent geeft je het adres wel. Ik verwacht je om tien uur, voor *Frühstück*.'

Hij hangt op.

Stilte. F.L.K. kijkt me eens scherp aan.

'*Frühstück* betekent ontbijt in het Duits,' zegt de uitgever ten slotte. Hij houdt me zijn Montblanc voor.

Zonder er geloof aan te hechten, parafeer ik onder aan het document, dan zie ik een andere naam die over de bladzijde verspreid staat: Vidkun Venner.

'De eerste overboeking staat in de loop van de week op je bankrekening,' voegt F.L.K. er met zure stem aan toe.

'Maar wie is die vent?'

F.L.K. krabbelt een adresje op een Post-it, dat hij op mijn exemplaar van het contract plakt, alvorens het aan me te geven.

'Nu is het jouw beurt, Anaïs.'

Ik bijt op de binnenkant van mijn wang en lees het geeltje eens: *Vidkun Venner, Impasse du Castel Vert 16, Parijs 18de.*

Bij het verlaten van de uitgeverij loop ik in een waas tot de Place Saint-Germain-des-Prés. Mijn bewustzijn roept: 'Een taxi!' zoals je smeekt: 'Lucht!'

Ik zou moeten dansen van geluk, de mensheid dankbaar zijn, aardige dingen zeggen tegen de voorbijgangers, de daklozen, de contractarbeiders. Maar nee, ik voel slechts onpasselijkheid opkomen: ik voel me schuldig. Maar alles gaat hartstikke goed, zeg ik tegen mezelf, terwijl ik in een grijze metallic Audi stap.

'Rue Paul-Bourget, bij de Porte d'Italie...'

Ondanks het comfort van de auto en de muziek op de radio – een oude hit van Michel Fugain, over nostalgie – wordt de knoop van de angst aangetrokken.

'O nee toch, verdomme! Toch niet nu!'

Dat is onrechtvaardig! Ik werp me achterover op de bank en verkreukel het contract tussen mijn handen, als een talisman. De flats schieten in de achteruitkijkspiegel voorbij. Nu kan ik me wel voorhouden dat elke sterke emotie – goed of slecht – altijd hetzelfde effect op mij heeft; door dit gevoel van wetteloosheid, van bedrog, wil ik onder de grond verdwijnen, niet meer bestaan. Ik kan er niets aan doen.

De taxi stopt.

'Zijn we er al?...'

'Nou en of!' roept de chauffeur. 'Dat is dan elf euro.'

Zonder na te denken stop ik hem een biljet van twintig toe en stamel: 'Laat maar zitten.'

De chauffeur fluit even bewonderend, maar neemt niet de moeite mij te bedanken en vertrekt zo gauw mogelijk (wie weet, misschien kom ik terug op mijn vrijgevigheid). Ik zie de auto wegrijden en denk: zoals Clemens zou zeggen, geld moet rollen.

Maar dat montert me niet op. Integendeel, ik voel me steeds gedeprimeerder. Het is ook nog eens gaan regenen. Motregen, lauwwarm, beladen met vervuiling. Zo'n nazomers regentje dat de Parijzenaars eraan herinnert dat ze binnenkort aan het werk moeten. Voor je het weet lopen we weer in truien: verkoudheid, griepkorrels. Met gebogen hoofd loop ik door. Vooral niemand aankijken! Met gefronste wenkbrauwen moet ik onder het lopen mijn best doen het ritme van mijn passen niet te verliezen.

'Eén... twee... één... twee...'

Het is maanden geleden dat ik in een crisis van een dergelijke omvang verzeild ben geraakt. In mijn hoofd loopt alles door elkaar. Dan denk ik aan Lea, die me al jaren aanraadt een psycholoog op te zoeken: 'Dat zou ten minste een paar van je problemen regelen, meisje!' Over het algemeen houd ik alle luiken gesloten. Mijn demonen zijn van mij, ze zijn mijn geheim, mijn stukje vrijheid en intimiteit, hoe onleefbaar ook. Maar ze verjagen zou neerkomen op verkrachting. Allemaal bezwaren die Lea trouwens nooit zou erkennen.

'Je zoekt altijd smoesjes, meisje!'

En daar sta ik dan voor mijn flat. Nu zit mijn maag in de knoop. Terwijl ik de digitale code intik, denk ik aan Clemens. Het probleem is dat ik nooit ronduit nee tegen hem heb durven zeggen. Als hij kijkt als een geslagen hond, dan kan ik daar geen weerstand aan bieden. Wat heeft hij me nu weer in de schoenen geschoven? Een levensgevaarlijk geheim? Nazi's in 2005? Maar Clemens zou me nooit zomaar hebben uitgeleverd aan die vos van de uitgeverswereld.

Bovendien, honderdvijftigduizend euro!

De hal. De lift. Weer kapot! Vreemd genoeg deins ik niet terug voor het idee de elf verdiepingen te voet te moeten beklimmen. Dan heb ik tenminste een echte reden om uitgeput te raken. En is het niet dezelfde Lea die mij ook altijd achter mijn broek zit met sport?

'Ga dan toch met me mee roeien, dat reinigt de geest ook.'

Toch weet ze dat ik elke vorm van collectieve activiteit verafschuw: kantoor, teamsport, menigten, het staat me allemaal tegen.

'Twaalfde verdieping.'

Ik ben er bijna: mijn appartement, nummer 304, is achter in de gang. De deur piept. De vertrouwde geur van een tweekamerflat. Ik voel me al beter. Hier kan ik tenminste ademhalen. Een schaduw schiet tussen mijn enkels en miauwt.

'Hallo!'

Ik streel de enige die mij niets te verwijten heef: Graguette, een grote zwarte panter, die uit eigen vrije wil bij mij is komen wonen. Ik weet niet meer wie heeft geschreven dat katten beesten zijn die nooit gedag zeggen. Ik leg mijn tas naast de telefoon. Hé, mijn antwoordapparaat knippert. Kan me niets schelen, eerst naar de koelkast, een beetje melk voor de kat, de rest van de fles drink ik wel leeg. De vloeistof glijdt door mijn keel als het beste medicijn, doortrekt me, verzacht, masseert, en alles wordt rustig. Melk, kalmte en genot. Ik kan er liters van op, dan hoef ik ook geen kalmerende middelen te slikken. Niet dat ik het lekker vind – het feit dat dit een dierlijke vloeistof is, gefermenteerd in de buik van een beest, staat me eerder tegen – maar het kalmeert mijn zenuwen.

Hijgend veeg ik mijn mond af met de rug van mijn hand en ik maak een witte streep op mijn zwarte trui. Niet erg sexy! Nou en? Ik kan nu wel een wasmachine aanschaffen. Ik zet de fles in de gootsteen en trek mijn schoenen uit. Aan de muur tegenover me hangt een grote kurkplaat die ik als agenda gebruik. Briefjes van allerlei kleuren vormen daar het plan voor de komende weken, voor artikelen die ik moet redigeren.

Sommigen zouden er helemaal stapelgek van worden, ik vind er mijn ruggengraat.

Vier banen, vier kleuren: TERUG TE GEVEN/ TERUGGEGEVEN, TE BETALEN/BETAALD. En dan de lijst – vrij lang – van mijn activiteiten van het ogenblik. Boekkritieken, filmkritieken, platenkritieken, onderzoek, interviews, portretten... Al vier jaar, sinds ik de school voor journalistiek heb afgemaakt, jongleer ik met stukjes, redacties (*L'Express, Elle, Technikart, Marie-Claire,* soms *Paris-Match*) en pseudoniemen (behalve Anaïs Chouday, Clémence Anis, Anne Clémine, Annie Clemens, en zelfs Clelie Anus, voor een erotisch maandblad).

Maar dit contract dreigt alles op de helling te zetten. Honderdvijftigduizend euro wordt een mantra die ik stamel terwijl ik me op mijn oude Ikea-futon laat vallen. Mijn eerste aankoop toen ik in Parijs kwam, zeven jaar geleden. Betaald met een baantje als serveerster in een café op de Butte aux Cailles.

Stiekem denk ik nu: ik kan een kingsize bed bij Lit National gaan aanschaffen! Ik betrap me er zelfs op dat ik me er bij voorbaat al op verheug.

'Meisje, je verburgerlijkt!' zou Lea zeggen.

Nou en? Misschien dat ik me nu eindelijk eens met mezelf bezig kan houden. Ergens anders mijn kleren kan gaan kopen dan in de Monoprix, me eindelijk eens als een meisje gedragen. Me niet meer hoeven te verbergen achter een zonnebril, met te grote truien, in mijn oude spijkerbroek. Op de redacties heb ik de reputatie van aseksueel meisje, de enkele keer dat ik er kom, ik werk liever per e-mail. Bij de boekendienst van *l'Express* heb ik achter mijn rug al horen mompelen: 'Ze is best leuk hoor, Anaïs, maar wel een non in burger.'

En dan te bedenken dat ze me in de hoogste klas de 'bom' noemden of ook wel minder aardig de 'boem'. Mijn vriendinnen waren jaloers op mijn maten, de jongens zaten onder gymles naar me te loeren. Een normaal meisje zou de verleidster zijn gaan uithangen, maar ik heb een raar gen, ik verwerp mijn eigen lijf.

'Vijfentwintig jaar oud, geen echte baan, geen echte familie, geen echte vent... Wat een verspilling!' zeg ik hardop, spelend met de staart van Graguette, die op mijn schoot is beland. En daar krijg ik de blues weer. Ik haal eens diep adem en concentreer me op mijn afspraak van morgen.

'Ik zal sterk en overtuigd moeten overkomen bij die... Vidkun Venner. Wat een rare naam!'

Ik zet mijn Mac aan en roep Google op.

'Eens kijken... Vidkun Venner...'

De computer maalt een halve seconde. En dan... niets... geen treffer, geen foto. Een onbekende.

'Een spook,' zeg ik, met een vreemde vrees. Maar een vet spook! Een zeer rendabel spook! Een ectoplasma van honderdvijftigduizend euro! Voor die prijs kan ik wel kippenvel verdragen. Maar wie is die vent die een toch al substantieel voorschot kan opvijzelen zonder dat F.L.K. een kik geeft?

Ik moet weer aan Clemens denken. Het is toch ook dankzij hem. Ik ben hem wel wat schuldig... en daar zal hij wel om komen ook! Hoewel ik me aan hem erger, is die jongen mijn steun en toeverlaat. Ik weet dat hij meer zou willen zijn, maar de zeldzame omhelzingen – als we dronken zijn, of als ik hem help een manuscript te corrigeren – zijn altijd mijn schuld geweest, ik heb hem laten begaan.

'Clemens, we zijn vrienden, meer niet.'

Hoe vaak heeft Clemens dat niet moeten horen, die zinsnede, als hij wakker werd? Hij zegt er nooit wat op, haalt slechts zijn schouders op, een beetje berustend, een beetje ironisch. Op een of andere manier vindt hij deze schijnoplossing wel aardig. Hij weet dat ik te wild, te vijandig ben om me zomaar te laten verleiden, maar hij geniet van die intieme ogenblikken, als evenzovele fonkelingen die hij aan de schemer heeft ontrukt. Op onze manier vormen wij een stel. Periodiek, uit luiheid. Het biepje van het antwoordapparaat wekt me uit mijn dromen. Elk uur meldt dat ding het aantal boodschappen. Een tenenkrommende mechanische stem meldt: 'Er is één boodschap voor u.'

De misselijkheid komt weer opzetten. Gemener. Als een golf. Met klamme handen druk ik op het knopje van het apparaat.

'Nanis, dit is je vader. Ik wilde je alleen even gedag zeggen, zoals elke week. Je weet dat je mij kunt bellen wanneer je maar wilt. Dat ik altijd klaarsta voor je. Dat...'

'Nee toch!' zeg ik, terwijl ik de hoorn erop smijt.

'Boodschap gewist.'

Mijn schuldgevoel komt meteen keihard terug. Mijn vader is de ergste katalysator daarvoor. Ik moet aan iets anders denken! En snel ook! Ik bedenk dat het misschien niet zo'n gek idee zou zijn om wat meer inlichtingen in te winnen over het onderwerp alvorens die mysterieuze mijnheer Venner te gaan opzoeken. Meteen trek ik mijn jas aan, ik pak mijn sleutels en doe de deur open. Terwijl ik te voet elf verdiepingen afdaal, richt ik mijn gedachten door te herhalen: 'Lebensborn, Lebensborn, Lebensborn...'

'Lebens... wat?'

'Lebensborn.'

De verkoper met zijn blauwe vest tikt wat in op zijn computer en zet daarbij een berustend gezicht.

'Helemaal niets,' zegt hij, terwijl hij een stapel boeken opzijschuift om op de toonbank te kunnen leunen. 'Maar kijkt u eens bij de afdeling Derde Rijk of Holocaust. Daar zult u wellicht in het register uw... Lebensding vermeld vinden.'

'Dank u.'

Ik ben verbaasd. 'Normaal gesproken vind je alles bij Gilbert,' zeg ik terwijl ik de opschriften van de kasten naloop: 'Geschiedenis... Europa... Duitsland... Weimarrepubliek... Derde Rijk... Holocaust...'

De betreffende delen staan op vloerniveau. Ik hurk en raak daarbij de enkels van een student die mij een onbetamelijke blik toewerpt. Arme sukkel! Ik negeer hem en draai mijn nek om de rugtitels te ontcijferen: *Dagboek van Spandau*; *Vrouwen van Hitler*; *Gesprekken in Neurenberg*; *Het hof van Lucifer*; *In het hart van het Derde Rijk*; *Hitler, een carrière...*

Plotseling pak ik op goed geluk een titel, *Het grote boek van de deporta-*

tie. Ik kijk in het register. Maar weer verwarren de woorden zich in mijn hoofd, de letters trekken langs mijn blik, zonder samenhang, zonder betekenis, want de stem van Venner klinkt in mijn geheugen: 'Ik verwacht u om tien uur, voor Frühstück…'

Frühstück… En ik spreek geen woord Duits! Duitsers kunnen me geen moer schelen. Ik heb geen enkele mening over hen. Mijn overtuiging heeft me altijd tolerant doen zijn, open van geest, maar ik geef de voorkeur aan neutraliteit.

'Ik ben tegen alle onrechtvaardigheid zodra ik er niet meer door kan leven!' zeg ik vaak tegen Lea, om die suffragette op de kast te krijgen, in de aanvalshouding voor elk gevecht. Hoe vaak heeft mijn vriendin me niet meegenomen naar betogingen? Voor illegalen, tegen het Front National, de hervorming van de tijdelijke contracten, de 'smerige wetten van fascistisch rechts'… van alles en nog wat. Uit nieuwsgierigheid ben ik meegegaan. Om de koppen te zien, grepen uit het leven, onsamenhangendheden. Dan kom ik er eens uit en zij vindt het fijn.

'Misschien wordt het ooit nog wel wat met jou,' zegt ze me dan op achterdochtige toon, terwijl ze een spandoek in een grote zak stopt. 'Het is wel wat anders met dat rijkeluiszoontje waarmee je bevriend bent.'

Dat rijkeluiszoontje… Zo noemt zij Clemens. Of ook wel 'het verwende kind', of 'Richie Rich'… En toch sta ik minder dicht bij de ideeën van Lea, die zo grof en zo beperkt zijn, dan bij die van Clemens… want die heeft er helemaal geen! Over het algemeen ben ik afkerig van dogmatische idealen, van onbuigbare beginselen… in feite van alles wat me aan mijn vader doet denken. Ik haat het gevoel vast te zitten aan regels of in een keurslijf. Vandaar mijn onvoorwaardelijke onafhankelijkheid, die mij tot vrije geest bestempelt (dat hoop ik althans).

Plotseling kijkt iedereen me aan, klanten en verkopers, agressief, alsof ze van de beveiliging zijn. Ik schrik op en begrijp het: mijn mobieltje gaat over. De Radetzkymars van Strauss (ik heb dat belsignaal nooit kunnen veranderen!) schalt door de boekhandel. Met trillende handen moet ik wel opnemen om hem het zwijgen op te leggen.

'Ha… hallo?'

'Met Clemens.'

'Hoe is het?'

'En met jou? Je stem klinkt zo raar.'

Ik fluister: 'Ik ben in een boekhandel.'

Een vijftigjarige werpt me een geërgerde blik toe. Ik draai me om, klem het mobieltje onder mijn kin en sla machinaal nog meer boeken open.

'En?' vraagt Clemens. 'Is het goed gegaan? Je had me wel even kunnen opzoeken na je afspraak.'

Ik moet weer denken aan mijn pokerspel van die ochtend en hervind wat zelfbeheersing.

'Het is heel goed gegaan,' zeg ik terwijl ik het zoveelste register napluis. 'Ik zie die vent, Venner, morgenochtend.'

'Heeft de baas je iets over hem verteld?'

'Hij wilde me niks vertellen.'

Clemens grinnikt en verduidelijkt: 'Ik heb hem één keer gezien. Hij heeft een nogal vreemde reputatie.'

Ik luister verstrooid en loop het register na: *Auschwitz, Bormann, Dachau, Furtwängler, Goebbels, Himmler...*

'Hoezo "vreemd"?'

'Nou ja, dat schijnt.'

Lebensborn.

'Ik bel je zo terug!'

Ik hang op zonder hem te laten uitspreken. Een noot, en die verwijst naar een fotokatern. Ik sla de bladzijde op. De foto is zwart-wit: baby's in wiegjes, omgeven door verpleegsters en SS-officieren. Iedereen glimlacht, al is er een onpeilbare triestheid. Stijve nekken, glimmende ogen, net doden. Daaronder de tekst: *Haus Steinhöring, Beieren, 5 april 1940.*

Ik voel een misselijkheid opkomen die niets te maken heeft met mijn schuldgevoel. In wat voor wespennest ga ik me steken?

Ik blader door het boek en raak nog meer gespannen. Het volgende hoofdstuk is gewijd aan medische experimenten in concentratiekampen. Ik vind daar diezelfde goedlachse officieren terug, en dezelfde dikke verpleegsters. Maar nu staan ze te midden van toegetakelde, in stukken gesneden lijken. Wat me het meest opvalt is dat de enige menselijke ogen op de foto die van de slachtoffers zijn.

In wat voor wespennest steek ik me? In wat voor wespennest steek ik me?

'De Impasse du Castel Vert? Dat is de derde links.'

Een lange zwarte vrouw trakteert me op een brede glimlach, maar versombert meteen, om er op vreemde toon aan toe te voegen: 'Normale mensen komen daar niet, dat weet u toch wel, hè?'

'En waarom niet?'

'Dat is het engelenhuis...'

'Engelenhuis?'

De dame begint te schaterlachen en loopt weg, ze lijkt in haar bonte boubou over het trottoir te glijden.

'Naar het schijnt is het een engel,' kakelt ze nog verder, terwijl ze zich naar de zon wendt. 'Maar ik geloof niet in engelen.'

Haar stem gaat verloren in het straatlawaai en ik zie haar verdwijnen tussen de andere gestalten. De warmte maakt de wijk tot een mierenhoop: auto's bumper aan bumper, openstaande ramen van waaruit gesprekken worden gevoerd tussen het ene huis en het andere, straatverkopers met fruit, elektronica, kinderen die verstoppertje spelen tussen de vuilnisbakken, mensen die een luchtje scheppen bij de open voordeur, en mij verrast aankijken.

Ik ben nog nooit in dit deel van Parijs geweest, tussen de Goutte d'Or en de Porte de la Chapelle. Hier overheerst rode, groene, gele, blauwe, oranje, roze kleding, hier wordt hardop gesproken, klaterend gelachen, ruig, schitterend, warm, allesomvattend en toch wanhopig genoten.

Ik kikker op, dit geeft mij moed. Ik sta al snel bij de ingang van de steeg en denk: maar wat moet die vent hier in deze wijk?

Terwijl ik de steeg in loop, duiken drie kinderen op uit een deur en duwen mij aan de kant onder het slaken van indianenkreten.

'Boenga! Boenga!'

Hun geschreeuw verdwijnt in de straat, plotseling sta ik daar alleen. En opeens verandert het decor. Zonder acteurs wordt dit theater somber. Deprimerend. De muren lijken opeens vies, alle luiken hangen scheef, ruiten zijn kapot.

Ik ril. Luguber! Achter in de steeg zit een traliehek in een hoge muur, waarachter ik bladeren onderscheid. Op de muur een bord: CASTEL VERT. Ik kom schuchter naderbij. Achter het hek, tussen de tralies door, zie ik bomen, een gazon, bloembedden. Daar kan ik niet bij. Opeens een paradijs, midden in Parijs!

Terwijl ik met mijn vingers langs de tralies ga, wordt de poort opengerukt, waardoor ik me rotschrik.

Een uitschuifbare cameralens in de muur wordt op mij gericht.

'Rechtdoor achterin,' hoor ik een metaalachtige stem zeggen. Maar ik heb nog niet eens gebeld, denk ik terwijl ik het park betreed. Met het geluid van brekende botten slaat de poort achter me dicht. Wat zal Lea hiervan opkijken als ik het haar vertel! Als ik tenminste terugkom…

De tuin is voorbeeldig bijgehouden. Grindpaadjes slingeren zich tussen bloembedden en fruitbomen. Rechts zie ik een moestuin. Middenin een echte granieten put, en als ik er voorbijloop kan ik niet nalaten er even in te kijken. Alles ziet er hier hartstikke zen uit. Gefascineerd door de tuin heb ik het huis niet eens gezien.

Zo, zo... zeg ik bij mezelf, in navolging van de oude vrouwtjes op de markt van Issoudun in mijn jeugd. Plotseling sta ik voor een achttiende-eeuws jachtpaviljoen, waaraan een pretentieuze architect twee torentjes heeft toegevoegd, een daarvan getooid met een windwijzer in de vorm van een haan. Drie verdiepingen, een witgekalkte gevel maar begroeid met klimop en rozenstruiken, een fronton met een reliëf van een leeuw die de zon inslikt. Ik moet ook slikken, als een studente voor een groot tentamen, want ik zie daar iemand staan. De ingang van het huis wordt getooid met een bordes, dat uitkomt op openslaande deuren, en daar staat iemand me op te wachten.

Venner...

Ik durf niet naderbij te komen. Opeens word ik gegrepen door paniek. Ik draai me om, probeer de tuinpoort te zien, maar alles verdwijnt nu in het lommer. Gezien vanuit de tuin is ook de muur bedekt met klimop. De andere huizen van de steeg zijn niet meer te onderscheiden.

'Juffrouw Chouday!'

Weer moet ik slikken, maar ten slotte loop ik dan toch maar naar het huis toe. De man komt het bordes op. Het is een gedrongen ventje van een jaar of vijftig, nogal vierkant, de kin getooid met een rood baardje. Ik zou zweren dat hij zich geschminkt heeft, want zijn grote meisjesogen gaan schuil achter verbazend lange en fijne wimpers. Ook zijn pak verrast me: hij draagt een das, maar hij heeft een schort voor.

'Goedemorgen,' zegt hij terwijl hij een buiging maakt. 'Ik ben Fritz. De heer Venner wacht op u in de bibliotheek.'

In tegenstelling tot de tuin is het huis gedompeld in halfschaduw. Het is koud hier. De vertrekken ruiken naar boenwas, oud leer en houtvuur. Het ruikt naar een lange winter, het soort lucht van een familiegeheim. Aanvankelijk zie ik niet veel. Alleen maar schaduwen van meubels, prullaria, op elkaar gestapelde tapijten. Dan valt een zonnestraal op een schilderij, bij de deur, en moet ik een kreet onderdrukken: het is een portret van Hitler.

'Komt u maar mee,' zegt Fritz.

Hij loopt deftig vooruit, opent een krakende deur achter in de hal. En nu staan we in een gang. Ik loop bijna tegen meubels op, struikel zowat over de tapijten.

'Is er geen elektriciteit?' zeg ik in een stilte die steeds zwaarder begint te wegen.

'O, jawel!' verzekert Fritz zonder te blijven staan. 'Houdt u mij maar vast, als u bang bent te vallen.'

Die zin wordt geheel neutraal uitgesproken, met iets van een Duits accent, op de toon van een oude Beierse hertogin. Na even aarzelen pak ik de band van zijn schort vast en loop achter de huisknecht aan in een doolhof van gangen, trappen en donkere vertrekken. Dit is het spookhuis van de Foire du Trône, gaat het door me heen, terwijl we naar beneden gaan. Ik kan wel heel kranig doen, maar ik voel me steeds minder op mijn gemak.

'Is het nog ver?'

'Wij zijn er bijna,' antwoordt Fritz op suikerzoete toon. 'Het huis is veel groter dan het lijkt. Het is naar beneden toe gebouwd.'

Hij opent weer een deur en ik word verrast door de lucht. Een uitermate sterke chloorlucht.

'*Mein Herr, die junge Frau ist hier,*' zegt de huisknecht, en hij doet een stap opzij.

'*Ach, gut!*'

Ik weet niet meer hoe ik het heb! Ik sta boven aan een metalen wenteltrap, die afdaalt naar een rond vertrek, ruim tien meter lager. Het plafond is een grote beschilderde koepel. Sommige muren zijn bedekt met boekenkasten, andere getooid met schilderijen, spiegels en vreemde voorwerpen. Onderin zit een man aan een groot mahoniehouten bureau in een map tekeningen te bladeren. Hij lijkt ons toe te lachen.

'Kom toch beneden, Anaïs, kom.'

Die stem. Sinds mijn afspraak bij F.L.K. was ik al bang die weer te horen, en ik krijg weer zin om te vluchten. Overlevingsinstinct. Maar Fritz doet de deur dicht, met een metalen klik.

'Houd je goed vast aan de leuning.'

Onderdanig blijven, zeg ik tegen mezelf, terwijl ik naar beneden ga. Tenslotte is dit slechts uiterlijk vertoon. Mijn schoenen weergalmen op de metalen treden.

'Dit vertrek is oeroud.'

De man staat op en loopt naar de trap toe. Maar ik moet me concentreren op de treden, want mijn hakken blijven steken in het metalen raster.

'Het is een grot,' vervolgt hij, 'een prehistorische grot die door de eerste christenen werd gebruikt, in de tijd dat ze nog vervolgd werden.'

Ik begin het decor te onderscheiden. Er is weinig licht in het vertrek: slechts een grote lamp op het bureau en groene buislampjes bij de boeken.

'In de middeleeuwen is het de kelder van een klooster geworden. Toen is het huis verwaarloosd tot de negentiende eeuw, tot een rijke koopman

31

uit de buurt, die aan alchemie deed, liet bouwen wat hij zijn "Castel Vert" noemde.'

Ik ben bij de onderste trede. Alsof hij met me speelt, doet de man twee stappen achteruit, en verdwijnt in het halfduister.

'Het geheel is in de Tweede Wereldoorlog gevorderd en het vertrek werd een bunker, met gaanderijen die in verbinding stonden met de metro en de catacomben.'

Hij lacht kirrend voordat hij daar op samenzweerderige toon aan toevoegt: 'Castel Vert was een bordeel voor SS-officieren.'

Ik ben zijn spelletje meer dan zat. Ik schep zo veel mogelijk moed, frons mijn wenkbrauwen en loop met gedecideerde pas naar voren. Dan komt de man uit het halfduister, buigt en klakt met zijn hakken.

'Dag, Anaïs, ik ben Vidkun Venner.'

De engel, denk ik, nu daagt het mij, terwijl hij me de hand kust.

1987

Je ziet duidelijk dat het lijk is verbrand. En daarna opgehangen. De geblakerde huid doet denken aan die donkere groeven die entrecotes sieren. Die sappige, glimmende strepen die je het water in de mond bezorgen. Maar dit lijk lijkt even droog als harde worst. Een grote, verkoolde plak, zonder sappen, doder dan droog riet.

Het gezicht – als je het zo kunt noemen – is een halfdoorzichtig groot gat, waaruit een blauwe tong steekt.

'Zo ver kun je je mond toch nooit opensperren!' zegt een van de mannen, die zijn elleboog staat te krabben (teken: in dit seizoen stikt het ervan in het bos).

Zelfs de tanden zijn zwart van het roet. Stompjes sintel.

'En die ogen, lieve hemel!' zegt een ander walgend.

Die ogen... als je die zo kunt noemen. Lychees in een bankschroef.

'Ongelooflijk dat die niet uit hun kassen zijn gesprongen!' merkt een derde op.

'Het is hier ijskoud! Ik hoop dat die smerissen eens opschieten. Anders hebben we nooit tijd genoeg om te voet de boerderij van Paschetta te bereiken. Zelfs de honden zijn het zat!'

De man heeft gelijk: de vijf spaniëls lijken in het rond te draaien, aan de rand van dit bos in Zuidwest-Frankrijk. Soms blijven ze even onder het verkoolde lijk staan om te grommen, alsof hun meesters worden bedreigd.

Zij zijn het trouwens die het lijk gevonden hebben. Het was nog geen zes uur in de ochtend en ze roken vanuit de velden de lucht van gebraden vlees, waarop ze zich op het bos hebben gestort.

Nog maar net wakker – de allereerste ogenblikken zijn het moeilijkst, daarna wen je aan die zondagochtenden – moesten de jagers ze wel volgen. En toen ze het lijk zagen schreeuwden de mannen: 'Godallemachtig!'

'Krijg nou wat!'

Ze stuurden de jongste eropuit om de politie te gaan halen.

'Dat is toch het beste wat we kunnen doen, of niet?' vroeg een van hen langs de neus weg.

'Zo hebben we even pauze,' zei een ander, en hij haalde uit zijn tas een fles gaillac en een kurkentrekker. Nu wachten ze, gehurkt op het mos. Eigenlijk stoort de dode ze niet. Maar uiteindelijk dringt de dauw toch door hun jagersjassen heen en het stuk cantal in de keuken van de boerderij, bij het krieken van de dag, lijkt steeds verder weg. Daarom haalt de oudste maar een stuk leverworst uit zijn tas, dat hij met zijn Laguiolemes aan stukjes snijdt.

'Vorige week hebben we geslacht... Hij is kersvers!' zegt hij terwijl hij de stukken verdeelt. Al snel heeft iedereen de mond vol en blaffen de honden omdat ze ook wat willen.

'Houd je bek!' moppert de man met de Laguiole, voordat hij het restje worst naar ze toe werpt en de honden zich erop storten. Vervolgens heft hij zijn glas naar het lijk en bralt: 'Vooruit, jongen, dankzij jou zitten we ons nou te bezuipen!'

En hij begint te schaterlachen.

Maar de anderen kijken wat zuinigjes.

'Nou zeg, heb ik iets verkeerds gezegd?'

Niemand zegt iets, allemaal kijken ze naar de heuvel, achter hem. De man draait zich om en begrijpt het.

'Ach verdomme, de spelbrekers!'

Twee figuren dalen onhandig de helling af van de Tarn, stappen tussen de paarse wijnranken door.

'Kijk, daar heb je de sterke arm!' wil de man met de Laguiole nog grappig wezen, zonder succes.

'Goedemorgen, heren!' zegt de oudste van de twee smerissen, gestoken in een vieze regenjas. 'Commissaris Chauvier, uit Toulouse.'

Zonder iets te zeggen houdt een jager hem een bekertje gaillac voor. Chauvier bedankt door even met zijn ogen te knipperen en slaat het vocht achterover. Hij sluit zijn grote oogleden. Zijn kale voorhoofd en zijn vierkante en grove, slecht geschoren gezicht lijken meer kleur te krijgen.

In zijn mond vermengt de zure smaak van deze landwijn zich met die van de oude koffie op het commissariaat. De smeris hoest en wijst op zijn kameraad. 'En dit is inspecteur Linh Pagès.'

De jagers kijken naar de jonge Aziatische agent, mager en zo lang dat hij er krom van loopt.

'Pagès? Dat is de naam van een landstreek.'

Linh zet een nors gezicht, hij kent dit. Maar alsof hij zich verplicht voelt zich te rechtvaardigen antwoordt hij met tegenzin: 'Mijn vader kwam uit Toulouse, maar mijn moeder is Vietnamese.'

Chauvier loopt op het lijk af.

'Wie van u heeft het gevonden?'

'Wij niet,' antwoordt de minst beschonkene, 'dat hebben de honden gedaan. Meestal lopen we om de wijngaarden heen, en we gaan nooit door het katharenbos.'

'Het is de grond van meneer de burgemeester,' verduidelijkt een ander, terwijl hij aan zijn adamsappel krabt. Onder zijn patroongordel steken stukjes bleke huid uit en Chauvier ziet restjes vuil tussen de plooien van de buik.

'Hoe laat was dat?' vraagt Linh.

'Rond kwart over zes.'

De jagers bevestigen dit met een hoofdknik.

'We vertrekken altijd vanuit mijn huis,' vervolgt hij. 'Dat is die grote boerderij als je naar Paulin gaat.'

De man wijst naar een vierkant gebouw, boven op een heuvel in de verte. Er komt rook uit de schoorsteen. De dag is aangebroken. De avond ervoor is de wintertijd ingegaan. Dat is een geluk voor de jagers, want die winnen zo 's morgens vroeg al een uur. Op hetzelfde ogenblik strijkt een ijskoude bries tussen de wijnstokken door en slaat ze in het gelaat.

'Toen de honden aansloegen waren we aan de andere kant van het bos. We hadden algauw door dat er iets niet in orde was.'

'Want anders,' onderbreekt de man met de witte pens, 'waren wij nooit op het terrein van kasteel Mirabel gaan jagen, meneer de burgemeester ziet dat niet graag.'

Met een eerbiedig gebaar wijst hij op een kasteel dat boven de wijngaard en het bos uittorent. Het is een solide gebouw van roze baksteen, met vier torens, typisch in katharenland. Een vleeskleurig kasteeltje, dat het licht opvangt alsof het een teer jong meisje was. Aan weerszijden van het gebouw dienen parasoldennen en ceders als vestingmuren. De net verschenen oktoberzon verlicht het geheel.

Chauvier loopt naar het lijk toe. De voeten hangen op neushoogte en zwaaien zachtjes in de wind. De jagers gaan weer zitten. Na even aarzelen trekt een van hen een nieuwe gaillac open. Van zijn kant geeft Chauvier Linh een teken bij hem te komen. Beiden trekken rubber handschoenen aan om het stoffelijk overschot te betasten.

'Het vuur heeft huid en kleding verschroeid,' merkt de Aziaat op.

Chauvier knijpt in zijn neus, een nerveuze tic. Van de lucht heeft hij geen last; hij heeft veel erger meegemaakt.

Linh merkt op: 'Het lijkt wel of hij glimlacht.'

Zeker, een glimlach, maar krampachtig. Verstard in een stomme kreet. En dan die tanden! Snijtanden en kiezen steken als een winterse maan uit het gezicht. De agenten blijven voor het lijk staan, dat met de regelmaat van een metronoom heen en weer zwaait. Ze worden door een stem uit hun overpeinzingen gerukt.

'Dit lijkt wel een inval!'

Een scherpe toon, zonder zuidelijk accent, bijna gekunsteld. Alle jagers springen op.

'Goedemorgen, meneer de burgemeester!'

Chauvier, die het lijk bekijkt, neemt niet de moeite zich tot de nieuwkomer te wenden. Linh legt een hand op zijn schouder.

'Commissaris!'

Maar Chauvier maakt zich los met een onhandige beweging, alsof hij moeite heeft met het beklimmen van een obstakel.

En weer die spottende stem: 'Commissaris! Wat een eer!'

De man loopt om het lijk heen en plant zich tegenover de oude smeris. Chauvier zet zich schrap.

God, wat is hij oud, denkt hij. Minstens tachtig. En dan die strohoed op zijn kop, terwijl het herfst is! Klein, snel en sterk, met zilvergrijze haren, strak achterovergekamd, waardoor het blauw van zijn ogen beter uitkomt, steekt de burgemeester hem een hand toe.

'Claude Jos. U komt niet uit het departement, wel? Ik geloof niet dat ik u ooit hier heb gezien, commissaris... commissaris?'

'Chauvier. Uit Toulouse.'

Jos neemt de houding aan van een patriarch.

'Ik stel mij zo voor dat u mij wat vragen hebt te stellen. Zal ik het u meteen maar zeggen: ik heb geen idee wat er zich in mijn bos kan hebben afgespeeld. Mijn landgoed strekt zich uit over meer dan 350 hectare en er staat geen prikkeldraad omheen.'

Machinaal, met schier archaïsche eerbied, keert iedereen zich om naar het kasteel.

Linh is geïntrigeerd. Niet zozeer door het lijk, als wel door de houding van zijn baas. Toen Claude kwam, verbleekte Chauvier. Onmiddellijk! Linh zou er zijn hand voor in het vuur durven steken! Hij zou zelfs gezworen hebben dat de commissaris begon te beven, alsof hij een geest had gezien.

Daarop mompelde hij: 'Ik heb mijn horloge in de auto vergeten, ik ben zo terug.'

Maar hij is nu al een kwartier weg, terwijl de wagen langs de weg staat, aan de rand van het bos! Jos heeft hem met wat achterdochtige ironie zien vertrekken en Linh mocht dus de rituele vragen stellen. Maar de routineuze ondervraging werd al snel onderbroken door de patholoog-anatoom, die tussen de wijnstokken door kwam, zich door de humus heen ploegend.

'Een prachtklus voor een zondagochtend!' gromde hij terwijl hij naar het lijk toe ging zonder iemand te groeten. Sinds vijf minuten staat hij het al te betasten, onder de doordringende blikken van de burgemeester. De jagers zijn stokstijf blijven zitten. Hun flessen liggen op de grond en hun ogen ontleden de jonge agent. Linh weet wat ze bezighoudt: niet zijn vak en niet eens dit lijk, maar zijn olijfkleurige huid, zijn spleetogen, ondanks zijn zuidwestelijke accent.

Arme racistische klootzakken die nooit iets anders hebben gekend dan hun eigen negorij en hun schranspartijen, denkt hij, maar hij blijft kalm.

'Houd jij van lakeend?' vraagt een jager aan zijn buurman.

'Nee, ik heb liever loempia.'

De hele groep begint welluidend te lachen. De burgemeester staat te ver om het te horen. Linh doet net alsof hij niets gehoord heeft. Hij is dit gewend, er is meer nodig om hem op de kast te krijgen. In zijn wijk, op school, lagere en middelbare, evenals op de politieschool, heeft hij voldoende bijnamen gehad om er een schild aan te hebben overgehouden. En met zijn zevenentwintig jaar heeft hij het idee al een paar levens te hebben geleid.

Ik laat me niet pakken door de overheersende stommigheid, houdt hij zich telkens voor. En hij laat langs zich afglijden wat bij een andere agent een 'belediging van een ambtenaar in functie' zou zijn. Linh haalt eens diep adem en wendt zich dan tot de patholoog-anatoom.

'En?'

'En ze is een vrouw, help eens haar los te maken.'

De beide heren leggen het lijk op een zeil, op de grond. De hand van de arts betast de brandwonden. Zwarte resten blijven aan zijn rubber handschoenen kleven, om vervolgens op de grond te vallen.

'Ze is in de eerste plaats verbrand, waarschijnlijk elders, daarna is ze hiernaartoe gebracht en aan die eik gehangen. Als een soort... ritueel.'

'Verkracht?' vraagt Linh uit gewoonte.

'Daar weet ik nog niks van... In elk geval was ze niet piepjong meer. En ik heb dit merkteken.'

'Een merkteken?'

'Ja, op het lijf…'

'En?'

'Daar zou ik de commissaris wel over willen spreken. Maar waar…'

'Hij komt eraan, de commissaris!' zegt Jos, die op hen af loopt, en hij wijst op een wankelende gestalte, vijftig meter verderop. Hijgend strompelt Chauvier tussen de wijnstokken door, met de grootste moeite pogend zijn hartkloppingen in bedwang te krijgen.

'Er is een leeftijd waarop je aan je pensioen moet gaan denken, ouwe!' vonnist de burgemeester. 'Anders moet je aan sport gaan doen.'

Chauvier zegt niets maar lijkt nog steeds de blik van de oude man met de strohoed te ontwijken. Dan klapt Jos in zijn handen en richt zich tot de jagers: 'Heren, de siësta is voorbij!'

Gehoorzaam staan de vijf mannen op. Een van hen laat een boer, bloost, kijkt naar de grond en zegt: 'Neem me niet kwalijk.'

Ze fluiten hun honden, pakken hun geweren en lopen het bos in, niet zonder de pet te hebben afgenomen en te hebben gemompeld: 'Burgemeester…'

Jos bekijkt ze met zijn groene ogen. Een vage glimlach speelt om zijn lippen en hij mompelt: 'Zwijnen… aardig, maar toch zwijnen.'

Op hetzelfde ogenblik komt Chauvier hijgend uit de wijngaard. Linh legt zijn hand op zijn schouder.

'Baas, moet u eens zien.'

De patholoog-anatoom groet Chauvier met een hoofdknik en verklaart: 'Zoals ik al aan uw collega zei, het is een vrouw.'

Hij tilt de verkoolde stof op om een roze kruis te tonen, waarvan de haren rond de vagina lijken samengeplakt. En dan draait hij het lijk om.

'Er is één gedeelte minder verbrand dan de rest,' vervolgt hij, terwijl hij een ander stuk paarse stof bij de onderrug opheft, waaronder de huid geel is gebleven. De arts werkt geconcentreerd en vervolgt nu zachtjes het optrekken van de stof.

'Ziet u wel?'

'Er zit iets op de huid, niet?' vraagt de burgemeester, die even van zijn stokje dreigt te gaan. Chauvier hurkt bij het lijk neer.

'Ja,' zegt de commissaris, 'hier staat iets geschreven.'

'Dat is een tatoeage,' corrigeert de arts. 'En als ik afga op de kleur van de inkt, een heel oude.'

Meteen zet de burgemeester zich schrap, alsof hij een aanval wil voorkomen.

'Kunt u mij vertellen wat een verminkt, verkoold en getatoeëerd lijk in mijn bos moet, meneer de commissaris?'

'Misschien weet u daar wel het antwoord op, meneer de burgemeester,' antwoordt Chauvier, wiens beurt het nu is om hem streng aan te kijken. 'Ik heb u trouwens een paar vragen te stellen.'

Jos slaat ongeduldig zijn ogen ten hemel.

'Ga je gang.'

Linh merkt dat zijn baas weer bleek is geworden.

'Leeft u alleen?'

Jos schudt van nee.

'Ik leef met Aurore, mijn kleindochter.'

Chauvier perst zijn lippen op elkaar.

'Hoe oud is die?'

'Twintig.'

De commissaris aarzelt even voordat hij vraagt: 'Personeel? Bewaking?'

Jos schijnt zich te ergeren aan die vragen, die niet veel te maken hebben met het onderzoek, maar nederig antwoordt hij: 'Er waren nog rentmeesters in de tijd van mijn schoonouders, maar hun onderkomen heb ik veranderd in een bibliotheek.'

Chauvier steekt zijn handen in de zakken van zijn regenjas, alsof hij er iets in wil verbergen. Linh staat steeds meer versteld van zijn houding.

'En verder,' vervolgt Chauvier half hardop, 'nog familie?'

'Mijn zoon en mijn schoondochter, de ouders van Aurore, zijn omgekomen bij een auto-ongeluk toen de kleine vijf was.'

De commissaris slaat zijn handen over elkaar. Niemand beweegt nog. Alleen de patholoog, met een grote bril op de neus, zit in het lijk te porren met de precisie van een reiger.

De stem van Linh komt dus neer als een valbijl: 'En uw vrouw?'

Woedende blikken van de burgemeester en van Chauvier op de jonge smeris. Jos neemt een ontdane houding aan en leunt tegen een boom.

'Mijn vrouw is overleden!'

Verdomme, denkt Linh met een huivering van schaamte. Dit was nou net de vraag die ik niet had moeten stellen.

'Het spijt me,' stamelt de Aziaat.

De burgemeester draait bij, verzonken in zijn herinneringen.

'O, al twee jaar geleden… Anne-Marie is gestorven aan nierkanker, een kwestie van een paar maanden.'

Chauvier heeft geen vin verroerd, maar Linh hoort hem moeilijk ademhalen, net zijn oude R5, als hij een hellende weg op rijdt. Jos loopt naar de wijngaard toe.

'Eerst mijn zoon, toen mijn vrouw,' zegt de burgemeester. 'Ik heb iedereen overleefd. Gelukkig is Aurore er!'

Stilte.

'Ziezo!' zegt de patholoog-anatoom tevreden.

De dokter heeft net het lijk van alle kleren ontdaan.

'Dat zou ik in het lijkenhuis moeten doen, ware het niet dat u nogal geïntrigeerd lijkt door dat merkteken.'

Eenmaal ontkleed heeft deze grote verkoolde buil alle menselijke vorm verloren. Uit de wijdopen mond, plat op de grond, hangt een glazige tong, als een vogel onder de smeerolie.

Linh, Jos en Chauvier treden nader. De commissaris knielt. Hij trekt rubber handschoenen aan en streelt de tatoeage aarzelend.

'Het is wel heel toevallig dat dat door het vuur gespaard is gebleven,' zegt de patholoog, tevreden over zijn werk. 'Op deze manier heb ik de hele tatoeage kunnen blootleggen.'

Chauvier gaat weer staan en probeert de inscriptie te ontcijferen: 'Het zijn cijfers,' zegt hij, 'een cijferreeks.'

Jos fronst zijn wenkbrauwen. Hij schijnt zich niet op zijn gemak te voelen. Linh hurkt naast de commissaris en leest hardop: 'SS-457-209.'

Daarop horen ze achter hun rug het struikgewas ritselen.

'Schatje, ben jij daar?' zegt de burgemeester.

De beide smerissen draaien zich om.

'Dag, meneer,' zegt een jonge vrouw vrolijk, alsof ze hen kwam halen voor een partijtje badminton. Jos loopt naar haar toe en neemt haar in zijn armen. 'Aurore, schatje, ben je al op?'

Onder het lopen wijst de kleindochter van Jos boos op het kasteel. Haar blonde haren in een knoet maken haar vijftien jaar ouder. Ze lijkt uit een oude film gestapt: een kanten nachthemd, een zijden kamerjas... grote rubberlaarzen, om door de wijngaard heen in het dal te komen.

'Die jagers van je zijn herrie schoppend onder mijn raam voorbijgekomen,' zegt ze op kinderlijk verwijtende toon. 'Ze leken wel dronken.'

Haar wangen zijn roze, bijna gelakt. Het zonlicht valt op haar poppenwangetjes, zoals het zo-even de stenen van het kasteel bescheen. Chauvier doet alsof hij onaangedaan is, in zichzelf gesloten. Hij kijkt niet echt naar de jonge vrouw. Maar zijn ogen glanzen vreemd.

Aurore wendt zich vervolgens gefascineerd tot het lijk: 'O, wat mooi!'

Over het lijk gebogen kijkt de patholoog-anatoom het meisje perplex aan.

'Mag ik die tatoeage eens zien?' vraagt ze.

De dokter aarzelt even, wijst dan op het stukje huid. Aurore buigt zich voorover. Met haar neus is ze nu vlak boven het verkoolde vlees, maar ze blijft dat onschuldig goede humeur houden.

'Dat is een SS-tatoeage,' constateert ze, 'maar wel heel vreemd. Ik heb er nog nooit zo een gezien. Vind je niet, grootvader?'

Ze lijkt zo in de wolken over haar conclusie, zo vanzelfsprekend, zo voor de hand liggend, dat Jos er een beetje beschaamd bij staat. Aurore is het soort goede leerling die indruk wil maken op de meester.

'Hoe weet u dat allemaal?' vraagt Chauvier dof.

Hè hè, denkt Linh, opgelucht eindelijk zijn baas terug te vinden. Daarop draait Aurore verbaasd haar hoofd om naar haar grootvader.

'De nazi's lieten altijd hun bloedgroep op hun lichaam tatoeëren, voor het geval ze een transfusie nodig zouden hebben. Maar dat deden ze meestal onder de oksels. Dat weet toch iedereen?'

De burgemeester kijkt steeds beschaamder.

'Ja… nou ja… dat is te zeggen…'

'Grootvader is een belangrijk verzetsstrijder geweest,' vervolgt Aurore, vol aanhankelijkheid. 'Hij heeft in de oorlog de nazi's bestreden. Daarom kent hij hun trucjes, die heeft hij me geleerd.'

Chauvier kijkt Jos met enige walging aan, maar de burgemeester draait zich om.

'Nou goed,' zegt Chauvier, 'voor vandaag lijkt me dit voldoende.'

Hij wijst met zijn wijsvinger op de oude burgemeester en voegt er met ijskoude stem aan toe: 'Meneer Jos, u mag natuurlijk niet uit de streek weg.'

De burgemeester antwoordt niet. Zijn blauwe blikken zijn scherper dan een scheermes.

'Wat vindt u van die tatoeage, baas?'

'Noem me toch niet zo!'

Chauvier heeft een hekel aan het woord 'baas'. Bij 'baas' hoort de oude man 'papa'. De Aziaat beschouwt Chauvier echter als een tweede vader. In de oorlog van Indo-China was korporaal Emile Pagès, zijn biologische vader, bevriend met kapitein Gilles Chauvier. Emile is een jaar of vijftien geleden overleden, toen Linh net in de puberteit was. Hij was fysiotherapeut en werd neergestoken in een buitenwijk van Toulouse, waar hij een oude dame was gaan masseren.

Toen Linh bij de politie ging, heeft Chauvier hem onder zijn hoede genomen, op verzoek van Toan, de weduwe van Emile. Sinds die tijd werken ze vaak samen. Zo kwam het dan ook dat Chauvier hem die ochtend in alle vroegte had gewekt om naar Paulin te gaan.

Op een zondag nog wel, dacht Linh, met een blik op de radiowekker op het nachtkastje dat hij al vanaf zijn jeugd had. Maar zijn oude baas leek heel opgewonden, ondanks een zekere angst in zijn stem. En vervolgens was de ochtend zo verschrikkelijk bizar geworden, een sfeer om te snijden, ongebruikelijk. Of er van alles en nog wat onbesproken bleef. Linh voelde zich buitengesloten. Alsof die twee oudjes, Jos en Chauvier, om elkaar heen draaiden, het zwakke punt zoekend.

Linh vouwt zijn handen en steunt er met zijn kin op. De voorruit van de Renault trilt op de hobbelige weg.

'Gilles, ik heb de indruk dat er iets is wat je me niet vertelt.'

Chauvier antwoordt niet.

Het lukt de commissaris maar niet zijn hartkloppingen te onderdrukken, en het stuur van de Renault glipt tussen zijn handen uit. Hij wil wat zeggen, maar zijn lippen weigeren van elkaar te komen.

Ze rijden door dorpen met kleurrijke namen: Verfeil, Ramel, Fiac... Nog dertig kilometer en ze zijn in Toulouse. Links verdwijnen de toppen van de Pyreneeën in de verte. Rond die toppen hangen nog wat wolken. Maar Linh zal het uitzicht worst wezen, hij kijkt eens ongerust naar zijn baas: hij heeft hem nog nooit zo somber gezien.

'Jij kent deze omgeving, hè?' houdt hij vol. 'Wilde je daarom deze zaak?'

Chauvier wendt zich tot Linh. De jonge agent ziet iemand die vanbinnen geteisterd wordt. Een nooit gesloten wond.

'Kende jij Claude Jos?'

Chauvier schudt zijn hoofd en antwoordt half hardop, verstrooid, bijna klagend: 'Dat weet ik niet.'

'Anne-Marie is dood! En ik dacht haar nog wel veertig jaar later terug te vinden. Wat stom!'

Sinds Chauvier thuis is, in zijn lawaaiige appartement in de Rue Ozenne, teistert die onthulling hem.

'Anne-Marie is dood, godverdomme!' brult hij, terwijl hij alles wat hij net op de tafel in de kamer heeft gelegd wegvaagt. De foto's vliegen alle hoeken van de kamer in. Het appartement van Chauvier is meestal een uitdragerswinkel, een soort koloniaal museum met talloze voorwerpen die hij heeft meegenomen van zijn 'oorlogen', zoals hij ze noemt – dolken, maskers, sabels, fetisjen – maar tegenwoordig, met die stapels archieven, is het een onvoorstelbare warboel aan het worden bij hem. Twee uur geleden heeft de commissaris de oude dozen tevoorschijn gehaald. Die uit de kelder, waar hij nooit aan had durven komen, al in geen veertig jaar.

Was Anne-Marie in veertig jaar veranderd?

Het lukt hem niet zich haar oud en gerimpeld voor te stellen, met verfletste blik en aarzelende loop, reumatiek, ziekte, zwakte.

Anne-Marie kan alleen maar Anne-Marie zijn: verstandig, lichtvoetig, kinderlijk. Dezelfde innerlijke rust als die Aurore heeft. Een gemeenschappelijke gratie, buitentijds.

Chauvier heeft zijn foto's nooit gerangschikt. Sinds hij een streep onder zijn jeugd had gezet, had hij alles in die dozen gestopt. Toen was hij vertrokken. Ver weg: Berlijn, Saigon, Algiers: zijn 'oorlogen', een tweede leven, om het eerste te vergeten.

En toch heb ik een jeugd gehad! En ik was toen iemand anders, bromt een stemmetje diep in hem, als hij zijn oude identiteitskaart terugvindt.

Hij ontvouwt haar en ze valt uiteen tussen zijn trillende vingers, snippers dwarrelen als bleke sneeuw op het puntje van zijn pantoffels.

'Veertig jaar!' zegt hij nog eens hardop.

Hij haast zich de andere foto's op te rapen en versteent dan. Ze is er nog. Voor zijn ogen. Hij dacht die foto kwijt te zijn. Die is genomen in het bos. Ze waren nog geen twaalf: hij, de 'kleine Gilles', en zij, Anne-Marie van Mazas, in haar prinsessenjurk, en die andere, die jonge Duitse, die vlak voor de oorlog gekomen was en wier herinneringen altijd vaag waren.

Hoe heette ze ook alweer, vroeg Chauvier zich af, en wie was ze? Maar hij kan het zich niet herinneren. Alles is zo ver weg. Hij is dat vorige leven vergeten, heeft zich aangewend het te ontkennen. Zoals hij nog ontkent wat er is gevolgd. Wat hij nooit onder ogen had durven komen, een blackout om te overleven. Afstand doen van Anne-Marie betekende zoveel als zijn wortels uitrukken. De pijn stillen, het schuldgevoel dat aan hem vrat.

En die ochtend, toen hij het telefoontje kreeg van de gendarmerie van de Tarn, kwam alles als een vloedgolf opzetten.

Paulin, Mirabel, het katharenbos. Door die woorden is hij boven komen drijven, het lijkt wel alsof hij bijna een halve eeuw in een staat van hypnose heeft geleefd.

De commissaris gaat op de bank zitten en pakt automatisch de afstandsbediening. De televisie staat keihard. Chauvier komt uit zijn trance maar heeft nog niet de macht zich te bewegen. Het nieuws. Het zalvende stemgeluid van Jean-Claude Bourret op het vijfde net, zijn gelukzalige glimlach, zijn uiterlijk van dikke slager.

'Nieuwe onthullingen over de zelfmoord van Rudolf Hess, in zijn gevangenis in Spandau in Duitsland, nu twee maanden geleden.

Hitlers opvolger zou een dagboek hebben nagelaten dat op mysterieuze wijze verdwenen is. De Russische, Engelse, Amerikaanse en Franse autoriteiten geven elkaar de schuld. De Duitse openbare opinie vraagt zich af wat erin heeft gestaan.

Wat kan de laatste grote nazichef hebben onthuld?'

Vanaf die ochtend heeft Chauvier echt de indruk door een woud van tekens te navigeren. Ineens treft hij Jos, in hetzelfde jaar als de dood van Hitlers opvolger. De smeris herinnert zich het grote fort van Spandau, toen hij deel uitmaakte van de Franse bezettingstroepen in Berlijn, eind jaren veertig. Destijds kwam hij wel in de citadel, om die zeven nazigevangenen op te zoeken, vastgemetseld in hun bloedige nederlaag, met wie niemand mocht praten. Ook dat is bijna veertig jaar geleden.

'Veertig jaar!' klaagt Chauvier, voordat hij de televisie uitzet.

Op hetzelfde ogenblik gaat de telefoon.

Hij neemt op: 'Commissaris, met Linh. Ik ben in het lijkenhuis.'

Linh aarzelt even en vervolgt dan: 'Er... er is een groot probleem.'

'Wat voor probleem?' bromt Chauvier.

'Je kunt het beste zelf maar even komen kijken...'

'Ik kom eraan!'

'En wel meteen!' zegt de patholoog-anatoom in paniek op de achtergrond.

Zodra hij de zaal betreedt ruikt de commissaris de zure lucht van formaline. Gewassen – geboend, vraagt Chauvier zich af – ligt het lijk op een metalen tafel.

'Wat is er?'

Linh antwoordt niet, maar knikt naar de arts. Die mompelt wat en loopt naar de tegelmuur om zijn handen te wassen. Hij lijkt uitermate gegeneerd. Rond de kraan staan metalen vaten waarin ingewanden liggen, even bleek als de wangen van de arts. Daarboven, zoals in alle ziekenhuiszalen, het momenteel meest populaire affiche: *Aids krijgt mij niet te pakken*.

'Ik luister,' zegt Chauvier.

De arts droogt zijn handen aan een steriele doek.

Linh wordt ongeduldig: 'Nou, zeg het hem nou, het is toch niet uw schuld?'

De patholoog-anatoom wordt vuurrood en kijkt Linh woedend aan.

'Niet mijn schuld? Natuurlijk kan ik er wel wat aan doen. Dat lijk was míjn verantwoordelijkheid.'

Hij loopt eropaf met een mengeling van vernedering en spijt.

'Het is míjn lijk en ik had ze er niet met hun poten aan moeten laten zitten.'

Chauvier zet zich schrap. Hij begrijpt dit pingpongspelletje niet.

'Wat is er aan de hand? Wat staan jullie voor mij te verbergen?'

De patholoog onderdrukt een huivering, niet in staat een woord te zeggen.

Daarop neemt Linh Chauvier terzijde en zegt met gedempte stem: 'Vanmiddag kwamen er vier kerels langs bij het lijkenhuis. Ze zeiden dat ze door het parket waren gestuurd.'

Chauvier wendt zich tot de patholoog.

'Klopten hun papieren?'

De dokter bevestigt dat met een hoofdknik.

Chauvier fronst zijn wenkbrauwen.

'Waren het smerissen?'

'Nee, pathologen-anatomen, zoals ik.'

De oude agent klemt zijn kaken op elkaar.

'En wat wilden ze?'

De arts aarzelt even.

'Ze wilden… mijn autopsie aanvullen.'

'En hebt u ze uw voorlopige conclusies voorgelegd?'

'Dat moest ik wel: onbekend slachtoffer van vrouwelijk geslacht. Dood door hartstilstand, vervolgens verbrand, vervolgens opgehangen. Maar ik had de tijd niet om veel te doen. Ze waren er zo snel.'

Chauvier loopt naar het lijk toe. Hij gaat met zijn vingers over het verkoolde vlees.

'En toen?'

De arts durft niet te antwoorden, duidelijk vernederd.

'Vervolgens hebben ze hem gevraagd het laboratorium te verlaten,' verbreekt Linh de stilte.

Chauvier kan dit niet geloven en vraagt: 'Wilt u zeggen dat u ons lijk in handen hebt gelaten van volkomen onbekenden zonder ons te waarschuwen?'

'Ik heb jullie gebeld,' zegt de arts verontschuldigend. 'Maar zelfs thuis namen jullie niet op.'

Chauvier onderdrukt een vloek. Hij ziet zich weer uit de kelder komen met zijn stoffige dozen. Minstens acht keer is de telefoon overgegaan, maar hij dacht slechts aan die vervloekte foto's!

'En toen heb ik dus uw assistent gebeld.'

De oude blijft rustig.

In dat geval is iedereen in de fout, denkt hij, en hij slaat zijn armen over elkaar.

'Heb jij ze gezien, die vier artsen?'

'Ze waren net weg toen ik kwam,' antwoordt Linh.

'Hoe zagen ze eruit?' vraagt Chauvier aan de patholoog. De arts staat zenuwachtig met een schaar te frutselen.

'Ze hadden dezelfde leeftijd en hetzelfde uiterlijk: groot, blonde haren, blauwe ogen, in de zestig. Een van hen had een litteken in de hals.'

Chauvier knijpt eens in zijn neus.

'Zijn ze lang gebleven?'

'Ruim drie uur.'

De commissaris wendt zich woest tot Linh.

'Drie uur! En jij bent niet meteen gekomen?'

Gegeneerd probeert de Aziaat zich eruit te kletsen.

'U weet toch wel dat ik op zondag voor mama moet zorgen.'

De commissaris gaat er niet op in. Toan, Linhs moeder, zit sinds de dood van haar man in een rolstoel. Na de begrafenis wilden haar benen haar niet meer dragen.

Daarop schiet de patholoog Linh te hulp.

'Maar ik heb u gebeld, commissaris. Omdat we écht een probleem hebben.'

De patholoog kijkt Linh eens aan, die zijn kaken op elkaar klemt. Daarop tilt de patholoog het lijk op en maakt de onderrug vrij. Op de plek van de SS-tatoeage lijkt een stukje huid weggesneden, als stof.

2005

Vidkun Venner schenkt het kopje dat ik hem voorhoud vol.

'Wist jij dat Hitler veel thee dronk, Anaïs? Dat was hem aangeraden door zijn lijfarts, Doktor Morell, dezelfde die hem ook heroïne inspoot, zoals zo vaak is vermoed.'

Hij gaat weer aan zijn bureau zitten en zegt dan op geërgerde toon: 'Maar ze vertellen zoveel stoms over die tijd!'

Ik ben verbijsterd. Venner is precies zoals ik me voorstelde – groot, mager, harde blauwe ogen en asblonde haren – maar iets in hem zit me dwars, er is een detail dat niet past, een 'fabrieksfout'. En dan dat Oostenrijkse kamerjasje, die vergulde halve bril op zijn arendsneus, zijn vreemde accent, niet echt Duits. En vanwaar die kinderlijke blik die hij op mij richt?

Vidkun Venner moet een heel eenzame man zijn, bedenk ik, meteen verrast door mijn observatie, want ik vergeet er bijna door waar ik momenteel ben. De man zet zijn kopje op het bureau en schuift een tiental gravures aan de kant, voorstellingen van romantische ruïnes.

'Dat zijn de tekeningen die Albert Speer na de oorlog in de gevangenis heeft gemaakt, om de verveling te verdrijven.'

'Albert Speer?'

Venner fronst zijn wenkbrauwen met de strengheid van een leermeester.

'Ik zie dat wij nog het een en ander moeten inhalen.'

Zo'n zure opmerking, houdt die een oordeel in? Of is dit een test? Een bijna onmerkbare glimlach speelt om zijn rechter mondhoek, maar hij blijft kijken als een onderwijzer.

'Albert Speer was de hoofdarchitect van Hitler en een van zijn favoriete volgelingen. Speer heeft de kanselarij in Berlijn gebouwd. Zijn plan was de hele hoofdstad om te bouwen. De stad zou dan "Germania" zijn gaan heten.'

Venner spert zijn scherpe ogen wijdopen.

'Aan het eind van de oorlog heeft Hitler hem tot minister van Bewapening benoemd. Vervolgens is hij in 1947 bij de Neurenberg-processen veroordeeld tot twintig jaar gevangenisstraf. Hij heeft zich dus bij zijn kameraadjes gevoegd in fort Spandau, zoals natuurlijk Rudolf Hess, die daar in 1987 zelfmoord heeft gepleegd, toen hij al in de negentig was.'

Ik raak algauw de draad kwijt in die informatiestroom. Alsof ik net een glas eigengestookte brandewijn achter de kiezen heb (zoals die van de vader van Clemens, een verschrikking!), en mijn hoofd tolt. Nog afgezien van die chloorlucht die maar niet weg wil. Ik begrijp dit alles slechts gedeeltelijk, maar ik knik braaf onder het luisteren. En alsof die litanie de betovering heeft verbroken waardoor ik me niet kon losrukken van zijn blik, word ik nu geïntrigeerd door het vertrek: de boeken, de prullaria, de schilderijen. Ik zie ze nu allemaal goed en ik moet mijn best doen mijn verwarring niet te laten blijken: het merendeel is getooid met een hakenkruis of de dubbele SS-rune. Een gruwelijk nazimuseum, midden in Parijs. Zelfs het bureau is 'historisch'.

'Dat behoorde toe aan Hermann Goering, het stond in zijn huis, de Karinhalle,' heeft Venner al aangeduid, toen hij mij een stoel wees. 'Ik heb het opgeduikeld bij een openbare verkoping in Oost-Duitsland, begin jaren tachtig.'

Na een poosje onderbreekt de man zijn les, want hij ziet aan mijn ogen dat ik in paniek raak. Als vanzelfsprekend legt hij zijn hand op de mijne. Ik schrik op, maar Venner behoudt een geruststellende kalmte.

'Anaïs, ik stel me zo voor dat F.L.K. je niets heeft verteld over mij.'

Ik schud van nee. Opnieuw verlicht een flits van kinderlijke medeplichtigheid Venners gezicht.

'Goed, ik zal open kaart spelen.'

Hij haalt eens diep adem en begint dan alsof hij een pleidooi moet houden: 'Ik ben geen Duitser, maar een Noor. Ik ben in 1942 geboren, dus ik heb geen deel uitgemaakt van de Hitlerjugend. Ik doe níet aan politiek. Ik ben geen militant van een of andere groepering, maar ik heb één hartstocht in mijn leven, en dat is...'

Met een weids armgebaar omvaamt hij de gigantische bibliotheek, Hitlers, Goebbels', Himmlers portretten, tapijten met hakenkruizen, roodzwarte prullaria.

'... en dat is dit allemaal!'

Ik verroer geen vin, probeer geen uitdrukking te tonen, maar mijn geest slaat op hol. Ik moet het vragen: 'En hoe is dat zo gekomen?'

Onderworpen spreidt Venner zijn armen uit.

'Hartstocht voor de geschiedenis.'

'Maar dit gaat wel heel erg ver!'

'Ik heb een grote erfenis gekregen en ik ben besmet door het verzamel-virus.'

Die verklaring bevredigt me niet en de wending die ons gesprek neemt geeft mij moed, het duel wordt nu meer op gelijke voet gestreden.

'Jawel, maar u had ook best een hartstocht voor andere perioden kunnen ontwikkelen.'

'Dat weet ik en dat is precies wat veel van mijn vrienden ook gezegd hebben, diegenen met wie ik ruzie heb gekregen in elk geval,' voegt hij er met een spottende maar nostalgische blik aan toe. Hij staat op, steekt zijn handen in de zakken van zijn jasje en verheft zich op zijn tenen.

'Ik kan je geen andere verklaring geven, Anaïs: het nazidom boeit mij, als studieobject. Die periode ligt vlak bij ons en daarin heeft de mens de grenzen van het kwaad verlegd; de moraal, de hele menselijkheid is terzijde geschoven, door hen die Hermann Rauschning "revolutionaire nihilisten" heeft genoemd, en dat alles in naam van het culturele erfgoed van het oude Europa, van de beschaving...'

Hij aarzelt even voordat hij eraan toevoegt: '... van de wetenschap.'

En plotseling verdwijnen de rimpels van zijn voorhoofd. Hij gaat weer zitten, boort zijn blik in de mijne.

'F.L.K. heeft je toch wel verteld waar ons toekomstige boek over gaan moet?'

'De Lebensborn?'

Als ik dat woord uitspreek zie ik weer de foto's van dat boek bij Gilbert. Mijn kortstondige zelfverzekerdheid wankelt al en ik klem opnieuw mijn kaken op elkaar om mijn verwarring niet te laten blijken.

'Precies,' antwoordt Venner. 'En heeft hij het ook gehad over die vier zelfmoorden, in de nacht van 23 op 24 mei 1995?'

Ik knipper met mijn ogen.

'Heeft hij je ook verteld dat die datum overeenkwam met die van een andere zelfmoord, vijftig jaar daarvoor?'

'Nee.'

Venner is in de wolken, nu heeft hij me waar hij me hebben wil. De hartstocht straalt eraf, hij ziet eruit als de beste van de klas. Zijn wangen vallen in, waardoor hij lijkt op een mummie die net uit zijn sarcofaag is gehaald. Dan fluistert hij: 'Himmler.'

Ik kan hem niet volgen, ik voel me steeds minder op mijn gemak, nu hij de tovenaar-verzamelaar gaat uithangen. De wellustige manier waarop hij die naam heeft uitgesproken!

'Ja,' vervolgt hij, 'Heinrich Himmler, de hoogste baas van de SS, die zelfmoord heeft gepleegd in een gevangenkamp in 1945, onder precies dezelfde omstandigheden als waaronder die vier mannen zijn teruggevonden: naakt, gewikkeld in een paardenharen deken, met stukjes cyaankalicapsule in de mond.'

Meid, concentreer je! Je doet je werk, meer niet, prent ik mezelf in, en ik schenk me nog eens thee in om mijn handen bezig te houden. Het gevolg is dat ik een voetbad op het schoteltje veroorzaak. Venner blijft aardig, alsof hij die reactie van mij verwacht had. Ik probeer me niet gewonnen te geven, door te vragen: 'Naar wat F.L.K. me heeft verteld hielden die vier zelfmoorden verband met de kinderen die door de nazi's in een mensenfokkerij zijn verwekt.'

Hier zet Venner zich schrap.

'Ho, ho! Ik zie dat die uitgever het een en ander heeft versimpeld om je te lokken.'

Mij lokken! Mij lokken, waar ziet hij me voor aan? Al die fascisten interesseren me geen bal! Dit wordt zo onderhand onaangenaam. Maar het vooruitzicht op honderdvijftigduizend euro verzacht mijn woede. Ik houd me in. Eens kijken waar dit op uitloopt.

Venner vervolgt zijn uiteenzetting: 'Die vier personen zouden inderdaad afkomstig zijn uit de Lebensborn, maar...'

'Maar?'

'... er is één detail dat niet klopt. Een detail waardoor alles verandert.'

De verzamelaar neemt een dreigende houding aan en veegt met een handgebaar alle documenten van tafel, alsof we nu de kern van het onderwerp naderen. De tekeningen fladderen op de vloer, verspreiden zich door het vertrek. Venner legt zijn handen plat op zijn bureau, zijn ademhaling is hoorbaar geworden.

'Jij en ik gaan ons begeven in een van de geheimste gebieden van de geschiedenis, een gebied dat boven alle wetten staat, dat wortelt in vaak dodelijke geheimen.'

Ik klem de stoelleuning vast. Die vent begint me de stuipen te bezorgen!

'Waar wij heen gaan, kan niemand ons vinden, we zullen alleen zijn. Helemaal alleen, jij en ik.'

Met een ruk hef ik het hoofd op en ik probeer een vastberaden toon aan te slaan, ondanks de prop in mijn keel.

'We schrijven 2005, meneer, het nazidom is al zestig jaar dood. Houd op met deze poespas en zeg me wat u van mij verwacht!'

Een borende blik van Venner.

'Ik mag jou wel, Anaïs.'

'Leuk dat te horen!'

'En ik weet zeker dat onze kleine… odyssee je zal bevallen.'

Op dat moment meen ik te begrijpen hoe ik hem moet aanpakken: net als alle tirannen vindt hij het leuk als hij geschoffeerd wordt. Zodra ik zwijg ben ik weer in de positie van Roodkapje, de gevangene van de Grote Boze Wolf. Dus ik moet praten, met mijn woorden dit angstaanjagende vertrek meubileren.

'Oké, en wat is dan dat "detail waardoor alles verandert" bij uw vier zelfmoordenaars?'

Venner wordt weer ernstig. Hij gaat verder met een stem van een professor: 'De Lebensbornorganisatie is op 12 december 1935 gesticht, terwijl die vier zelfmoordenaars geboren zouden zijn in 1926.'

'Nou en?'

'Bijna tien jaar eerder!'

'En wat betekent dat?'

'Dat betekent dat de Lebensborn tien jaar vóór de officiële stichting al bestond!'

Venner praat niet meer. Met halfopen mond kijkt hij strak naar een punt op de vloer.

'En dat zou betekenen dat het nazidom zijn wortels veel verder uitstrekt dan de geschiedenis ons heeft willen doen geloven!'

De verzamelaar kijkt nu naar mij op, met ronde ogen, opgejaagd door een heel leven van obsessie, dwangmatig onderzoek, koppig volhouden.

'Een theorie die ik al heel lang aanhang' – verandering van blik – 'hoewel ik geen geschiedkundige ben.'

Vidkun draait om het bureau heen en wrijft zich in de handen, als een scenarioschrijver die een beslissende draai in zijn story heeft gevonden.

'Hoe is het te verklaren dat de Duitse regering zo snel de zaak heeft laten vallen en dat deze zelfmoordgevallen staatsgeheim zijn? Waarom bestaat er geen enkel boek over dit onderwerp? Waarom is het merendeel van de documenten die over deze zaak gaan verdwenen?'

Hij staat stil en slaat met zijn vuist op het bureau.

'Wat voor geheim steekt er achter die verdoezeling?'

Ik leg mijn hand op de theepot, die dreigt op de tegels te vallen. De blik van Venner is verloren in zijn droom.

'Wij gaan die zaak opgraven, wij gaan erachter zien te komen wat er écht is gebeurd.'

Ik wil het niet toegeven, maar ik ben onder de indruk van de houding van deze Noor, van zijn wilskracht. Zou hij echt drieënzestig zijn? Hij lijkt maar vijftig. Vidkun loopt achter me langs en legt zijn handen op mijn schouders. Ik zet me schrap.

'Ik heb connecties in Duitsland, veel.'

Langzaam beginnen zijn vingers mij te masseren. Ik wil me schrap blijven zetten maar of ze willen of niet, mijn spieren ontspannen.

'Wij gaan onderzoek doen, als detectives, wij gaan de Sherlock Holmes uithangen tegen het hakenkruis,' voegt hij er op ondeugende toon aan toe. Ondanks mijn verzet, dat steeds zwakker wordt, laat ik me gaan. Die handen van Vidkun zijn duivels. Al mijn angsten, mijn zorgen, al mijn problemen verdwijnen in een wollige leegte, waarin nog slechts de enthousiaste stem van Venner weerklinkt.

'Ons onderzoek kan een ander licht werpen op de volgorde van de historische gebeurtenissen, op de hele hedendaagse geopolitiek.'

Mijn oogleden worden zwaar. Mijn blikken proberen zich te hechten aan voorwerpen, aan de omgeving, maar ik heb steeds meer moeite mijn ogen open te houden. Dit is absurd: ik voel me moe! De stem van Venner vult de hele ruimte. Ik word bedwelmd door die chloorlucht.

'Besef jij dat wij mogelijk de geschiedenis van de twintigste eeuw zullen herzien?'

Mijn halfgesloten ogen zien nu het portret van Hitler. Ik krijg zelfs de indruk dat het heeft bewogen, dat hij mij heeft toegelachen! En als de mond van de Führer opengaat en fluistert: 'Wij zullen ons zeer vermaken, Anaïs!' heb ik de indruk dat ik een elektrische schok krijg, waardoor ik uit mijn stoel opspring en piep: 'Oké! Oké!'

Venner is verbaasd. Zijn handen hangen in de lucht, als een automaat die midden in een beweging stopt.

'Is er iets niet in orde?'

Ik loop al achteruit naar de trap en stamel: 'Jawel, jawel, er is niks aan de hand!' Ik kijk eens op mijn mobieltje. 'Maar ik heb over een half uur een afspraak aan de andere kant van Parijs.'

Venner glimlacht verzoenend.

'Uitstekend.'

Hij drukt op een knop onder het bureau.

Boven aan de trap gaat de geblindeerde deur open. Fritz verschijnt in de deuropening.

'Wil je juffrouw Chouday uitlaten, alsjeblieft?'

De huismeester slaat zijn hakken tegen elkaar.

'*Jawohl, mein Herr!*'

Langzaam loop ik de trap op, maar een nieuw gevoel neemt bezit van mij: een gevoel van ontwenning, ik heb geen zin te vertrekken, die zachte handen, dat gevoel van overgave, van een vertrek naar verten, van afscheid van de wereld.

'Tot morgen, Anaïs,' hoor ik de stem van Venner, die weer is verdwenen in het halfduister.

'Tot morgen.'

'En toen ben je vertrokken? Zomaar?'

Lea blijft ongerust kijken en steekt nog een sigaret op. De asbak is al bijna vol.

'Ik kan je verzekeren dat ik een bizar gevoel had toen ik de Porte de la Chapelle terugzag toen ik bij hem vandaan kwam,' moet ik op beschaamde toon toegeven, voordat ik mijn vork in mijn tajine steek. Maar ik heb geen honger. Venners thee is verkeerd gevallen en de kaart van het Café de l'Opprimé, Rue de la Butte aux Cailles, heeft mij nooit erg geboeid.

En toch ben ik gehecht aan deze plek. Hier heb ik Lea zeven jaar geleden leren kennen. Ik was toen serveerster om mijn studie te betalen en Lea woonde in de buurt. Van zeven uur 's avonds tot middernacht speelde ik voor serveerster. Ik heb nog nooit zoveel obscene opmerkingen moeten incasseren. De baas eiste dat ik me sexy zou kleden ('Je bent mooi, laat dat ook zien!' zei hij elegant) en ik droeg dus een strak T-shirt en een minirokje. 'Je mag van geluk spreken dat je deze baan hebt gekregen, nou ga je toch niet moeilijk doen om wat kleren!'

Als ik terugkwam van het werk, was ik blij dat ik mijn oude spijkerbroek en mijn oversized trui weer kon aantrekken. Ik heb nooit de blikken van anderen op mijn lijf kunnen verdragen. Die indruk vlees te zijn, mooi kipje, goed gebraden, klaar om te worden aangesneden. Sappig vlees. Ik heb er bijna een hekel aan mijn eigen schoonheid aan overgehouden. Gereduceerd worden tot twee borsten en een kont, nee dank u! Mijn hoofd doet het ook nog, hoor. En hup, afrekenen graag!

Daarna ben ik journaliste geworden, daardoor hoefde ik tenminste niet met mijn kont te draaien voor de klanten. Wat Lea betreft, die is uit de Butte aux Cailles verhuisd naar Oberkampf. Maar het Café de l'Opprimé is nog altijd ons hoofdkwartier. Elke donderdag eten we daar. Dit is een van onze vaste rituelen.

Lea bekijkt me van top tot teen. Ze is drie jaar ouder dan ik, heeft zich altijd verantwoordelijk voor mij gevoeld; voor mij, de 'kleine provinciale meid'. Destijds heeft ze meer dan eens klanten die hun handen niet thuis konden houden de huid vol gescholden. En vandaag lijkt mijn verhaal van een boek haar amper netter.

'De geschiedenis van de twintigste eeuw herzien? Verdomme! Anaïs! Je gaat toch niet samenwerken met die nazi?' zegt ze, terwijl ze de rook van haar Marlboro light naar het zwartgerookte plafond van het café blaast. Ik ben redelijk ontwapend, helemaal omdat ik al vastbesloten ben dit avontuur voort te zetten, ondanks – of dankzij? – al die dwaasheden, die sombere grote mond die ik voor me zie. Toen ik bij Venner wegging, realiseerde ik me dat ik nog nooit zo bewust had geleefd, alsof ik bezig was mezelf te worden, me 'waar te maken', om met psychologen te spreken. Al mijn angsten verdwenen, smolten als sneeuw voor de zon, om een front te vormen tegen één ware angst: die voor het onbekende. Hoewel ik me nu, tegenover Lea, weer schuldig voel. Voor een misstap, om verraad. Hetzelfde verwijt dat ik altijd in het stilzwijgen van mijn vader hoor, aan het eind van zijn boodschappen. En dat is het nu juist, die wond, die halfopen wond, die ik weg wil hebben. Venner is daarvoor mogelijk een tegengif. Lea legt haar sigaret op de rand van het metalen tafeltje en pakt mijn handen.

'Anaïs, die lui zijn gevaarlijk. En al is deze klus fantastisch goedbetaald, jij weet niet met wie je te maken krijgt. Denk eens aan die vergadering waar ik je vorig jaar mee naartoe heb genomen. Was dat niet afdoende?'

Die preek verwachtte ik. Lea verstevigt haar greep.

'Herinner je je die foto's, die getuigenissen? Weet je nog de artikelen die in de pers zijn verschenen, na 21 april 2002, toen Le Pen de tweede ronde haalde?'

Ik knik vermoeid. Lea is schattig, maar ze is zo voorspelbaar. Met haar zwarte kleren, met haar houding van passionaria, neemt ze al het kwaad van de wereld voor haar rekening. Lea strijdt op alle fronten. En haar grootste neurose, haar geheime zonde, is dat zij producente is van een grote commerciële televisiezender, die (zoals ze dat zelf uitdrukt) 'zielen afstompt'. Maar dat is niet de enige tweeslachtigheid. De tegenstrijdigheid van veel geld verdienen zit haar behoorlijk dwars. Zij compenseert die financiële welstand door op straat de rechten te gaan verdedigen van hen die ze 'afstompt'.

'Je kunt niet ingaan op het spelletje van die moordenaars. Want het zíjn moordenaars.'

De klanten van het café kijken naar ons. Als Lea een slok opheeft, dan wordt ze net zo subtiel als een betonmolen.

'Die Duitsers zijn allemaal moordenaars!'

'Hij is geen Duitser, hij is een Noor!'

Dit is belachelijk: ik zit te mopperen als een kind dat een standje heeft gehad. Lea zuigt dwangmatig aan haar Marlboro.

'Het is een nazi, punt uit! Je hebt me duidelijk zijn interieur beschreven.'

Daarop pakt ze de *Libération* van vandaag en wijst op een artikel dat gaat over een verschrikkelijke kinderontvoering, die Duitsland al anderhalf jaar in de ban houdt.

De achtenveertigste ontvoering, in de omgeving van Keulen.

'Al bijna twee jaar lang worden er kinderen ontvoerd in het hele land. En de politie heeft geen enkele aanwijzing, niets.'

'Weet ik. Ik luister ook weleens naar het nieuws.'

'En het zijn allemaal mongooltjes, tussen een half jaar en vijf jaar! Als je dat weet ga je me toch niet vertellen dat de Duitsers normaal zijn.'

Met een ruk schuif ik mijn stoel achteruit, waardoor ik mijn achterbuurman een duw geef.

'Omdat, volgens jou, jij die zo "tolerant" bent, jij die "betrokken" bent, je de mensen in categorieën moet indelen: normaal, abnormaal, aardig, onaardig.'

En met een kleine perverse noot voeg ik eraan toe: 'Eigenlijk zou jij best goed kunnen functioneren aan het hoofd van het Front National!'

Lea stikt zowat in haar sigaret en drukt die uit in de asbak. Maar we schaterlachen al. Dit gesprek hebben we al honderd keer gehad. Ik schenk Lea nog maar eens een bel morgon in.

'Dat geld kan mijn leven veranderen, en jij kunt mij niet van het tegendeel overtuigen!'

Lea trekt een berustend pruillipje en grinnikt medeplichtig: 'Je weet wat ik je op dit moment van het gesprek ga aanraden.'

Ik sla mijn ogen ten hemel.

'Mijn vader bellen, het met hem bijleggen, en vragen wat ik altijd al wilde weten.'

Lea klapt in haar handen.

'En waarom niet? Dit is een mooie gelegenheid. Je kunt hem raad vragen. Dit is wellicht een van de belangrijkste momenten van je leven, schatje. Dan kun je hem meteen ondervragen over de rest.'

Op mijn beurt pak ik nu de handen van mijn vriendin.

'Lea,' zeg ik met geamuseerde vertedering, 'mijn vader bezorgt me de kriebels. Achttien jaar lang bezorgde hij mij de kriebels. Gisteren nog heeft hij een bericht op mijn antwoordapparaat ingesproken. En dat bezorgt mij nog steeds de kriebels.'

'Ja, en je moeder dan?'

Hier klap ik dicht. Lea weet dat dit een gevoelig punt is. Daar komt ze ook alleen maar mee aan als het echt nodig is.

'Mijn vader neemt het geheim mee het graf in.'

'En dat aanvaard jij zomaar?'

'Ik heb mijn hele jeugd moeten leven met dat spook.'

Altijd maar weer diezelfde obsessies te moeten herkauwen.

'Mama, haar foto op de schoorsteenmantel, de rode ogen van papa als ik hem die vraag stel. Dat eeuwige: "Later, kindje, als je groter bent zal ik het je verklaren. Je bent te jong om het te begrijpen."'

Ik zie mijn eigen spiegelbeeld in Lea's ogen, mijn gelaatstrekken zijn verhard. Ik word weer het meisje uit de provincie, dat ervandoor is gegaan, dat in opstand is gekomen.

'En dan die ruzie, toen ik net achttien was geworden, toen ik hem uiteindelijk alles voor de voeten heb geworpen.'

De beelden grijpen me aan. Ik schud mijn hoofd.

'Nou ja, dat heb ik je al honderd keer verteld.'

'Ja, dat weet ik, hij wilde je niks vertellen en je bent ervandoor gegaan.'

'Sinds die avond heb ik vrijwel niet meer met hem gesproken. Het is afgelopen. Voor mij is mijn vader dood.'

Lea blijft onderwijzeres.

'Als je dat probleem niet oplost, kom je nooit een stap verder.'

'Jawel,' zeg ik met vastberaden stem, 'dankzij dit boek.'

Lea gaat rechtop zitten en gooit de handdoek in de ring.

'Doe maar wat je wilt, schatje. Je weet hoe ik erover denk: praat met je vader, zoek een vriend en alles gaat beter. En door verstoppertje te blijven spelen met Clemens zal jouw seksleven...'

'Dat weet ik!'

Lea gaat altijd te ver. Maar na zeven jaar is deze plaat grijsgedraaid. Mijn conclusie is duidelijk en beslissend: 'Lea, ik ben gek op je, jij bent mijn beste vriendin, de enige die ik vertrouw, maar je bent niet mijn moeder. Mama is dood en niemand zal haar tot leven kunnen wekken.'

'Het water is lekker, hè?'

Vidkuns hoofd is net bovengekomen. Na enkele slagen draait hij zich op de rug voor een crawl. Ik sta in het zwembadje, met het water tot mijn middel, tussen droom en werkelijkheid. De te kleine bikini doet mijn vormen te goed uitkomen. Ik zie de weerspiegeling van mijn borsten in het blauwe water.

'Sport is een absolute noodzaak,' vervolgt Venner. 'Lichamelijke hygiëne als voorwaarde voor geestelijke. De nationaal-socialisten hadden dat begrepen. Zij hebben de bio-ideologie uitgevonden, die politici op hun fiets zijn hun erfgenamen.'

Hij komt uit het water, loopt om het zwembad heen en beklimt de duikplank.

Fritz de huismeester wacht stijfjes met twee handdoeken op zijn arm. Ik weet nog steeds niet hoe ik hier terechtgekomen ben. Die chloorlucht, zo tastbaar, zo zoet. Boven op de duikplank blijft Venner roerloos staan. Ik bekijk dat rijpe lichaam, dat even volmaakt is als een beeld uit een antiek museum. Ik voel mijn maag samentrekken. Een gevoel van duizeling, van schuldige bewondering.

Hij duikt.

Een uur eerder zat Venner me op te wachten aan zijn bureau, in kamerjas. Ik was te laat, want mijn wekker was niet afgegaan (of althans niet hard genoeg: ai, die morgon van Lea...). Ik ben dus in allerijl vertrokken, verwachtte dat ik op mijn kop zou krijgen, alsof ik te laat op school kwam.

Toen ik verscheen, boven aan de metalen trap, hoorde ik Venner slechts roepen: 'Niet naar beneden komen, vanaf boven is het veel spectaculairder!'

Hij hield een kleine afstandsbediening in zijn hand en drukte op een infrarood knopje. Het gepiep verscheurde mijn trommelvliezen en de trillingen dwongen me de metalen leuning vast te grijpen. Een voor een verzonken de boekenkasten in de muur, ik hoorde katrollen, en vervolgens ontrolden zich enorme schermen, zo hoog als het vertrek zelf. De bibliotheek werd een ronde projectiezaal. Ik stond paf! Vanaf beneden lette Vidkun op mijn reactie. Ik stond versteld, ongelovig, maar uiteindelijk nam ik het besluit naar beneden te gaan.

'Nee nee, blijf staan.'

Met een klik van de afstandsbediening verdween de vloer van het vertrek onder Venners voeten en toonde een rond zwembad. Dit werd een filmisch delirium!

'En nu... de finishing touch!'

Nog een klik: de zaal werd in het duister gedompeld. Aardedonker. Ik kon een kreet niet onderdrukken: 'Maar...'

'Maak je niet ongerust, Anaïs.'

Plotseling stond hij vlak naast me. Zijn vingers op mijn schouder. Mijn spieren spanden zich, maar ik zei niets.

'Kijk, het wordt dag.'

Weer stond ik versteld. Ik zag bergtoppen, ravijnen verschijnen. In de dageraad tekenden zich bergen af. Het licht viel op eeuwige sneeuw. Sparrenbossen, weilanden, dorpen ontstonden voor mijn ogen.

'Dit is de dageraad, Anaïs,' fluisterde hij in mijn oor.

En dat was het ook! De vogels werden wakker. Ze maakten al een hels kabaal. Ik zou gezworen hebben dat er een torenkraai op de leuning van de trap voor ons ging zitten.

'Kom mee,' zei Venner, en hij pakte me bij de hand. Ik bood geen weerstand meer en hij trok me mee naar het zwembad.

'Maar waar zijn we?'

Venner antwoordde niet, maar hield me een bikini voor die aan een scherm hing, even achter het zwembad.

'Ik wacht op je, Anaïs.'

En nu zitten we allebei in dat extravagante onderaardse zwembad te poedelen. De aanraking met het water haalde mij uit mijn halfslaap en nu wijs ik op het fantastische landschap, op het grote scherm om ons heen.

'U hebt me nog altijd niet verteld waar dat is,' zeg ik, terwijl ik me vasthoud aan de rand van het kleine bassin.

'Wat denk je?'

'De Alpen?'

'Goed geraden!'

Weer duikt Venner. Hij zwemt naar me toe en komt met zijn hoofd vlak voor mijn buik boven. Zijn haren raken mijn borsten. Ik kan me er niet van weerhouden terug te deinzen, maar Venner glimlacht zwakjes.

'Wees maar niet bang, ik ga je niet aanranden.'

Ik voel me meteen schuldig en sla mijn armen over elkaar om mijn borsten te bedekken.

'Dat heb ik ook niet gezegd.'

'Ik heb je te hard nodig,' vervolgt Vidkun raadselachtig, terwijl hij zijn haren naar achteren strijkt. Toch is hij een mooie vent! Heel even maar zeer doordringend kijkt hij naar mijn lijf, dan weer naar zijn panorama.

'Ik heb die film de afgelopen zomer geschoten, met een camera die speciaal is ontworpen voor dit soort projecties.'

Vidkun klapt in zijn handen en Fritz loopt naar de rand toe om hem de afstandsbediening aan te reiken.

'*Danke, mein Freund!*'

De Duitse huismeester slaat zijn hakken tegen elkaar en verdwijnt weer in de schaduw. Ik word nog steeds geïntrigeerd door zijn jonge-meiden-wimpers. En die militaire stramheid. Is hij ook te jong om het nazidom te hebben 'geproefd'? Venner laat zijn vingers spelend over de afstandsbediening gaan om mijn aandacht te trekken. Dan wijst hij me op een uitzichttoren, die baadt in de zomerochtendzon.

'We staan boven op de Obersalzberg, Anaïs. Op de grens van Beieren en Tirol, in Berchtesgaden, bij Salzburg.'

Ik maak een paar slagen door het grote bassin, maar blijf bij de rand. Het zwembad is zo diep dat de bodem niet te zien is (en ik vind het verschrikkelijk als ik geen grond onder mijn voeten voel!).

Vol bewondering voor het uitzicht waag ik te zeggen: 'Deze plek zegt me iets.'

'Hitlers beroemde villa Berghof stond daar, en al zijn vrienden hebben daar een huis laten bouwen.'

Vidkun klakt met zijn tong.

'F.L.K. betaalt je niet zo vet om de toerist uit te hangen. Het is tijd om aan de slag te gaan.'

Voordat ik de kans krijg om te antwoorden, heeft Venner alweer zijn afstandsbediening gebruikt.

'En nu wat geschiedenis.'

Voor mijn ogen verdwijnt de uitkijktoren, ik zie nu verwilderde voetknechten, gehurkt in loopgraven, die met hun grote ogen wezenloos naar de camera kijken. Die beelden heb ik honderd keer op school gezien.

'Zoals je weet,' zegt Vidkun, 'had de Eerste Wereldoorlog de mannelijke bevolking van heel Europa uitgedund. Toen de wapenstilstand gesloten werd, moesten we dus weer kinderen maken.'

Venner draait zich met veel gespetter om naar mij. Zijn ogen branden van hartstocht, alsof hij me iets zeer geheims wil onthullen.

'Weer kinderen maken was een van de prioriteiten van de nationaal-socialistische politiek, zodra Hitler aan de macht was gekomen.'

Daar heb je het, denk ik, en ik zie nu foto's van jonge blonde vrouwen, in traditionele kleding, die de Führer bossen tarwe aanbieden. Hitlers kop, tien meter hoog! Ik krijg een bittere smaak in mijn mond.

'Officieel blijft Duitsland onder bondskanselier Hitler een land met christelijke traditie, stevig verankerd in het Pruisische lutheranisme en het Beierse katholicisme.'

Weer een knipoog van verstandhouding, waarin ik een vleugje perversiteit meen te ontwaren.

'Maar op 28 oktober 1935 wordt voor en door de SS het concept van het "biologisch huwelijk" bedacht.'

Dat woord bevalt mij helemaal niet. Venner recht zijn rug, neemt bewust een belachelijke houding aan.

'Paren is dan geen genoegen meer: het wordt een plicht!'

'Een plicht?'

De verzamelaar knikt en komt op me af. Ik krijg er kippenvel van. Ik voel pijn in mijn buik.

'De SS is al snel een staat geworden, Anaïs. Zij vormden de avant-garde van het nazidom.'

Zijn stem krijgt een tragische toon, alsof hij wil gaan zingen.

'Die mannen in het zwart weten dat ze vroeg of laat zullen moeten gaan strijden. Ze hebben dus soldaten nodig. En veel ook!'

De verzamelaar doet een paar stappen onder water, zoals een politicus die een menigte bespeelt.

'Soldaten die een zaak zijn toegedaan. Door hen gevormd, door hen opgevoed.'

Venner staat vlak bij mij, ik voel zijn adem weer op mijn schouders en hij fluistert: 'Soldaten die door hen zijn verwekt.'

Ik krijg de kriebels van dat contact en verwijder me met een slag. Die vent speelt een rol voor mij en voor zichzelf, en hij legt het er te dik op. Weer grijpt Venner de afstandsbediening. Een andere foto: een hoekige vent, met wallen onder zijn ogen, slecht geschoren.

'En dit is Max Sollmann, de kwade genius van het Lebensbornprogramma.'

Met enige walging kijk ik naar dat verwilderde, uitgemergelde gezicht. Hij ziet eruit als een langgestrafte.

'Vanaf 12 december 1935 leidt Sollmann een aantal kraamklinieken waar rijpe meisjes die "raciaal waardevol" zijn kunnen bevallen in plaats van abortus te plegen.'

Ik raak het spoor al bijster.

'Maar die Lebensborn, zijn dat nu kraamklinieken of fokkerijen?'

Venner slaat zijn ogen ten hemel.

'Laat me uitpraten!'

Ik slik mijn woorden in en doe alsof ik mopper. Die kleine vernedering verdwijnt al snel bij het zien van een nieuwe foto, onaangenaam bekend. Op deze kiek zie ik weer huizen met bloemen, artsen in witte jassen, verpleegsters met kapjes, kinderwagens. En altijd maar weer die SS-officieren, jong en vrolijk in hun zwarte uniformen. Dit zijn de beelden uit het boek bij Gilbert. Venner bespiedt mijn reactie, alsof hij me inschat.

'De eerste kraamkliniek wordt geopend in Steinhöring, een half uur rijden van München. Dachau is daar vlakbij en het zijn dus de gevangenen uit het kamp die de meeste gebouwen hebben opgetrokken.'

'Ga weg!'

Andere foto's, weer huizen met bloemen, dezelfde mensen, dezelfde artsen en dezelfde baby's, dezelfde SS'ers. Al snel begin ik te walgen van al die klonen.

'Het systeem is overal gelijk: het terrein wordt omgeven met hoge muren, met rijen bomen. De huizen worden bewaakt door honden. De gasten worden al enige tijd vóór de geboorte van hun kind opgenomen.'

Mijn concentratie begint te verslappen, want met ijskoude vlagen bekruipt de verkilling mij. We zitten nog altijd in het zwembad en ik voel mijn enkels niet meer of amper. Dan besef ik dat het water niet verwarmd is. De verbazing had er tot nog toe voor gezorgd dat ik niets voelde, maar ik ril over mijn hele lijf. Geheel toegewijd aan zijn afstandsbediening merkt Venner niets op.

'De Lebensbornklinieken zijn in heel Europa opgericht, in Nederland, in België, in Frankrijk, in Noorwegen en zelfs op de Kanaaleilanden.'

Ik luister niet meer. Ik ben versteend, ik spring het zwembad uit en loop naar Fritz toe, die me een badhanddoek aanreikt. Als ik die ontvouw protesteer ik: 'Nee toch! Dit gaat te ver!'

In het midden staat een enorm hakenkruis. Is er dan geen grens aan historische belangstelling? Waar begint de obsessie, de medeplichtigheid? Ik wend me tot Venner: hij staat nog altijd in het bad en presenteert zijn 'gegevens' als een reisgids. Mijn hoofd loopt om, ik sla de handdoek om me heen. Ik word maar niet warm. En verder heeft het zien van die oude foto's me doen verstenen. Langzaam wendt Venner zich tot mij en glimlacht me toe. Een voortreffelijke glimlach! Een glimlach die de gletsjers van de Zuidpool nog zou doen smelten.

'Heb je het koud, Anaïs?'

Hij streelt me met zijn blik, alsof hij zojuist beseft dat ik een menselijk wezen ben. Hij strekt zijn arm uit naar het scherm. Weer een klik van de afstandsbediening: we zijn terug in Tirol.

Het zien van dat landschap bevrijdt mijn longen. Ik haal adem. En dan probeer ik mijn rol terug te vinden.

'En met al die verhalen, waar wilt u naartoe?'

Venner is zeer geconcentreerd. Zijn glimlach verdwijnt als een masker en lijkt als twee druppels water op die van de personen op de foto. Die ogen, die haaiachtige ongevoeligheid. Een SS'er, denk ik met een prop in mijn keel.

Hij drukt zich met één hand op, komt uit het water, maar houdt de afstandsbediening omhoog.

'Dit alles voert hiernaartoe,' zegt hij, terwijl hij over de rand van zijn zwembad loopt. Zijn voeten laten tijdelijk sporen achter op de plavuizen.

'Naar de ochtend van 23 mei 1995.'

Klik.

Mijn kreet weergalmt onder de metalen koepel. Ik heb de vier zelfmoordenaars herkend. Maar de foto's uit *Der Spiegel*, die F.L.K. heeft laten zien, waren 'toegelaten' clichés. Hier, in een panoramische projectie, puilen de ogen van de vier mannen uit, alsof ze willen ontploffen, hun koppen lijken op platgeslagen vijgen. De mond, wijdopen, toont een tong die zwart geworden is van het geronnen bloed, nog zwaar van opgedroogd speeksel. De foto's moeten niet lang na het overlijden genomen zijn, want ik zie zelfs de tranen van pijn die op de wangen strepen hebben achtergelaten.

'In tegenstelling tot wat er beweerd wordt, bespaart dit gif de slachtoffers geen wrede dood. Zelfs cyaankali niet.'

Venner zoomt in op de lippen van de dode. Ze zijn gebarsten en tonen de glasscherven die door de stuipen in het vlees zijn gedrongen. Een smerige vergroting!

'Houd alstublieft op!'

Venners gezicht betrekt en hij toont ze een voor een: 'Karsten Beer, nachtwaker bij het Kaufhof in München, het warenhuis dat staat waar de administratieve kantoren van de Lebensborn stonden.

Ulf Schwengl, schoonmaker bij het gerechtshof van Neurenberg, waar het Derde Rijk werd berecht.

Bruno Müller, timmerman, klusjesman voor de gemeente Spandau, bij Berlijn. Daar was de gevangenis waar de hoge omes van het Derde Rijk werden opgesloten, die door de geallieerden werd afgebroken na de zelfmoord van Rudolf Hess in 1987. Bruno Müller werd aangetroffen in een park, precies op de plek waar de cel van Hess was. Bijzonder kenmerk: een oud litteken aan de hals, alsof ze in zijn jeugd hadden geprobeerd hem de keel door te snijden.

Werner Mimil, bewaker van Kehlstein, het beroemde Arendsnest van Hitler, het enige nog overeind staande gebouw dat uit die tijd dateert. Het is nu een bergrestaurant, daar heb ik die film ook gedraaid.'

Met een klik zet Venner de bergfilm weer voor, en hij gaat aan zijn bureau zitten. Op de leren stoel maakt zijn natte zwembroek een zuigend geluid.

Ik voel me uitgeput. Ik kom uit een marathon of uit een duik tussen een school haaien! De verzamelaar beduidt me voor hem te gaan zitten. Hij heeft zijn minzame uitdrukking hervonden, kijkt wat geheimzinnig, zoals een oudoom vreselijke verhalen zou opdissen, op een stormnacht, bij het vuur.

'Ik ben ervan overtuigd dat de gelijktijdigheid van die vier zelfmoorden geen toeval is.'

Fritz komt met een kop warme chocola aanlopen. De zoete lucht geeft me weer moed.

'En hoe komt u daarbij?'

'De datum van hun zelfmoord: 23 mei, maar ook die van hun betrokkenheid.'

'Hun betrokkenheid?'

'Ja, hun beroepsmatige betrokkenheid. In Spandau, in Berchtesgaden, in München, in Neurenberg, elk contract was getekend op 20 april voorafgaande aan de zelfmoord.'

'Nou en?'

'In het Derde Rijk was 20 april de belangrijkste dag van het jaar.'

Ik frons mijn wenkbrauwen.

'*Führers Geburtstag,*' scandeert Venner, alsof dat de vanzelfsprekendste zaak ter wereld was.

'Wat wil dat zeggen?'

'Dat dit een grote rebus is!'

Ik leun achterover in de stoel. Mijn innerlijke storm is geluwd. Mijn hart klopt niet meer als een gek. Heel even sla ik een blik op het scherm – de grote metalen trap, de weerschijn van het zwembad tegen de hoge boekenkasten – en ik geniet van de stilte.

Ten slotte zeg ik: 'En wilt u uw "rebus" oplossen?'

Venner kijkt me aan met vreemde vreugde. Hij zwaait weer met zijn afstandsbediening en drukt op de middelste knop. Op de muren van zijn bibliotheek verschijnt een grote kaart van Europa. Hier en daar geven nazivlaggen de staties van een traject aan dat met fluorescerend geel is uitgetekend. Venner bukt zich over het bureau en grijpt mijn hand. Alle zinnelijkheid is weg.

'Ga maar naar huis,' fluistert hij als een puber die denkt aan weglopen. 'Pak een koffer voor twee weken. We komen je morgenochtend om acht uur halen.'

Ik moet een volkomen verloren indruk op hem maken.

'Morgenavond,' vervolgt Vidkun, 'slapen we in de Elzas.'

'*Drang nach Osten!*' jubelt Fritz in het halfduister.

'Wil jij op internet even checken wat voor weer het is in Duitsland?'

Praat maar eens in je mobieltje terwijl je aan het tollen bent! Al een uur lang haal ik mijn appartement ondersteboven om mijn koffer te pakken.

Gaan? Niet gaan? Waarom aarzelen? Je moet je gewoon in de actie storten en de twijfel verjagen. Tenslotte leef ik nog!

Ik leg al mijn beha's op de futon.

'Jij boft,' antwoordt Clemens, 'het wordt prachtweer. Dertig graden, zonneschijn. Althans, in het zuiden.'

Ik wil een grote reistas van een kast pakken, mijn mobieltje tegen mijn schouder geklemd.

'Je gaat toch naar het zuiden?'

De tas geeft mee, ik wankel achteruit en plof op de bedbank. Graguette miauwt van angst en mijn mobieltje valt onder het nachtkastje.

'Verdomme!'

Ik verstijf. In mijn hoofd loopt alles door elkaar: nazi's, uitgever, Himmler, Lea, ontvoerde kinderen, zwembad, Venner, zijn grofheid, zijn beleefdheid, de honderdvijftigduizend euro, mijn vader, en dan Clemens.

'Anaïs, wat gebeurt er?' piept de telefoon onder mijn nachtkastje. Ik heb de moed en de kracht niet om hem op te rapen. Dit wordt me allemaal te veel! Ik strek me uit op de futon, te midden van verspreide kleding. De klok geeft halfnegen aan.

'Zo laat al.'

Door het venster is de zon achter de torens van de Porte d'Italie gezakt. Ik probeer mijn geest te legen. Binnen een paar dagen ligt mijn professionele routine – opdrachten, redactie, publicatie – aan scherven, en ik weet niet eens waar ik morgenavond zal slapen. In de Elzas. En toch zit me juist dat dwars, Venner jaagt me geen angst aan. Integendeel. Zoals je aanhankelijkheid gaat voelen voor een oude toneelspeler, een komediant, verzachten zijn excessen de tweeslachtigheid van zijn hartstocht. Maar ben ik nu niet bezig verontschuldigingen voor hem te bedenken? Wie weet. Feit is dat Venner onmiskenbaar kan fascineren en niet alleen vanwege zijn herenhuis, zijn ondergrondse zwembad en zijn Kinopanorama. De bel rukt me uit mijn overpeinzingen. Jezus! Het is al over negenen! Buiten is het nacht. Gehijg aan de deur.

'Anaïs? Ben je daar?'

Ik ga overeind zitten.

'Clemens?'

'Alles in orde? Ik schrok me rot!'

Een voor een doe ik de grendels van de deur (twee jaar geleden is er bij me ingebroken) en ik zie Clemens, verward, bezweet, en met een vuurrood hoofd. In zijn hand heeft hij een witte plastic zak waarin twee flessen tegen elkaar tikken.

'Godallemachtig, wat ben ik bang geweest! Ik dacht echt dat er iets gebeurd was.'

Ik wil lachen of boos worden– het is niet de eerste keer dat Clemens een crisis van bezorgdheid doormaakt – maar zijn ongeruste ogen en ontdane gezicht getuigen van zijn oprechtheid.

'Kom binnen.'

Clemens haalt eens diep adem en trekt de flessen uit de zak.

'Hier, ik heb gewürztraminer meegenomen, wel zo toepasselijk, vind je niet?'

Ik begin te schaterlachen en kus hem op beide wangen.

'Ik heb hem om!'

Het lukt me nog amper iets te zeggen en ik schommel op mijn stoel. Het vertrek lijkt op het punt van instorten te staan en ik grijp me vast aan de poten van mijn stoel. Clemens zegt niets, maar verslindt me met zijn blik. Op de tafel voor ons staan twee lege flessen.

'Wil je dat ik er nog eentje ga halen?' vraagt Clemens.

'Nee! Ik moet mijn koffer pakken.'

Ik sta op, probeer mijn evenwicht te vinden, wankel tot het bed, waar mijn kleren op liggen. Alcohol heeft één voordeel: zorg en twijfel verdwijnen erdoor. Ik hoef niet meer mijn kop in het zand te steken: morgen ga ik!

Vooruit, stomkop, zeg ik tegen mezelf, en ik sla me op mijn voorhoofd. Clemens is stokstijf blijven zitten. Daas bekijkt hij mij. Door de alcohol raakt hij zijn remmingen kwijt, en hij wordt er ook een beetje soft van.

'Moet ik je helpen?'

Ik heb me over mijn stapels kleren gebogen en schud mijn hoofd. Mijn kleren lijken me even raadselachtig als kruiswoordpuzzels.

Clemens komt op me af. Hij leunt op mijn schouder en lacht om de open tas.

'Heb jij een hele koffer met beha's nodig?'

Ik kom overeind en streel zijn gezicht. Zijn huid is net zo zacht als die van een kind.

'Jij weet echt niets van meisjes af, hè?'

Clemens pakt me bij mijn middel.

'Dat hangt ervan af.'

Ik probeer me nog te verweren, maar Clemens kust me al in mijn nek, op mijn wangen en mijn voorhoofd. Ik probeer me los te maken, maar niet overtuigend.

Clemens drukt zijn lippen op de mijne, we vallen op bed.

Hij knoopt mijn blouse los en zonder veel overtuiging kreun ik: 'Clemens, niet doen! Hier beginnen we niet nog eens aan, we zijn gewoon vrienden, dat hebben we toch afgesproken?'

'Vrienden en minnaars!' zegt Clemens, en hij duikt tussen mijn borsten. Hij zegt nog: 'Je bent zo mooi, zo mooi.'

Zijn warme adem op mijn buik ontwapent me ten slotte helemaal. Ik houd mijn hoofd achterover en laat hem naar beneden gaan. Ver.

'Ik pak mijn koffer morgenochtend wel verder,' zeg ik met een zucht, voordat ik mijn arm uitsteek om het licht uit te doen.

Ik voel me lekker.

Het is twee uur in de ochtend. De kamer ziet eruit als een rommelmarkt. Overal kleren. Op het bed, tussen de verkreukte lakens, ligt Anaïs tegen Clemens aan. Ze zijn naakt. Zij slaapt, hij kijkt naar het plafond. Al een uur probeert hij de slaap te vinden, zonder succes. Hij durft zich niet om te draaien, van houding te veranderen, hij is veel te blij dat hij Anaïs voor zich alleen heeft. Deze 'excessen' grijpen twee of drie keer per jaar plaats en vervolgens teert hij op de herinnering eraan.

Anaïs is als een wild beest: ze zoekt zedelijke stabiliteit, elke vorm van betrokkenheid jaagt haar angst aan. Clemens kan er eigenlijk niet bij dat ze dat uitgeefcontract heeft aangenomen.

En nog nooit heeft hij haar zo opgewonden en zo zenuwachtig meegemaakt. Alsof ze niet aan hem dacht, alsof hij alleen maar een voorwendsel was.

'Dat is niet erg,' fluistert hij terwijl hij haar haren streelt. 'Want ik houd van jou. Op mijn manier.'

'Wat?' vraagt Anaïs tussen twee dromen.

Clemens bloost.

'Slaap maar, schat. Slaap maar.'

Weer streelt hij haar haren.

Maar Anaïs maakt zich los en pakt de afstandsbediening van de televisie. 'Hier,' zegt ze, nog half in slaap. 'Toe maar, het stoort me niet.'

En ze slaapt meteen weer in.

Tien minuten lang zit Clemens zonder onderbreking te zappen. Variété, documentaires, actualiteiten, oude en nieuwe films, reclame, maar op kanaal 235 blijft hij steken. Het is de zender Ciné-Nanar.

Pornofilm, denkt hij, en hij legt de afstandsbediening bij Anaïs' hoofd. Dan slaap je tenminste in.

Het verhaal is alledaags: een jonge vrouw zit in een woonkamer op een chesterfield. Er gaat een deur open. Maar in plaats van de gebruikelijke loodgieter, komen er zes SS-officieren binnen.

'Nee maar,' zegt Clemens grinnikend, zonder Anaïs te durven wekken.

De soldaten kleden zich uit. Van haar kant trekt de vrouw haar jurk uit, waaronder ze niets blijkt aan te hebben. Dan bukt ze zich en trekt onder de bank zweepjes en handboeien tevoorschijn.

Jezus, wat afgezaagd, denkt Clemens, die nu klaarwakker is.

Dan gaan er openslaande deuren open, waardoor een man zichtbaar wordt. Hij is naakt, maar hij heeft een armband om met een hakenkruis, een SS-pet met een doodskop en zwart leren laarzen aan.

Hij loopt naar de camera. Als hij uit het duister komt, slaakt Clemens een kreet.

'Anaïs!'

De jonge vrouw springt overeind, alsof ze uit een nachtmerrie wordt gerukt.

'Wat is er in godsnaam aan de hand?'

'Moet je kijken,' zegt Clemens, geboeid.

Anaïs fronst haar wenkbrauwen.

Op het scherm heeft de grote officier zich gebukt tussen de benen van de vrouw.

'Ben je niet lekker? Maak je me wakker voor een pornofilm?'

Maar dan houdt ze haar mond. Haar hand grijpt die van Clemens.

Hij is jonger, blonder en hij heeft schmink op, maar het is hem wel degelijk: Vidkun Venner!

1987

'Hoe lang was u al niet in het dorp geweest, baas?'

Commissaris Chauvier zit nerveus op zijn tong te kauwen.

'Al een hele poos niet,' mompelt hij.

Linh dringt niet aan. Dat heeft toch geen nut. Sinds ze met de wagen gisteren zijn teruggekomen, heeft hij niets durven vragen. Toch heeft hij begrepen dat Chauvier hier niet per ongeluk was. Deze affaire viel onder Albi, niet onder Toulouse, maar Chauvier had aangedrongen haar persoonlijk op zich te nemen. Dat was al eigenaardig. Toen het lijk vervolgens uit het lijkenhuis verdween, werd het raadsel alleen maar groter. En nu zijn ze weer terug in Paulin, om middenstanders en bewoners te ondervragen.

Paulin is echt Frans, denkt Linh terwijl hij de straten van het zuidelijke stadje bekijkt. Muren van roze steen, uitkragende huizen, een ranzige stegenlucht. Hier ademt alles opsluiting, veilig in zichzelf gekeerd. Waar Linh een vreselijke hekel aan heeft. Hij heeft weliswaar geleerd te leven met de blikken van anderen, maar is er nooit helemaal aan gewend. Die ongelovige ogen als hij zijn politiekaart laat zien, de tweeslachtige blik van de voorbijgangers op zijn moeder, als zij haar boodschappen doet in haar rolstoel en begint te kwebbelen met haar Vietnamese accent. In Paulin zou de oude Toan het geen week uithouden.

Chauvier daarentegen lijkt hier een vis in het water.

Er valt een lauw motregentje. Linh trekt de kraag van zijn regenjas op en steekt zijn handen in zijn zakken.

Chauvier zet zijn hoed af. Hij rekt zich eens uit in de regen en haalt diep adem.

Linh bekijkt hem gegeneerd, alsof hij hem op iets intiems betrapt.

De mensen schenken geen aandacht aan hen; die ochtend hebben de Paulinezen wel wat anders te doen: het is marktdag. Ondanks de regen gaat iedereen naar de platanenallee die rondom deze oude katharenstad loopt.

Chauvier krijgt weer moed door dat rondborstige geklets van die dorpelingen met hun baskenmuts op, de vrouwen met een hoofddoekje, de jongeren die hun brommer laten ronken als ze voorbij de bank met de oudjes komen, die stalletjes met worst, veelkleurige kleding, koloniale tropenhelmen, spijkers, nijptangen, zagen, dassenvallen, militaire dump, goedkoop speelgoed, tonnen olijven, zacht gebak.

Hier is ook niets veranderd, alleen maar de gezichten, denkt hij.

'Commissaris, kijk eens!'

Linh wijst hem op een winkeltje op de hoek van een straat, naast een hoedenzaak.

DE KATHARENROUTE, VVV. RONDLEIDINGEN, ROUTES, AANRADERS.

Op een matglazen ruit heeft een onhandige hand een kruisvaarder in volle wapenuitrusting bij een vesting getekend. Linh drukt zijn neus tegen de ruit en schermt zijn ogen af met zijn handen.

'Gesloten.'

'En wat is daarbinnen?'

'Een bureau, stoelen, folders, en foto's.'

Chauvier kijkt op zijn beurt. Linh heeft gelijk. Niets opwindends. Maar hij ziet tegen de muur een foto hangen van Claude Jos. De burgemeester lijkt er jonger op, heeft een bergbeklimmerspak aan en staat aan de voet van het kasteel van Montségur. Hij is omgeven door vier stevige kerels met een macho uiterlijk, voorzien van touwen en pieken, en vergezeld door een groep Japanse toeristen.

'Hoeveel spookartsen waren er in het lijkenhuis?' vraagt Chauvier, zonder zijn blik van de foto af te wenden.

'Met zijn vieren.'

De commissaris zucht eens gelaten.

'Ik vrees dat we "meneer de burgemeester" weer moeten gaan opzoeken,' bromt hij, zonder de minste humor.

'Op maandag is dat niet moeilijk, hij is de hele ochtend op de markt.'

De beide agenten draaien zich om. In de deuropening van de hoedenwinkel staat een donker mannetje van een jaar of zeventig, in een goedkoop pak, ze geamuseerd te bekijken.

'En,' vervolgt hij, 'gaan jullie de moordenaar opsporen?'

Zijn blik boort zich in die van Chauvier.

'Paulin is een rustig stadje,' vervolgt hij, 'we hebben hier nooit problemen. Dat heeft de burgemeester u vast wel verteld.'

De agenten bekijken dit vreemde personage, dat een beetje de draak met hen lijkt te steken. De man wijst op de hoed van de commissaris en bromt als een kenner.

'Mooi, die vilthoed, maar versleten. Wilt u de laatste modellen niet even bekijken?'

Zijn blikken dringen aan. Chauvier begrijpt het niet.

'Wat weet u van deze affaire?'

Maar de hoedenmaker kijkt om zich heen en pakt de commissaris bij de arm.

'Echt waar, u moet de nieuwste modellen komen bekijken,' zegt hij, voordat hij Chauvier zijn winkel in duwt.

Daar staan ze dan te midden van stoffige planken, waarop vilthoeden en baretten liggen. De hoedenmaker staat tegenover de commissaris en bekijkt hem alsof hij probeert hem te ontcijferen. Chauvier durft geen woord te zeggen. Het smoel van de middenstander begint op te lichten. Zijn buik wordt ronder, waardoor hij er in zijn te strakke vest uitziet als een soort bloedworst.

'Ballaran,' zegt hij, terwijl hij Chauvier bij de schouders pakt. 'Gilles Ballaran, ik wist het!'

'Wat?' vraagt Linh.

De oude smeris voelt zijn benen verslappen.

Ja natuurlijk, denkt hij, terwijl hij probeert zich goed te houden.

'Zelfs van achteren gezien heb ik je herkend. Jij hebt dezelfde houding als je vader. Precies dezelfde.'

De commissaris rilt. De hoedenmaker betrekt Linh erbij en voegt eraan toe: 'Dezelfde brede schouders, en die stierennek – diezelfde onbeschaamde toon – de meiden vonden dat prachtig, ouwe snoeper!'

Chauvier wankelt tot hij een rieten stoel vindt en laat zich erop neerploffen.

'Weet je, ik kan me de dag nog herinneren dat de moffen je vader hebben vermoord,' vervolgt de middenstander. 'Ik heb het lijk gezien. Ik heb zelfs geholpen het naar het kasteel te brengen. De hele Mirabelgroep was naar het katharenbos gegaan, niet ver van de plek waar de jagers die gehangene van je gevonden hebben.'

De hoedenmaker hurkt nu voor Chauvier en houdt zijn gezicht voor het zijne.

'Helemaal duidelijk is die affaire nooit geworden.'

Chauvier haalt eens diep adem, geconfronteerd met de hoedenmaker, zonder dat hij het echt kan geloven.

'Marc Pinel?'

'Dus jij draagt nu de naam van je moeder? Maar waar heb je al die jaren gezeten? Ben je nooit terug geweest, terwijl je maar vijftig kilometer hiervandaan werkt?'

Marc Pinel, de oude hoedenmaker, houdt niet op. Hij verwacht zelfs
geen antwoord van Chauvier. De commissaris, ineengedoken op de rieten
stoel, omklemt het glaasje perenbrandewijn dat de middenstander hem
heeft aangereikt.

'Ach,' zegt Pinel enthousiast terwijl hij zich tot Linh wendt, 'als u mama
Chauvier had gekend, dat was de mooiste vrouw uit de omgeving!'

Linh voelt zich uitermate gegeneerd. Zijn blik gaat van een nostalgische
hoedenmaker naar de door herinneringen verpletterde Chauvier.

'Iedereen was jaloers toen Claude Ballaran, de vader van Gilles, uiteindelijk met haar trouwde. Zelfs de pastoor was gek op haar!'

Weer een schaterlach. De middenstander lijkt zichtbaar jonger te worden. Chauvier zit nog steeds muisstil. Het lukt hem niet zijn evenwicht te
hervinden, hij steekt zijn enkels achter de stoelpoten. Hij verjaagt de beelden van zijn vader, vooral het laatste, dat Pinel zojuist heeft opgeroepen.

'Jouw vader was slimmer dan de rest. Hij heeft niet zijn best gedaan
haar te veroveren. Hij heeft niet alle bloemisten uit de streek leeggekocht,
zoals die jonge Paschetta, hij was geen romanticus. Hij was gewoon boer.
Net als mijn ouders. Net als wij allemaal in Paulin.'

De hoedenmaker fronst zijn wenkbrauwen en heft zijn glas op.

'Wat een mooi paar!' besluit hij.

Niemand zegt meer wat. De hoedenmaker draait zijn glas tussen zijn
grote vingers. Linh leunt tegen de toonbank, waardoor hij een stapel pet-
ten omvergooit.

'Laat maar!' zegt Pinel, terwijl hij zich haast om ze op te rapen. 'De winkel is ook zo klein.'

Chauvier komt uit zijn lethargie. Zijn ogen zijn rood, maar hij haalt diep
adem.

'De burgemeester, ken jij die goed?'

'Natuurlijk, iedereen kent hem hier,' antwoordt de middenstander, ontwijkend. 'Hij is al eenenveertig jaar burgemeester! Wat dat aangaat heeft
het verzet hem geen windeieren gelegd.'

Chauvier loopt tot aan de glazen deur. Hij drukt er zijn voorhoofd te-
genaan, als een jochie op een regenachtige dag.

'Is er in die eenenveertig jaar niks vreemds gebeurd?'

'Absoluut niks. Echt plattelandsleven. Niets op aan te merken. Maar jij, Gilles, jij hebt het een en ander gezien sinds je...'

'Vertel eens wat over zijn bedrijf voor "katharentoerisme", want jullie zijn buren,' onderbreekt Chauvier hem.

'O! Jos is daarmee begin jaren zestig begonnen, toen de toeristen hier- naartoe kwamen, toen ze zich gingen interesseren voor de katharen, voor verborgen schatten en dat soort' – hij zoekt het woord – 'esoterische za- ken.'

'En zijn dat wandeltochten?' vraagt Linh.

'Ik heb er nooit aan meegedaan, maar ik geloof dat het gewoon bezoe- ken zijn, met de auto, dagtochtjes en ook wel tochten van een week, te voet, en dan kamperen ze op de Montségur. Je moet er een goede lichame- lijke conditie voor hebben.'

'Loopt dat een beetje?'

'Van de zomer waren er nog mensen, maar de gidsen worden oud.'

'Zijn het nog steeds dezelfde als in het begin?' vraagt Chauvier, die langzaam maar zeker zijn besliste toon hervindt.

De hoedenmaker denkt even na voordat hij antwoordt: 'Ik geloof het wel, ja. Ze wonen niet in het dorp, maar op het kasteel, en ze praten met niemand. Aan hun accent te horen komen ze niet hiervandaan.'

Linh valt hem in de rede: 'Zijn dat die mannen die naast Jos staan op de foto in de winkel?'

Pinel bevestigt het door zijn lippen op elkaar te persen.

'Ja, smerige kerels. Ze zijn weg trouwens.'

'Hoe bedoelt u?'

'Vorige week zijn ze met pensioen gegaan en uit de streek verdwenen. Opgeruimd staat netjes! Hier in het dorp mochten we ze nooit. Verder gaan er geruchten.'

'Wat voor geruchten?'

De hoedenmaker bloost. Hij aarzelt.

'Wat voor geruchten?' zegt Chauvier weer, dit keer op politietoon.

Pinel probeert geamuseerd te kijken, maar dat lukt hem niet helemaal.

'Jij lijkt echt op je vader, weet je.'

Chauvier herkrijgt zijn natuurlijke kleur.

'Nou ja, als hij zo oud als jij was geworden,' vervolgt de hoedenmaker. 'Ik kan me nog herinneren, als hij op stropers stuitte, hij...'

'De commissaris heeft u een vraag gesteld.' Linh zegt het op bloedseri- euze toon.

De hoedenmaker moet even slikken.

'Ach ja, dat vergat ik bijna, jullie zijn van de politie.'

Hij schudt zijn hoofd en zegt dan, alsof het hem moeite kost: 'De zoon van mama Chauvier bij de politie…'

'Wat voor geruchten?' vraagt de commissaris voor de laatste keer, hij houdt zich in.

De hoedenmaker durft niet verder te ontwijken. Op een quasiongeïnteresseerde toon antwoordt hij: 'Nou, ze zeggen dat die gidsen oudgedienden waren.'

'Militairen?' vraagt Linh.

'Duitse soldaten.'

Buiten regent het niet meer. Een zonnestraal doet de kasseien op straat glimmen.

'En die Duitse soldaten,' vraagt Linh, 'hadden die in de oorlog gevochten?'

'Dat zijn we nooit te weten gekomen. Ze waren misschien wat te jong. Maar ik heb altijd horen zeggen dat ze bij de SS waren. De ergste afdeling: waar je als kind bij kwam.'

Hij aarzelt en voegt er dan aan toe: 'Dat zou de reden zijn waarom een van hen een groot litteken aan de hals had.'

'Waar woonden ze?' vraagt Chauvier.

'Dat heb ik je al gezegd: bij Jos en zijn kleindochter, op het kasteel van Mirabel.'

Chauvier knarsetandt.

'Heb je me alles verteld?'

'Luister nou eens, Gilles,' stamelt Pinel, 'ik kan goed opschieten met de burgemeester. Ik doe zelfs een beetje zijn boekhouding als de secretaris ziek is en ik…'

Chauvier verstijft.

'Boekhouding?'

Pinel realiseert zich dat hij te veel heeft gezegd. Hij werpt een blik op zijn toonbank en stom genoeg probeert hij een geel dossier uit een stapel andere papieren te vissen, maar Chauvier heeft zijn bedoelingen door. Hij grijpt het dossier terwijl de hoedenmaker nog zachtjes protesteert.

'Nee toch! Als Jos dat te weten komt, dan…'

'Wat dan? Ben je bang verbrand en opgehangen te worden in het katharenbos?'

Dat laatste heeft Chauvier geschreeuwd. Hij houdt het gele dossier met een blik van waanzin tegen zich aan.

Dan staat hij op en trekt de deur van de winkel open. Als hij die weer sluit, draait hij zich om naar de hoedenmaker.

'Ik reken op je, Pinel. Geen woord van dit gesprek tegenover de burgemeester. En dit dossier is eigendom van Justitie, dit is meer dan wat dorps-
roddel.'

De hoedenmaker knikt ongerust en sist: 'Als jouw vader je zou zien...
Gilles Ballaran!'

'Nog één ding,' zegt de commissaris terwijl hij Linh beduidt de winkel
te verlaten.

Hij buigt zich voorover naar Pinel, die oude, vertrouwde knoflookkegel.
'Ik heet Gilles Chauvier.'

De twee smerissen stappen zwijgend in hun Renault 5. Linh durft niets te
zeggen. De wagen rijdt door de straten maar stuit dan algauw op de markt.

'Verdomme!' bromt Chauvier uitgeput, en hij slaat met zijn vuist op het
stuur. Met een flinke dot gas stuift hij achteruit, waardoor hij bijna een
man in een rolstoel omverrijdt, die begint te schaterlachen en tegen het
trottoir van de allee botst.

'Hola!' schreeuwt Linh.

Maar de auto vertrekt alweer en al snel zitten ze in een doolhof van
steegjes. Chauvier zit aan de voorruit geplakt.

Hij kent die straatjes als zijn broekzak, constateert de Aziaat, terwijl de
R5 een fraaie landweg op rijdt. Het is nu mooi weer. De wolken zijn bijna
verdwenen, waardoor deze oktoberochtend wel wat zomers heeft. Ze slingeren door een dal, tussen de velden door. Twee mannen staan, tegen hun
tractor geleund, te kletsen, hun voeten in de modder. Onverstoorbaar en
spottend kijken ze naar dat autootje dat zo snel rijdt.

Maar Chauvier kijkt slechts recht voor zich uit. Dan komen ze aan de
voet van een heuvel. Terwijl ze een steile weg tussen twee platanen nemen, ziet Linh nog net een bord: Kasteel Mirabel, privéterrein, verboden toegang.

Boven hen tekent het gebouw zich af tegen de hemel. De nog natte daken glinsteren in de zon. Als de Renault 5 boven aan de helling is vraagt
Linh: 'Zou je zo vriendelijk willen zijn me nu een en ander uit te leggen?'

Maar Chauvier zegt niets. De auto komt onder een grote poort voor het
kasteel tot stilstand. De commissaris stapt uit terwijl Linh zijn portier
opent.

'Nee, jij blijft daar. Ik geloof dat je wel begrepen hebt dat het tussen
hem en mij is.'

Op hetzelfde ogenblik gaat er een deurtje open onder de poort en verschijnt Aurore.

'Commissaris,' zegt ze verrast. 'Het spijt me, maar grootvader is net weg, hij moet op de markt zijn.'

Chauvier glimlacht de jonge vrouw toe.

'Ik wilde u juist enkele vragen stellen.'

Aanvankelijk verrast, begint de jonge vrouw op haar beurt te glimlachen, en ze pakt de commissaris bij de arm.

'Vindt u het goed dat we naar de tuin gaan? Ik had net zin een luchtje te scheppen.'

De agent en de studente lopen door de lanen van het park en bij elke stap gaat commissaris Chauvier verder in de tijd terug. Hij wordt weer de kleine Gilles Ballaran, dat slimme jochie, door zijn ouders opgevoed in de schaduw van kasteel Mirabel. Een jeugd met houtvuur, suddervlees, winterstormen en hittegolven in de zomer. De tuin is nog precies dezelfde. De op Franse wijze gesnoeide buxussen, trotse lanen. Grote parasoldennen aan het begin van het landgoed die je vanuit de omgeving al kunt zien staan.

'Daar woon ik,' zei hij dan trots tegen de andere kinderen.

Over het algemeen antwoordden zijn kameraadjes – zelf ook zoons van boeren of huisknechten – minachtend en jaloers: 'Ja, maar jij bent alleen maar de zoon van de oppasser!'

De kleine Gilles werd dan rood en bromde in zichzelf: 'Nu nog wel, maar eens zal ik met Anne-Marie trouwen en dan word ik heer en meester op het kasteel, net als de graaf van Mazas.'

Hoe kon hij ze die dagen met Anne-Marie verklaren? Hun spelletjes in het bos, in de tuin, onder de buxus. Niets dubieus. Alleen de frisheid van een onbeschaduwd gevoel: een gezamenlijke jeugd. En dan het zoete van die vriendschap, dat meent Chauvier terug te vinden, terwijl hij door de gemaaide lanen loopt, bedekt met dood blad. Aurores voeten schoppen tegen de dennenappels, net zoals haar grootmoeder dat vijftig jaar geleden deed.

Hij laat haar praten. Aurore vertelt hem over het kasteel, over de rol die Mirabel heeft gespeeld in de kathaarse kruistocht, de honderden terechtgestelden.

'De lijken zijn nooit helemaal verbrand en zijn begraven in het bos, tegenover het fort, daarom heet het ook het "katharenbos".'

De ogen van de jonge vrouw beginnen te stralen. Dat verhaal fascineert haar. Net zoals de familiegeschiedenis haar fascineert, de Mazas, rechtstreekse afstammelingen van grote Occitaanse families die bekeerd waren tot het katharendom en die het gelukt was aan de brandstapels van de Inquisitie te ontsnappen. Maar Chauvier luistert niet. De oude smeris wordt geboeid door de lippen van Aurore.

'Begrijpt u wat ik bedoel?' vraagt ze plotseling.

Stilte. Aurore schatert, met een lach die tegen de ceders weerklinkt.

'Ik zie wel dat de geschiedenis van dit huis u boeit, commissaris,' zegt het meisje spottend.

Chauvier wordt vuurrood.

'Ik… Het spijt me.'

Hij strijkt met zijn hand over zijn gezicht en probeert van onderwerp te veranderen om zijn verwarring te verbergen.

'Wat studeert u eigenlijk?'

'Mediëvistiek. Ik bestudeer de geschiedenis van de streek in de twaalfde en dertiende eeuw, en meer in het bijzonder het katharendom.'

Met een weids armgebaar wijst ze op de tuin en het kasteel.

'Ik maak van mijn jeugd een levensgroot werkcollege.'

Gilles Ballaran probeert weer commissaris Chauvier te worden, trekt zijn boekje tevoorschijn, als een amateurtoneelspeler die zich een houding geeft door een wandelstok of een pijp te hanteren. Rekwisieten.

'Bent u hier opgegroeid?'

Aurore kijkt verbaasd als ze de smeris aantekeningen ziet maken, maar ze heeft niets te verbergen.

'Ik heb eerst in Parijs gewoond, bij mijn ouders, maar die zijn gestorven toen ik vijf was. Toen heeft mijn grootvader mij hiernaartoe gehaald.'

Ze komen bij de rand van de tuin. De hemel betrekt. Achter hen lijkt het kasteel een dreiging. Het is een echte spiegel: grijs bij bedekt weer, vlammend in de zon.

Chauvier houdt zijn adem in alsof hij een aanloop neemt en vraagt dan ten slotte, bijna met zachte stem: 'En uw grootmoeder?'

Aurore draait zich naar hem om en bekijkt hem. De smeris ziet diepe droefheid in haar ogen.

'Die is twee jaar geleden gestorven.'

Chauvier klemt zijn kaken op elkaar, maar hij moet afstandelijk blijven.

'Dat weet ik,' zegt hij. 'Ze was ziek, niet?'

'Nierkanker,' voegt Aurore er met trillende stem aan toe. 'Ze is binnen een paar weken gestorven.'

Chauvier wendt zich af. De tranen springen hem in de ogen. Aurore merkt niets, ze is te druk bezig die van haarzelf weg te dringen. Bijna een kwartier lang lopen ze zwijgend door. Aurore wijst af en toe met haar vinger op een boom, een bank tussen het gras, een hek dat onder de struiken verdwijnt. Chauvier laat zich rondleiden. Ten slotte gaan ze zitten op de stammen van twee pas omgezaagde bomen, aan de andere kant van de tuin.

'Voor een agent stelt u niet veel vragen,' merkt Aurore op terwijl ze haar benen strekt. Ze leunt achterover en steekt haar buik vooruit. Haar borsten komen naar voren onder haar mooie linnen jurk en Chauvier verbaast zich dat ze het niet koud heeft op zo'n oktoberdag.

Hij trekt zijn pelsjack om zich heen en denkt: Anne-Marie was net zo, ongevoelig voor kou.

'En die studie van u, wat gaat u daarmee doen?'

Nu komt Aurore op dreef. 'Ik ben van plan een scriptie te maken over het verband tussen het katharendom en de politiek van de twintigste eeuw.'

Chauvier zet grote ogen op terwijl Aurore gemaakt ontmoedigd doet. 'Ik weet het, mensen zijn altijd een beetje verbaasd, maar er zijn talrijke relaties tussen de kathaarse traditie en bijvoorbeeld de ideologie van het Derde Rijk.'

'Heeft uw grootvader u opgezadeld met die nonsens?' vraagt de smeris agressief.

Aurore wordt meteen somber en verliest haar zelfvertrouwen.

'Maar het staat in een heleboel boeken!'

Chauvier fronst zijn wenkbrauwen en zegt op neutrale toon: 'Daarom bent u zo op de hoogte aangaande de tatoeage op dat lijk? Die SS-tatoeage?'

Aurore klapt nu dicht. Ze staat op, doet een paar stappen, draait zich dan om naar Chauvier. Haar ogen glinsteren.

'Grootvader was een groot verzetsstrijder. Hij heeft veel geleden in de oorlog. Hij is gedeporteerd en hij is uit een concentratiekamp ontsnapt. Hij heeft me geleerd dat je altijd je vijand moet kennen!'

Chauvier ergert zich hartgrondig aan het ongelooflijke cynisme van Jos. Maar hij ziet dat dit meisje, zo zuiver, oprecht verontwaardigd is. Hoe moet hij het haar duidelijk maken? De leugen zit te diep, is te intiem.

Met de blik op de grond vraagt hij koeltjes: 'Wat kunt u mij vertellen van die vier gidsen die jarenlang voor uw grootvader hebben gewerkt?'

Aurore aarzelt, doet haar mond open, maar dan...

'Bent u er weer?'

Door de lanen komt Jos woedend op hen af.

'Ik wil dat u mijn kleindochter met rust laat!' bromt de oude burgemeester. 'Aurore heeft niets met deze zaak te maken!'

'U wel?' vraagt Chauvier ironisch.

De beide heren zijn rechtstreeks naar de eerste verdieping gegaan, naar het kantoor van Jos. De kamer is doortrokken van een zware tabakslucht. Aan de muren, tussen schilderijen van een uitgesproken romantische smaak, hangen mahoniehouten planken met duizenden boeken erop.

'Commissaris, u begint lastig te worden.'

Jos wil graag dreigend overkomen.

'Hoezo, meneer de burgemeester?' vervolgt Chauvier. 'Voelt u zich ergens schuldig over?'

Jos slaat zijn ogen ten hemel maar doet alsof hij de zaak wil sussen. 'Ik was van plan u te bellen,' zegt hij. 'Ik heb zelf onderzoek gedaan: het gaat hier om een rekening die is vereffend tussen zigeuners. Uw lijk was een Roma uit een stam in de Gers. Zij heeft problemen gehad met de zigeuners die in mijn gemeente wonen en ze hebben dat onderling geregeld, meer is er niet te vertellen.'

Weer staat Chauvier paf van het lef van Jos.

'En meer is er niet te vertellen? U vindt het normaal dat ze elkaar op die manier op uw terrein opensnijden?'

Jos werpt een zwaar minachtende blik op Chauvier. 'Arme vriend, ik bestuur deze streek al meer dan veertig jaar. Een ouwe smeris die op het punt staat met pensioen te gaan hoeft mij mijn vak niet te leren.'

Chauvier slikt zijn speeksel weg. Hij leunt tegen een schilderij en staat tegen de bisschopsstaf van Sint-Dominicus, die bezig is een duivel uit te drijven.

Vanuit de hoogte vervolgt Jos: 'En wat hebt u eigenlijk gedaan in uw leven, behalve zitten suffen aan een bureau en boetes ongedaan maken?'

Jos' stem wordt steeds hoger. Er meldt zich een vreemd accent. Hakkerig, snijdend.

'Hebt u vrienden? Of een familie?'

Hij moet even hoesten voordat hij eraan kan toevoegen: 'Een vrouw?'

Chauvier heeft er genoeg van. Hij stoot met zijn elleboog tegen de schilderijlijst, die een rommelend geluid maakt. De politicus weet niet wat hij hiermee moet, maar grijnst dan en probeert te glimlachen: 'Ik zie dat ik een teer punt heb aangesneden.'

De commissaris neemt een geestelijke aanloop en slaat dan terug: 'En ik, ik zie dat er rare dingen bij u gebeuren, *Herr Jode*.'

Jos is in de wolken. 'Eindelijk valt het masker,' zegt hij grinnikend voordat hij zijn blik in die van de smeris boort. 'Ik wist wel dat wij elkaar kenden... Ballaran!'

2005

Nee maar, hij is het echt, denk ik als zijn Mercedes limousine om de hoek van mijn straat verschijnt. Die enorme bak wordt dubbel geparkeerd voor mijn kleine deur in de rue Paul-Bourget. Een echte pooierbak, of eentje van een pornoproducent.

Vidkun doet het raampje open.

'Bravo, ik houd van mensen die op tijd zijn!'

Die stem, die blik, precies dezelfde als in de film van vannacht!

Fritz stapt meteen uit om mijn bagage in de kofferbak te stoppen (de hakken tegen elkaar, '*Fräulein!*'), en dan nodigt hij mij uit plaats te nemen in de 'salon'.

Op het moment dat ik instap, kijk ik nog even naar mijn flat, naar boven, op de twaalfde verdieping. Ik heb Graguette naar Lea gebracht, daar ligt ze nu waarschijnlijk op de vensterbank in de zon. Dat doet ze altijd om deze tijd. Ze is zo lief, zo rustig. De rest van de wereld kan haar niets schelen. Zij is van niemand afhankelijk.

Ik zeg tegen mezelf: ik kan nog terug. De ontdekking van vannacht was de laatste druppel in een toch al te volle emmer: iets van onwelzijn, een stuk nazidom, een beetje fascinatie, een flinke lepel medeplichtigheid en een paar liter zwembad.

'Kom je, Anaïs?'

Iedereen heeft zijn prijs, bedenk ik berustend, en ik buk me om in te stappen. Stomverbaasd ontdek ik twee banken tegenover elkaar, van bordeauxrood leer. In het midden zit een laag tafeltje aan de vloer geschroefd. De wanden van de cabine zijn gelambrizeerd. De ruiten gaan schuil achter paarsrode gordijntjes met pompons. Verder is dit 'vertrek', afgezien van een plasmascherm, uitgerust met een koelkast en een schuifraam om het woord tot Fritz te kunnen richten. Zogenaamd modern comfort. Om bij mijn bank te komen, moet ik vlak langs mijn 'gastheer', die daarbij gegeneerd bromt. Ik ruik zijn luchtje: eau-de-cologne met muskus, te sterk maar bedwelmend. Deed hij dit ook op voordat hij ging opnemen?

Wanneer we tegenover elkaar zitten, durft geen van ons beiden iets te zeggen, plotseling gegeneerd door deze intimiteit. Ik kan het niet laten hem te bekijken. Alles, de manier waarop hij zijn wenkbrauwen optrekt, zoals hij met zijn oogleden knippert, zijn gebaren, het doet me allemaal aan die film van vannacht denken. Dat adelaarsprofiel, die blonde ogen, dat gespierde, glimmende lijf en dan die naam, op de titelrol aan het einde: de Viking!

Na de film hebben Clemens en ik een gedeelte van de nacht op internet doorgebracht. Het was ook zo idioot! Ik moest het te weten zien te komen. Wat we ontdekten was even kort als verwarrend: de Viking was een Scandinavische acteur. Niemand vermeldt zijn echte naam, maar hij was een grote ster in de porno van de jaren zeventig, beroemd om zijn libido (187 films in drie jaar), voordat hij plotseling van het scherm verdween.

'Honderdzevenentachtig films!' stamelde Clemens perplex. 'Als je een gemiddelde van drie partners per film rekent, dan is dat 561 keer neuken! Hij kan er wat van, die vent van jou!'

Ik bespeurde een tikje jaloezie bij Clemens. Terecht? Ten onrechte? Hoe kom ik daarachter?

De wagen rijdt naar het oosten en ik word meteen gewiegd door de lelijke litanie van wegwijzers, terwijl we Parijs uit rijden: Meaux, Reims, Metz, Nancy, Straatsburg. Ik voel slaap opkomen. Helaas!

'Anaïs, we moeten aan het werk.'

Ik ga rechtop zitten en constateer dat Venner een koffertje heeft gepakt, dat als een mopshond op zijn schoot ligt. Ik knik, pak mijn pen en mijn notitieblok.

'Ik luister.'

Prompt wordt Vidkun weer de aardige man.

'Je vroeg mij onlangs of die Lebensbornklinieken echte "fokkerijen" waren.'

Venner kiest zijn woorden alsof het kostbare voorwerpen zijn. Hij trekt een samenzweerderig gezicht.

'Alles wijst erop van wel, maar de archieven van de Lebensborn zijn tijdens het debacle door de leiders verbrand en getuigenissen zijn zeldzaam, alles wijst erop dat er sprake was van een soort zwijgplicht bij de overlevenden.'

Vidkun sluit zijn ogen en probeert het tafereel op te roepen.

'Evenzogoed is er sprake geweest van een "geleide voortplanting". Arische kandidates meldden zich aan om te worden bevrucht.'

'Daar werden ze niet toe gedwongen?'

'Waarom zouden ze? Hitler had jeugd nodig en die vrouwen hielden van hun Führer.'

'Het lijkt wel alsof u dat normaal vindt!'

'Het gaat hier niet om normaal of abnormaal! Wij doen hier aan geschiedschrijving, we vellen geen moreel oordeel.'

'Zoals u wilt,' zeg ik, niet van plan me zo een-twee-drie gewonnen te geven.

'Ik zei dus dat die kandidates werden onderzocht door "voortplantingsraadgevers", die ze verwezen naar de juiste locatie, en de juiste verwekkers.'

Vidkun spreekt langzaam. Hij probeert de uitwerking van elk gegeven op mij uit: voortplanting, verwekkers... Ik veins afstandelijkheid.

'Eenmaal zwanger werden de jonge vrouwen overgebracht naar grote landgoederen, waar ze verwend werden tot aan de bevalling.'

Om mijn zelfbeheersing niet te verliezen krabbel ik wat neer in mijn notitieblok.

'En eenmaal geboren, wisten die kinderen dan wie hun ouders waren?'

'Natuurlijk. De vader was Hitler en de moeder Duitsland!'

Ik kan momenteel nog niet uitmaken hoe lang ik dit soort humor ga slikken. Ik, die zo cynisch ben, heb hier toch mijn meerdere gevonden!

'Maar wie waren de echte vaders?'

'Uitsluitend SS'ers. Zodra ze geboren werden, werden die baby's verzorgd door de SS en naar speciale scholen gestuurd, die een geestelijke en lichamelijke opvoeding boden. Eerst werden ze lid van de Hitlerjugend en als ze achttien waren konden ze bij de SS gaan.'

'En waar waren die scholen?'

'Door heel Duitsland. De SS had de gewoonte middeleeuwse kastelen te gebruiken om een riddermentaliteit aan te kweken. Himmler, het hoofd van de SS, beschouwde zichzelf als de reïncarnatie van verscheidene middeleeuwse vorsten.'

De idioot, denk ik, terwijl ik naar het landschap kijk. We zijn net voorbij Reims. Het merendeel van de andere auto's zijn tegenliggers: de vakantie is bijna voorbij, iedereen gaat inkopen voor school doen, verzorgt zijn vakantiesouvenirs, ziet er gezond uit, heeft nog zand in de schoenen. Routine. Die weten tenminste waar ze heen gaan. Ik verman me.

'En wat gebeurde er als die baby's een afwijking hadden?'

Vidkun maakt een kort handgebaar, dat niets te raden overlaat. Hij ziet meteen mijn afkeer.

'Hoe het ook zij,' preciseert hij, 'acht procent van die kinderen stierf bij de geboorte. Wat de afwijkingen betreft, als die niet bij de bevalling werden "geëuthanaseerd", werden ze naar het ziekenhuis van Brandenburg-Görden gestuurd, dat was een oude gevangenis die was omgebouwd tot operatiezaal, waar kinderen van onder de drie jaar werden "behandeld".'

Ik word nog bleker. 'Ze werden... behandeld?'

Vidkun laat nu zijn ironie varen. 'Ze lieten ze langzaam aan doodgaan door ze met morfine in te spuiten, en vervolgens...'

Ik moet een aanval van misselijkheid onderdrukken als ik het einde van zijn zin hoor: '... en vervolgens werden hun lijkjes ontleed in het kader van het "wetenschappelijk onderzoek naar ernstige erfelijke en constitutionele ziekten".'

Proefkonijnen. Ik denk aan de ontvoerde gehandicapten in Duitsland, waarop de pers zich zo verlekkerd heeft gestort.

'Wettelijk gezien moest er een termijn van twee weken in acht worden genomen tussen de geboorte en de dood van de zuigeling. Maar als het kind als "ongeschikt" werd beschouwd, werd de overlijdensacte getekend voordat het naar het ziekenhuis van Görden werd gestuurd.'

Venner blijft me aankijken met spottende blik, alsof dit alles slechts een voorbereidende oefening was.

'Ik moet je meteen waarschuwen, Anaïs, deze reis wordt geen pleziertochtje.'

In de weerspiegeling van de ruit zie ik mijn uitdrukking van onmacht, bijna ontwapening. Zo moet een slachtoffer eruitzien!

'Wat ik je heb verteld, is nog maar een voorproefje.'

'Dat weet ik, ik moet er even aan wennen.'

Heel langzaam zakt Venner in zijn stoel en hij legt zijn koffertje op het tafeltje.

'In dat geval gaan we je weerstand nu pas echt op de proef stellen.'

Ik zet me schrap.

'Want er is nog een detail bij onze vier zelfmoordenaars dat ik niet heb vermeld.'

De Viking doet zijn koffertje een stukje open en haalt er een zware envelop uit die hij me zonder een woord te zeggen aanreikt.

Ik deins even terug, maar uiteindelijk pak ik het aan en aarzelend haal ik er vier foto's uit.

'Dat zijn andere foto's die door de pathologen-anatomen zijn gemaakt,' verklaart Vidkun.

Daarop kan ik vaststellen dat elke rechterarm ter hoogte van de pols is verbonden. Geen hand meer.

'Ongelukken?'

'Daar moeten wij achter zien te komen. Hier heb ik iets wat ik per post heb gekregen, dit voorjaar, op 24 mei 2005: tien jaar op de kop af na de vier zelfmoorden, zestig jaar na die van Himmler.'

Venner opent de Samsonite en ik schreeuw zo hard dat Fritz aan het stuur rukt.

'Het koffertje, de envelop, de foto's,' vervolgt de Scandinaviër, 'dat alles is mij toegestuurd vanuit Noorwegen, zonder afzender.'

'Dat kan niet! Dat kan niet!'

Op de tast zoek ik het knopje van de ruit, maar Vidkun is me voor en laat haar zakken. De wind helpt me weer op aarde te komen, en wat ik zie wordt er des te smeriger door! Voor me liggen, gemummificeerd, zwart uitgeslagen, vergeeld, pal bij de pols afgesneden: vier handen.

Al twee uur rijden we nu in stilte. Venner is ingedut zonder meer te vertellen, want hij weet niets. De afzender van dat wrede pakje kent hij niet. De koffer ligt nog steeds op tafel, tussen ons in. Ik kan mijn voorhoofd wel tegen de ruit drukken om mijn aandacht af te leiden, die handen trekken me onweerstaanbaar aan, alsof ik verwacht een vinger te zien bewegen, zich te zien buigen, een teken te zien maken! Ik herinner me dat verhaal van De Maupassant: 'De ontvelde hand', en ik huiver.

Als die handen inderdaad van die vier zelfmoordenaars zijn, waarom heeft Venner ze dan ontvangen? Verbergt hij iets voor me? Zelf heeft hij het over een rebus. Betekent dat dat hij een occulte dimensie vermoedt aan ons onderzoek? In dat geval, waarom heeft het er niet eerder met mij over gehad? Wilde hij me zo graag in zijn macht krijgen? Gevangennemen? Zoals iedere einzelgänger neig ik tot paranoia. Maar F.L.K. is een goede uitgever. Die begint niet zomaar aan een literair project, zeker niet tegen die prijs. Maar misschien heeft Venner hem ook om de vinger gewonden. Wie weet? Ik schud mijn hoofd om al die twijfels te verjagen.

Tijdreizen bestaan niet, houd ik mij voor met het fanatisme van de zelfsuggestie. Het is 2005! Ik moet aan iets anders denken, als dat kan.

Voorin heeft Fritz een cd van een Teutoonse komiek opgezet. Ik hoor hem aan het stuur lachen. We rijden nog een goed half uur. Op het moment dat we in de Elzas aankomen, verlaat de auto de snelweg bij Phalsbourg en de namen op de borden klinken als een klok: Wasselone, Molsheim, Schirmeck.

Weer laat ik mijn voorhoofd tegen de ruit rusten en ik verlies me in het bekijken van een prachtig landschap. De limousine rijdt grote heuvels op met sparren, somber en majesteitelijk, waarin je moeiteloos heidense godheden kunt plaatsen. Een romantisch landschap, net als de Duitse schilderijen uit de negentiende eeuw. Een welige en allesoverheersende natuur, de achtergrond van kinderdromen over heksen en feeën.

In Rothau neemt de auto een bergweggetje, dat tussen de sparren door slingert. Al snel komen we andere auto's tegen, die elkaar in bochten zowat raken. De nummerborden komen uit heel Europa.

Waar gaan we nu heen? vraag ik me met hernieuwde schrik af, terwijl de limousine vaart mindert en op een parking tot stilstand komt. Dit is zo'n parkeerplaats in de bergen, een plat stuk asfalt tussen sparren.

'*Mein Herr!*' zegt Fritz terwijl hij tegen de scheidingsruit tikt.

Venner doet een oog open en rekt zich uit. Hij is nu eerder joviaal, beweegt zijn lippen als een operazanger en lacht me toe.

'Goed geslapen?'

'Waar zijn we?'

Venner bekijkt me eventjes. Een strijdluchtige flits verschijnt in zijn ogen, maar hij draait meteen zijn hoofd weg zonder te antwoorden. Nog altijd achterdochtig doe ik mijn portier open, en ik voel een lauwwarme wind, gemengd met een lucht van hars en warm asfalt. Berglucht, vermengd met die van banden. Naast ons op de parking staat een familie uit de Vaucluse bij een rode auto. Vader heeft de Michelin-kaart op het dak uitgespreid, moeder staat een boterham te eten en de beide kinderen – een jongen en een meisje – zitten elkaar achterna tussen de benen van de ouders. Als ze ons zien kijken deze provincialen verschrikt.

'Mama, daar is de president!' piept het meisje met een zuidelijk accent.

'Malvina, houd je mond!' zegt de moeder, terwijl ze haar een tik wil geven. Maar het kind ontduikt die en rent naar de limousine toe. Ze rent voor Venner langs op hetzelfde ogenblik dat die op het punt staat zijn koffertje dicht te doen.

'Maamaaaa!' brult het kind, en ze werpt zich in de armen van haar moeder. 'De president heeft allemaal vingers in zijn schooltas!'

De vrouw klemt haar dochter met een beschaamde blik tegen zich aan.

'Neemt u haar niet kwalijk, meneer, maar we zijn net binnen geweest en de kleine is een beetje… in de war.'

Vidkun glimlacht haar breed toe en slaat de toon aan van een landheer.

'Dat begrijp ik best, mevrouw, en mijn complimenten dat u uw kinderen mee hiernaartoe hebt genomen in plaats van naar Disneyland. Dat is een daad van burgerzin.'

De vrouw bloost ervan. Maar Venner verwijdert zich al met grote stappen en beduidt mij te volgen. Fritz, die voor de auto blijft staan, probeert bemoedigend te glimlachen, als een laatste afscheid voor een groot vertrek. Ik begrijp er niets van.

'Maar waar gaan we naartoe? En waar "binnen" is dat meisje zo in de war geraakt?'

'Verrassing,' zegt Venner zonder zich om te draaien.

Hij versnelt zijn pas. Ik voel me verplicht hem na te doen. Al snel beklimmen we een paadje tussen het gras, met links en rechts weer sparren.

'Ziedaar,' zegt Venner met gesmoorde stem.

Ik krijg een klap in mijn smoel.

'Mijn god! Nee toch.'

Ik had dit kunnen verwachten. Dit zat erin.

'Kom mee!' dringt de Viking aan. 'Je hoeft nergens bang voor te zijn.'

Maar ik sta als aan de grond genageld. Het schouwspel raakt me meer dan ik me had kunnen voorstellen. Voor ons, over de volle lengte van de heuvel, aan zwarte palen, een dubbele rij prikkeldraad rond gelijkvloerse barakken. Een ervan, op een bleke zandvlakte, heeft een hoge zwarte schoorsteen. Verderop vallen mijn blikken op een galg, waarvan het touw zwaait in de wind. Ik slik met enige moeite, krijg vuurrode wangen en kijk naar de talloze bezoekers – families, alleenstaanden, alle leeftijden – die ervandaan komen of erheen gaan. Triestheid, eenzaamheid, verslagenheid. Zonder theatrale gebaren wijst Vidkun me op een bord dat boven het prikkeldraad hangt en de ingang aangeeft: Konzentrationslager Natzweiler-Struthof.

Eerst durf ik niet te spreken maar ten slotte stamel ik: 'Een concentratiekamp? In Frankrijk?'

'En wel een van de ergste,' antwoordt Venner terwijl hij naar binnen gaat. 'Kom maar mee.'

Ik aarzel nog even, loop dan achter hem aan. Dat kortgemaaide gras. Die smerige huisjes. Die schoorsteen, zwart van het roet. Midden in dat landschap van een bijna beledigende schoonheid!

Venner, die de andere bezoekers bekijkt alsof ze zijn vijanden zijn, zegt zachtjes tegen mij: 'Het kamp Struthof was gespecialiseerd in wetenschappelijk onderzoek.'

Ik slik eens. 'Oftewel medische experimenten? Menselijke proefkonijnen? Net zoals die abnormale baby's van... Görden?'

Vidkun knippert tevreden met zijn ogen: de kleine kent haar les.

'De doktoren van de ziekenboeg van Struthof werkten onder een Straatsburgse antropoloog, dokter Hirt.'

'Wat voor dokter?'

'Hirt wilde een museum van de mens en van het ras stichten, waar hij alle verschillende soorten schedels en skeletten zou tonen.'

Er komt een echtpaar vlak langs ons, zwaar onder de indruk. Venner neemt me meteen bij de arm en verwijdert zich, alsof deze bezoekers zijn geheimen zouden kunnen beluisteren, zijn kennis zouden kunnen roven. Ondanks de warmte huiver ik.

'Hirt was van plan de biologische ongelijkheid van de rassen aan te tonen door schedels te laten zien van Joden, bolsjewieken, zigeuners...'

'En waar vond hij die?'

Venner wijst op de barakken.

'Die kwam hij hier halen.'

Ik doe niets om mijn walging te verbergen en hef mijn hoofd op om me te focussen op het feit dat de hemel blauw is, dat het mooi weer is en dat dit alles een halve eeuw geleden is gebeurd. Venner besteedt er geen enkele aandacht aan en staat op een vreemde manier te trappelen.

'Kom mee, nu gaan we het van binnen bekijken.'

De Viking is opgewonden als een kind dat trots aan zijn ouders een tekening of een gedicht laat zien. Hij neemt me bij de hand om naar de deur van een van de barakken te gaan. Berustend laat ik me meeslepen.

'O, meneer Venner, dat is een tijd geleden,' roept een bewaker met een vet Elzasser accent, midden in een leeg vertrek.

Hij komt met moeite overeind van zijn stoeltje en salueert. Venner geeft hem wat gegeneerd een hand en de ander gaat weer zitten. Ik weet niet wat ik hiervan moet denken. Die bewaker lijkt oprecht blij Vidkun te zien.

'Ik kom hier vaak langs op weg naar Duitsland,' verklaart Venner met gedempte stem. Vastberaden niets te laten blijken, klem ik mijn kaken op elkaar, en zo lopen we door naar de volgende zaal. Maar alle vertrekken zijn gelijk: bedden, versleten voorwerpen, zwart geworden schoenen, foto's aan de muur, ter herinnering aan de slachtoffers van het kamp, en eindeloze lijsten met namen, om van te duizelen. De anonieme massa der doden. Ik stel me duizenden schaduwen voor die zestig jaar geleden in deze gangen hebben moeten rondlopen. We komen bij de zogenaamde ziekenboeg. Daar wordt het me te veel. Voor de deur van het medisch blok schieten mijn spieren in de klem.

'Luister, ik weet echt niet of ik kan...'

Venner lijkt plotseling wakker te worden uit een droom: de vilder vergeet zijn routine en ziet even het oog van het beest, met de weerspiegeling van de hamer.

In een aanzet tot een glimlach sust hij met suikerzoete stem: 'Ik verplicht je tot niets, Anaïs.'

Toch doe ik weer mijn best een goed figuur te slaan. Ik ben geen 'snotteraar', zoals mijn vader mij noemde. Maar mijn goede bedoelingen vervliegen als voor me een oude man met zijn vrouw verschijnt. Beiden hebben zojuist de 'ziekenboeg' bezocht. Volkomen ondersteboven wankelen ze me voorbij en ze lopen met hun neus omhoog op zoek naar de blauwe lucht. De grijsaard ziet er verwilderd uit. Zijn vrouw troost hem in een onbekende taal, zachtjes, streelt hem over zijn hoofd. Venner en ik volgen ze met de ogen. Als ze naar buiten lopen zakt de oude man in de armen van zijn vrouw en slaakt een vreselijk gekreun. Meteen word ik kotsmisselijk. Mijn hart slaat op hol, ik zie weer de foto's van die proefkonijnen en mijn adem blokkeert alsof mijn longen worden verpletterd.

'Is er iets mis?'

'Ja, dat geloof ik wel.'

Ik voel me helemaal slap worden en storm naar buiten, de binnenplaats op. Venner schiet achter me aan en vangt me op als ik bijna uitglijd op de grond. Zijn eau de cologne prikt me in de neus, maar het contact met zijn lijf is ontdaan van elke dubbelzinnigheid. De Viking neemt het zichzelf kwalijk dat hij me mee hiernaartoe heeft genomen.

'Kom mee. We gaan weg. Het spijt me.'

Zonder een poging mij te ondersteunen leidt hij me buiten de omheining van het kamp, naar een plek die uitzicht geeft op de heuvels.

'Ziezo, we zijn eruit.'

Ik zie alles vaag. Ik voel zijn hand over mijn haren terwijl ik met halfgesloten ogen hortend ademhaal. Maar het gezoem in mijn hoofd houdt aan.

'Weet je zeker dat het goed gaat?'

Ik knik van ja. Ik probeer overeind te komen en doe mijn ogen open. Het panorama is subliem, ontroerend schoon! Donkergroene heuvels, bijna blauw, tot in het oneindige. Schapenwolken. Een strelend briesje. Nazomerzon. Zo'n mooie plek, op twee passen van...

Ik druk me tegen Venner aan.

'Een angstaanval... Dat heb ik af en toe...'

'Wat vervelend.'

De bomen, de heuvels, de zwoele lucht, alles draagt bij tot mijn herstel, alsof ik het gebruik van mijn longen moet herleren.

'Mooi hè?'

Ik knik weer en mijn angst vervliegt in de boomtoppen. Dat gevoel van schaamte, dat ik nog nooit zo goed heb ademgehaald.

'Ja, het is mooi! Wreed mooi.'

'In zout gebakken eendenlever met kruiden, groene linzen met savooikool.'

De oberkelner licht de metalen cloche op en de lucht dringt in mijn neus, die opwipt van eetlust.

'Je zult zien,' zegt Vidkun, 'dit is heerlijk!'

Dat ik zo'n honger had! Maar ik voel me uitgehongerd als na een intensieve sportdag, een lichamelijke, een organische behoefte voedsel tot me te nemen. Ik werk mijn hors d'oeuvre naar binnen alsof ik de beproeving van Struthof moet wegwerken.

Ik zou onder de grond moeten kruipen van schaamte bij het idee diezelfde avond nog boven een dampend bord te zitten. Maar nee, de Anaïs van gisteren is al niet meer die van vandaag. Vanavond heb ik om te gaan eten een nauwsluitend truitje en een spijkerbroek met lage taille aangetrokken. Als om me in mijn eigen tijd te verankeren.

'Anaïs, je bent betoverend,' zei Venner met stralende ogen in de hal van het hotel.

Ver weg zijn nu de ziekenboeg van Struthof, de versleten schoenen, de galg, de wanhoop van het oude ventje in de armen van zijn vrouw. Ik laat me inpakken door die zoete, wollige en beschermende sfeer van het platteland, die familiale sfeer, de Franse gezelligheid.

'Nogmaals, het spijt me van vanmiddag, Anaïs,' houdt Venner vol, die zich maar blijft verontschuldigen.

Ik wuif zijn verontschuldigingen weg met een gebaar met mijn vork, ontspannen.

'Ja ja, 't is al goed! Laten we het er niet meer over hebben. Ik moet me ook leren beheersen. Zeg me liever wat er morgen gaat gebeuren.'

Vidkun moet zich haast afvragen of dit plotselinge enthousiasme niet te danken is aan zelfsuggestie.

'Morgen gaan we naar München. Je weet dat dat de wieg van het nazidom is?'

Ik zou liever mijn eendenlever proeven, maar dit ben ik hem verschuldigd.

'Kwam Hitler uit München?'

'Hij kwam uit Braunau am Inn, een Oostenrijks stadje op de grens van Beieren. Maar Oostenrijks Tirol en de Beierse Alpen vormen in feite één land. Dezelfde mentaliteit. Bergbewoners.'

'En dat houdt in?'

'Dat houdt in dat het mensen zijn die dicht bij de hemel wonen, met het gevoel dat ze nergens heen hoeven om tot goden te worden verheven. Temeer daar heel Beieren, net als Oostenrijk, katholiek is. Het nazidom is het perfecte voorbeeld van kleinburgerlijk fanatisme, verheven tot een planetaire slachtpartij!'

'Is dat niet wat al te simpel gesteld?'

'De moraal van de nazi's was nu eenmaal simplistisch. Ze beschouwden zichzelf als mooier, sterker, intelligenter dan hun buren. En dat hebben ze op een allerverschrikkelijkste manier ook bewezen.'

Terwijl de ober onze borden weghaalt aarzelt de Viking even en hij zegt dan: 'Je hebt vanmiddag het resultaat gezien.'

Het beeld van die oude man in tranen komt me weer voor de geest. Ik bal even mijn vuisten en drink in één teug mijn glas tokay leeg.

'De grote families van Pruisische officieren zijn pas later gekomen,' vervolgt Venner. 'Hun protestantse moraal had ze ontvankelijk gemaakt voor waarschuwingen. In elk geval enige tijd.'

'Maar uiteindelijk is iedereen toch gaan meewerken!'

'Natuurlijk,' zegt Vidkun op smakelijke toon. 'Ze kunnen het nu wel ontkennen, al die grote jongens, die industriëlen, maar die bazen zijn in het nationaal-socialistische moeras gezakt. Al was het alleen maar uit financieel belang.'

Venner komt op dreef.

'En niet alleen in Duitsland,' zegt hij met nadruk. 'Als je wist hoeveel er is omgegaan in de jaren twintig tussen de grote Amerikaanse financiers en de nazi's, dan zou je ervan schrikken.'

'De Amerikanen?'

'Ja natuurlijk,' bromt hij, steeds opgewondener, 'voor hen betekende hulp aan het Derde Rijk een dam opwerpen tegen het communisme. Nog afgezien van het feit dat een man als de automobielbouwer Henry Ford een bewonderaar van Hitler was, en dat de banken Morgan en Rockefeller de nazi's uitgebreid hebben geholpen fabrieken op te zetten op Duits grondgebied.'

Ik frons mijn wenkbrauwen.

'En het mafste van alles, dat is de wetenschappelijke samenwerking! De fabrikanten van Amerikaanse medicijnen hadden nauwe banden met het beroemde chemische concern IG Farben, waar de laboratoria van Bayer weer afhankelijk van waren, die de aspirine en de heroïne hadden uitgevonden.'

Hij aarzelt even, maar zijn hartstocht drijft hem op.

'En op wie denk je dat ze onderzoek deden?'

Ik kijk hem woedend aan. Venner realiseert zich dat hij heel hard zit te praten. De klanten aan de tafels in de buurt hebben zich naar hem omgedraaid, met een mengsel van ironie en ergernis. Twee obers wachten om ons te bedienen, met schotels in de hand, tot de Scandinaviër klaar is met zijn donderpreek.

Vidkun bloost en zingt een toontje lager.

'Het spijt me, maar als ik eenmaal loskom…'

Hij knipoogt even schuldbewust naar de obers, die met de hoofdschotel komen aanlopen.

'Tarbot en romige polenta met truffel.'

Enthousiast over het eten, laat Vidkun een tevreden 'Mmm…' horen.

'Gelukkig redt de Elzasser gastronomie Duitsland van culinaire nulliteit.'

Vastberaden van de stilte te profiteren wijd ik me aan mijn tarbot.

'Heb jij toen je jong was goed te eten gehad?'

Waarom vraagt hij me dat? Aangezien ik beslist niet van plan ben me bloot te geven aan die vent, schuif ik mijn bord een beetje achteruit ten teken van verzet en zeg dan op agressieve toon: 'Voldoende.'

'Wie kookte er, je vader of je moeder?'

'Het spijt me, maar dat gaat je niets aan.'

Venner is medewerker, desnoods baas, maar geen vriend!

'Weet je, Anaïs, wij zullen een hele poos samen moeten doorbrengen.'

Hij neemt nu de houding van de verleider aan.

'Ik zou graag iets meer over jou willen weten.'

Ik voel dat ik op het punt sta de idioot uit te gaan hangen om hem te ontmoedigen.

'Ik verveel je, hè?' vraagt hij.

'Enigszins wel, ja.'

De Viking lijkt in de wolken door mijn eerlijkheid. Hij legt zijn hand op de mijne en ik voel meteen weer een zachte warmte bezit van me nemen.

'Je hebt gelijk, ik ben een ouwe lul. En ouwe lullen…'

Hij pakt zijn glas tokay en leegt dat boven zijn hoofd.

'Moeten onder de douche!'

Mijn eigen lach verrast mij.

De hele zaal kijkt Venner stomverbaasd aan. De wijn stroomt over zijn voorhoofd, zijn kraag, zijn helder linnen jasje. Maar zijn ogen bezien mij met tederheid en ik kan een rilling niet onderdrukken. Een rilling van verrassing en tevredenheid. Een ongeruste rilling van genoegen. Het is hem echt – in die azuren, lichtende, bijna stralende ogen, zie ik de ogen van de Viking terug. De drie bedienden komen meteen met servetten aanlopen en drogen Venner af, die ze laat begaan en lacht om het gekietel.

'Dank u voor de massage. Die uit Elzas is toch beter dan uit Thailand!'

Ik begin meteen weer te schateren van het lachen, gevolgd door Vidkun. We moeten zo hard lachen dat we niet meer op adem komen, onder de verschrikte blikken van de obers en de hele zaal.

Clemens ziet er niet goed uit. Hij ligt te slapen, over zijn lichaam vallen donkere schaduwen en hij ruikt naar wild. Hij draait zich om. Zijn rug plakt aan zijn kussen en laat er een kleverig spoor op achter. Zijn huid geeft af op de lakens. hij heeft maar weinig vel. Ik zie de bleke schaduw van zijn botten, terwijl hij zijn armen uitsteekt.

'Kus me, liefste.'

Die stem. Dat is niet die van Clemens. Venner spreekt door zijn mond. Ik buig me al voorover naar Clemens. De adem van de jongeman, zwavelachtig, zuur, walgelijk, een muffe doodkistlucht, mijn maag keert om. Maar hoe moet ik er weerstand tegen bieden?

'Anaïs, mijn liefste, wij hebben elkaar zoveel te leren.'

De stem van Venner hypnotiseert me. Windt me op. Ik voel mijn dijen warm worden. Ik neem Clemens' arm en gids hem onder mijn pyjama. Iets stomps streelt mijn buik: hij heeft geen rechterhand.

De bedremmelde stem van Clemens: 'Het spijt me, schatje, die hebben zíj weggehaald.'

Verteerd van verontwaardiging werp ik me op Clemens en ik houd niet meer op hem te kussen.

Onze lijven verstrengelen zich. Hij neemt me. Ik weet niet meer met wie ik lig te vrijen: Clemens? Vidkun? De Viking? En plotseling beweegt hij niet meer. Mijn vingers worden kleverig. Mijn handen verzinken in zijn lijf, veroorzaken bruine vlekken.

Ik brul: 'Clemens!!!'

Maar ik lig onder een lijk. Een lijk dat nog steeds op mij zit, in mij. Ik probeer me los te maken, maar als een vampier houdt hij zich vast. En dan zie ik zijn gezicht. Geteisterd, vol strepen, vol littekens. Alsof hij was gemarteld: mijn vader.

'Nee!'

Ik schrik op uit mijn slaap. Rondom mij is niets. De kalmte van een hotelkamer. Koortsachtig sta ik op, ik loop naar de badkamer. Zonder na te denken spring ik in het bad, ik trek het douchegordijn dicht en geef mezelf een koude douche. Daardoor kom ik weer op aarde terug. Althans voldoende om vast te stellen dat ik vergeten was mijn nachtjapon uit te trekken.

Maar dat kan me niets schelen. Het water wast die beelden weg die ik al niet meer kon thuisbrengen, maar waaraan ik een dof gruwelijk gevoel heb overgehouden. Ik haal eens diep adem. Zelfs de schaduw van de nachtmerrie verdwijnt, en ik stap onder de douche uit. IJskoud trek ik mijn nachthemd uit, dat aan mijn lijf plakt, en ik hul me in een grote witte kamerjas.

Dat komt door die tokay, denk ik, en ik ga terug naar de kamer om de verwarming aan te doen. 'Of anders die eendenlever.'

En toch was het al heel lang geleden dat ik zo de slappe lach had gehad. Wat was er eigenlijk zo grappig? Ik kan me maar beter op mijn werk concentreren in plaats van het te analyseren. Maar diep in mij zitten de beelden van Struthof – afgehakte handen, medische experimenten – met de lelijkheid van een faun me toe te lachen.

Wat zou het eenvoudig zijn als je geen geweten had, bedenk ik, en ik druk me tegen de elektrische radiator die onder het raam van de kamer zit. Net als in de auto duw ik mijn voorhoofd tegen de ruit. Zich aftekenend in de nacht zie ik de kathedraal van Straatsburg. De klok slaat net drie uur. Op straat is niemand meer. Een rustige, kalme stad. De provincie…

Ik herinner me de verveling van mijn jeugd. De zondagen in Issoudun. Diezelfde film die elke dag weer opnieuw werd afgedraaid, in de rustige straatjes die een zelfmoordroutine uitwasemden. Maar Straatsburg is een veel grotere stad. En heel mooi! Ik kijk naar de gevels, de daken, de portieken. En dan schuift een schaduw voorbij. Een hoed, een regenjas, dikke schoenen. Hij glijdt over het trottoir en blijft staan om de gevel van het hotel te bekijken.

Weer een oude vent! Ben ik veroordeeld tot de rijpere leeftijd? De voorbijganger moet een jaar of tachtig zijn. Hij lijkt mijn gestalte te hebben gezien in het raam, heel even kijkt hij me nieuwsgierig aan, dan loopt hij door. En wat deed hij zestig jaar geleden? Aan dat soort redeneringen kan ik me maar beter niet overgeven, want die duizeling is altijd vruchteloos, maar ik kan er niets aan doen. Misschien heeft hij Herr Doktor Hirt gezien, die verzamelaar van schedels. Misschien dat hij op zondag met zijn ouders ging wandelen in de heuvels van Natzweiler, picknick in het bos…

Ik schud mijn hoofd om die ideeën weg te krijgen. Maar dat lukt niet.

De oude man staat er nog steeds. Wellicht dat ze allemaal hun schouders ophaalden en zeiden: 'Hoe dan ook, we kunnen niks doen, dus nog maar een glas riesling, om aan iets anders te denken.'

Met een handgebaar groet hij mij kort, dan wordt hij door het duister opgeslokt. Ik ga weer naar de badkamer en neem twee slaappillen.

Voetgangersgebied met operettedecor, C&A onder barokkerken, BMW's die fietsers met een pak aan voorlaten: we zijn in München!

'Moet je nog boodschappen doen? Wat is daar te koop?'

Al tien minuten is Venner aan het zoeken, van de ene afdeling naar de andere.

'Hier was het administratief centrum van de Lebensborn. Maar dit is ook waar Karsten Beer, de eerste van onze vier zelfmoordenaars, zich van het leven beroofd heeft.'

Hij neemt me bij de arm en trekt me mee in de paden.

'Er is vast nog iets van blijven hangen. Een herinnering van voorwerpen, van plaatsen.'

'Ik kan jouw redenering wel volgen, München blijft een nazistad.'

'Nou, inderdaad!'

Venner leunt tegen een toonbank met cd's.

'München is een burgerlijke stad en Hitler was burgerlijk. Kleinburgerlijk zelfs. Als je foto's zou hebben gezien van zijn appartement, dat was me van een smaak!'

'Maar was Hitler niet rijk?'

'Rijk, de zoon van een douanier? Hij is rijk geworden, steenrijk zelfs, dankzij twee dingen: *Mein Kampf*, waarvan miljoenen exemplaren verkocht werden; iedere nazi moest er één hebben, ereplaats op de schoorsteenmantel, naast een *Führerbild* en een hakenkruisvlag.'

'En de andere bron van inkomsten?'

'Hij kreeg auteursrechten over elke postzegel met zijn beeltenis.'

'En al het geld, waar is dat gebleven?'

'Tja, daar stel je een vraag die schatzoekers al ruim een halve eeuw bezighoudt. Maar wij, wij zoeken een andere schat, kijk, daar is hij.'

Vidkun beduidt me achter hem te blijven en loopt op een oude verkoper af, met een rood schort voor.

'*Grüss Gott*,' zegt hij tegen hem, voordat hij aan een lange verklaring in het Duits begint. Ik begrijp er niets van, maar de verkoper vertrekt zijn gezicht en schudt heftig van '*nein*' met grote ogen. Met een flegmatisch gebaar haalt Venner een paar biljetten uit zijn jaszak. Meteen strijkt het gezicht van de oude man glad en begint hij te spreken. Zin na zin, hij doseert zijn gegevens: tien euro hier, twintig euro daar. Ten slotte heeft Venner niets meer, en loopt de oude man weg.

'Echt, de Beieren zijn gek op geld!'

'Wat heeft hij je verteld?'

'Niet veel. Hij heeft Karsten Beer gekend, de zelfmoordenaar. Maar die sprak weinig en werkte 's nachts. Alles wat hij me heeft kunnen vertellen, is dat Beer kennelijk geen enkele familie had, want hij woonde alleen in een appartement naast het warenhuis, en dat hij zich een maand voor zijn dood in dienst had laten nemen, op die beroemde twintigste april 1995.'

'Dus niks nieuws?'

'Niks echt nieuws, nee.'

Het einde van de dag wordt toeristisch doorgebracht met sightseeing. Vidkun profiteert van het mooie weer om mij de mooie wijken van de stad te laten zien.

'Nazi of niet, charmant is de stad wel, vind je niet?'

'Ja, dat is waar.'

Onze passen voeren ons naar de onvermijdelijke Marienplatz; we gaan een glas vruchtensap drinken in de Engelse tuin, en we maken zelfs de sluiting mee van de tempel van de Beierse elegantie: de winkel van Loden-Freu. Daar bekoel ik wat door die overvloed aan lederhosen, fluwelen vesten en hoeden met veertjes erop.

'Hier koop ik mijn vesten meestal,' zegt Venner op tevreden toon, terwijl hij de hoornen knopen en de rugceintuurs streelt.

'Ik val met mijn T-shirt en mijn spijkerbroek met lage taille uit de toon.'

'Kwestie van stijl.'

Daar heb je ze, nonnetjes in burger, denk ik, terwijl ik naar de klanten kijk. Is dat de uitwerking die ik op kerels heb, als ik in redacties binnenkom, met Lea's oude coltruien, te groot voor mij?

Als we bij de damesafdeling komen bekijkt Venner mij met de nadruk van een naaister en hij pakt dan een typisch Oostenrijks vest.

'Trek dat eens aan.'

'Is dat een grapje?'

'Het is duidelijk te zien als ik grappen maak.'

Ik weet niet hoe ik hierop moet reageren, maar ik wil liever geen scène. Ik trek het vest aan en de Scandinaviër lijkt in de wolken. Het is een feit, getailleerd, goed gesneden, kleurig, dit vest past mij wonderbaarlijk goed.

'Een echte Beierse!' roept Venner uit, in de wolken. 'Dat krijg je van me.'

'Maar...'

Hij buigt zich voorover naar mijn oor en fluistert als een samenzweerder: 'Je moet goed tevoorschijn komen voor onze gastvrouw vanavond. En in dat pak ben je een perfecte kleine Eva Braun!'

'*Hallo Mausi!*'

'Vidkun!'

De beide vrienden vallen elkaar in de armen. De oude vrouw lijkt ondersteboven. Haar geverfde blonde haren, die naar achteren zijn gekamd en in een knoet gedraaid, haar wezeloogjes, haar kromme neusje, haar strenge mond, alles ademt het genoegen een lang geleden verloren vriend te hebben teruggevonden.

Wat is dit voor beest? vraag ik me af, steeds minder op mijn gemak. Fritz heeft de auto geparkeerd voor een burgerhuisje, en Venner heeft me zoals gebruikelijk niets willen vertellen. Vidkun en de oude Münchense houden elkaar verliefd vast. Ze wisselen enkele woorden in het Duits; dan wendt Venner zich tot mij en vervolgt in het Frans: 'Mausi, ik stel je voor aan Anaïs Chouday, wij werken samen aan het onderzoek waar ik je over heb verteld. Anaïs, ik stel je Helga Stock voor, een heel oude vriendin.'

Ik glimlach verlegen, wat op een grimas uitloopt.

'*Mademoiselle...*' zegt de oude vrouw met een knarsend accent, en ze buigt als een man.

'Dag, mevrouw.'

'Zeg maar Mausi.'

Ik probeer een goed figuur te slaan, maar deze vrouw is net zo zuur als een plattelandsheks, ze straalt hardheid, een soort kille strengheid uit, ondanks haar uiterlijk van grootmoeder. Dan ziet ze Fritz, die dubbel geparkeerd staat.

'Komt de chauffeur niet?'

'Die gaat slapen bij zijn familie, hij komt uit de buurt.'

Meteen springt Fritz in de auto en rijdt weg. De oude vrouw volgt de auto met een blik vol nostalgie.

'Ach! Die Mercedessen.'

Dan vermant ze zich en doet alsof ze in een opperbest humeur is, door te vragen: 'Kom toch binnen, kom toch binnen!'

Het is idioot, maar op het moment dat ik binnenkom breekt me het koude zweet uit tussen mijn schouderbladen. Maar bij het zien van dat trieste, benepen interieur voel ik me opgelucht: hier is tenminste niets nazi!

Welkom bij de tuinkabouters, denk ik, bij een veelheid van prullaria, beeldjes, porseleinen diertjes, popjes in vitrines. We lopen een smalle, krakende trap op; ik laat me opnemen in dat besloten universum. Oude familiefoto's – en altijd die Beierse vesten! – landschapsschilderijen, eindeloos gepoetste meubels en dan die lucht van boenwas! Zoet en bedwelmend: bij oude mensen is dat net een soort voorspel voor het lijkenhuis. Al snel komen we een gang binnen met twee deuren tegenover elkaar.

'Dit zijn jullie kamers.'

Mausi doet de eerste open.

'Mademoiselle, dit was mijn meisjeskamer.'

Net als een meisje stamel ik: 'Dank u wel, mevrouw.'

'Zeg toch Mausi.'

Ik zet mijn koffer op bed. Net als de rest van het huis puilt ook dit vertrek uit van de beeldjes, glazen hertjes uit Murano, kipjes van beschilderd gips. Mijn smalle bed is gemaakt van hetzelfde hout als de nachtkastjes, de hangkast, de stoelen, het bureau. En dat alles is mini.

De oude vrouw lijkt me te bespieden. Met afstandelijke stem zegt ze: 'We eten over een half uur.'

En dan slaat ze de deur met kil geweld dicht.

'Gut, gut,' zegt de gastvrouw tevreden, als ze mij mijn kip ziet eten. Ik besterf het van verlegenheid en voel me het vijfde wiel aan de wagen bij hun weerzien. En Venner onderneemt niets om mij op mijn gemak te stellen. Hij ontwijkt me, is bijna onverschillig.

Toen ik naar beneden ging om te eten, als een brave meid, heb ik mijn Beierse vest aangetrokken. Toen ze me zagen binnenkomen wisselden Mausi en Vidkun een blik van verstandhouding. Daarna gingen ze verder met hun gesprek. Ik voelde me daardoor stom en in de steek gelaten, gezeten in een hoek van de salon, met een pul bier, en ik houd helemaal niet van bier! Vervolgens zijn we aan tafel gegaan, om de specialiteit van Mausi te proeven: haar beroemde geroosterde kip.

'Kip is gezond vlees,' zegt de oude vrouw in het Frans. 'Het beste wat er is! Maar vertel me eens van je onderzoek, Vidkun.'

De uiteenzetting wordt lang, want de Viking vertelt het hele verhaal: de vier zelfmoorden, het spook van de Lebensborn, de omertà rond deze aangelegenheid, het boek voor F.L.K. Ik verbaas me over Vidkuns fijnzinnigheid. Eindeloos omzichtig lepelt hij zijn verhaal op. Is hij bang Mausi voor het hoofd te stoten, haar te choqueren? Als Venner klaar is met zijn betoog, is de oude vrouw bleek geworden. Nerveus snijdt ze een kippenborst aan, waardoor de hele tafel wordt ondergespetterd.

'En waarom wil je juist dat verhaal over het Derde Rijk schrijven? Er zijn toch wel andere uitgangspunten dan die vreselijke zelfmoorden, of niet?'

Venner laat zich niet meeslepen. In alle rust verwijst hij naar het pakje. Als hij de vier gemummificeerde handen beschrijft schrikt Mausi daar niet in het minst van. Integendeel, ze krijgt weer kleur en trekt een wenkbrauw op.

'Heb je ze bij je?'

Vidkun bukt zich en trekt onder zijn stoel het koffertje vandaan, dat hij op tafel opent. Weer word ik misselijk.

'Heel mooi werk,' fluistert Mausi daarop, terwijl ze haar bril opzet en een hand pakt.

Ik ben bij gekken! Ik krijg meteen het gevoel dat Mausi in een oogwenk verandert. De oude vrouw beschouwt die mummies met de scherpte van een specialist. Een grote, intieme belangstelling. Maar wie is ze? Is ze een vroegere kampverpleegster? Een leerling van Doktor Hirt?

Ze bekijkt de handen van alle kanten en zegt dan op besliste toon: 'Er is veel dommigheid over de Lebensborn geschreven.'

In plaats van de buitenissigheid van dit tafereel te analyseren, probeer ik me vast te klampen aan het gesprek.

'Ze hebben het gehad over rassenonderzoek,' vervolgt ze, 'over genetische manipulatie. Maar dat was destijds allemaal sciencefiction.'

Venner kijkt met een roofdierblik.

'Misschien was je niet geheel op de hoogte?'

De oude vrouw loopt paars aan, is gekwetst.

'Ik?'

'Je was nog zo jong.'

'Dat kan wel zijn, maar ik zat… er middenin.'

Ik zet me schrap en vraag: 'Hoe dat zo?'

Alsof dit iets is om prat op te gaan, gaat Mausi rechtop zitten en steekt haar borst vooruit.

'Ik maakte deel uit van de B.D.M., ik behoorde tot de jongsten van Beieren!'

'De B.D.M.?' vraag ik.

De oude vrouw schijnt te herleven, haar gezicht krijgt kleur. Ze wordt tien jaar jonger.

'De B.D.M. was de evenknie van de Hitlerjugend, maar dan voor meisjes.'

Haar blik verzeilt in herinneringen en ze begint te reciteren: 'Wij kunnen ons allemaal vandaag of morgen overgeven aan een ervaring die rijk is aan geestelijke emotie en die erin gelegen is ons in gezelschap van een jonge en gezonde man voort te planten, zonder ons te hoeven beklagen over de beperkingen waaraan de aftandse instelling van het huwelijk onderhevig is.'

Van deze flauwekul begrijp ik helemaal niets, maar Venner vraagt meteen: 'Wat is dat?'

'Een dictee van destijds: "het biologisch huwelijk". Dat was toch zo mooi!'

Charmant, denk ik, terwijl ik naar de karaf met spuitwater tast.

Venner slaat zijn armen over elkaar en probeert Mausi's aandacht te trekken.

'Jij geeft dus toe dat de nazi's een volmaakt zuiver ras wilden telen?'

De oude vrouw trekt een vermoeid maar geamuseerd gezicht.

'Maar natuurlijk.'

Zonder na te denken sluit ik aan: 'En de doktoren van de Lebensborn lieten ariërs met arische vrouwen paren? Om die... volmaakte kinderen te verkrijgen?'

Ze begint weer te reciteren: 'Blond, groot, dolichocefaal, smal gezicht, uitgesproken kin, hoog ingeplante, kleine neus, lichte, niet-krullende haren, heldere, diepliggende ogen, blank-roze huid.'

Agressieve heks, denk ik. Venner ziet mijn ontstemde blik en werpt me een samenzweerderig glimlachje toe. Dan knikt hij instemmend, en hij vraagt: 'Dat is de beschrijving van de "volmaakte Germaan" volgens Hans Günther, niet?'

Mausi slaat haar ogen ten hemel. Ik zie in haar ooghoek een traan parelen.

'Wat een tijd, mijn god! En wat een mooie droom.'

Hoe kun je zoveel nostalgie naar het nazidom koesteren?

'In veertig jaar,' vervolgt Mausi, wiegend op haar stoel, 'had Europa bevolkt moeten worden met honderdtwintig miljoen Germanen. De SS-staat zou het vroegere graafschap Bourgondië, Frans-Zwitserland, Picardië, Champagne, Franche-Comté, Henegouwen en Luxemburg hebben omvat, kunt u zich dat voorstellen?'

Haar ogen zwellen gelijk op met de prop in mijn keel.

'Hij zou een eigen leger, een eigen munteenheid, wetten, posterijen hebben gehad,' juicht ze. 'Een geheel eigen land, uitsluitend bevolkt met mannen, vrouwen en kinderen van de SS. Dat zou een sprookje zijn geweest!'

Bijna staat mijn hart stil als ze na diep adem te hebben gehaald, ontdaan en met een kinderstem zegt: 'En ik zou de prinses van dat koninkrijk zijn geweest.'

Een ijzeren paal doorboort me en ik piep: 'Wat betekent dat?'

De beide oudjes wenden zich tot mij. Ik richt me tot Vidkun en stamel, schuimbekkend van verontwaardiging: 'Wat is dat voor prinsessenverhaal? En waarom zij?'

Helga kijkt me opeens verbaasd en bijna vriendschappelijk aan. Dan wendt ze zich tot Venner.

'Heb je het haar niet verteld?'

'Dat durfde ik niet.'

Ik word steeds banger.

'Wat verbergen jullie voor me?'

De gastvrouw pakt een foto die ergens op een voetstuk staat.

'Stock is de naam van mijn man. Maar bekijk dit maar eens.'

En plotseling zou ik overal willen zijn behalve in deze smerige salon. Ver van hier!

Ver van... dat, denk ik, terwijl ik het mooie meisje met haar mooie blonde vlechtjes op de mooie foto zie staan. Met een verbaasd gezicht, want ze zit op schoot bij een SS'er.

Ik laat de foto bijna op de stenen vloer vallen. Die vent! Die snor! Die bijziende blik, haast mongoloïde! Ik krijg bijna geen adem meer. In mijn hoofd knaagt een stemmetje aan mijn hersens: trut, je zit kip te eten bij de dochter van Himmler!

1987

'Ik had je niet meteen herkend, Ballaran,' zegt Jos, die zich heeft vermand. 'Ik word vast een dagje ouder.'

Hij ijsbeert door het vertrek en veinst een joviale houding, waarin Chauvier een mengeling van ironie en oprechte nostalgie vermoedt. Jos loopt naar het raam en verliest zich in de verte: de heuvels, de toppen. Je ziet de kathedraal van Paulin.

'Weet je nog hoe mooi deze streek was?'

Chauvier weigert in de val van de herinnering te lopen. Toch zegt hij met benepen stem: 'Het paradijs.'

Na een stilte neemt Chauvier weer het initiatief: 'Maar vertel me nog eens hoe jullie daarnaartoe gekomen zijn, naar dat "paradijs", Herr Jode?'

Jos fronst zijn wenkbrauwen en antwoordt dan op gelaten toon: 'Dat weet toch iedereen: ik was een van die Duitsers tegen wil en dank, zo'n Elzasser die gedwongen werd dienst te nemen in het Duitse leger. Toen ik eenmaal hier was ben ik in het verzet gegaan, dat moet je ook weten, dat was het netwerk van je vader!'

Stilte.

'Een dappere vent, jouw vader, nietwaar?' flapt de burgemeester eruit. 'Een held! Slachtoffer van die nazihonden!'

Bij het uitspreken van die laatste woorden lacht hij heel gemeen, zonder dat hij Chauvier uit het oog verliest. De smeris schudt zijn hoofd en kijkt dan naar het vloerkleed.

'Jullie zijn keien,' geeft Chauvier toe. 'Klaus Barbie was niet zo handig als jullie, om nog maar te zwijgen van Rudolf Hess. De wijnoogst van 1987 is een nogal nazistische cru, hè?'

Tegen het venster geplakt, gaat Jos niet in op die provocatie. Hij veegt over de ruit. 'Ik heb altijd dingen weten te organiseren,' fluistert hij, 'en ik heb goede assistenten. Trouwens, ik kan je nooit genoeg bedanken.'

Chauvier gaat vlak bij Jos staan, naar de ruit gekeerd. Buiten is het koud geworden. Hun adem tekent twee wolkjes op het dubbele glas.

'Wat zoek jij, Ballaran?' fluistert de oude afgevaardigde. 'Je weet toch dat je verloren hebt?'

Hij legt zijn hand op Chauviers schouder.

'Je hebt al veertig jaar verloren.'

Chauvier slaat de hand van de burgemeester weg, zoals een kledingstuk wordt afgestoft.

'Toen u bij het verzet ging,' vervolgt de smeris, 'werd er veel over u gepraat.'

Jos heeft een goed humeur, hij bekijkt Chauvier als een zoöloog.

'Ga weg.'

'Heel veel,' zegt Chauvier. 'Zo zou u bijvoorbeeld die fameuze Waffen-SS divisie hebben gekend die enkele weken haar kamp heeft opgeslagen in het bos van het kasteel van Mirabel, begin 1944.'

Jos glimlacht verstijfd, hij klemt zijn kaken op elkaar.

Onverstoorbaar vervolgt Chauvier: 'Die divisie is vervolgens naar het noorden getrokken, via Oradour-sur-Glane.'

De burgemeester trommelt zenuwachtig op het glas. Maar Chauvier houdt niet op.

'Werd die divisie niet *Das Reich* genoemd? Die alles op haar doortocht verwoestte. Die vrouwen verkrachtte, kinderen verbrandde, echtgenoten onthoofdde. De bloedigste, de wreedste, de ergste.'

'Wil je me soms een geschiedenislesje geven… of mijn kleindochter bedwelmen met je stalknechtennostalgie?'

De smeris balt zijn vuisten, maar wordt er des te harder door. Hij weet dat Jos geraakt is en dat is de bedoeling: het voetstuk begint te barsten.

'Jij verdenkt mij van die moorden, Ballaran?' vervolgt de burgemeester. 'Maar ik zie maar één crimineel in dit vertrek.'

Chauvier vangt de klap op en vervolgt, steeds bleker: 'En die vier gidsen, die mysterieus zijn vertrokken, maakten die ook deel uit van *Das Reich*?'

Jos ontploft: 'Jij wilt in troebel water vissen om je oude rekening te vereffenen, niet? Anne-Marie zou zich rot lachen als ze ons tweeën weer bezig zag om haar, maar dan vijftig jaar later.'

Chauvier verstijft, hij wil toeslaan, beuken, maar hij verroert geen vin meer.

'We hebben het er nog wel over,' zegt de commissaris, en routineus trekt hij de kraag van zijn jas op, want een windvlaag is tegen de ruit geslagen. Chauvier loopt op de deur af, maar Jos verspert hem de doorgang.

'Laat het verleden rusten, Ballaran. Je moet geen dingen gaan opgraven, jij weet echt niet wat je aanpakt.'

Chauvier duwt Jos opzij, die bijna zijn evenwicht verliest en zich nog aan zijn bureau kan vastklampen. De smeris bekijkt de oude man. Hij zou dolgraag zijn gezicht tot moes trappen. Daar droomt hij al zo lang van.

Op het moment dat Chauvier de deur door wil gaan, zegt Jos nog op gemaakt vrolijke toon: 'Jij weet beter dan wie ook dat er niets meer valt op te graven dat tegen mij kan getuigen.'

Linh zit zich te verbijten. Hij begrijpt niet waarom zijn baas verstoppertje met hem speelt. Net als de dag ervoor rijden ze heen en weer tussen Paulin en Toulouse. De weg door de bergen is nog net zo mooi. De Aziaat zou willen doen alsof het hem niets kon schelen, maar hij is gewoon vreselijk nieuwgierig. Chauvier heeft een uur in het park gezeten met Aurore, vervolgens is hij geheel uitgeput van een onderhoud met Jos teruggekomen.

'Maar zeg nou eens, kennen jullie elkaar echt?' vraagt hij ten slotte, terwijl hij het stuur draait om het korte stukje autoweg te nemen dat op de oostelijke uitvalsweg van Toulouse uitkomt.

De oude smeris maakt een afwijzend gebaar.

'Mijn ouders waren oppassers op het kasteel Mirabel. Ik ben hier opgegroeid. Maar Jos heb ik later pas leren kennen, in de oorlog. We hebben samen in het verzet gezeten.'

'Is dat dat netwerk waarover je het met de hoedenmaker hebt gehad? Dat jouw vader heeft opgezet?'

Bij die woorden sluit Chauvier zijn ogen en knikt. Hij wendt zich naar het raam en kijkt naar de voorbijglijdende borden.

'Mijn vader heeft nooit aan politiek gedaan. Maar hij was ergens nog boer, dezelfde boer die alles wat vreemd is wantrouwt. Dus tegenover de moffen is hij zich gaan organiseren.'

'In welk jaar was dat?'

'Eind 1940, begin 1941.' Chauvier aarzelt even en vervolgt dan: 'In feite waren er altijd al veel Duitsers in de streek. Zelfs al vóór de oorlog. De graaf van Mazas, voor wie mijn ouders werkten, haalde ze vaak in huis. Ik was nog kind en ik lette er niet op, maar ik geloof dat ze zich interesseerden voor het kathaars verleden van het kasteel.'

'En wat deden die Duitsers?'

'Dat waren een soort archeologen in dienst van het Derde Rijk, om in de streek te zoeken.'

Linh trekt geïntrigeerd zijn wenkbrauwen op.

'En op die manier heb jij Jos leren kennen?'

De commissaris doet zijn raampje een eindje open en lijkt een innerlijke strijd te voeren.

'Ik weet niet meer op welk moment Jos is verschenen. Dat weet niemand meer.'

'Hij kwam toch niet uit de lucht vallen?'

'Jos heeft zijn eigen versie opgesteld, die is volmaakt, goed gesmeerd. Hij heette Klaus Jode, hij deed alsof hij een gedwongen in dienst getreden Elzasser was, in Duits uniform. Vervolgens is hij overgelopen naar het verzet, onder de verfranste naam Claude Jos. Destijds geloofde iedereen hem.'

'En was hij een goed verzetsstrijder?' vraagt Linh, die zich probeert de oude burgemeester bij het verzet voor te stellen.

Chauvier wordt somberder. 'Hij was een van de ergste, Jos richtte slachtingen aan.'

'Is dat niet een beetje normaal in de oorlog?'

Chauvier blaast als een uitgeput paard. Zijn stem verheft zich: 'Normaal? Is het normaal om midden in de nacht na de wapenstilstand bij zogenaamde collaborateurs binnen te vallen, om alles met een vlammenwerper te verwoesten? Is het normaal om brandende mensen zich brullend in een rivier te zien werpen om daar te verdrinken? Is het normaal onze mannen, vrouwen, meisjes, zelfs baby's te laten verkrachten? Is het normaal om stadsarchieven te manipuleren om een plaats te krijgen op het gemeentehuis en ruim veertig jaar op je geheimen te blijven zitten? Is het normaal iedereen voor de gek te houden, je eigen vrouw voorop?'

Hij houdt zijn mond, hij kan niet meer. Linh weet niet wat hij hoort. Chauvier heeft bijna zitten brullen. Hij zweet aan alle kanten, hij hijgt, hij kan niet meer rustig worden.

'En is hij bij de zuiveringen nooit aan de tand gevoeld vanwege zijn houding?'

'Welnee! Het was aan de orde van de dag destijds. Ik bedoel maar, het was overal hetzelfde. "Wee de overwonnenen!"'

'Maar niet heel Frankrijk heeft zich toch zo gedragen?'

'Wie zal het zeggen?' zegt de oude smeris berustend, die het zich probeert te herinneren: 'Ik geloof dat er ongeveer vijfhonderd executies waren, alleen al in het kanton Paulin,' vervolgt hij, om er met zachte stem aan toe te voegen: 'Inclusief vrouwen en kinderen.'

Linh is er groen van geworden. Hij kan het gezicht van die oude politicus niet associëren met het beeld van een bloeddorstige slachter dat zijn baas zit te schilderen.

Chauvier lacht eens.

'Jij bent nog jong, jongen. Zo eenvoudig is het allemaal niet. Mensen denken altijd dat er in die periode alleen goeden en slechten waren.'

Linh stuift op: 'O, maar nou kom je toch niet weer met het verhaal aan van "ik die het meegemaakt heb", "ik die in het verzet heb gezeten"? Als iemand vijfhonderd mensen naar God helpt als opening van een mooie politieke carrière, dan moet dat toch sporen hebben nagelaten, of niet dan?'

Chauvier slaat een vreemde toon aan, waarin Linh een mengeling van berusting en zoet verlangen hoort.

'Het is te laat, jongen. Niemand kan hem meer iets maken. Jos is zo onschuldig als wat.' Maar dan, somber en vastberaden, voegt hij eraan toe: 'Als je de slachtoffers wilt wreken, dan moet je hem op iets anders zien te pakken.'

De Aziaat klemt zijn kaken op elkaar om voor het commissariaat achteruit te parkeren.

'En toch ga ik eens zoeken in de militaire archieven van de streek, er moet toch ergens een dossier zijn.'

'Dat zou me verbazen,' antwoordt de oude smeris, op de toon van een eindeloos verdriet.

'3546 frank, bestemd voor de A.P.T., Autocars du Pays Tarnais, en dat voor het traject Paulin-Montségur?'

'Hebben we niks aan.'

'1618 frank, voor Sport 2000 in Albi, wandelschoenen?'

'Hetzelfde verhaal.'

'4589 frank, in opdracht van Trecking Occitan, voor materiaal voor trektochten?'

'Valt niks uit te halen.'

Dat gaat al twee uur zo door. In het kantoortje van Chauvier op het commissariaat van Toulouse pluizen Linh en zijn baas de boekhouding van Etape Cathare uit, het dossier dat ze bij de boekhouder hebben geconfisqueerd.

'Alles is in orde,' constateert Linh, terwijl hij opkijkt uit de facturen. Hij zet zijn grote bril af – waar hij de pest aan heeft en die hij zelden draagt – en wendt zich tot de commissaris.

'Weet je wat, baas, ik heb eens wat nagezocht over die Jos van je.'

'Nou en? Je hebt vast niks gevonden.'

Linh maakt een sussend gebaar.

'Nee, niks,' zegt hij. 'Het is onverklaarbaar, alle documenten over Claude Jos van vóór 1947 zijn verdwenen. Het is onmogelijk te weten te komen wie hij echt is of waar hij vandaan komt.'

Chauvier leunt met dromerige en vermoeide ogen tegen de muur.

'Die vent is een spook. Je kunt hem niks maken.'

'Hoe kun je daar zo zeker van zijn?'

Weer een knipoogje van Chauvier, raadselachtig.

'Omdat ik niet in spoken geloof.'

'Nou ja.'

'Lees verder!' zegt Chauvier, wijzend op de bladzijden die volgeschreven zijn met het handschrift van een oude leerling.

'1456 frank in opdracht van Toiles Suquet in Giroussens, voor tenten.'

'Niks bijzonders.'

Na nog eens twee uur is Linh ten slotte helemaal daas. Hij weet niet eens meer wat hij leest.

En dan opeens: 'Hé, dit is raar: 8756 frank voor de Lufthansa, 5 retourtjes Parijs-Berlijn.'

'Zeg dat nog eens?' vraagt Chauvier, alsof hij wakker is geschud.

'En dat is niet alles,' vervolgt Linh: '12.465 frank in opdracht van Scandinavian Airlines, voor vier enkeltjes Parijs-Oslo.'

'Datum?' vraagt Chauvier.

Linh buigt zich over het document.

'De reizen zijn vooruitbetaald, maar vonden plaats met een interval van twee maanden. Medio augustus naar Berlijn en medio oktober naar Oslo. Oftewel vorige week!'

De commissaris slaat zijn armen over elkaar, wat bij hem betekent dat hij zich concentreert.

'Wat zou dat kunnen betekenen?' mompelt hij.

'Dat weet ik niet, maar moet je hier eens kijken, dit is ook vreemd.'

Chauvier buigt zich over de schouder van Linh.

'Na de vliegtickets volgen vijftien facturen zonder specificatie, in opdracht van een bedrijf uit Narvik.'

'In Noorwegen?' vraagt Chauvier, die het blad uit de handen van zijn assistent grist.

'Dat denk ik.'

Chauvier houdt het vel voor zijn ogen. Ook hij ziet niet zo goed. Hij zoekt zijn bril in zijn borstzak en aangezien hij die niet vindt, geeft hij het blad terug aan de Aziaat.

'Hoe heet dat bedrijf?'

'Halgadøm.'

'Halgadøm?'

De commissaris zet zijn handen in zijn zij en buigt zich achterover om zich uit te rekken.

'Ik weet niet of het een spoor is,' zegt hij met een spoortje hoop in zijn stem, 'maar het is beter dan niks... en onverwacht. Wat zou een klein regionaal reisagentschap te maken hebben met een Noors bedrijf? Bel Parijs eens, om meer te weten te komen over dat Halgadøm in Narvik.'

Linh is blij dat hij zijn baas tot leven ziet komen en steekt zijn hand uit naar de telefoon, die op dat moment overgaat. De assistent neemt op. 'Hallo?' zegt hij op vrolijke toon.

En daarop verliest Linh zijn glimlach.

'Zeker, meneer, ik geef hem aan u door.'

Hij reikt Chauvier de hoorn aan.

'Hallo? Jazeker, meneer de prefect.' Even later wordt de commissaris vuurrood. 'Wat?' brult hij. 'Maar u weet toch ook heel goed dat...'

Aan de andere kant van de lijn wordt de stem steeds beslister. Linh zit pal voor zijn baas en hoort een neuzelende maar agressieve stem. Chauvier is aan het zwichten.

'Goed, goed, ik begrijp het.'

Dan gooit hij de hoorn op de haak. Een lange stilte.

'En?' waagt Linh, geschrokken van de gelaatsuitdrukking van zijn baas.

Die antwoordt niet. Hij zakt in zijn bureaustoel en bromt: 'De klootzak! Hij durft.'

'Wie?' vraagt Linh, die de commissaris geweldige moeite ziet doen om zijn kalmte te bewaren. Maar de smeris spreekt beheerst, op bijna neutrale toon. Alleen zijn blik brandt van woede.

'De prefect heeft een telefoontje gehad van de minister van Binnenlandse Zaken.'

Chauvier bijt zich in zijn wangen, alsof hij ze kapot wil hebben.

'Het was zelfmoord!' brult hij. 'Die klootzak van een Jos heeft de zaak weten te laten seponeren.'

2005

Heinrich Himmler: het meest duistere brein van het Derde Rijk. De man die ervan droomde een staat in de nazistaat te scheppen, een onafhanke-lijk vorstendom, gevormd door übermenschen, zonder gevoelens, harts-tochten, noties als goed of kwaad. Zuivere, onschuldige mensen, zich niet bewust van hun wreedheid en dus in staat tot de ergste barbaarsheden. Een leef- en werkgemeenschap van hondengeleiders: de 'SS-staat'.

Daar is dat allemaal uitgebroed, achter die onpersoonlijke, uitdruk-kingsloze, wanhopig ordinaire bijziendheid. En bovendien lijkt zijn doch-ter ook nog op hem, zie ik nu, diezelfde diepliggende ogen, onder die schuine wenkbrauwen. Himmlers blik! Een blik die ik nu opeens overal terugzie: op de bijzettafeltjes, het buffet, de schoorsteenmantel, aan de muur, in de vitrinekasten. Deze kleinburgerlijke Beierse eetkamer is een waar museum tot zijn nagedachtenis! En overal doodgewone foto's: eten-tjes, kerstavond, vastgelegde ogenblikken, aan het verleden ontrukt. Iets wat ik in feite nooit heb gekend: een hecht gezin.

'Papa heeft altijd in dit huis gewoond,' legt de oude dame uit, terwijl ze het interieur met de trots van een vuurtorenwachter bekijkt. 'Ik geloof zelfs dat hij er geboren is.'

Ik weet dat het allemaal zestig jaar geleden is, dat dat oude mens tot een uitgestorven geslacht behoort. Maar ik heb moeite me in te houden. Al mijn spieren lijken verkrampt, alsof ik op het punt sta in hars te verande-ren. Maar de beide vrienden letten er niet op. Venner is daar om een reden, één enkele.

'Denk jij dat de zelfmoord van die vier kerels een rechtstreeks eerbe-toon aan jouw vader zou zijn?'

'Maar dat is duidelijk: papa is gestorven onder dezelfde omstandighe-den, op dezelfde dag, op hetzelfde uur.'

Haar onderlip trilt, alsof ze het tafereel seconde na seconde herleeft.

'Vlak voor zijn zelfmoord had hij mama en mij laten onderduiken.' Haar stem breekt: 'Drie weken later hoorden we dat hij dood was.'

Mausi houdt Vidkun haar glas voor. De Scandinaviër vult het tot aan de rand. De oude vrouw drinkt het in één teug uit en haalt rustig adem. Haar ogen vertroebelen, verliezen zich in de verte.

'Maandenlang werden we van hot naar haar gesleept, door heel Europa.' Ze neemt Vidkun bij de hand en drukt die met alle macht. 'Niemand wilde ons hebben, begrijp je?'

Vidkun knikt.

De oude vrouw wordt moorddadig.

'Plotseling was alles de schuld van papa! De SS had de Führer misleid en het nazidom doen ontsporen! Dat was makkelijk: iedereen kon de schuld op hem schuiven. Mijn vader was de duivel, en de duivel heeft geen familie, want hij bestaat niet echt.'

Deze scherpzinnigheid vergroot slechts mijn weerzin. Een dubieus mengsel van kindsheid en toekomstvisie. De oude vrouw legt haar hoofd op haar handen.

In haar stem klinkt een mengsel door van wrok en berusting: 'De vrouw en de dochter van Himmler hadden ook niet mogen bestaan. We hadden moeten sterven, verdwijnen, weg, net als Magda Goebbels met haar zes kinderen.' Ze slaat met haar vuist op tafel. 'Maar wij leefden! Wij wilden niet dood!'

Mausi laat het vocht in haar glas draaien, alsof ze er een geheime waarheid in zoekt.

'Die vier mannen, die zelfmoorden, dat is een boodschap.'

Vidkun spitst zijn oren.

'Een boodschap? Een code, bedoel je?'

Mausi knikt.

'Het is een boodschap van mijn vader om mij te zeggen dat hij me niet heeft vergeten. Dat hij er is, daar in het Walhalla, tussen de grote ridders die hem in hun midden hebben opgenomen, en hij wacht op mij.'

Venner slaat zijn ogen ten hemel, maar de oude vrouw is niet meer te stuiten: 'Papa heeft eindelijk de graal gevonden, Vidkun. Maar hij heeft hem gevonden in het hiernamaals.'

Venner beduidt mij met zijn blik dat ik me nog even gedeisd moet houden. Uitleg volgt hierna.

'De graal, Mausi! Maar dat is een legende.'

De oude vrouw wordt paars. Ze zit kaarsrecht op haar stoel en werpt een vernietigende blik op Venner.

'Jij weet heel goed dat hij echt is, Vidkun! De Ahnenerbe heeft bestaan. Mijn vader heeft mannen, archeologen, onderzoekers, de sporen van onze voorouders laten natrekken.'

Dan opeens buigt ze zich voorover om mijn hand te pakken. Mijn bloed wordt onmiddellijk twintig graden kouder en ik zet me schrap om niet terug te deinzen.

'Wilt u nog andere foto's van papa zien? Op zoek naar de graal, met zijn vrienden Mazas en Rahn?'

Bij het horen van die namen valt Vidkun haar in de rede: 'Maar Otto Rahn was een bedrieger, Mausi! Een min of meer verzonnen figuur! Zijn boeken over het katharendom en het Europees heidendom zijn een samenraapsel van romantische onzin!'

'Dat kan wezen,' antwoordt Mausi op vreemde toon, 'maar hij was een uitstekend SS-officier, en vader hield veel van zijn boeken *De kruistocht tegen de graal* en *Het hof van Lucifer*.'

De oude wil doorgaan, maar ik lees in haar ogen dat ze een gevecht met zichzelf levert, om niet meer te vertellen. Mijn hand heeft ze niet losgelaten. Als spiegel van haar herinneringen doe ik haar aan haar jeugd denken!

'Dat zijn mooie foto's, weet u? Het album ligt daar.'

Ik doe alsof ik volslagen ontspannen ben en stamel zo afstandelijk mogelijk: 'Ik denk dat ik naar bed ga.'

Ik loop naar de deur toe.

'Welterusten, Anaïs.'

Als ik de trap op loop, hoor ik hun stemmen nog.

'Ze is jong.'

'Ze moet nog veel leren.'

'Hoe kent u die vrouw? En hoe kan zij uw "heel oude vriendin" zijn?'

Venner slaat zijn armen over elkaar. Dit standje had hij verwacht. De hele nacht hebben die vragen me op het puntje van de tong gelegen. En ik heb niet langer dan een uur geslapen! Zodra het licht uitging spookten de beelden van Himmler me voor de geest. En als ik het weer aandeed leek elk voorwerp in deze doodeenvoudige kamer me beladen met betekenis, onherroepelijk verbonden met een occulte en kwaadaardige bedoeling, zoals in vervloekte huizen waarin de duivel woont.

Het eten is me verkeerd gevallen. Het cynisme van dat mens, haar onverschilligheid, dan eens doordrenkt van haat, dan weer van vertedering! Eens te meer heb ik me afgevraagd of ik niet beter alles kan opgeven. Dit lugubere huis uit glippen, naar het station of het vliegveld gaan. Mijn echte leven hervinden, mijn echte vrienden. Terug naar Clemens.

Clemens, als ik iemand deze nacht heb gemist, was hij het! Hoe graag had ik zijn gezellige, wat ruige kop in de deuropening zien verschijnen, alvorens in bed te glippen, om me toe te fluisteren dat alles in orde is, dat ik nergens meer bang voor hoef te zijn, dat hij er is. Uiteindelijk viel ik rond een uur of zes in slaap, één uur voor het opstaan.

Ik zit nu op de bank in de Mercedes, die wegrijdt van dat Münchener huis.

'Hebt u nog meer van dit soort verrassingen in petto? Bij wie gaan we vanavond eten? Bij de zoon van Hitler soms?'

De Viking slaat zijn ogen ten hemel maar bewaart een serene kalmte.

'Anaïs, als ik gezegd had bij wie we gingen slapen, had je dat dan geaccepteerd?'

'Maar houd er toch eens mee op me zo te behandelen! Ik ben geen kind en ook geen suikerpop! U ontduikt altijd de vragen: hoe kent u die vrouw? Is ze een jeugdvriendin?'

Vidkun heeft mijn doortraptheid niet door: hij is veel jonger dan Himmlers dochter.

'Als specialisten van het Derde Rijk moeten wij omgaan met mensen als Mausi. En ik ken haar nu al zowat vijfentwintig jaar.'

'Vast wel.'

Ik ben het zat, ik wend me af, ik druk mijn hoofd tegen het raam. Mijn oogleden zijn zo zwaar! Dat gevoel al in geen maanden geslapen te hebben. En wat een contrast met dat geruststellende uitzicht op huizen, mensen, verkeerslichten. De normale wereld. En een paar straten verderop, achter een alledaagse deur, onder een doodgewone kap, brandt een vlam die pas met de dood zal doven.

Venner zakt onderuit op de bank. Hij heeft zijn sokken en schoenen uitgetrokken en strekt zijn benen. Alsof ook hij slaap in te halen heeft.

'De Himmlers waren een heel bescheiden familie!' bromt hij, terwijl hij met zijn enkels draait. 'Ik heb de hele nacht mijn knieën opgetrokken moeten houden.'

Ik antwoord niet, want ik slaap zelf ook bijna. Maar door een kuil in de weg botst mijn hoofd tegen de ruit. Net genoeg om me te wekken. Venner zit me nu te bekijken met de blik van een juwelier.

'Weet je, kinderen van nazihoogwaardigheidsbekleders zijn niet verantwoordelijk voor de misdaden van hun ouders.'

'Ze leek anders bar trots op wat haar vader had gepresteerd. En ook trots op zijn werk.'

'Mausi was nog maar een meisje, destijds kende zij die kant van Himmlers persoon nog niet. Voor haar was "papa" de meneer voor wie iedereen
respect toonde en die voor duizenden soldaten sprak, een man die vereerd
werd als een god, bijna meer nog dan de Führer. En de dochter van een
godheid oordeelt haar vader niet, dat is onmogelijk. Oordeel jij over jouw
vader, Anaïs?'

De analogie is des te perverser omdat het me net zelf ook te binnen
schiet.

'Dank voor de vergelijking!'

'Mausi is een oude zottin met hysterische neigingen, maar onschuldig.
Haar woorden kunnen jou wel monsterlijk lijken, maar zij behoort tot een
schrikbarende wereld. Het is niet zo gemakkelijk erfgename van de duivel
te zijn. Een kind van het kwaad. Zij leeft in een fictief universum, en dat
is begonnen met de zelfmoord van haar vader in 1945. Zoals ze ons al heeft
verteld, heeft ze met haar moeder door heel Europa gezworven, heen en
weer getrokken tussen de behoefte zich te verbergen en de trots die naam
te dragen.'

'Wilde niemand ze opnemen?'

Venner schudt van nee.

'Het lag allemaal heel ingewikkeld, er liep geen enkele aanklacht tegen
de beide vrouwen, maar Hitler was de meest verachte man van Duitsland
geworden, nadat hij de meest gevreesde was geweest. Zelfs in de gevan-
genkampen wilden ze niet zo'n belastend pakket. Daardoor zijn ze terechtgekomen in een Engels kamp voor vrouwen, dat was ingericht in de
studio's van Cinecittà.'

'De filmstudio's in Rome?'

'Precies. Bij de bevrijding zijn die door de geallieerden gevorderd om er
troepen en krijgsgevangenen in te herbergen. Kun je je voorstellen? Te
midden van bordkartonnen decors, dat was echt de val van het Romeinse
Rijk!'

Hij barst in schaterlachen uit en vervolgt dan: 'Maar Mausi en haar
moeder werden al snel weggestuurd. Ze zijn in Neurenberg gestrand. Alle
echtgenotes van nazichefs zijn gevangengezet. Tijdens het proces werden
ze in een cel gestopt en werd ze de hele tijd dezelfde absurde vraag gesteld:
"Hoe vaak bent u naar Auschwitz geweest?" "Hebt uzelf op mensen geschoten?" "Waar hebt u de juwelen gelaten die gestolen zijn van keizerin
Maria-Theresia?" "Bent u Hitlers maîtresse geweest?" "Waar zit Eva
Braun?"'

'Werd dat aan kinderen gevraagd?'

'Nee, aan de moeders. De kinderen zaten elders, behalve Mausi, die was de jongste in de gevangenis!'

Na een blik op de weg te hebben geworpen, verklaart Venner: 'Omdat ze niet echt gevangenzat, had ze het recht vrij rond te lopen in de gangen van de gevangenis, op voorwaarde dat ze niet sprak met de andere gedetineerden, die in cellen zaten achter deuren van plexiglas. Maar ze ging achter het glas en bekeek al die oude "vrienden van papa": Rudolf Hess, Von Ribbentrop, Göring, Hans Frank en de rest. En ze knipte sneeuwpoppen uit zilverpapier, bedekt met kerststerren. Mausi: de prinses van het Rijk!'

Ik moet toegeven dat het geen vrolijk tafereel is.

'Maar hebben ze het haar niet uitgelegd?'

'Wat uitgelegd? Dat haar vader de architect was van de grootste misdaad tegen de mensheid? Dat hij miljoenen onschuldigen in rook heeft doen opgaan? Natuurlijk, vanaf 1945 heeft ze niets anders gehoord. Maar niets is gemakkelijker dan dichtklappen midden in lawaai. In plaats van haar vader te veroordelen, heeft Mausi liever een held van hem gemaakt. Een martelaar.'

Je wordt er misselijk van. Je wordt heen en weer getrokken tussen medeleven met een dochtertje en afkeer van een oud wijf. Venner lijkt tevreden met zijn demonstratie, alsof hij meent mij te hebben overtuigd. Hij gaat verder over die kinderen van nazihoogwaardigheidsbekleders.

'Ieder heeft zo zijn lot en zijn weg gekend,' zegt hij nadenkend. 'De zoon van Martin Bormann, in 1930 geboren, met als peetvader Hitler zelf. Destijds noemde iedereen hem *"Kronzie"*, kroonprins. Maar na de verdwijning van zijn vader heeft hij alles op zich genomen. Hij heeft zich tot het katholicisme bekeerd en is missionaris geworden in de orde van het Heilig Hart.'

'Die heeft tenminste berouw getoond.'

'Maar hij had helemaal niks gedaan, die arme jongen!'

Dit medeleven boezemt me afkeer in, maar hij vervolgt: 'En dan heb ik het nog niet over de rest, die minder genereus is geweest: Wolf-Andreas, de kleinzoon van Rudolf Hess, heeft een website ter ere van zijn grootvader opgezet, Klaus von Schirach, de zoon van Baldur von Schirach, hoofd van de Hitlerjugend, is advocaat in München, en zijn studie is gefinancierd door voormalige leden van de Hitlerjugend, Edda Göring, de andere prinses van het bewind, wier geboorte op 2 juni 1938 was gevierd met 628.000 telegrammen, heeft niets van haar familiale verleden afgezworen.'

Venner mompelt: 'Eigenlijk heb je alleen maar Niklas Frank.'

'Niklas Frank?'

'Ja,' zegt Venner, wat gegeneerd, 'de zoon van Hans Frank, de Poolse Gauleiter, die ze de bijnaam "de slager van Warschau" hebben gegeven.'

'En?'

'Niklas Frank woont in Hamburg en werkt bij het blad *Stern*, wat in Frankrijk de *Nouvel Observateur* is.'

Ik moet denken aan Lea, een fervent lezeres van *Nouvel Obs*.

'Dat is toch niets oneervols?'

'Dat zeg ik niet, maar in 1980 heeft hij in de *Stern* een aantal artikelen gepubliceerd die druipen van haat jegens zijn vader. Hij vertelt er vreselijke dingen in: hoe hij als kleine jongen meegenomen werd naar het getto van Warschau om "jagertje te spelen".'

'Oké, oké!'

'Hij heeft er een vreselijke haat jegens de nagedachtenis van zijn vader aan overgehouden.'

'Daar kan ik me iets bij voorstellen.'

'Zo erg dat hij elk jaar op 16 oktober, de dag waarop zijn vader in Neurenberg werd terechtgesteld, zich aftrok op zijn foto, thuis op zolder.'

'Pardon?'

Venner bevestigt: 'Die serie artikelen heeft in Duitsland een schandaal veroorzaakt, zelfs bij de felste antinazi's. Maar volgens mij was het een soort therapie.'

Stilte. Vidkun is klaar met zijn uiteenzetting en hij weet nooit hoe hij dan verder moet. Hij kijkt een beetje benepen, als een kind dat zichzelf gestraft heeft, en wendt zijn blik af.

Buiten is het landschap fantastisch. Ik zie een nazomers platteland met bergen eromheen. Dorpen, huizen met duiventillen, uiendaken, schitterende kleuren bloemen.

Ik word weer moe en duik onder in een golf van slaap.

Ondanks de lawaaierige toeristen verplettert het uitzicht me. Ik zou me gemakkelijk alleen op de wereld kunnen wanen. Het lijkt hier de dageraad der tijden. Ik loop langzaam naar het muurtje, alsof ik bang ben in de leegte te worden geduwd.

'Loop maar door, je riskeert niets,' fluistert Vidkun vrolijk in mijn oor.

Bergtoppen zo ver het oog reikt, steile hellingen, ravijnen die uitkomen op een meer dat daar ligt als een hagedis, tussen groene oevers die langzaam bruin worden. En dan de lucht. Eindelijk lucht, denk ik, en ik vul mijn longen met zuurstof, tot ze barsten. Ik leg mijn handen op het muurtje en zet me schrap. Het lijkt wel alsof de zuiverheid van deze plek mijn ziel wast. Alles wordt meegesleept in die formidabele levensspiraal.

'We zijn hier op bijna tweeduizend meter hoogte,' verklaart Venner, terwijl hij op het muurtje gaat zitten. 'De Obersalzberg is een van de hoogste pieken in de streek.'

Eigenlijk zou ik liever niets willen weten over deze plek. Me haar maagdelijk voorstellen, als een schone lei, even zuiver als de lucht. Helaas!

'Het Arendsnest is alles wat er overbleef van het immense complex dat Hitler hier in vijftien jaar liet optrekken. Een groot deel van de gebouwen is in 1945 verwoest. Maar ze hebben wel Kehlstein bewaard, dat Arendsnest waar Hitler vrijwel nooit kwam, want hij gaf de voorkeur aan de rust van villa Berghof, die wat lager lag. En bovendien verafschuwde hij sneeuw.'

Vidkun wijst op de locaties in het dal. Als een brave leerlinge luister ik zonder me te verroeren.

'Daar had je de villa van de Goebbels, hier die van de Goerings, ginds die van de Bormanns, en daar middenin villa Berghof, het hoofdkwartier van de Führer.'

Venner wijst me op een groot gebouw in het dal.

'Dat is het Hotel Intercontinental in Berchtesgaden, waarvan de opening vorig jaar een schandaal veroorzaakt heeft. Sommigen hebben er een poging in willen zien tot "ontheiliging" van een gedenkwaardige plek.'

Vidkun heeft deze zin op een wat minachtende toon uitgesproken, alsof hij moeite had met die laatste precisering. Ik weet nooit waar zijn cynisme ophoudt en zijn oprechtheid, zijn intieme werkelijkheid begint. Heeft Vidkun Venner overtuigingen en zedelijk besef? Historische nieuwsgierigheid en hang naar het bizarre zijn niet overal een excuus voor.

'En u, choqueert dat hotel u?'

Venner lijkt gegeneerd. Hij wrijft in zijn handen, krabt een beetje aan het muurtje.

'Ik geloof dat sommige locaties met rust moeten worden gelaten. Niet voor wat ze vertegenwoordigen, maar voor wat ze op zich zijn. Voor wat ze incarneren.'

Ik weet niet of ik het wel helemaal goed volg, maar de Viking heeft mij onomwonden geantwoord, met een wat verlegen oprechtheid.

'Wat betekent dat?'

Venner slaakt een zucht, bukt zich boven de afgrond, alsof hij door de leegte wordt aangetrokken.

'Wij staan hier op een plek die door de goden is gezegend. Een plek "waar de geest waait", zoals jullie Lotharingse schrijver Maurice Barrès dat heeft uitgedrukt. Zo'n plek die ontsnapt aan alle godslastering.'

Hij wijst op de mensen om ons heen, zittend aan picknicktafels. Iedereen zit te schransen, soep te lepelen of grote pullen ijskoud bier te legen.

'De nazi's hebben deze plek niet meer ontheiligd dan dit luxe hotel of die toeristen dat doen.'

Hij aarzelt en verbetert zichzelf: 'Laten we zeggen dat de nazi's haar oneigenlijk gebruikt hebben, dat is niet helemaal hetzelfde.'

Deze redenering lijkt mij verdacht pretentieus.

'Betekent dat dat u de voorkeur geeft aan nazi's boven toeristen? Omdat nazi's zich tenminste wisten te gedragen?'

Venner glimlacht. Mijn luimen bevallen hem, zoals een oud hert vertederd raakt bij het zien van een hertenkalf.

'Ik vind het prachtig als jij op de kast kruipt, Anaïs! En wat ik je wilde zeggen, is dat de nazi's een aristocratischer en mystieker opvatting van het gebergte hadden. Ze hebben niet voor niks missies naar Tibet en de Kaukasus gestuurd. Het hooggebergte was voor hen een soort heiligdom, iets wat gespaard moet blijven voor toeristenbussen, hoe leuk die ook zijn.'

Hij neemt de menigte eens op en zegt dan met walging: 'Moet je ze zien.'

In weerwil van mezelf kijk ik, en ik moet met tegenzin toegeven dat hij geen ongelijk heeft. Japanners, Hollanders, Engelsen, Spanjaarden, Italianen, Fransen. En die hele meute zit te kletsen, neemt foto's, zit te ginnegappen.

'Worst en metworst, paté en sandwiches, frisdranken, harde eieren, ingeblikte tonijn, Boulettes mit Pommes, de Führers Arendsnest is een cafetaria geworden! De geschiedenis bewandelt af en toe vreemde paden, vind je niet, Anaïs?'

Venners logica overtuigt me niet, maar Fritz komt als geroepen om voor afleiding te zorgen. De huismeester heeft een plastic dienblaadje in de hand en reikt ons ieder een pilsje aan.

'Fräulein Anaïs?'

Al die lui die denken dat ik van bier houd! Terwijl ik mijn ziel en zaligheid zou hebben gegeven voor een glas melk. Vidkun, die sterft van de dorst, leegt zijn pul zo snel dat ik verwacht dat hij erin zal stikken.

'Ah,' zegt hij terwijl hij het glas op de muur zet. Met een holle zucht boort hij zijn blik in de mijne en hij wendt zich dan tot de bergen. Hij laat een apocalyptische boer. Ik sta paf! Ik dacht niet dat een dergelijke ontploffing uit een menselijke keel kon komen. De echo klinkt nog na. Iedereen is er stil van geworden. De mensen fluisteren en slaan verlegen de ogen neer. De Japanners zijn verbijsterd. Ik weet niet waar ik me moet bergen.

Met al die nazistische tirades en die dronkemansboeren is het me het reis-je wel!

'Zie je wel hoe aangenaam echte stilte hier is?' fluistert Venner, terwijl hij zijn mond afveegt. 'Je hoeft alleen maar even een kanon af te schieten.'

Een ogenblik baadt de plek in een paradijselijke stilte, bijna als in een droom. En dan, langzaam maar zeker, gaat men weer praten.

'*Gesundheit!*' roept een Duitser vrolijk, van de andere kant van het ter-ras, en hij heft zijn pul naar Vidkun. De laatste maakt een buiging naar de Teutoon, met een bijzonder beleefd gebaar.

'Einde van de droom,' zegt Venner zuchtend, die zijn blik weer in het Wagneriaans panorama boort. Dan komt de oude bewaker voorbij en pakt Vidkun me bij de arm.

'Aan het werk!'

Venner spreekt de man met de pet aan, die zo gerimpeld is als een prui-medant. Met veel gebaren legt Venner hem uit wat we zoeken. De bewaker stribbelt even tegen, buigt dan naar Vidkun, en loopt naar het huisje waarin hij ansichtkaarten verkoopt.

'En?'

'We hebben geloof ik geen geluk.'

'Niks nieuws?'

'Net als in München, tien jaar geleden heeft iemand zich in dienst laten nemen bij de bewaking van Kehlstein. Ze weten niet waar hij vandaan kwam. Hij sprak met niemand.'

Venner aarzelt en fronst zijn wenkbrauwen.

'Maar er is een vreemd detail. Hij had geen enkel gezondheidspro-bleem, maar op de ochtend van zijn zelfmoord is Werner Mimil hier geko-men met zijn arm in het verband.'

'Dat begrijp ik niet.'

Venner kijkt weer eens naar het panorama, alsof hij daar de verklaring zoekt.

'Hij heeft zich vrijwillig laten amputeren.'

De zon is net weg. De berg heeft haar opgeslokt, waardoor de horizon ver-anderd is in een paars met roze bergkam. Een verlegen maan baant zich een weg door de vallende duisternis. De bleke schijf kondigt een lichte nacht aan. Ik zit aan tafel, mijn kin op mijn beide handen, en het lukt me niet mijn ogen van de schemering los te maken. Een vleugelgedruis komt aan ons voorbij en automatisch buk ik.

'Een vleermuis,' fluistert Venner.

'Zo hoog?'

Hij wijst op de volle maan.

'Is dit geen droomnacht voor vampieren?'

Ik staar eens te meer naar de horizon, die van paars in zwart verandert. Fritz, die zich tot dan toe op de achtergrond heeft gehouden, steekt een kaars aan die hij tussen ons in plaatst en treedt dan weer terug in de duisternis.

'Die man heeft me toch een stijl!' zegt Venner vertederd.

Vidkun lijkt me zo vredig sinds we hier rust hebben. Op het moment dat alle toeristen vertrokken, heeft hij iets geregeld met de ansichtkaartenverkoper.

'We verlaten Kehlstein met de laatste bewaker.'

En daar zitten we dan midden in de godenschemering! Een windvlaag tilt de servetten op, het mijne waait weg in het donker. Venner staat op, trekt zijn jas uit en hangt die over mijn schouders. Ik word gehypnotiseerd door de vlam van de kaars en houd mijn mond. Ik haal diep adem, mijn longen ploffen ervan. Lang blijven we zo tegenover elkaar zitten, als van porselein, geschonden door de nacht, maar Venner praat niet meer. Zijn gezicht drijft boven de kaarsen, vlammend, vreemd. Hij verroert geen vin. Alleen zijn gezicht wordt wat roder van kleur. Net als die maan, daar boven ons. Een bloedmaan, zou mijn vader gezegd hebben. Maar ik ben zo ver van mijn vroegere leven af. Zo ver van de wereld. Hier, op dit precieze ogenblik, verzonken in de diepe bergnacht, krijg ik het vreemde gevoel te drijven. We staan op de brug van een zeilschip, op weg naar een onbekend werelddeel. Boven de wetten van tijd en mensen verheven. Een viking-schip, op zoek naar de Nieuwe Wereld. En als ik mijn blik op Venner laat rusten, komt me maar één beeld voor ogen: dat van de Viking.

Venner schrikt wakker. Hij verlaat plotseling de lichtkring van de kaars en ik zie nog slechts een schaduw, een eindje van de tafel af. Er kraakt een stoel.

'Wat zei je?' vraagt hij ijskoud.

Ik verstijf opeens van schrik: ik heb hardop zitten denken!

Venner hervindt zijn geduchte beet. Van beminnelijkheid geen spoor meer.

'Bravo, ik zie dat mejuffrouw haar eigen onderzoekje heeft gedaan.'

Maar zijn gezicht ontspant alweer.

'Nou ja, je bent natuurlijk journaliste. Daar ben je ook voor aangenomen.'

Ik weerhoud mezelf ervan te gaan beven, vergeet al mijn grieven jegens

Venner en weet niet hoe ik mijn blunder moet goedmaken. Maar hij gooit me al een boei toe.

'Hoe ben je daar in godsnaam achter gekomen?'

Daarop vertel ik hem blozend van de avond voor ons vertrek, de televisie, het programma. Ik laat Clemens echter uit het verhaal. Langzaam verandert Venners gelaatsuitdrukking.

'Zo, dus de Viking is nog niet helemaal vergeten? En? Vond je het wat?'

Nu voel ik me gegeneerd!

'Nee, maar zeg eens eerlijk, vond je het niet al te slecht?'

Vastgeschroefd aan mijn stoel sterf ik van schaamte en ik voel niet de minste lust tot lachen.

'Nou ja, voor een film van... van dat genre, was u best wel goed.'

'Meen je dat echt?'

'Natuurlijk.'

Maar Venner luistert al niet meer, verliest zich in zijn herinneringen.

'In dat geval ben ik je enige verklaring schuldig, Anaïs.'

Vidkun spreekt daarop alsof hij een tekst voordraagt die hij al honderd keer heeft gerepeteerd, zonder ooit de gelegenheid – of de moed – te hebben gehad hem voor iemand op te zeggen.

'Toen ik halverwege de jaren zestig uit Noorwegen kwam, was dat op het hoogtepunt van de "Nouvelle Vague". Zelfs in Oslo had ik horen spreken van Truffaut, Godard, Rohmer, Rivette, Resnais, Chabrol, Varda en de rest.'

Wat zit hij me nou te vertellen?

Maar Venner spreekt voor zichzelf: 'In Bergen, waar ik geboren ben, heb ik veel toneelgespeeld. En ik heb ook taalcursussen gevolgd. Ik zat toen te twijfelen tussen Hollywood en Parijs, maar wat er in Frankrijk gebeurde – de cinematheek van Langlois, de *Cahiers du Cinéma* – dat leek mij veel avant-gardistischer.'

Daar zakt je broek toch van af! Vidkun Venner, de grote nazistische kunstverzamelaar, de ogendienaar van de Führer, de vriend van Himmlers dochter, een volgeling van de Nouvelle Vague!

'Dat was natuurlijk niet gemakkelijk. Er was weinig plaats, en we waren met velen.'

Hij spreidt hulpeloos zijn armen.

'Dus ben ik gaan figureren. Heel veel. Ik had af en toe een of twee zinnetjes tekst, zelden meer. Wat ze edelfiguranten noemen, weet je? Godard zei tegen me, zonder te lachen, met zijn nasale stem: "Jij, jochie, jij hebt je mooie nazikop, jij redt je wel."'

119

Boos kijkt Venner me aan.

'Dus ik heb me gered. Destijds werden er veel films over de bezetting, de oorlog, de Duitsers gedraaid. En met mijn mooie Germanenbek en mijn aanleg voor talen kreeg ik de ene film na de andere.'

Met zijn vingers doet Venner een draaiende camera na. '*La Ligne de Démarcation, Paris brûle-t-il?, The Longest Day, Le Train*, en zelfs *La Grande Vadrouille.*'

Ik kan mijn verbijstering amper verbergen, het lijkt me allemaal zo erg, maar ik zie aan zijn uitdrukking dat het waar is.

'Ja ja,' benadrukt hij, 'telkens speelde ik een soldaat of een SS'er.'

Hoe moet ik hierop reageren zonder hem te kwetsen? Ik kan beter mijn mond houden.

'Maar toen keerde het tij,' zegt hij, en hij laat zijn schouders zakken, in plotselinge berusting. Weer schuift Venner zijn stoel naar achteren, en hij tikt met zijn voeten op de tegels.

'Er kwamen nieuwe acteurs, jonger, mooier. Films over het Derde Rijk liepen niet zo goed meer, en ik had geld nodig.'

'Geld nodig? U?'

Na enige aarzeling geeft Vidkun half hardop maar zonder schaamte toe: 'Ik heb ongeveer drie jaar porno gedraaid, veel te veel.'

Ik herinner mij de berekening van Clemens: 561 geslachtsdaden!

'Ik was heel sportief,' vervolgt hij, niet zonder trots. 'En het werd veel minder goed betaald dan een Chabrol! Maar in 1977 ben ik overal mee opgehouden, want toen kreeg ik mijn erfenis. Daardoor kon ik al mijn banden met mijn "acteursbestaan" doorsnijden. Nou ja, bijna dan.'

'Bijna?'

Hij kijkt me een beetje tweeslachtig aan. 'Je herinnert je nog de opmerking van Godard: "Jij redt je wel."'

'Nou?'

'Ik heb me gered, maar van binnenuit.'

Venner staat op, leunt tegen de tafel, wendt zijn hoofd naar de nacht. De bergen zijn marineblauw onder de sterren. In het dal blaft een hond. Een rood puntje verschijnt in het donker. De geur van tabak. Venner heeft een sigaar opgestoken.

Ik moet toegeven dat ik onder de indruk ben van zijn gestalte, zo groot in het duister.

'Toen ik die fameuze erfenis kreeg, heb ik me definitief overgegeven aan mijn hartstocht voor het Derde Rijk. Dankzij mijn nieuwe geldmiddelen is die gril zelfs een levenswijze geworden.'

Ik aarzel en vraag, wetend dat ik hierbij glad ijs betreed: 'En u hebt nooit gedacht aan trouwen?'

Een plotselinge lach van een blasé verleider.

'Ik heb meer vrouwen gehad dan de meeste don juans zich kunnen dromen. Voor mij was dat genoeg.'

'Is dat niet wat snel als verklaring?'

Venner wordt weer streng als een chirurg.

'Niemand dwingt je over mij te oordelen, Anaïs.' De toon is ijskoud. 'Vraag ik jou soms waarom je zo triest en alleen lijkt? Vraag ik jou soms waarom je geen "vriendje" hebt? En je ouders? Heb jij geen ouders?'

In één seconde stort alles in. Ik voel mijn benen in pap veranderen. Mijn inwendig harnas begint te verkruimelen, want die Viking heeft de enige bres gevonden die naar mijn hart voert. Zijn ogen schieten vuur, maar hij beseft al hoever hij is gegaan.

'Neem me niet kwalijk,' zegt hij plotseling, hij legt een hand op mijn schouder, 'maar het is niet mijn gewoonte mijn hart uit te storten, tegenover niemand.'

Ik bevrijd mezelf met dierlijk gepiep, alsof Vidkuns hand me brandt. En nu, wat nu? Blijf ik pruilen of onthul ik hem de familiegeheimen?

'Mijn moeder is een paar dagen na mijn geboorte gestorven.'

Venner blijft roerloos staan. Hij moet begrijpen dat mijn familiegeschiedenis verre van vrolijk is.

'Het is misgegaan bij de bevalling en ze heeft de bloeding niet overleefd.'

Eenieder zijn eigen biecht, denk ik met verbittering voordat ik vervolg: 'Ik weet niets van haar. Ik had alleen een foto op de schoorsteenmantel in Issoudun, waarvoor ik elke avond geknield een gebed moest opzeggen, met mijn vader.'

Ik heb meteen weer een prop in mijn keel. De zeldzame keren dat ik dat verhaal verteld heb, aan Lea, aan Clemens, was ik daarna helemaal ondersteboven. Maar ik moet het doen en wel volledig. Dus slik ik moeizaam en probeer een beetje lucht te scheppen. Vidkun luistert.

'Mijn hele jeugd heeft mijn vader me opgesloten gehouden in ons huis in Issoudun, ik mocht nooit weg zonder hem. Elke zondag gingen we naar het kerkhof, twee uur naar het graf van moeder. Verder mocht ik het huis niet uit. Papa vertelde mij dat de buitenwereld "gevaarlijk, smerig en slecht" was.'

Als ik die woorden zeg begin ik te schuimbekken van haat.

'Pas de laatste jaren van middelbaar onderwijs mocht ik naar school. Papa gaf me huisonderricht. Maar toen ik achttien werd, midden in de zomer, een paar weken nadat ik mijn diploma met eervolle vermelding had gehaald, ben ik gevlucht.'

'Gevlucht?'

'Ik ben midden in de nacht weggelopen. Zoals elke avond zat papa te slapen voor de televisie, dus ik ben het woonkamerraam uit gestapt, dat hij open had laten staan.'

Vidkun hangt aan mijn lippen. Weer vliegt er een vleermuis over ons heen, verblind door de kaars, en verdwijnt in de avond. Venner blijft zwijgend zitten. We ademen de avond in, proberen een vluchtlijn te vinden.

'Maar je moeder? Heb je nooit geprobeerd meer over haar te weten te komen?'

Ik druk mijn handen tegen elkaar, alsof ik er mijn spijt in wil verpulveren.

'Toen ik in Parijs zat heb ik geprobeerd meer over haar te weten te komen door naar de burgerlijke stand te bellen. Maar er was geen spoor meer van Judith Chouday, echtgenote van de gepensioneerde kolonel Marcel Chouday, moeder van Anaïs Chouday. Het leek wel of...'

'Of wat?'

'Of ze nooit had bestaan.'

Mijn wangen branden. Venner beseft het vast niet, maar deze bekentenis heeft me uitgeput. Het is een stuk van mijn herinnering waarin ik me nooit begeef, want ik ben altijd doodsbang dat ik erin blijf steken, en toch heb ik niet alles verteld. Er is nog één ding, dat ene detail. Moet ik dat Venner vertellen? Aan wie anders dan aan hem zou ik dat moeten toevertrouwen? Een geluid van stappen in de nacht rukt me uit mijn verstijving. De gestalte van Fritz komt nader, een beetje verlegen.

'*Mein Herr*, *Fräulein*, de lift vertrekt.'

We staan beiden op, zoals twee slaapwandelaars zich bewegen. De maan staat mooi midden aan de hemel. Ik wend me een laatste keer om naar het dal: het meer schittert als een plas melk.

Fritz blaast de kaars uit.

Wat nu? Het is nu of nooit. Terwijl we naar de lift lopen, benader ik Vidkun en zeg zachtjes: 'Het enige wat ik weet van mijn moeder is de bijnaam die de bewoners van Issoudun haar gaven, toen ze zich daar met mijn vader vestigde.'

'Wat voor bijnaam?'

'De vreemde.'

'Waarom?'

'Omdat mijn moeder Jodin was.'

1987

'En denkt u echt dat de affaire hiermee is afgerond, meneer Jos?'

Zodra Chauvier gebeld is door het ministerie, heeft hij Linh laten zitten en zich in zijn R5 gestort. Nog nooit heeft hij zo hard gereden. Alsof zijn leven, zijn gezond verstand ervan afhingen.

Zelfmoord, godverdegodver! Zelfmoord!

Eenmaal in het stadhuis van Paulin is hij het kantoor van Jos binnen gestormd zonder zich te laten aandienen. En daar staat hij hijgend, zijn haren in de war, koffievlekken op zijn knieën. Een oude jachthond met de tanden bloot, die alleen nog maar blaft.

In zijn pak van gentleman-farmer, zijn ribfluwelen broek en zijn goede leren schoenen, midden in dat grote witte vertrek – het tegenovergestelde van zijn werkkamer op het kasteel – blijft Jos rustig. Hij pakt zijn telefoon en fluistert vermoeid: 'Françoise, wees zo vriendelijk mij een kwartier lang niet te storen.'

Langzaam wendt hij zich tot Chauvier en kijkt hem zuur aan.

'Nou, natuurlijk is de affaire hiermee afgerond, alles is hiermee afgerond, beste man,' fluistert hij zachtjes, nadat hij even gekeken heeft of de deur van zijn bureau wel goed dichtzit. 'Want wie, behalve jij, kent Klaus Jode?' zegt hij, nog zachter.

De burgemeester leunt achterover om zijn stoel naar de muur te duwen. Hij hangt de beledigde onschuld uit.

'Zelfs ik ben het vergeten.'

Chauvier loopt om het bureau heen, op de burgemeester af, en grijpt de rugleuning van zijn stoel. Jos wil opstaan, maar de smeris rijdt hem als een gehandicapte naar het raam.

'Er is geen enkel document meer dat het bestaan van die man bewijst,' vervolgt de burgemeester onverstoorbaar.

Beiden kijken naar het uitzicht door het raam van het kantoor. In de verte zien ze de torens van het kasteel van Mirabel, boven op de heuvel, boven het katharenbos.

'Het was jouw laatste blijk van liefde aan Anne-Marie, hè?'

Jos heeft zacht gesproken, als in een biechtstoel, maar op een bijna onbetamelijke wijze. Chauviers vingers verdwijnen in het leer van de stoel. Jos draait zich niet om. Hij bekijkt zijn dorp, zijn goede provinciale leven, dat volmaakte evenwicht dat Chauvier zou willen verwoesten.

Dan vervolgt hij: 'Jij kon haar niets weigeren, hè?'

'Houd je bek.'

Jos is ontstemd. Door hem te tutoyeren heeft Chauvier een toon uit de jeugd aangeslagen en voor het eerst herkent de burgemeester de stem van Gilles Ballaran.

'Ach ja, je kunt er last van hebben, van die herinneringen, ze knagen aan je, ze vreten aan je. Zullen we het eens over je vader hebben?'

De smeris loopt naar de andere kant van de kamer. Hij heeft een rode kop, leunt tegen de muur. De burgemeester draait zich langzaam om, maar staat niet op.

'Valt niet mee, hè? Om je verleden onder ogen te komen, Klein Duimpje? Dat is ook precies de reden waarom ik het niet meer heb. Paf! Gewist! En dankzij jou, ik kan je niet dankbaar genoeg zijn.'

'Houd je kop!' brult Chauvier.

De ogen van de burgemeester weerspiegelen nu twee ijsbergen.

'Weet je nog ons huwelijk, op de binnenplaats van het kasteel? Je hebt toch minstens de foto's gezien? 18 augustus 1945.'

De smeris antwoordt niet. Maar Jos spreekt nu voor zichzelf, zijn toon wordt dromerig, bijna nostalgisch: 'Ze was zo mooi, zo mooi.'

De smeris reageert niet.

'De avond voor de bruiloft hebben jullie elkaar voor het laatst gesproken, niet? Anne-Marie heeft altijd geweigerd het mij te vertellen. Het was haar enige geheim en dat heeft ze ook altijd bewaard. Ze heeft je toen gevraagd iets voor mij te doen, hè?'

Chauvier lijkt verlamd.

'Hoe het ook zij,' zegt Jos, 'ik gunde jullie een laatste nacht. De ochtend van het huwelijk vertrok jij naar Berlijn met de geallieerde bezettingsmacht.'

Een vreemde, vrolijke nostalgie: 'Ik schiet wortel en jij vlucht weg. Ik word Fransman, jij wordt naar Duitsland verbannen. Wat een lot!'

Chauvier is verpletterd. Zijn lippen bewegen in de leegte, een leegte waarin zijn leven, zijn mislukking, zijn gemiste afspraken verdwijnen. En toch moet hij zich vermannen, hier, nu, meteen. Het is misschien wel het belangrijkste ogenblik van zijn leven! Een ogenblik waar hij al een halve eeuw op zit te wachten. Dus, vanuit het diepste van zijn ingewanden, mompelt hij uiteindelijk iets. Jos weet niet zeker of hij het goed gehoord heeft, maar zijn zelfvertrouwen is er meteen door verdwenen.

'Wat zei je daar?' stamelt hij.

'Wat is Halgadøm precies?'

Jos lijkt ten prooi aan tegenstrijdige gevoelens. Zijn lippen beven, zijn vingers bewegen in de leegte. Hij probeert onaangedaan over te komen.

'Weet ik veel,' antwoordt hij weinig overtuigend. 'Waarom vraag je dat?'

'Dat is een Noors bedrijf, hè?'

'Geen flauw idee,' antwoordt de burgemeester, terwijl hij zich naar het raam wendt om zijn verwarring te verbergen.

De commissaris vervolgt: 'En die vier tickets Parijs-Oslo van vorige maand, een paar maanden na de moord?'

'Ik weet niet waar je het over hebt.'

'Na hun misdaad zijn jouw vier gidsen ondergedoken in Noorwegen, hè?'

Langzaam draait Jos zich om. Alle frivoliteit is weg.

'Luister, Ballaran, of Chauvier, wat dan ook. Het dossier is gesloten, zeg ik.'

Hij loopt naar de smeris toe en zegt met nadruk op elke lettergreep: 'Ge-slo-ten! Als jij dat heropent, dan heropen je het jouwe!'

Chauvier antwoordt niet en Jos verliest zich in tegenspraken.

'Als jij die beerput opentrekt, word je geschorst, doorgetrokken! Op een paar maanden van je pensioen zou dat gekkenwerk zijn.'

Chauvier zwijgt. Hij kijkt de oude politicus triest aan en loopt dan langzaam naar de deur. Als hij buiten voor het gemeentehuis staat, ziet hij Jos voor het raam, als een gargouille, naar hem staan kijken. Als een komediant maakt Chauvier een buiging. Jos trekt een grimas. Hij kijkt toe hoe de oude commissaris in zijn Renault 5 stapt. Chauvier doet van zijn kant ook zijn uiterste best onaangedaan te blijven. Hij start de motor, laat zijn raampje zakken, en voordat hij het plein af rijdt, zwaait hij naar het gemeentehuis. In zijn spiegel meent de smeris de kille woede van Jos te zien, en zelfs een vleugje schrik.

En dan rijdt Chauvier, hij rijdt. Bij het verlaten van Paulin spant zijn hele lijf. Algauw trillen al zijn spieren. En dan, eindelijk, kan hij zijn auto in de berm tot stilstand brengen, om tegen het stuur in tranen uit te barsten.

'Die jongeren…'

Chauvier weet niet meer wanneer hij die uitdrukking is gaan gebruiken. Vanaf wanneer. In alle rust, jong als ze zijn, woest, ambitieus, kittig, slordig gekleed, verlaten de studenten de universiteit. Ze zijn allemaal nog zo jong. Op de muren rondom het universiteitsgebouw zijn er al affiches voor de presidentsverkiezing van aanstaande mei opgebloeid. Juquin, Lajounie en ook Jean-Marie Le Pen.

Die kent Jos vast. Afgelopen december heeft zijn uitspraak voor RTL over het 'detail' van de gaskamers opschudding in de pers veroorzaakt. Maar Chauvier heeft zich nooit voor politiek geïnteresseerd. Een militair gehoorzaamt, handelt, maar oordeelt niet, had hij leren denken toen hij soldaat was.

En zij, waar denken zij aan? Wat is hun mening? vraagt de commissaris zich af terwijl hij tegen de ruit van de cafetaria leunt. Tegenover hem braakt de universiteit haar leerlingen uit. Chauvier doet zijn best de gestalte van Aurore te onderscheiden, maar hij ziet haar niet. Hoe dan ook, ik heb de tijd, denkt hij, terwijl hij naar de wolken staart. Het gaat regenen. De studenten beginnen te schaterlachen als de bui losbarst. Ze drukken zich tegen elkaar aan, hun dictaten tegen het lijf gehouden.

Wat zou er gebeurd zijn als ik was gaan studeren? vraagt Chauvier zich af.

Dan wordt hij boos: het heeft geen zin dat soort dingen te veronderstellen; wat gebeurd is, is gebeurd. Dat mag dan zo zijn, maar bij het zien van die jonge mensen met hun tas onder de arm, met hun toekomst in een draagband, begint hij, of hij wil of niet, zijn leven van oude smeris te overdenken.

Ik heb niet veel keus gehad, denkt hij, alsof hij zich tegenover zichzelf wil verontschuldigen. Het was oorlog, ik was soldaat, en dat ben ik in zekere zin nog steeds. Destijds had ik geen keus!

Het regent inmiddels hard, iedereen loopt sneller, iedereen springt in auto's, schuilt in winkels. Ze zoeken schuilplaatsen in portieken, in bushokjes. Maar Chauvier blijft staan, in zijn herinneringen verdiept. Geen keus? Voor sommigen inderdaad niet. Maar jij wel, commissaris!

Had de graaf van Mazas geen mooi geldsommetje achtergehouden om zijn studie te financieren? En toen, bij de bevrijding, die 'heldhaftige' dood van zijn vader en zijn eigen wapenfeiten, had hij daar geen premie voor gekregen van de nieuwe regering? Hij had best op de universiteit kunnen gaan studeren, iemand kunnen worden. Iemand anders. Maar hij had alles vergooid. Alles. Niets mocht blijven bestaan: alles moest gewist. Te veel vernedering, te veel bloed, te veel leugens! Dat geld, dat lot aanvaarden, had betekend zich neerleggen bij wat er was gebeurd. En dat kon Gilles Ballaran in geen geval. Anne-Marie had alles bedorven. En hij, hij, de 'kleine Gilles'. Wat was er van hem terechtgekomen? Wat had ze van hem gemaakt? Een stuk vuil! Een viezerik! Een lafbek! Een verrader! Een landverrader, een verrader van zijn jeugddromen, van zijn ouders. Hij kon nog slechts weg, ver, ver weg. Hij kon beter van naam, van lot veranderen: Gilles Chauvier zou soldaat zijn. Dan smeris. Dan niets meer. Een kloteleven, dat is het!

Een paar meter verderop heeft een groepje studentes onder een paraplu zich omgedraaid, want Chauvier heeft hardop gesproken. Ze lachen heimelijk om die oude bullebak in zijn verkreukelde regenjas.

'Hij lijkt Colombo wel.'

Je weet niet eens hoe warm je bent, snotneus, denkt Chauvier, terwijl hij zich de andere kant op draait. En dan ontdekt hij zichzelf in de weerspiegeling van de etalageruit van een klerenwinkel: met verward haar, rimpels, vieze haren, wallen onder de ogen, niet echt een schoonheid. En ook niet erg verfrissend, meneer de commissaris! Een van de studentes maakt zich los uit het groepje onder de paraplu.

'Hé, dag, commissaris!'

Chauvier schrikt op, plotseling regent het niet meer: het is Aurore!

'Ik had u even niet herkend,' vervolgt ze, op die tegelijk onderzoekende en spottende toon. 'Maar ik dacht dat uw onderzoek was afgerond? Grootvader zei dat het dossier was gesloten.'

'Ik zou graag eens met u spreken.'

Aurore vertrouwt het niet.

'Hoe dat zo?'

Ze komt naderbij en bekijkt de kletsnatte regenjas van de oude smeris.

'Komt u toch onder mijn paraplu staan,' zegt ze terwijl ze een oude Knirps ontvouwt. 'Dit is weliswaar niet die Bretonse storm van vorige maand, maar zo vat u nog kou.'

Dat zou misschien wel de oplossing zijn, verpletterd worden onder een boom, zoals die Bretonnen en die Normandiërs, dat zou niet meer dan rechtvaardig zijn, denkt de commissaris, terwijl hij schuilt bij Aurore Jos. Hij herkent zelfs de houten steel, de oude baleinen en het paarse doek.

'Die was van uw grootmoeder, hè?'

Aurore schrikt en kijkt de smeris aan. 'Hoe weet u dat?'

Chauvier antwoordt niet maar gaat verder met zijn inspectie, alsof hij de jongedame aan een radiografie onderwerpt.

'Evenals dat halssnoer en die speld in uw haren.'

De jonge vrouw bekijkt de commissaris met een mengeling van afkeer en nostalgie. Ja, die paraplu was van haar grootmoeder, die hem meer gebruikte als parasol, want ze hield niet van regen en school bij het minste buitje meteen in het kasteel, en ja, die sieraden waren ook van haar, die heeft ze via haar moeder, die ze zelf weer...

'Grootvader heeft ze me gegeven na de dood van grootmoeder,' geeft Aurore toe, en ze kijkt naar de grond. Daarbij ziet ze dat de schoenen van Chauvier nog natter zijn dan een dweil.

'Kunnen we ergens droog gaan zitten om te praten?' vraagt hij terwijl hij de deur van de cafetaria achter zich openduwt. Aurore aarzelt, maar na een blik op zijn kletsnatte stappers volgt ze hem de rokerige ruimte in.

'Hallo, Aurore!' roept de barman.

Keiharde muziek. Vanessa Paradis piept 'Joe le taxi'. Jonge smoelen, pullen bier, sigarettenrook, nattehondenlucht.

'Ik neem aan dat uw grootvader u heeft gewaarschuwd voor mij, of niet?' zegt de commissaris, in een poging boven het lawaai uit te komen.

Beiden banen zich een weg tussen stoelen, harige nekken, stappen over schooltassen en bereiken een tafeltje achter in de zaal, bijna in een alkoof. Aurore schaamt zich en durft de blik van Chauvier niet te trotseren.

Toch vraagt ze: 'Waarom bent u me komen opzoeken?'

Chauvier aarzelt en wijst dan op de oude paraplu.

'Om over haar te praten.'

'Hebt u grootmoeder gekend?'

Chauvier knikt, met een waas voor zijn ogen.

'Wij zijn samen opgegroeid.'

De jonge vrouw spert haar ogen verbaasd open.

'Heeft uw grootvader nooit de naam Ballaran laten vallen?'

Aurore denkt na. 'Dat waren de huisbewaarders, geloof ik. Vóór mijn geboorte.'

'Klopt,' bekent Chauvier. 'Mijn vader was rentmeester en mijn moeder kokkin.'

Ze weet niet hoe ze het heeft.

'Wilt u zeggen dat...'

'Anne-Marie en ik waren ongeveer even oud, we zijn samen opgegroeid.'

Aurore moet wel vertederd en aanhankelijk naar die smeris kijken. Door dat ene antwoord is hij meteen lid van de familie geworden. 'Maar dan hebt u mijn grootvader moeten kennen op het moment dat hij in het verzet zat?'

Chauvier bloost in weerwil van zichzelf.

'Dat hoort bij de dingen die ik vergeten ben.'

Hij aarzelt en verandert van onderwerp: 'Daarentegen herinner ik me heel goed de jurken van uw grootmoeder, in de lanen van het park. Onze wandelingen door het katharenbos of als we op zondag naar de mis gingen.'

In de loop van het verhaal bloeit de jonge vrouw op als een nachtschone. Haar ogen gaan weer glinsteren. Het verhaal van de commissaris valt samen met wat zij weet van de geschiedenis van het kasteel, alles wat ze van haar grootmoeder heeft gehoord. Langzaam maar zeker vergeet ook Chauvier zelf dat hij tegen Aurore zit te praten. De jonge vrouw zegt niets, maar in een verontrustende nabootsing verandert ze in Anne-Marie. Daarop mijdt de commissaris haar blik.

'Maar waarom zit u mij dat allemaal te vertellen?' vraagt de jonge vrouw ten slotte.

De commissaris kijkt haar met glanzende ogen aan. 'Je lijkt zo op haar,' zegt hij met schorre stem.

Aurore verliest zich in haar gedachten. 'Dus dan bent u het!'

'Ik?'

'Toen ik klein was, in Mirabel, had grootmoeder het altijd over haar jeugdvriend die verdwenen was en van wie ze niets meer gehoord had. Ze miste hem.'

De commissaris wordt lijkbleek.

'Wat vertelde ze jou?'

'Dat weet ik niet precies meer,' antwoordt de studente. 'Maar ik geloof dat het voor haar heel dierbare herinneringen waren.'

Chauvier voelt een brok in zijn keel. Maar hij moet zien te leven met het feit dat Anne-Marie dood is, dat hij haar nooit zal terugzien, net zo goed als hij er stiekem van gedroomd had naar Mirabel terug te keren voor dat afgebroken onderzoek.

'Ze is snel gestorven, hè?'

Aurore knikt triest. 'Veel te snel. Maar ze heeft geen tijd gehad om te lijden. Ten slotte zag ze bijna niemand meer, behalve grootvader, de ooms Sven en ik.'

Chauvier fronst zijn wenkbrauwen.

'De ooms wie?'

'Mijn ooms Sven,' antwoordt ze alsof dat de vanzelfsprekendste zaak van de wereld is. 'Die hebben altijd bij ons op het kasteel gewoond.'

De smeris wordt weer oplettend.

'Maar ik dacht dat jullie alleen waren, jij en je grootvader.'

'Dat is pas sinds een paar weken,' antwoordt het meisje. 'De Svens hebben zich teruggetrokken, zijn naar huis gegaan, naar Noorwegen.'

Aurore lijkt oprecht verrast. Chauvier bekijkt haar, zit af te wachten hoe ze nu verder zal gaan.

'Bent u niet naar de vvv in Paulin geweest? De Svens waren de vier gidsen die voor grootvader hebben gewerkt sinds het uitzetten van de katharenetappe, nog vóór mijn geboorte.'

'En die woonden bij jullie?'

'Bij ons en met ons,' antwoordt Aurore een beetje benepen. 'Zij waren als het ware familie.'

'Noren?'

'Ja, vier broers. En ze hadden allemaal dezelfde naam: Ze begonnen allemaal met Sven. Sven-Odin, Sven-Gunnar, Sven-Olaf, Sven-Ingmar.'

Ze schaterlacht voordat ze verduidelijkt: 'Ik heb er jaren over gedaan voor ik ze uit elkaar kon houden.'

'Zijn ze halsoverkop vertrokken?'

Aurore staat paf. 'Dat geloof ik niet. Ze hadden het er al lang over zich terug te gaan trekken. Dat klimmen, dat almaar rondlopen, dat vermoeit! En vorige maand hebben ze het besluit genomen.' Een beetje spijtig fluistert ze: 'Eerst grootmoeder, toen de Svens; grootvader heeft alleen mij nog maar.'

Chauvier moet zich inhouden om geen aantekeningen te gaan maken.

'En hoe kenden die elkaar?'

'Grootvader en de Svens doen daar altijd heel vaag over. Alles wat ik weet is dat ze van archeologie hielden en dat ze in 1950 gezamenlijk opgravingen hebben gedaan.'

Aurore doet nu opeens heel gewichtig: 'Er zijn artikelen over ze verschenen,' voegt ze eraan toe. 'Foto's in de pers.'

'En wat hadden ze gevonden?'

'Een soort mummie.'

'In Egypte?'

'Nee, nee, in Frankrijk. Hier in de streek. Ik geloof in de Ariège.'

Chauvier voelt meteen dat hij een spoor heeft, een aanwijzing. Hij moet zich vreselijk bedwingen om op vertrouwelijke toon te blijven spreken.

'Hebben ze dat lang gedaan, die opgravingen?'

Plotseling bekijkt de jonge vrouw Chauvier met enig wantrouwen.

'Bent u bezig met uw onderzoek, of hoe zit het?' bromt ze. 'Ik dacht dat we het over grootmoeder zouden hebben.'

Een beetje op zijn staart getrapt, bloost de commissaris, en hij pakt zijn glas zonder te beseffen dat het al leeg is. Dat slechte theatrale gebaar bevestigt de twijfel van de studente.

'Enfin,' zegt Aurore, en ze kijkt op haar horloge. 'Ik moet ervandoor, over drie dagen heb ik tentamen.'

Ze staat op en pakt haar tas.

'Wacht u hier tot de bui ophoudt?'

Chauvier knikt zonder te antwoorden.

'Maakt u geen zorgen,' voegt ze er op lievere toon aan toe, 'ik zal grootvader niets vertellen. Al was het alleen maar omdat u een vriend was van grootmoeder.'

Chauvier vraagt daarop, zonder zijn agententoon te ontveinzen: 'Halgadøm, zegt je dat wat?'

Aurore denkt even na en antwoordt dan: 'Nee, niks.'

Ze kijkt weer op haar horloge. 'Ik moet nu echt weg, hoor. Tot ziens, commissaris.'

Die blik. Dat kinderoog. Die lippen. Anne-Marie, altijd Anne-Marie.

DE TUIN DER MUZEN, TWEEDEHANDS BOEKEN.

Alleen al bij het zien van die oude papierwinkel in de rue du Taur krijgt Chauvier de neiging om te niezen. Hij kijkt even of hij niet tenminste een oude Kleenex onder in zijn zak heeft en duwt de deur van het antiquariaat open. Een belletje rinkelt boven de ingang.

'Is hier iemand?' vraagt Chauvier, alsof hij een gewoon huis betreedt. De formidabele chaos van deze ruimte, met planken en tafels die doorzakken onder de paperassen, oude kranten, kapotte boeken, lijkt eerder op de zolder van een archivaris dan op een boekhandel.

'Commissaris, wat een genoegen,' koert een bleek, mismaakt ventje, als een faun vastgeklampt aan een trap.

'Dag, meneer Crau!' zegt Chauvier met een ernstig gezicht.

De man, die zelf op een uit oud karton geknipt plaatje lijkt, zekert een rij boeken en klautert uit zijn hoge positie om de smeris een stoffige hand te geven. Chauvier moet meteen niezen.

'Nog altijd allergisch, hè?' vraagt de boekhandelaar, die elke zin met 'hè' beëindigt.

De commissaris knikt en snuit zijn neus.

'Bij ons, in het boekenvak, is stof een natuurlijke adem, hè?' spreekt de heer Crau berustend.

Hij gaat aan zijn schrijftafel zitten.

'Wat kan ik voor u doen?'

De smeris antwoordt niet meteen. Op de toonbank voor zich ziet hij verscheidene tweedehands exemplaren van *Gewijde nacht*, een roman van Tahar Ben Jelloun die vorige maand de Goncourt heeft gewonnen.

'Tja, je moet toch leven, hè? Al die journalisten uit de streek spelen mij hun presentexemplaren toe. En – u kunt het geloven of niet – dat soort pulp loopt heel goed. Vooral nu Kerst nadert, uiteindelijk slechts een overblijfsel van de Mithrasdienst, dat weet u net zo goed als ik, hè?'

Het kerstfeest en de Mithrasdienst, denkt Chauvier, altijd zeer geamuseerd door de redeneringen van de oude boekhandelaar. En dan verklaart hij zijn komst.

'U weet alles.'

'Bijna alles,' zegt de boekhandelaar gevleid, 'bijna alles.'

'Om kort te gaan, ik zoek informatie over archeologisch onderzoek dat rond 1950 in de streek zou hebben plaatsgevonden.'

De boekhandelaar doet alsof hij daar niets mee kan en vraagt: 'En weet u verder niks? Onderzoek naar wat? Aardewerk? Architectuur? Glaswerk? Gnostische schatten? Heidense maskers? Ondergrondse kerken? Fossielen? Coprolieten?'

'Het ging om een mummie.'

'Een mummie, hè?' zegt de boekhandelaar terwijl er een lichtje in zijn ogen ontsteekt. 'En waar?'

'Ergens in de Ariège, geloof ik.'

Crau wordt nu oplettend. Zijn gezicht loopt rood aan. Zijn schouders trillen van voldoening en hij slaakt een klein medeplichtig 'hè hè hè' voordat hij vraagt: 'Lanta, 1953?'

'U weet er al meer van dan ik,' antwoordt Chauvier ontwijkend.

De boekhandelaar lijkt zeker van zijn zaak. 'Een vreemd verhaal, daar was een notabele uit de streek bij betrokken. Een man die geloof ik nu burgemeester in Paulin is, in de Tarn, hè?'

Chauvier kan niet geloven dat hij zoveel geluk heeft. 'Klopt!'

Terwijl de smeris zijn neus snuit duikt Crau zijn krochten in.

'Ik geloof dat ik heb wat u zoekt,' zegt hij, terwijl Chauvier hem boeken hoort wegschuiven.

'Hè hè hè!' zegt Crau weer, terwijl hij terugkomt met een boek in de hand, dat hij draagt als was het een wierookhouder.

'Dit is een uiterst zeldzaam document, hè?' zegt de boekhandelaar.

Hij houdt de agent een vierkant en vrij dik boek voor. Op de omslag ziet Chauvier de vergeelde foto van een oosterse godheid. Daaronder, in de lin-

ker onderhoek, een getal: 9, dan de ondertitels: 'Kroniek van onze beschaving', 'De onzichtbare geschiedenis', 'De opening van de wetenschap',
'Grote tijdgenoten', 'De toekomstige wereld', 'Verdwenen beschavingen'.

Chauvier leest de titel hardop voor: '*Bres.*'

'Dat is een tijdschrift,' preciseert Crau, en hij wijst hem op het deel:
april-mei 1963.

De commissaris graaft in zijn herinnering. 1963: Toen begon hij bij de
politie, omdat hij net uit het leger was, terug uit Algerije.

'Dat doet me ergens aan denken,' zegt Chauvier. 'Waren het geen geleerden die objectief paranormale feiten wilden natrekken?'

Crau uit een tuttend geluid, vijand als hij is van onjuistheden, de echte
boekenwurm.

'Dat is te schematisch, commissaris. Die beweging werd "fantastisch realisme" gedoopt,' verklaart hij. 'Zij begon in 1960, met de publicatie van
De dageraad der magiërs van Louis Pauwels en Jacques Bergier. Zij stelden
een zowel concrete als magische interpretatie van de geschiedenis voor,
met name van de moderne geschiedenis.'

Hij aarzelt en voegt er dan aan toe: 'Met een heel hoofdstuk gewijd aan
het Derde Rijk, dat zij opvoerden als een kwaadaardig geheim genootschap, dat door vrijwel bovennatuurlijke middelen aan de macht was gekomen.'

Chauvier moet moeite doen zijn tevredenheid niet te laten blijken. We
komen er! We komen er!

'En liep dat boek een beetje?' vraagt de smeris.

'Het was een triomf! Het was zo'n groot succes dat de schrijvers vervolgens een beweging hebben gesticht, het "fantastisch realisme", met een
tijdschrift, *Bres*, en honderden lezingen hebben gehouden. Het was de
eerste keer dat echte intellectuelen zich bezighielden met het paranormale, met een kritische, intelligente en bijna objectieve geest. En dat ging zo
door tot eind jaren zeventig. In feite tot de dood van Bergier.'

Een treurige blik ligt nu op het gelaat van de boekhandelaar.

'Vervolgens is dat opgegaan in de new-agebeweging, in de ufologie en
in al die Californische nonsens, hè.'

Chauvier bladert door het deel. De titels van de artikelen doen hem versteld staan: 'Een wetenschappelijke ervaring betreffende helderziend-
heid', 'Transmuterende levende stof', 'De heiligen en magische geneeskunst'. Plotseling versteent hij. Voor zijn ogen ziet hij een titel: 'De
buitenaardse mummies', ondertekend David Guizet.

'Wie is David Guizet?'

'Dat was wat u zocht, hè?' vraagt Crau.

De commissaris durft het niet te geloven. Links van het artikel ziet hij een paginavullende foto. Ergens in een bergwoud staan vijf mannen triomfantelijk als alpinisten rondom een enorm lijk. Chauvier voelt zich misselijk worden. Zijn mooie, smerige smoel! Zijn wrede engelenkop! Jos staat erop zoals hij hem heeft gekend voordat Chauvier Paulin verliet om bij het leger te gaan: jong, wilskrachtig, doortastend, sterk. Naast hem de vier Svens, met hun smoelen van gezonde vechtjassen. Hoog voorhoofd, lichte haren en ogen, verdacht veel op elkaar lijkend, als dat geen litteken is in die hals van een van hen, dat er zo uitspringt, als een tweede glimlach. Maar een lugubere, bijna kannibalistisch. Alle vijf hebben een rugzak, piketten, allerlei gereedschap. Het zwartachtige lijk van de mummie lijkt een fossiel. Blijkens het onderschrift dateert de foto uit 1953, en het stelt de lezer de vraag: 'Zijn onze voorouders reuzen die uit het mythische Thule afkomstig waren?'

'Ik koop het,' zegt Chauvier, plotseling agressief.

'Nou, dat weet ik niet, hoor!' bromt Crau, en hij pakt het tijdschrift van hem af. 'Het is ongetwijfeld een van de laatste exemplaren die er nog zijn van dit nummer. Dit is nog zeldzamer dan een incunabel of een oorspronkelijke uitgave van *Een seizoen in de hel*.'

'Hoeveel kost het?'

Crau doet heel geheimzinnig.

'Destijds zijn Bergier en Pauwels erom bedreigd. Onder druk gezet. Ze zijn verplicht geweest de hele serie te laten vernietigen nog voordat ze in de winkel lag.'

Chauvier gelooft er geen snars van: Crau neemt hem bij de neus.

'En hoe komt het dan dat u er een hebt?'

De boekhandelaar kijkt heel doortrapt. 'Dat zou u wel willen weten, hè?'

'Nou, voor de draad ermee, Crau! Zoveel tijd heb ik nou ook weer niet,' windt de smeris zich op.

De antiquair blijft geheimzinnig en fluistert ongerust: 'Er zijn doden die je beter kunt laten rusten.'

Chauvier heeft nu genoeg van het eeuwige gezeik van Crau. Elke keer is het hetzelfde liedje. De boekhandelaar is een eenzaam man. Zijn enige vrienden zijn zijn klanten en die worden steeds zeldzamer, want hoe ouder hij wordt, hoe onverdraaglijker.

'Hoe bent u verdomme aan dit tijdschrift gekomen?' vraagt de smeris.

Crau zet zich schrap. Hij houdt niet van grove woorden maar merkt dat Chauvier zijn geduld verliest.

'Ik heb tussen 1963 en 1964 een jaar lang bij *Bres* gewerkt. Wacht, u zult het begrijpen.'

Hij vertrekt weer naar zijn krochten en komt met nummer 1 van *Bres* aanlopen.

'Twee maanden later verscheen dit.'

Verschrikt bladert Chauvier het door.

'Maar dat zijn dezelfde artikelen, hetzelfde omslag!'

'Bijna hetzelfde,' zegt Crau met een wat onzekere stem, alsof er een wond werd opengereten. Chauvier moet zich neerleggen bij het bewijs: in dit identieke nummer ontbreekt alleen het artikel over de buitenaardse mummies. De smeris neemt een dreigende houding aan en steekt zijn hand uit naar de boekhandelaar.

'Geef mij dat andere. Ik maak er fotokopieën van en geef het u terug.'

Ten slotte staat de boekhandelaar hem zijn 'zeldzaamheid' af.

'U hebt twee dagen, niet langer! Hè?'

Maar Chauvier staat al op straat en kan zijn blik niet van de foto van die vijf archeologen losrukken. Met zijn rechte houding, joviaal, triomfantelijk, lijkt Jos klaar de wereld te gaan veroveren.

En hopla!

De prop papier gaat in de prullenbak en Chauvier begint te schaterlachen. Hij weet niet waarom, maar hij voelt zich vrolijk. Alsof plotseling alles in beweging komt. Alsof hij Anne-Marie zal terugvinden, een beetje van haar lucht, van haar frisheid. Het nummer van *Bres* ligt op de tafel in de woonkamer en lijkt hem toe te lonken. Het lonkt veel meer dan het officiële document dat in zijn brievenbus lag toen hij van Crau vandaan kwam.

De smeerlappen, heeft hij gebromd, voordat hij de dreigbrief verfrommelde. De prefectuur dreigde al zijn rechten af te nemen (aanvullende verzekering, pensioen enzovoort) als, 'waar wij bewijs van hebben', hij zijn onderzoek zou voortzetten ondanks het verbod van zijn superieuren. Maar die brief ging meteen in de prullenbak en Chauvier schonk zichzelf een groot glas Jack Daniel's in. Die fles had hij al heel lang niet aangeraakt. De ijsklontjes tinkelen tegen elkaar, de bruine vloeistof spoelt om ze heen. Op tafel ligt de *Bres* te wachten.

Chauvier gaat zitten en slaat het mysterieuze exemplaar open.

2005

In Neurenberg zijn we rondjes aan het draaien. Bij het paleis van justitie zien we een huishoudster die gewerkt heeft voor Ulf Schwengl, de derde zelfmoordenaar. Weer hetzelfde antwoord: het slachtoffer was een bescheiden, onopvallende man die de paar dagen voor zijn dood met zijn arm in het verband liep.

'We komen niet verder, we komen niet verder!' tiert Venner, lopend door de straten van deze stad die in 1945 met de grond gelijk is gemaakt en herbouwd is als een soort Lego-citadel.

Sinds we naar Kehlstein zijn geweest, sinds onze 'biecht bij Hitler', is er een kilte tussen ons ontstaan. Alsof we te ver zijn gegaan, elkaar te veel hebben verteld. Maar nu zijn we opeens onderweg blijven staan. Halverwege de nieuwsgierigheid en de bekentenissen, tussen beleefdheid en intimiteit, tussen werk en medeplichtigheid. En sinds twee dagen ontlopen we elkaar en loeren we op elkaar. Het is op de eerste plaats mijn schuld.

Toen ik over mijn moeder begon, ging Vidkun er niet op in, hij verbleekte slechts en stelde toen voor: 'We kunnen er misschien naartoe gaan?'

Ik heb niet het lef gehad daarop aan te dringen. Toegeven dat mijn eigen moeder een Jodin was, was dat niet de druppel die de graal deed overlopen? Vidkun heeft de informatie opgeslagen, alsof hij daar eens even over na moet denken. Ik had hem daar een heel smerige poets gebakken. Opeens moest hij oppassen met zijn cynisme, zijn grapjes, die kwaadwilligheid waarvan hij niet vermoed had dat hij mij er tot in die mate mee kon choqueren en verwonden. Hij moest teruggaan in onze samenwerking om al zijn misplaatste zinsneden en zijn omstreden opmerkingen na te lopen: het bezoek aan Struthof, het diner bij de dochter van Himmler, onze avond in het Arendsnest, waren dat niet evenzovele provocaties? Waarom had ik het hem niet meteen verteld? Waarom had ik zo lang zo'n geheim kunnen bewaren, dat de kaarten grondig herschudde? Iedereen behalve ik zou meteen met het jodendom van zijn moeder zijn komen aanlopen als met een soort schild. Ik had er gewoon niet aan gedacht. Mijn moeder is een ver verwijderde, bijna droomachtige figuur. Een goede fee in wie ik niet meer geloof. Geheel te goeder trouw heb ik die informatie bijna per ongeluk losgelaten. Het heeft geen echt belang. Ik heb me nooit Jodin gevoeld, geen katholiek, niets. Bovendien weet ik volstrekt niets van mijn moeder. Helemaal niets! Maar nu durft Vidkun mij geen persoonlijke vragen meer te stellen en zit ik klem tussen mijn preutsheid en mijn nuchterheid. We besluiten dus zonder enige vreugde Neurenberg te verlaten om op zoek te gaan naar de vierde en laatste zelfmoord: in Berlijn.

Bij het naderen van de hoofdstad van Duitsland laat de Viking zijn raampje zakken terwijl de zon ondergaat.
'En nu wij, Germania!'
'Waar heb je het over?'
Ik heb een slecht humeur, het gevolg van te lange middagdutjes. De indruk dat mijn oogleden aan elkaar zijn geplakt, als een korst oud brood.
'Zo had Hitler Berlijn willen herdopen, als hij de oorlog zou hebben gewonnen.'
'Aha!'
Op de weg rijden de auto's bumper aan bumper, er zijn werkzaamheden.
'Germania zou de grootste stad ter wereld geworden zijn, een kolossale, immense stad. Passend bij de megalomanie van de Führer. En dat alles bewoond door jonge, blonde mensen, met blauwe ogen, afkomstig uit de fokkerij.'
Bij die woorden trekt er een schaduw over zijn gezicht en zegt hij: 'Wat een gruwel.'
Is dit een manier om mijn gunst te herwinnen?
'Nee maar, neem je opeens je woorden terug?'
'Je weet best dat ik geen neonazi ben, ik ben alleen een "obsessief verzamelaar".'
Dat is koren op mijn molen, net als bij Clemens.
'Je had ook wel wat humanere obsessies kunnen kiezen, meneer Venner.'
Wij komen langs een stuk grijze muur, bedekt met veelkleurige graffiti, en Venner merkt op: 'Kijk, een restje van de Muur. Vind je dat wellicht humaner?'

Ik herinner me de beelden van 1989. Mijn vader had bij wijze van uitzondering de hele nacht voor de televisie gezeten en mij zelfs toegestaan het met hem te volgen. Ik zie nog zijn uitdrukking van opluchting en van schrik.

'Welkom in de moderne geschiedenis,' had hij gezegd, met een rare beduchtheid.

Venner zet zijn pleidooi voort: 'Vind jij het humaan om families zo maar op een dag in tweeën te knippen?'

'Ik heb nooit gezegd dat dat beter was, maar de nazi's hebben toch ook families gescheiden? En heel wat afdoender.'

'Dat heeft nu juist alles te maken met de missie van de Lebensborn.'

Ik trek mijn wenkbrauwen op.

'*Ach!*' zegt Fritz, om aan te geven dat de opstopping oplost. Wij rijden een laan met bomen erlangs op, vol herfstkleuren.

'Afgezien van de kunstmatige voortplanting,' verklaart Vidkun, 'hield de instelling van de Lebensborn zich ook bezig met "raciaal waardevolle" kinderen te herplaatsen, geroofd uit de bezette landen.'

'Raciaal waardevol?'

'Ja. Als ze ergens kwamen schuimden ze de steden en de dorpen af op zoek naar jonge, blonde kinderen met blauwe ogen. Die vorderden ze dan van de ouders en plaatsten ze in Duitse families, meestal van de SS.'

'En de echte ouders werden ter plekke doodgeschoten, neem ik aan.'

'Niet altijd,' antwoordt Venner koeltjes, alsof die opmerking hem hindert. 'Het is zelfs voorgekomen dat de adoptiefamilie een contact – in elk geval een adres – van de biologische familie bewaarde.'

Weer een file.

'*Scheisse!*'

'En in 1945, hebben ze toen hun familie teruggevonden?'

Venner schudt langzaam van nee.

'Heel weinig.'

'Weinig?'

'Toen ze moesten kiezen, wilde het merendeel liever in een vrij land blijven dan onder de Sovjetlaars belanden. Dat heeft compleet waanzinnige situaties opgeleverd, waarin kinderen kozen voor het kamp van de vijand, uit overlevingsinstinct.'

'Maar dat is verraad!'

'Dat hangt af van hoe je het beziet, en van de datum. Als jij op tweejarige leeftijd geroofd was, en geplaatst in een rijke Parijse familie, liefhebbend en vrijgevig, zou jij dan teruggegaan zijn naar Issoudun?'

Ik loop meteen paars aan.

'Zuiver bij wijze van spreken,' voegt Venner toe.

'Die wijze van spreken mag je voor je houden! Mijn vader was geen communist en ook geen nazi, en het is 2005.'

De auto blijft staan bij een krantenkiosk. Door het raam heen wijst Venner op een of ander sensatieblad.

'Waarin is onze tijd dan beter?'

Ik zie de foto van een baby met holle ogen, in de armen van zijn ouders.

'Wat is dat?'

'Weer een ontvoering.'

'Van een gehandicapt kind?'

Het lukt Venner de onderkop te lezen terwijl de auto doorrijdt.

'Dat schijnt eergisteren gebeurd te zijn in de buurt van Bochum, bij Keulen. Het is de negenenveertigste in zevenentwintig maanden!'

Bij die woorden staat de auto stil, schuin geparkeerd, en zie ik een mooi pleintje, groen, bijna herderlijk, als een dorpsplein.

'Waar zijn we nou?' vraag ik, terwijl we met stijve benen uit de limousine stappen.

'Dit is de plek waar de gevangenis van Spandau stond.'

'Spandau was het laatste mausoleum van het Derde Rijk,' vertelt Venner, terwijl we over de paden van dat park lopen waar ooit die befaamde gevangenis stond. 'Waar we nu zijn, is de vroegere binnentuin van de vesting.'

Wij lopen door de lanen, maar Vidkun doet alsof we de gevangenis betreden: we lopen door deuren, we ontdekken gangen, werpen een blik door de tralies, door kijkgaatjes in cellen.

'Hier moet je je dus de laatste reuzen van het Derde Rijk voorstellen.'

Nu hij de gids mag uithangen, wordt Venner weer stijfjes. In zeker opzicht vind ik dat eigenlijk maar beter. Zo is hij tenminste in zijn element. Ik probeer mijnerzijds neutraal te blijven, want ik mag niet afstandelijk maar ook niet hartstochtelijk lijken.

'En wat deden ze overdag, de gevangenen?'

'Niets,' zei Venner, terwijl hij een bloem plukt uit een perk om die in zijn knoopsgat te steken. 'Ze tuinierden wat.'

'Ze tuinierden?'

'Jazeker, Rudolf Hess, de kroonprins van de Führer, Albert Speer, hoofdarchitect en minister van bewapening, Baldur von Schirach, grondlegger van de Hitlerjugend, en de anderen, Keitel, Sauckel, Raeder, Dönitz, maakten ruzie om een gebroken hark, om een verwelkte tomaten-plant. Ze begonnen elkaar te haten, omdat de een de vergeet-mij-nietjes van de ander had platgetrapt.'

Ik bekijk die tuin ongelovig. Moeilijk je hem voor te stellen als geslo-ten, en dan met een stelletje oude gevangenen die honderdduizenden had-den weten te traumatiseren!

'Iedereen had zo zijn manie. Hess heeft altijd gedaan alsof hij gek was, waardoor hij het uiteindelijk ook is geworden. Soms sprak hij maanden-lang niet, maar hij brulde elke nacht dat ze hem wilden wurgen. Speer heeft in zijn twintig jaar gevangenschap een reis om de wereld gemaakt.'

'Een reis om de wereld?'

'Speer was verreweg de meest gecultiveerde en slimste van het hele stel. Hij was geen stomme soldaat en ook geen bloeddorstige bruut. Bovendien had hij een uitstekend geheugen.'

Venner loopt verder door de langste laan en neemt grote stappen door het aangetrapte zand.

'Door de lengte van zijn wandeling te meten, schatte hij het aantal kilo-meters dat hij dagelijks aflegde. Daarop stelde hij zich voor dat hij uit Ber-lijn vertrok, om rond de wereld te lopen. In zijn geest.'

'En is hem dat gelukt?'

'Dat geloof ik wel, ja. In elk geval heeft hij de Stille Oceaan bereikt, uit-sluitend geleid door zijn cultuur en zijn geheugen!'

Ik zou bijna bewondering hebben voor een zo'n titaans geestelijk bouwsel. Hoe kom je zover? Is dat het merkteken van volslagen gekte of het bewijs van ongelooflijke vrijheid?

Venner pakt me bij de arm om me mee te tronen naar een ander deel van de tuin. Daarop steekt een aanzet tot afweer in mijn geest de kop op, maar die houd ik af. Venner is slechts beleefd. En de warmte van zijn hand op mijn arm is heel zacht. Hij kijkt niet schuins in mijn decolleté en ook niet naar mijn jurk. Hij vervolgt zijn bezoek.

'De vier bezettingsmogendheden moesten Spandau bewaken. Amerika-nen, Britten, Fransen en Sovjets verdeelden die taak.'

'Waren ze met veel?'

'Tachtig, geloof ik.'

'Voor hoeveel gevangenen?'

'De gevangenis kon zeshonderd gedetineerden herbergen, maar ze wa-ren maar met zijn zevenen, althans in het begin. Want vanaf het begin van de jaren zeventig bleef Rudolf Hess alleen achter. De best bewaakte gevan-gene ter wereld.'

Hij wijst naar een boom.

'Kijk,' vervolgt Venner, 'dat is zijn cel. Daar heeft de zogeheten timmerman Bruno Müller, de man met het litteken in zijn hals, zich in 1995 van het leven beroofd, acht jaar na de zelfmoord van Hess op 17 augustus 1987.'

Ik bekijk deze sympathieke tuin en probeer me een leeg vertrek met vieze muren voor te stellen.

'Hoe lang heeft hij hier gezeten?'

'Hess? Veertig jaar, maar hij had al zes jaar vastgezeten.'

De Viking perst zijn lippen op elkaar alsof hij een moeilijke berekening uit het hoofd moest maken.

'Rudolf Hess heeft dus in totaal ongeveer een halve eeuw gevangengezeten. Niemand mocht met hem praten, zeker geen Duitse soldaten. Wat er in de wereld gebeurde kreeg hij niet te horen. Hij mocht slechts een kwartier per week naar muziek luisteren en eens per week een aalmoezenier zien.'

'Streng!'

'Zie je wel: jij krijgt ook al medelijden.'

Meteen maak ik me los van zijn arm. Venner dringt niet aan, en we vervolgen onze 'wandeling'.

'Spandau was het Musée Grévin van het Derde Rijk. Als een buitenlandse persoonlijkheid op bezoek kwam in Berlijn, werd hij hier mee naartoe genomen, als naar de apenrots. Alle celdeuren stonden open, de gevangenen moesten met hun rug naar de deur staan, doodstil, terwijl de generaal van dat moment het bezoek van commentaar voorzag: "Hier zit de admiraal, hier zit de architect."'

Bij dat wreed cynische idee voel ik me weer onwel worden. Maar kun je wel medelijden hebben met die heren, die misdaden tegen de mensheid op hun geweten hadden? Vervolgens komen we bij een krantenkioskje.

'Aha! Hier zit onze spion.'

'Hoezo?'

'Volgens mijn informanten is die krantenverkoper een oude bewaker van de gevangenis. Die zou hier gebleven zijn tot aan de afbraak.'

Hij loopt het kioskje binnen en stelt zonder veel hoop de rituele vragen omtrent de zelfmoordenaar. De mannen praten tien minuten. Venner gebaart, dringt aan, schippert. Ten slotte komt hij met zijn fameuze geldknip voor de dag, in ruil voor een stuk papier! Meteen komt de Viking triomfantelijk op mij afgerend.

'En?'

'Volgens mij hebben we eindelijk iets,' antwoordt hij, terwijl hij mij het stukje papier voorhoudt.

Ik lees: *Angela Brillo, (030) 566 89 09*, zonder iets te begrijpen.

Vidkun laat een stilte vallen en zegt dan, als een joch dat de oplossing van een raadsel geeft: 'Dat is de zus van Bruno Müller, de vierde zelfmoordenaar.'

'Frau Brillo?'

Venner schreeuwt in de hoorn. Twee voorbijgangers draaien zich zelfs om. We staan in een telefooncel aan een van de grootste verkeersaders van Berlijn, de Kurfürstendamm. De grote laan van het voormalige West-Berlijn, wat in Parijs de Champs-Elysées is, een sprookjeswereld van winkels, merken, lichten, restaurants, auto's, claxons, gelach.

Het kabaal is dusdanig dat Vidkun nog harder moet praten. Ik verbaas me op dat moment dat hij geen mobieltje heeft, hij die een lange limousine rijdt, een bioscoopscherm en een onderaards zwembad bezit! Of heeft hij hetzelfde probleem als ik: is hij vergeten de optie voor heel Europa te nemen? Of verbiedt zijn woeste onafhankelijkheid hem via een mobieltje 'bereikbaar' te zijn?

Met de hoorn in de hand lijkt de Viking moeite te hebben vooruit te komen. Zijn stem neemt alle intonaties aan, van snauwen tot smeken. Hij staat op een vreemde manier te trappelen, alsof hij het gesprek in gebarentaal houdt.

Hij is duidelijk acteur, denk ik als ik dat rubberen, ongelooflijk beweeglijke gezicht zie, dat antieke adel kan verwisselen voor de meest clowneske bekken. Maar het telefoongesprek lijkt geen lolletje. Sinds het begin van onze zwerftocht in de Teutoonse landen is het zelfs het eerste echte spoor dat we hebben gevonden. Vidkun is honderdtwintig procent geconcentreerd. De naam Bruno Müller komt enkele keren in het gesprek naar voren. Vervolgens 'Spandau' en 'Rudolf Hess'. Ten slotte lijkt alles op te klaren.

'*Vielen Dank, Frau Brillo! Vielen, vielen Dank!*' jubelt Venner.

Hier hebben we misschien iets, denk ik, terwijl de Scandinaviër ophangt.

'En?'

Venner lijkt op een jochie, hij huppelt op me af en pakt me bij de schouders.

'Nou, zeg op!'

'Morgenochtend om acht uur, café Balitout, in het noorden van de stad!'

Hij is in de wolken en heeft die verlammende gêne laten varen die ons de laatste dagen dwarszat. Van de weeromstuit voel ik me ook helemaal opgevrolijkt.

'Eindelijk komt het op gang!' zegt hij terwijl hij me bij de arm pakt om me mee te nemen langs de etalages. De meeste winkels zijn al dicht en de Berlijners haasten zich naar restaurants, bars en bioscopen.

Venner is zo opgewonden dat hij zonder mij los te laten heel grote stappen neemt.

Ik verlies mijn evenwicht en roep schaterlachend: 'Hé, rustig aan! We hebben morgenochtend pas een afspraak!'

Vidkun blijft eruitzien als een extatische snotneus. We lopen over het trottoir van de grote Berlijnse hoofdader, en zijn vrolijkheid is zo tastbaar dat ik de indruk heb dat we uiteindelijk zullen opstijgen, als in een film van Wenders. We komen al spoedig bij een park.

'We zullen op eieren moeten lopen bij mevrouw Brillo, morgenochtend. Ik vrees dat ze geen Frans spreekt, maar ik heb haar verteld dat jij onderzoek deed voor de geschiedenisfaculteit in Parijs, en ik treed op als tolk.'

'Is dat niet een beetje een lomp alibi?'

'Het kwam zo bij me op,' antwoordt Venner als een halvegare. Hoeveel facetten heeft de Viking? Soms lijkt hij, als daarnet aan de telefoon, van persoonlijkheid te wisselen. Is dat het lot van ontwortelden? Dat talent van aanpassing, van mimicry, waardoor hij een kameleon wordt? En toch heeft Venner een overheersend karakter. Als hij alleen al zijn wenkbrauwen fronst, kan hij de sfeer hele dagen verpesten. Hoe meer hij van zich laat zien, des te ondoorgrondelijker hij me lijkt. Maar denkt hij niet hetzelfde van mij, met mijn jongemeisjespesthumeur, mijn kuren van verlate puber en mijn kleding van flirterig katje?

We gaan langzamer lopen. Daarop slaat Vidkun een volwassen toon aan en zegt: 'Ons hotel is een eindje verderop.'

De maan is net achter de flats verschenen. Een licht maar fris windje verrast ons. Venner komt naderbij.

'Heb je het koud?' vraagt hij, terwijl hij met zijn schouder de mijne raakt. Hij heeft weer de toon van die avond, in het Adelaarsnest. Die toon van zoete aandacht. Ik blijf staan en kijk hem aan.

'Niet echt.'

En plotseling zijn we heel dicht bij elkaar. Ik voel zijn adem op mijn mond. Vidkun staat daar voor mij. Hij heeft geen leeftijd meer, geen oorsprong meer. Hij is mijn baas niet, mijn werkgever niet, mijn opdrachtgever niet, ook niet meer die manische verzamelaar, en ook niet de vriend van de dochter van Himmler. Hij is gewoon een man, die tegen mij aan staat, onder de bomen, bij volle maan. Een romantische droom. Nog nooit heeft de aanwezigheid van Venner me zo vreemd geleken, zo geladen.

'Wat is het hier fijn, hè?'

Voorzichtig leg ik mijn hoofd op zijn schouder.

'Ik moet zeggen dat we het niet slecht hebben.'

Ik hoor het hart van die Scandinaviër slaan. Maar wat overkomt me nu toch, in hemelsnaam? Geen pijn, geen angst meer. Alleen een geweldige vertedering. Vidkun tegen mij. Onze vertraagde pas. Elk ogenblik apart, eindeloos ontleed.

'Hier is het hotel.'

Vidkun heeft dat zachtjes gezegd. Hij gaat achter mij staan, legt zijn kin op mijn hoofd. Zijn lijf in mijn rug, wij tegen elkaar aan. Vóór ons een gevel, zo wit als een suikertaart. In mijn geest wordt alles meegesleurd, door elkaar geworpen, verliest zich: het zien van de Viking, de goede raad van Lea ('die lui zijn gevaarlijk'), het beeld van mijn vader (Vidkun had mijn vader kunnen zijn), het spook van mijn moeder. Maar daar, op dat moment, en ook alleen op dat moment, kan mij dat allemaal niets meer schelen. Ik ben een grote meid en daarmee basta! Ik voel me zo lekker. In geen jaren heb ik me zo levend, zo sterk gevoeld. Daarop draai ik me om, soepel als een kat. Vidkun verroert geen vin. Hij is zo groot! Onze blikken kruisen elkaar. Hij lijkt nog verraster dan ik. Hij trekt een schuldig maar verleidelijk gezicht, drukt een kus op mijn neus, maakt zich dan los en doet een stap achteruit.

'We moeten gaan slapen,' fluistert hij, 'morgen zou weleens een lange dag kunnen worden. Helemaal omdat we daarna naar Parijs teruggaan.'

Heel lief streelt hij mijn wangen met de rug van zijn hand.

'Welterusten, meid,' zegt hij terwijl hij naar de ingang van het hotel loopt.

Nog een hele poos blijf ik op die laan in het maanlicht staan, met mijn ziel onder mijn arm. Ik moet mezelf ervan weerhouden te gaan analyseren en vooral om na te denken. Gewoon dat zoete gevoel, dat ongelooflijke gevoel van kalmte laten duren. Als ik eindelijk naar binnen ga, loop ik als een slaapwandelaarster. Bij de balie van de receptie vraag ik de sleutel van mijn kamer.

'Bent u juffrouw Chouday?' vraagt de man met de grote sleutels, in bijna accentloos Frans.

'Ja.'

'Ik heb een oproep voor u ontvangen,' voegt hij eraan toe, en hij houdt me een papiertje voor met het logo van het hotel.

Mijn hart bonkt! Alles trilt! Vidkun: hij is het! Hij wacht op me in zijn kamer. Of de mijne. Mijn wangen worden warm, de warmte verspreidt zich over mijn buik, een opwelling van genoegen.

'*Danke*,' zeg ik zwijmelend tegen de verbaasde conciërge.

'*Bitte sehr!*'

Bevend ontvouw ik het briefje van Vidkun.

'Ach nee!'

De conciërge kijkt op, want ik heb een pijnlijke kreet geslaakt. Ik word op een trieste manier op aarde teruggeworpen. Ik voelde me zo lekker, zo ver van alles, ver van mijn leven, van mijn vrienden, van mijn verplichtingen. Ik wilde gewoon vergeten worden, al was het maar voor even. Verdwijnen. Wegzakken. Het is een kort bericht van Clemens.

Check je mails, heel belangrijk.

Hoe heeft hij me weten te vinden? vraag ik me af, me bewust van de onrechtvaardigheid van zo'n gedachte. Met opeengeklemde kaken verfrommel ik het papier en bekijk deze hotelhal eens. Dan zie ik een tafel met vier computers. Nou ja.

Ik doe mijn best mijn teleurstelling te verzuipen, te lozen.

Wat verwacht je nou toch, trut? Een liefdesbriefje? Een slippertje? Een dolle nacht? Een Wagneriaanse romance? Venner is gewoon een fantastische verhalenverteller, hij doet met jou wat hij wil! Een tovenaar! Een goochelaar! Hij weet je te manipuleren.

Dan ontrolt zich een hele lijst berichten aan mijn blikken.

U hebt achtenveertig berichten.

Dertig daarvan afkomstig van Clemens! Dertig berichten!

De titels zijn veelzeggend: 'liefdesnacht', 'fuck friend', 'en?', 'waar zit je?', 'in gesprek', 'eenzaamheid', 'vergetelheid', 'vertrokken zonder adres achter te laten'.

Ik heb sinds het begin van mijn reis maar heel weinig aan Clemens gedacht. Wat er de avond voor ons vertrek is gebeurd verzinkt in een zoete mist, zoals alle andere seksuele avonturen van ons. Met een dwangmatig gebaar wis ik alle berichten, zoals je een scherm optrekt voor een gevallen muur. Eén enkel bericht ontsnapt aan mijn holocaust: het laatste. Dat draagt als titel: 'Vidkun Schwöll?' Het dateert van twee uur geleden. Dus dat open ik en ik voel een wreed, messcherp gevlinder in mijn buik.

Liefje,
Ik heb het een en ander nagetrokken over jouw Viking.

Collega's van mijn vader die bij de spionagedienst werken hebben voor mij in oude dossiers gezocht. Het spijt me je dat zo te moeten meedelen, maar ik wilde niet wachten. Omdat jij niet antwoordt op mijn berichten en ook niet op mijn e-mails, begin ik ongerust te worden.

Vidkun Venner staat te boek in de archieven van de politie als half Argentijn, half Duitser.

Hij is beslist geen Scandinaviër, maar zou de zoon zijn van ene Dieter Schwöll, die twintig jaar lang op de zwarte lijst heeft gestaan van de rechtbank van Neurenberg, voordat hij door de Mossad in 1963 in Argentinië werd opgespoord. Hij is toen berecht, veroordeeld en in Jeruzalem opgehangen.

Het dossier vermeldt niet wat hem ten laste werd gelegd, maar ik blijf zoeken en ik zal je het vervolg laten weten in de volgende mail.

Tot binnenkort. Ik...

'Rotzak!'

Ik lees de laatste zinnen niet, en mijn antwoord is dwangmatig en instinctief. Ik hamer op het toetsenbord alsof ik alle toetsen stuk voor stuk kapot wil rammen.

Ik weet niet waar jij die vuiligheid vandaan hebt, maar bel me niet meer. Ik walg van je!

Achter zijn balie wordt de receptionist ongerust.

'Gaat alles goed, juffrouw?'

Ik besef dan dat ik zit te huilen en stamel tussen twee snikken door: 'Jawel, jawel.'

En vervolgens ren ik met een storm in mijn kop naar mijn kamer.

Buitenaardse mummies

door David Guizet

Ik heb het als mijn plicht tegenover mijn medemensen beschouwd dit verhaal te schrijven, om ze te waarschuwen tegen de komst van het toekomstige ras.
– Edward Bulwer Lytton (*Het toekomstige ras*).

April 1963

Op het moment dat de Frans-Duitse economische samenwerking in volle gang is, op het moment dat generaal De Gaulle een topoverleg tussen beide landen instelt, door een Frans-Duits jeugdbureau te stichten, op het moment van de verzoening dus, zijn de ruïnes van de Tweede Wereldoorlog nog niet geheel begraven.

Want het Derde Rijk is niet dood. Net als Frederik Barbarossa sluimert het ergens tussen twee bergen en wacht op het gunstige ogenblik om weer op te staan.

Beste lezer, u zult denken dat ik raaskal. Dat het nazidom slechts een boze herinnering is, een voorbije, vergeten nachtmerrie.

Maar kunnen we het kwaad vergeten? Kunnen we het lijden vergeten? Kunnen we de rook vergeten van die zes miljoen zielen die geofferd zijn op het altaar van de menselijke ijdelheid?

Kunnen we die ongestrafte criminelen vergeten die nu al twintig jaar rondlopen onder een andere identiteit?

Nee! Die kunnen we niet vergeten! Het is zelfs onze plicht – een burgerplicht, een menselijke plicht – ze aan te wijzen.

Daarom zou ik willen wijzen op een dorpje in het zuidwesten van Frankrijk. Een heel rustig stadje, waarvan de naam ruikt naar de aarde: Paulin.

Geachte lezer, laat mij u vertellen van Claude Jos, de burgemeester van dat zo vredige stadje. Vervolgens kunt u, net als de geschiedenis, zelf een oordeel vormen.

Beste lezer, daarvoor moeten wij tien jaar teruggaan, naar het voorjaar van 1953. Weet u nog? Het was een mooie lente, het weer was zacht, je kreeg zin de mensen aan te klampen en ze dingen toe te vertrouwen, je geheimen bloot te geven. Maar Amaury Lafaye wilde zijn geheim voor zich houden, althans tot de publicatie van zijn artikel.

Bij de *Gazette de l'Ariège* in Foix waren ze gewend aan de artikelen van Amaury Lafaye. Deze hartstochtelijke liefhebber van esoterie zag overal mysteries. Hij schreef nu al bijna twintig jaar zijn wekelijkse artikel over de plaatselijke legenden, de mythen van de Pyreneeën en alles wat met folklore te maken had. Zijn artikelen trokken een zeker publiek, dat zijn galopperende fantasie nooit helemaal serieus nam ('Hebben buitenaardse wezens Montségur gesticht?', 'Marsmannetjes op de Canigou?', 'Een kapel ouder dan tienduizend jaar ontdekt onder Pamiers?'), maar smulde ervan, zoals je van wat machtig gebak geniet.

Maar op 14 mei 1953 was Amaury Lafaye meer opgewonden dan gewoonlijk. Voor de eerste keer in jaren vroeg deze einzelgänger de directeur onder vier ogen te spreken.

Hij was opgewonden als iemand die de duivel had gezien.

Twee dagen later werd de redactie verbluft door die vreemde titel: 'Buitenaardse mummies'.

Over vier kolommen, met een wilde foto, beschreef de kroniekschrijver een even luguber als buitengewoon avontuur.

Dit is wat er stond.

Lafaye was op doortocht beland in het gehucht Lanta, twaalf kilometer ten zuiden van Montségur, een rotsige, bosachtige streek, om een van zijn 'informanten' te raadplegen: een oude vrouw die nog in de Middeleeuwen leefde, in een houten hut midden in het bos. Deze halve heks met lange, grijze en ongekamde haren zei dat ze in contact stond met geesten van de berg en zijn machten.

Dit keer had ze geen legende om hem voor te schotelen en ook geen spook van een oude geit of een opengesneden herderin. Maar een feit.

Een reëel feit.

Twee weken geleden was een groep van vijf archeologen de bergen in getrokken, en ze waren nog steeds niet teruggekomen.

De oude vrouw omschreef ze als groot, blond en bijna militair. Ze deden haar denken aan die soldaten uit de oorlog, toen iedereen in de omtrek vertelde dat zij er een bemind zou hebben.

Tot grote schrik van de oude vrouw ging Lafaye meteen naar hen op zoek.

Hij liep goed twee uur tussen de struiken en de bergkammen, een paar keer viel hij bijna in een van de kloven die hier veel voorkomen.

Hij begon moe te worden, vroeg zich af of hij niet beter terug kon gaan, want hij zag nergens opgravingen en ook geen aangeschoten archeologen. Tot hij plotseling rond de middag stemmen hoorde.

En die stemmen spraken Duits. Hij hield de pas in en verborg zich achter een hulsteik. Wat hij daarop zag deed hem verstenen.

Voor zijn ogen ontrolde zich een heus militair kamp, waarvan de tenten waren getooid met grote hakenkruisen!

Maar hij onderdrukte zijn angst en zag niet ver weg een gat in de grond, tussen de varens. Grote blonde en stevige kerels, met geconcentreerde blikken, liepen er een voor een in met schoppen, om vervolgens met emmers aarde weer naar boven te komen.

Ze waren met zijn vijven. Een van hen, die wat kleiner en magerder was, gaf de vier blonde kolossen bevelen. Hij volgde aanwijzingen uit een oud manuscript, beduimeld en bevlekt, dat hij met behulp van een vergrootglas raadpleegde, om vervolgens aan zijn voetknechten bepaalde delen van het gat aan te wijzen.

Lafaye bleef zo een uur staan, geheel geboeid door dit buitentijdse schouwspel.

Soms gaf de leider zijn mannen op hun kop, zelfs met oorvijgen, maar de soldaten – die toch groter, langer en sterker waren – stribbelden niet tegen en toonden een wat vreesachtige eerbied.

En plotseling klonk er een kreet: 'Gevonden!'

Lafaye zag ze in het donkere gat verdwijnen en er met moeite een lange kist uit halen. De journalist twijfelde er geen moment aan of hij zag hier een sarcofaag!

Toen ze die eenmaal op de grond hadden gezet, gingen de vier voetknechten op de achtergrond staan, om aan hun leider de eer te laten het graf te openen.

Het tafereel werd van een verstikkende plechtigheid.

De aanvoerder streelde de kist, die van metaal leek, maar van een metaal dat Lafaye niet kende, die zich zelfs afvroeg of hij hier niet het legendarische orichalcum van de Atlantiden voor zich zag, het goud van het verzonken werelddeel.

De archeoloog tilde langzaam het deksel op.

Daarop doorvoer allen een rilling. Niemand durfde nog te spreken. Maar allen trokken de neus op, want een verschrikkelijke stank verspreidde zich.

Daarop bogen zij zich een voor een naar voren en haalden het lijk eruit.

De mummie mat minstens twee meter vijftig. Maar alles was in goede verhouding: de armen, de benen, het hoofd. Het lijk leek verdroogd, zonder zijn vormen te hebben verloren. Zoals die gevilde handen waarin heksen op de sabbat handeldreven.

'Maar het is een mens,' sprak de leider in het Duits, 'eentje van honderdduizend jaar geleden! Onze voorouder.'

Bij die opmerking keken de vier kolossen eerbiedig naar de grond, zakten door een knie, zoals de ridders in de Middeleeuwen.

Lafaye keek geboeid toe.

De leider bleef maar praten. In een jargon dat Lafaye amper kon volgen, had hij het over mysterieuze 'onbekende hogere wezens', en een niet minder vreemd 'oerras'.

Profiterend van een verslapping van hun aandacht, lukte het de journalist een foto te nemen, alvorens weg te gaan.

Toen hij langs de hut van de oude dame kwam, dacht deze een spook te zien. Ze waande hem al dood.

Maar hij bleef niet voor haar huis staan, en riep triomfantelijk: 'Koop over drie dagen de krant maar eens!'

We moeten toegeven dat toen de oude vrouw drie dagen later uit haar hol kroop om naar het dal te gaan en de befaamde krant te kopen, ze een kreet niet kon onderdrukken.

Op de voorpagina van de *Gazette de l'Ariège* zag ze een foto met het volgende onderschrift: *Vijf archeologen tonen trots hun honderdduizend jaar oude voorvader.*

Helaas, beste lezer, begint hier het echte mysterie pas.

Twee weken later werd het lijk van Amaury Lafaye verkoold en opgehangen aan een eik teruggevonden, enkele kilometers van Foix.

Overal in de omtrek ontstond beroering, want Lafaye was een beminde en geëerde figuur geworden. Nog vreemder, het onderzoek werd meteen afgebroken en de politie concludeerde... zelfmoord!

Zelfmoord? Hoe kun je jezelf ophangen en vervolgens verbranden?

Na enkele maanden ging een met Lafaye bekende journalist de zaak uit-pluizen. Christophe Authier – zo heette hij – had zich niet kunnen neer-leggen bij de op zijn minst voorbarige conclusies van de politie. Zonder dat hij een naaste vriend was van Lafaye – wie was dat wel? – voelde hij toch dat hij hier een opdracht had. Daarom herlas hij het nummer van de *Gazette* en knipte het artikel uit, waarvan de foto hem bleef intrigeren. De leider van die archeologen deed hem aan iemand denken. De foto was wel-iswaar vanaf een afstand van vijftig meter door een amateur genomen, maar Authier kon uiteindelijk de persoon thuisbrengen: hij herkende een zekere Claude Jos, destijds burgemeester van Paulin, een stadje in de Tarn, op honderdvijftig kilometer ten noordoosten van Foix, een man die – vol-gens onze inlichtingen – even discreet als invloedrijk bleek.

Jos stond in de streek bekend als een dapper verzetsstrijder, voordat hij de politieke ladder beklom om uiteindelijk een van de jongste volksverte-genwoordigers uit Zuidwest-Frankrijk te worden.

Wat had het te maken met archeologie en de mummie van Lanta? Au-thier wist dat volstrekt niet, maar kon er niet meer van slapen. Daarom ging hij op een middag naar het gemeentehuis van Paulin om dat mysterie op te lossen.

U begrijpt: Claude Jos wilde hem niet ontvangen. Toen de kroniek-schrijver bleef aandringen, gaf hij hem tien minuten, om vervolgens alles en bloc te ontkennen.

'Ik heb wel wat anders te doen dan in de bergen te wroeten, meneer Authier. Ik ben volksvertegenwoordiger en burgemeester van mijn ge-meente!'

Deze Jos bleef vaag en zijn azuurblauwe ogen verborgen geheimen. Toen hij het gemeentehuis verliet, liep Authier op het bordes vier blonde en welgeschapen heren tegen het lijf. Hij herkende meteen de kolossen van de foto!

Hij wachtte af.

Twee uur later verlieten de burgemeester en zijn vier volgelingen het mooie roze stenen gebouw om in een Mercedes te stappen. De journalist stapte op zijn motor en volgde de zwarte auto.

De Mercedes reed met grote snelheid over het platteland. Drie kilome-ter verderop beklom hij een heuvel en daarbovenop stond een groot huis. Kasteel Mirabel, privé-eigendom, verboden toegang, las Authier op de plataan langs de weg.

Hij verborg zijn motor in een greppel en liep naar het huis toe, zich ach-ter de heg verschuilend.

Op hetzelfde ogenblik kwam een tiental auto's achter elkaar aan rijden, die voor de poort van het kasteel halt hielden. Daar stapten chic geklede personen uit, die door Claude Jos werden ontvangen.

Allen betraden het kasteel.

De dag was bijna ten einde. De maan baande zich al een weg door de hemel. Gelukkig was het warm en de ramen van het kasteel stonden wijdopen. Bij de gevel aangekomen, hoorde Authier de weerklank van gelach, dat verstierf in het aanpalende bos.

Alles op alles zettend, liep hij naar een raam en verborg zich in de schaduw van een luik.

Wat hij zag deed hem versteld staan!

Er was een grote salon, gelambriseerd en met gordijnen. Als bij een lezing stonden er stoelen naast elkaar. De vier kolossen stonden achterin, als stoute leerlingen.

Maar Authier zag vooral dat lange voorwerp midden in het vertrek, op een verhoging geplaatst.

De mummie, dacht hij.

Het lijk lag languit op een tafel voor het publiek. Achter die tafel stonden twee mannen, links Claude Jos, rechts een zieke oude man. Ten slotte stond er een jonge vrouw op de achtergrond, die hen bewonderend bekeek.

De lezing begon.

Alleen de oude man sprak, op belerende toon.

Authier had moeite hem te verstaan want de oude man had – ongetwijfeld met opzet – een plaat opgezet met Wagner, waardoor zijn woorden overstemd werden.

De oude man nam een profetische houding aan, hief de armen op, bleef zo staan, rolde met de ogen. En allen bekeken de mummie met een vreesachtige en eerbiedige blik, zoals een bom wordt beschouwd die op ontploffen staat.

Authier probeerde de vier andere personen thuis te brengen, maar hij kende er niemand van.

En plotseling trof een detail hem als een vuistslag: op de kraag van hun jas droegen de vier kolossen de dubbele rune van de SS.

Dan heb ik geen minuut meer te verliezen, zei de journalist bij zichzelf, en hij rende weg.

De hoofdredacteur van de *Gazette de l'Ariège* maakte dankbaar van deze gelegenheid gebruik. Die zogenaamde zelfmoord van Lafaye en het mislopen van zijn hoofdartikel over die mummies waren hem dwars blijven zitten. Daarom besloot hij er een nieuw van te maken!

Het einde van het avontuur is nog vreemder, en niet minder mysterieus.

De krant verscheen zonder dat iemand er aandacht aan besteedde. Alsof het opzettelijk gebeurde, verdween het grootste deel van de oplage nog vóór distributie, want de drukkerij vloog in brand. Even vreemd was het feit dat de *Gazette de l'Ariège* binnen een maand failliet ging, door vreemde schuldeisers die hierop aandrongen. Vervolgens werden in januari 1954 Authier, zijn hoofdredacteur en een groot deel van de redactie onder de wapenen geroepen en naar Indo-China gestuurd, om onder te gaan in de heksenketel van Dien Bien Phu!

Zo loopt het avontuur van die mummies uit de andere wereld af. Hier begint een mysterie dat fantastisch realisme is à la Charles Fort, zoals wij dat bij de redactie van *Bres* opvatten.

Hoe is het mogelijk dat, gezien deze veelheid van feiten, tweeslachtigheden, vermoedens, macabere samenloop van omstandigheden, vreemd toeval, niemand zich in de afgelopen tien jaar voor die zaak heeft geïnteresseerd?

Tien jaar waarin Claude Jos, die man zonder mysterie, het goede gezinshoofd, de voormalige verzetsstrijder, modelburger, voorbeeldig burgemeester, rustig zijn provinciaal notabel leven heeft kunnen voortzetten.

Afgezien van zijn gemeentelijke functies heeft hij nu ook een agentschap voor 'toerisme in het land van de katharen' (nou nou), en wil hij nog steeds niet spreken.

Ikzelf heb geprobeerd contact met hem op te nemen in naam van *Bres*.

Zijn secretaresse heeft mij echter afgehouden. Maar wij kunnen deze zaak toch niet laten vallen, er zijn zoveel vragen onbeantwoord gebleven! Wat is er met die mummie gebeurd? Heeft die echt bestaan? En wie zijn die voormalige SS'ers die door Franse bossen wandelen, op zoek naar legendarische resten waarvan alleen zij het bestaan schijnen te kennen?

Het antwoord is te vinden in een Occitaans dorpje, bij een vriendelijke, alleraardigste man, op handen gedragen door zijn gemeenteleden... maar die nieuwsgierigen mijdt als de pest!

Wat is uw geheim, meneer de burgemeester? Wat gaat er schuil achter uw gelegenheidsglimlach, achter uw gêne als deze zaak te berde wordt gebracht? Wat zit er in dat kasteel waar u nog altijd in woont, als een middeleeuws heer?

Op het moment dat de laatste nazibeulen voor de rechtbank komen, wie zijt gij eigenlijk, Claude Jos?

David Guizet

Het is middernacht.

Chauvier slaat de *Bres* dicht. Het is de derde keer dat hij het artikel gelezen heeft. Ondertussen zit hij aan zijn tweede fles Jack Daniel's. Alles in zijn hoofd loopt door elkaar: de mummie en zijn graf, het beeld van de graaf van Mazas en van Anne-Marie, die vier arische kolossen, ongetwijfeld die fameuze ooms Sven. Wat moesten die? Wat voor geheim, waarvoor ze desnoods bereid waren te moorden, probeerden die tot nu toe, in 1987 te beschermen? Wie is hun laatste slachtoffer, die getatoeëerde vrouw die ze vorige maand hebben vermoord, opgehangen en verbrand, onder dezelfde omstandigheden als die arme Amaury Lafaye?

De commissaris pakt de telefoon.

'Toan,' zegt hij met dikke tong, 'het spijt me dat ik je wakker maak, ik zoek je zoon.'

Hij herinnert zich net dat Linh op dinsdag zijn moeder te logeren heeft, want dan heeft de verpleegster vrijaf.

Linh is woest. 'Heb je wel gezien hoe laat het is? Je weet toch ook wel dat mama altijd om negen uur gaat slapen?'

Chauvier kijkt eens op de klok: 23.18 uur. Hij slaat een smekende toon aan en probeert zijn dubbele tong een beetje in bedwang te houden: 'Linh, je moet me helpen.'

Stilzwijgen aan de andere kant van de lijn.

'Je moet informatie vinden over iemand, ik moet weten of die nog leeft.'

'Je bent weer bezig met de zaak-Jos, hè?'

Chauvier antwoordt niet en praat door: 'Hij heet Guizet, David Guizet. Hij was begin jaren zestig journalist bij het blad *Bres*.'

'De jaren zestig?'

'Daarom heb ik jouw hulp nodig. Ze laten mij niet meer in de archieven zoeken nu ze weten dat ik dat dossier niet kan laten rusten.'

'Wat moet je van hem weten?'

'Ik wil weten hoe hij in 1963 aan bepaalde zogenaamd geheime informatie is gekomen.' Chauvier vraagt nog eens: 'Kan ik op je rekenen?'

Linh slikt en zegt dan: 'Ik bel je morgen overdag, maar nu ga ik slapen. Welterusten, Gilles.'

'Welterusten, jongen. En bedankt.'
Maar Chauvier doet geen oog dicht.
Bovendien heeft hij nog wat Jack Daniel's.

2005

En daar zit die oude vrouw, in een hoekje van de taveerne. Ze zit alleen, oogleden halfgesloten, gerimpelde huid, bloeddoorlopen ogen, koortsige handen, sigaret in de mond, asbak voor de peuken. Voor haar op tafel een stapel bierviltjes.

'Angela Brillo?' vraagt Venner.

Langzaam heft de vrouw haar ogen op en kijkt Vidkun aan. Als zij de mooie Scandinavische gestalte ziet, noopt een kokette reflex haar enkele vette lokken van haar voorhoofd te vegen.

'*Jawohl,*' antwoordt ze, met een poging tot een glimlach.

Ze wijst op de stoelen tegenover haar. Ik ga onhandig zitten. Sinds ik vanochtend wakker ben geworden, willen mijn benen me niet meer dragen. De avond daarvoor is wat te beladen geweest: die wandeling in het maanlicht, die jaloerse mail van Clemens. Absurd! De viezerik! Ik ben er nog steeds boos over. Hoe heeft Clemens zulke gruwel kunnen bedenken?

De hele nacht heb ik almaar liggen draaien onder mijn dekbed, die zogenaamde 'informatie' van Clemens liggen verwerken: Dieter Schwöll, die Argentijnse nazi's. Welnee! Venner is een Scandinaviër. Mij – en mij alleen! – heeft hij alles verteld: zijn jeugd, zijn filmcarrière, zijn erfenis, alles wat Clemens niet kan weten! Dat lulletje is gewoon jaloers, niet in staat te begrijpen wat er tussen Vidkun en mij kan plaatsvinden!

Deze gedachten hebben me urenlang geobsedeerd. En Vidkun heeft me met het ochtendgloren gewekt.

'Het spijt me, Anaïs, maar deze mevrouw Brillo heeft met ons afgesproken om acht uur.'

We troffen elkaar in de hal van het hotel en ik moest me inhouden om niet te denken aan het geroddel van Clemens, en evenmin aan de tederheid van Venner van gisteravond. Alles hier valt onder werk, verdomme! We hadden er een goed uur voor nodig om die taveerne te vinden, in het noorden van het voormalige Oost-Berlijn, in een wijk die voorgoed begraven was onder het socialistisch ideaal: grijze flats, verpletterende straten, asgrauwe gezichten. In de Mercedes heeft Venner zijn ochtendlijke masker opgezet: dat van ernst en werk. De taveerne is een zwijnenstal! Om acht uur 's morgens is de zaal vrijwel leeg. De baas lijkt verloren in zijn gedachten, maar zonder dat we dat hoeven te vragen krijgen Vidkun en ik een pul bier voor de neus gezet. Ik moet mijn adem inhouden: In combinatie met de vermoeidheid doet de lucht van hop zo 's morgens vroeg mijn maag omkeren. Maar Venner pakt de pul en drinkt hem in één teug leeg.

Angela Brillo, die nog niet heeft gesproken, bekijkt de Scandinaviër nu met wat meer vertrouwen: een man die 's morgens vroeg een pils achteroverslaat kan niet echt helemaal slecht zijn. Vidkun stelt mij voor in het Duits, en ik pak mijn aantekenboekje om mijn rol van studente geschiedenis te spelen.

'Ich spreech niet het Vranz,' verontschuldigt de oude vrouw zich.

Vervolgens wordt ze een spraakwaterval! Al gebarend gaat Angela Brillo over van gruwel tot glimlach, van onrust tot paniek. Ik ontdek een put van leed. De oude vrouw pakt de rand van de tafel, slaakt soms zelfs kreten. Haar geroep weerklinkt in de lege taveerne. Hier en daar vang ik woorden, uitdrukkingen op: 'Lebensborn', 'Führer', 'Himmler'.

Vidkun zegt geen woord, knikt alleen, stimuleert haar. Ten slotte zwijgt ze uitgeput. Haar halfopen mond maakt een slap, vleesachtig geluid. Ze hijgt, drinkt haar pul leeg. Ik ben helemaal van mijn stuk door de vreemde hysterie van die oude vrouw.

'En toen?'

Venner slikt eens en probeert het verhaal logisch te hervormen.

'Ik denk dat we hier een echt spoor hebben. Frau Brillo voelt zich bedreigd.'

'Door wie?'

'Dat kan ik niet helemaal goed volgen. Ze heeft al een paar biertjes op. Ik kom er niet achter of ze *Schwester* in een Lebensborn is geweest, dat wil zeggen draagmoeder, of dat ze er alleen geboren is. Want ik kan haar leeftijd niet goed inschatten. In elk geval is zij via het tehuis Bad Polzin gegaan, in Pommeren.'

Venner trekt een verbijsterd gezicht en zegt: 'Maar ze raadt ons – nou ja, jou – dringend aan iets anders te gaan studeren.'

De oude zit voor ons als een film zonder ondertiteling.

'Is dat alles wat ze heeft gezegd?'

Venner schudt van nee.

'Meer te weten proberen te komen over die zaak van die zelfmoorden zou erop neerkomen dat je je in het hol van de leeuw waagt. Een leeuw die al haar broer heeft verslonden, de zelfmoordenaar uit Spandau, en veel andere onschuldigen.'

Ik raak even het spoor bijster.

'Haar broer? Maar haar broer is toch niet vermoord, die heeft zelfmoord gepleegd.'

'Dat heb ik haar ook gezegd, maar hij zou geen keus hebben gehad. Dat was al geprogrammeerd bij zijn geboorte. En die vond plaats in de Lebensborn.'

Op dat woord grijpt Frau Brillo mij bij de hand en herneemt haar litanie. Haar vingers krabben over mijn handpalm.

'Wat heeft ze gezegd? Wat zegt ze nou?'

De blik van de Berlijnse wordt nog dieper dan haar rimpels. Ze heeft de smoel van een helderziende, van een oude zigeunerin in trance. Haar adem vol bier en slechte tabak staat mij tegen.

'Vertel nou wat ze zegt!'

Venner is de kluts kwijt en probeert simultaan te vertalen.

'Ze zijn er nog steeds. Ze hebben haar bedreigd. Ze hebben haar broer, haar kinderen, alles afgepakt. Nu. Nu kunnen ze ook ons aanvallen, Anaïs.'

'Mij?'

De oude dame schijnt het begrepen te hebben. Zij piept 'ja' in het Frans, maar vervolgt dan weer haar klaagzang.

'Kennelijk,' vertaalt Venner, 'kan de politie niets doen. Want zij zijn juist van de politie. Zij waren in de oorlog de sterksten en dat zijn ze gebleven.'

'Maar over wie heeft ze het dan?'

Frau Brillo verslapt langzaam haar greep en zakt dan op haar oude houten stoel terug. Ze herhaalt eindeloos dezelfde zin, steeds zachter. Ik laat me meeslepen en raak helemaal gespannen. Word ik nu bedreigd door gevaar?

'Wat zei ze daar?'

Venner is bleek geworden.

'Alles was voorzien, alles was voorzien.'

En als dit allemaal toneel was? En als ze de draak met ons stak? Maar haar verwoeste uiterlijk, haar diepe rimpels verjagen mijn twijfels. Weer begint de oude dame uit te leggen, nu zachter. Ze streelt het tafelblad zoals je probeert een zenuwachtige hond te kalmeren.

Venner vertaalt: 'Frau Brillo zegt dat *Stille Hilfe* nog steeds veel invloed heeft, en dat we dus op moeten passen.'

'Stille Hilfe?'

Weer knikt de oude dame, zegt: 'Ja ja', met grote ogen.

'Stille Hilfe is een vereniging die net na de oorlog is opgezet om de vlucht en de reclassering van oude nazi's overal ter wereld te bevorderen.'

'Bestaat dat nog steeds? Ik dacht dat ze allemaal dood waren.'

Brillo schudt van nee.

'In 1945,' verklaart Vidkun, 'waren sommigen nog piepjong. En vervolgens hebben de meesten kinderen gekregen.'

Bij die opmerking gaat er een rilling door mij heen. Clemens' mail meldt zich in mijn herinnering. En als Venner nu echt eens de zoon van die Dieter Schwöll was? Ik moet slikken.

'En,' zeg ik, 'zijn die oude nazi's naar veel landen getrokken?'

'Voornamelijk naar Latijns-Amerika.'

Ik klem mijn kaken op elkaar en denk: misschien naar Argentinië?

'Er zijn er ook nog verscheidenen naar Frankrijk gegaan.'

Venner en ik kijken de oude dame verschrikt aan.

'Maar u spreekt Frans?'

Brillo slaat haar ogen schuldig neer.

'Een beetje,' zegt ze accentloos.

De oude dame wordt steeds roder. Haar onderkaak lijkt los te komen.

'In Frankrijk hebben ze zich verstopt,' vervolgt Brillo. 'Daar is alles pas echt begonnen. En daarna…'

De woorden blijven in haar keel steken. Ze krijgt een stuip, draait zich bruusk om en kotst op de tegels van de taveerne. Ik schuif achteruit om de spatten te ontwijken.

'*Angela, bitte!*' zegt de barman op verveelde toon, die gewoon doorgaat met glazen poetsen.

Als de oude vrouw overeind komt, meen ik een lijk te zien. Ze probeert nog te praten, maar er komt slechts een schorre doofstommekreet uit haar mond. Daarop scharrelt ze in haar tas en trekt er een oud potlood uit. Ze draait een bierviltje om en krabbelt daar wat op. Voordat wij kunnen reageren, vlucht de oude dame wankelend weg en laat de deur van de taveerne wijd openstaan. Wij zitten als aan de grond genageld. Met de grootste inspanning steek ik mijn hand uit naar de tafel en pak het viltje.

'Onleesbaar.'

Venner buigt zich voorover.

'Volgens mij is het een naam.'

Het lukt mij het te ontcijferen: 'Ja, een Franse naam. Claude Jos.'

1987

'Gekke plek voor een afspraak, baas.'
'Heb je gevonden wat ik je gevraagd heb?'
Chauvier is op zijn hoede. Toch was het zijn idee om in deze McDonald's af te spreken. Je kunt geen neutraler terrein bedenken. Hij zit er al twintig minuten en Linh is net aangekomen, met een blad in de hand. Chauvier lijkt zich te ergeren aan deze overvolle eetzaal. Tientallen kaken zitten sojasteaks, synthetische cheddar en petroleumfriet te vermalen.
'Nou, wat heb je?' dringt de commissaris aan.
'Wacht nou even!' zegt de Aziaat met volle mond. 'Het was jouw idee hier te komen, laat mij er dan ook gebruik van maken.'
Linh verslindt een glimmende Big Mac. Stukjes sla vallen op het bord. Chauvier heeft alleen koffie genomen. Hij heeft in elk geval geen honger. Alsof hij last heeft van jetlag. Die ochtend dacht de smeris bij het ontwaken dat zijn hoofd in een bankschroef zat. Bij de minste beweging werd er op de gong geslagen.
Met mist voor de ogen vond Chauvier de badkamer en zonder zich uit te kleden stak hij zijn hoofd onder de koude kraan.

Linh eet zijn hamburger op, veegt vervolgens zijn mond en zijn handen af en haalt een betikt velletje uit zijn tas.
Chauvier grist het uit zijn handen.
'Voorzichtig!'
De commissaris ziet er een adres op staan in Parijs, in het vijfde arrondissement.
'Wat heeft dat te betekenen?' vraagt Chauvier.
'Kennelijk,' antwoordt de assistent, 'is die David Guizet van jou, die zogenaamde journalist, sinds 1963 alle contact met de buitenwereld kwijt.'
'Het jaar van *Bres*,' vult Chauvier aan.

'Al vierentwintig jaar leeft hij een afgezonderd leven in een religieuze gemeenschap in Parijs.'

'En dat is het Instituut Saint-Vincent?' vraagt de commissaris terwijl hij het velletje leest.

Linh knikt.

'Ik heb ze vanochtend gebeld,' vervolgt hij. 'Ze hebben me gezegd dat "broeder David" al jarenlang niemand meer ontvangt. Naar verluidt is hij oud en ziek, en paranoïde. Ik weet niet of je er veel aan zult hebben. Maar nou moet je me niet meer vragen, want ik raak mijn baan liever niet kwijt!'

2005

'Die zogeheten Claude Jos zou in 1904 in Obernai in de Elzas geboren zijn en in 1995 gestorven zijn in Paulin, in de Tarn.'

'Hetzelfde jaar als onze zelfmoorden.'

'Daar schieten we nog niet veel mee op.'

Ik heb pijn in mijn hoofd en ik ben doodop. Mijn korte nacht breekt me nu op en we zitten al een uur op internet te surfen, in de hal van ons Berlijnse hotel. Het enige wat er te zeggen valt, is dat we rondjes draaien. Want de gegevens zijn steeds dezelfde: Claude Jos was ruim een halve eeuw politicus in Zuidwest-Frankrijk, afgevaardigde en burgemeester van zijn gemeente. Punt uit!

Ik weet niet wat ik hiermee moet. Waarom heeft die oude, dwaze Angela Brillo de naam van Jos laten vallen alsof ze een hand amputeerde? Haar draaiende ogen, in een mengeling van verraad en opluchting! Wat heeft de burgemeester van een gemeente van tienduizend zielen met ons onderzoek uitstaande?

'Er moet een verband zijn,' tiert Vidkun, somber en in zichzelf gekeerd. Zijn gespannen kaak duidt op een concentratie die aan snibbigheid grenst. Waar is die romantische Viking van gisteravond? Maar Venner heeft zoveel facetten.

Zonder al te veel hoop tik ik bij een zoekmachine 'Claude Jos, nazisme, Duitse bezetting' in en vraag: 'Hoe komt het toch dat het zoveel nazi's gelukt is te vluchten?'

'Dat heb ik je al verteld. Sinds zijn ontstaan heeft het Derde Rijk sterke banden onderhouden met veel kapitalistische landen, die in Duitsland een bolwerk tegen het communisme zagen.'

'Dat verklaart niet alles.'

'Natuurlijk niet, maar na de instorting van Duitsland en de opdeling van Europa door de overwinnaars was de nieuwe vijand de oude bondgenoot: de Sovjet-Unie. Er ontstond dus een echte intelligentieoorlog tussen Russen en Amerikanen. Daarom vind je Duitse geleerden terug zowel bij de NASA als bij het Russische ruimteonderzoek.'

'Je hebt het over geleerden, maar ik heb het hier over militairen en criminelen.'

Venner wordt even zuur als medicijn. Ik doe mijn best mijn verwarring niet te laten blijken, maar zijn strengheid bezorgt me een prop in mijn keel.

Hij zegt hakkelend: 'Wie zegt jou dat die geleerden geen militairen of criminelen waren geweest? Alles hangt ervan af hoe je je onderzoek uitvoert, hoe je je experimenten opzet, op wie je ze uitvoert. Dat is het geval met Horst Schumann, die uiteindelijk jungledokter in Afrika werd, waar hij zich specialiseerde in slaapziekte en waar hij duizenden levens heeft gered door ziekenhuizen te bouwen.'

'En daarvóór?'

'Hij leidde het vernietigingscentrum Graveneck en Sonnenstein. Hij werd ook wel de "castreur van blok 10" genoemd, want hij steriliseerde zijn proefkonijnen door ze bloot te stellen aan röntgenstralen. Hij zou twintigduizend gevallen van euthanasie op zijn geweten hebben.'

'En is hij gepakt?'

'In 1966 heeft de regering van Ghana hem aan Duitsland uitgeleverd, voor 40 miljoen Duitse marken, in de vorm van "ontwikkelingsgeld".'

'Alles is in geld uit te drukken.'

'Ik weet wie het zegt.'

En het is weer voor elkaar: Vidkun zit weer op zijn stokpaardje. Niets vindt hij zo leuk als uitleggen, vertellen, die verwrongen en ongezonde wetenschap uiteenzetten, die hij met Aziatische wreedheid distilleert. Ik blijf op mijn hoede. Ik weet niet wie mij het meest verwart, de zure of de pure Venner...

'Het meest buitengewone van deze koehandel,' vervolgt hij, 'is de "kloosterketen" geweest. Dankzij het Vaticaan.'

'Het Vaticaan?'

'Natuurlijk. Heb je de film *Amen* niet gezien?'

'Jawel, maar dat is een film.'

'Een wat logge film, dat moet ik toegeven, maar gebaseerd op waar gebeurde feiten. Want het Vaticaan was het voornaamste orgaan waarmee voormalige nazi's na de oorlog werden witgewassen.'

'Maar waarom?'

'Christelijke menslievendheid,' zegt Venner ironisch.

Terwijl op het scherm de mededeling *not found* verschijnt, brom ik: 'Tegenwoordig is zelfs de paus een Duitser.'

Bij die opmerking fronst Venner de wenkbrauwen. Terwijl ik een nieuwe zoekmachine ondervraag, denk ik verbitterd terug aan de 'christenen'. Ik kan er niets aan doen, maar de herinnering aan de parochianen van Issoudun dringt zich bij me op. Die vetgevreten, achterbakse smoelen, verteerd door wrok en schunnigheid. Die vingers die achter mijn rug naar mij wezen. Die samenzweerderige knipoogjes. Stemmen die scandeerden: 'Dat is de dochter van de vreemde.' Tijdens de oorlog zouden al die schone zielen mijn moeder hebben aangegeven.

'Het verbaast me niet van de roomsen, die verhalen. Hoe hebben ze dat aangelegd?'

'Het was een volmaakt geoliede organisatie. Een zekere Walter Rauff, familie van Martin Bormann, ging al in 1943 naar Italië, omdat hij meende dat het tij weleens zou kunnen keren. Hij heeft de hand weten te leggen op de archieven met de lijsten van alle actieve leden van de fascistische partij. In 1945 is hij de Alpen over getrokken, heeft zich overgegeven aan de Italiaanse communisten, die lak hadden aan de nazi's, maar vooral bij zichzelf grote schoonmaak wilden houden.'

'Hij heeft dus zijn lijsten verhandeld.'

'Druppelsgewijs: de naam van een verklikte Italiaanse fascist tegen een geredde Duitse nazi.'

'En daarna, toen ze eenmaal in Italië waren?'

'Daar komt het Vaticaan in beeld.'

'Maar hoe dan?'

Op het scherm nog eens *not found*.

'De nazivluchtelingen trokken over de Alpen en werden van klooster tot klooster uiteindelijk naar Genua gestuurd, naar kardinaal Siri. Die laatste speelde onder één hoedje met twee andere geestelijken: aartsbisschop Hudal, hoofd van de Duitse gemeenschap in Rome en bevriend met Pius XII, en monseigneur Draganovic, de vertegenwoordiger van Kroatië bij het Vaticaan.'

'Rustig aan, rustig aan!'

'Hun namen of functies zijn niet belangrijk. Waar het om gaat, is dat zij alle drie de nazi's voorzagen van paspoorten, visa en contacten in Zuid-Amerika of het Nabije Oosten. Ze hoefden in Genua nog maar aan boord te gaan en de zaak was rond.'

'En dat bleef doorgaan?'

'Tot 1948: lang genoeg om duizenden criminelen een nieuw leven te bieden, een nieuwe onschuld.'

Bij die opmerking schrik ik op. Ik denk aan de boodschap van Clemens. En als dat eens waar was? Als Clemens niets had verzonnen? Als ik op dit ogenblik in aanwezigheid van een nazizoon verkeerde? Dat zou veel verklaren. Mijn handen trillen.

'Gaat er iets niet goed?'

'Jawel, jawel!'

Afleiding zoeken! Snel! Zonder na te denken open ik mijn e-mailprogramma. Fatale vergissing! De lijst ontrolt voor mijn ogen. Ik slaak een kreet, maar het is te laat! Clemens heeft de hele nacht dezelfde boodschap gestuurd. Minstens tien keer!

Geïntrigeerd kijkt Venner naar het scherm.

'Zo, zo.'

De paniek vlamt op in mijn aderen. Mijn hart lijkt te klappen.

'Die jongen beschermt je goed, zeg.'

Vidkun pakt mijn schouder, daar heb je het! Hij heeft de titel van de mail gelezen! Tien keer! 'Dieter Schwöll.'

'Zo, zo,' antwoordt hij met zijn onverschillige, emotieloze stem. Hij pakt een stoel en schuift die tegen de mijne aan. Niet zonder enige schrik merk ik dat hij zich heel goed van internet weet te bedienen. Ik ben verkocht. Mijn bloed stolt. Vidkun heeft een van de boodschappen geopend.

Hij vraagt op ijskoude toon: 'Hoe lang spelen jullie dit spelletje al?'

Ik ben verstijfd. Ik kan geen geluid meer uit mijn mond krijgen. Ik probeer de aandacht van de conciërge te trekken, maar die zit over zijn kasboeken gebogen. Nog altijd doodkalm, op bijna spijtige toon, leest Vidkun de boodschap van Clemens voor: 'Schatje, ik heb het echt niet verzonnen; dit heb ik gevonden over de vader van je Viking. Het is een artikel in de *Paris-Match* uit 1963.'

Venner verroert geen vin. Zijn ogen lijken overtrokken met een half-doorzichtig vlies. Ik durf geen adem meer te halen. In mijn hoofd is het een lawaai van jewelste.

'Er zit een foto als bijlage bij,' zegt de Scandinaviër. 'Wil je die zien?'

Ik werp hem een smekende blik toe. Tegen alle verwachtingen in voel ik mij geweldig schuldig: ik heb Venner verraden.

Vidkun klikt op het scherm. Hij ademt door zijn mond, alsof hij op het punt staat onwel te worden, en de foto verschijnt. Klauwen dringen in mijn longen. Het is een man van een jaar of zestig. Een lange, blonde, gespierde gestalte. Diepliggende ogen. Een snor als met een potlood getekend. Hij zit naast een vrolijke vrouw en allebei zijn omringd door drie blonde mannen met blauwe ogen. De jongste staat wat naar achteren en kijkt met enige afkeer naar de lens.

'Ik was net negentien, maar ik zag er nog erg kinderlijk uit.'

Het bijschrift laat geen twijfel: *San Carlos, Argentinië, 20 april 1961, Führers Geburtstag. Dieter Schwöll poseert met zijn vrouw Solveig en hun kinderen Gunnar, Hans en Martin. De oude kamparts van Struthof-Natzweiler stond bekend om experimentele amputaties op gevangenen die hij als proefkonijn gebruikte. Hij is vorige week door de Mossad ontvoerd en zal volgende maand in Jeruzalem worden berecht.*

Ik verroer geen vin meer, ik reageer niet eens als Vidkun de computer uitzet en mijn arm vastpakt.

Geboeid, denk ik, terwijl Venner zijn greep versterkt.

'Kom mee!'

Met een schouderbeweging dwingt hij me op te staan en sleept me mee naar de uitgang. De hal is wanhopig leeg! De conciërge blijft in zijn boeken staren en ik durf niet te roepen. Ik word een automaat van paniek! Een stomme robot. We werpen ons op de draaideur en Venner knijpt nog harder.

'Geen plotse beweging! Anders breek ik je arm!'

Tranen staan in mijn ogen, ik ben te bang om te huilen. Daar staat de Mercedes voor het hotel. Fritz bekijkt me met een spijtige blik.

'Ik geloof dat wij even moeten praten,' zegt Vidkun, en hij doet het portier open.

Hij duwt me de auto in en blaft: '*Nach Paris, schnell!*'

1987

Het is al jaren geleden dat Chauvier voor het laatst in Parijs is geweest.

Het moet enorm veranderd zijn, denkt hij, als hij de terminal van Orly-Ouest verlaat.

Hij roept een taxi en zegt: 'Place de la Contrescarpe, in het vijfde.'

'Uitstekend, meneer, geen probleem.'

De chauffeur is een oude harki, een Algerijn die heeft gediend in het Franse leger, met een bloemrijk taalgebruik, die RTL op heeft staan en geen ogenblik zijn mond houdt. De problemen van het ogenblik zijn zijn intieme wonden: een coalitieregering, de storm die in Bretagne twintig mensen het leven heeft gekost, Le Pen die presidentskandidaat wordt.

Alles ergert hem, en hij sleept Chauvier er als getuige bij: 'Heb ik gelijk of niet, meneer?'

De smeris beseft opeens dat hij sinds het begin van de 'affaire-Jos' – en misschien al wel langer? – niet meer in de echte wereld leeft. De actualiteit, de politiek, de cultuur, ze lijken hem allemaal ver van zijn bed. Hij leeft in het verleden, tussen het hakenkruis en het Lotharingse kruis, in een tijdelijke parenthese waarin Anne-Marie de enige zon is. En Jos de duivel. En toch gaat het leven door. Dat wordt hem plotseling pijnlijk duidelijk, want Parijs komt tot leven, Parijs vibreert. Ze komen bij de Porte d'Orléans. Chauvier kijkt met gretige blik naar de straten, de winkels, de voorbijgangers, en de taxichauffeur begrijpt dat elke poging tot gesprek vergeefs is. Dan stopt hij op de Place de la Contrescarpe, voor het fonteintje, en Chauvier geeft hem een flinke fooi.

'Dank u, prins!' zegt de harki, terwijl hij buigt over zijn stuur voordat hij weer vertrekt.

Zo, ik ben in Parijs, denkt de commissaris, volledig de weg kwijt. Gelukkig heeft de wijk rond het Panthéon de sfeer van destijds, nog steeds toeristisch, behouden en is Chauvier niet al te veel vergeten. Hij haalt het briefje van Linh uit zijn zak.

Instituut Saint-Vincent, rue Rataud 5, 75005 Parijs.

Het moet hier vlakbij zijn, herinnert hij zich, terwijl hij de rue Mouffetard afdaalt.

Een drukke, van winkel naar boetiek flanerende menigte, met overal plastic draagtassen. Dat is wel iets anders dan de markt van Paulin! Algauw is hij bij rue Rataud 5. Chauvier staat voor een grote houten poort, met een metalen ketting met handgreep. Als een grote 'Grijskapje' trekt hij aan de bel.

Voetstappen. De roze toet van een noviet.

'Meneer?' vraagt de jongeman.

'Ik kom voor David Guizet.'

De ander is zichtbaar maar zeer zalvend gegeneerd.

'Er komt bij ons niemand op bezoek, meneer.'

Daarop wil hij de deur weer dichtdoen, maar Chauvier heeft zijn voet ertussen.

'Politie!' zegt de commissaris, en hij laat zijn kaart zien.

Zonder de deur open te doen neemt de noviet de kaart aan.

'Het spijt me... commissaris, maar ik mag geen leken binnenlaten. Dit is een klooster, begrijpt u? En u hebt geen bevel tot huiszoeking, neem ik aan?'

Oké, denkt de smeris, dat lulletje kan gek genoeg zijn om Toulouse te bellen en een en ander na te trekken, ik moet me dus gedeisd houden.

'Luister eens, jongeman, ik respecteer jullie regels en ik wil jullie vooral niet storen in de loop van jullie... gebeden.'

Als hij vaststelt dat Chauvier niet naar binnen wil komen, laat de portier de deur los.

'Als ik u van dienst kan zijn, meneer de commissaris...'

'Zit David Guizet bij jullie?'

Na weer een seconde aarzeling geeft de noviet toe: 'Broeder David zit hier inderdaad.' Hij lijkt zich in te houden en zegt dan alsof hij een bekentenis aflegt: 'Maar broeder David heeft al vierentwintig jaar geen woord meer gezegd.'

Na dit te hebben gezegd, lijkt de noviet geschrokken, alsof hij een taboe heeft geschonden.

'Hij doet de bibliotheek,' vervolgt de monnik.

'En waarom dat stilzwijgen?'

De noviet wordt steeds achterdochtiger.

'Ik dacht dat u dat wist.'

'Vertel op,' lijken de blikken van Chauvier tegen dat monnikje te zeggen, dat steeds bleker wordt. De laatste aarzelt nog. Hij is duidelijk ten prooi aan tegenstrijdige gevoelens. Ten slotte kijkt hij naar links en naar rechts de straat in en beduidt Chauvier in de poort te komen staan.

'Gaat u daar staan, alstublieft.'

Als hij de deur dichtdoet, staan ze allebei vrijwel in het donker, maar de portier doet geen licht aan. Chauvier vermoedt hem vlak bij zich in het halfschaduw, als bij een biecht.

'Broeder David heeft een groot ongeluk gekend.'

'Ongeluk?'

'Hij is niet altijd monnik geweest,' begint hij. 'Hij heeft een leven gehad, een vrouw, kinderen.'

De toon van de monnik wordt vreesachtig.

'Die zijn dood... vermoord.'

In weerwil van zichzelf wordt Chauvier deelgenoot aan het ongemak van de monnik. Door zijn omsluierde ogen, zijn bleke lippen.

'Vermoord? Door wie? En hoe dan?'

De noviet schokschoudert, machteloos.

'Dat weet niemand.'

Hij buigt zich voorover om Chauvier in het oor te fluisteren: 'Ze zijn achter in hun tuin teruggevonden, in Verrière-le-Buisson.'

De monnik ziet het tafereel in woeste paniek. 'Ze hingen, alle vijf... zijn vrouw, zijn kinderen... zelfs de hond!'

Chauvier slikt eens.

'En de moordenaar had het huis in brand gestoken... en de lijken ook...'

Met een theatraal gebaar slaat de noviet een kruisje terwijl hij naar een crucifix boven de deur kijkt.

'En heeft hij u dat verteld?' vraagt Chauvier, die probeert rationeel te blijven. Maar het verhaal van de monnik heeft hem verstoord, hij meent overal de schaduw van Jos te zien.

'Ik weet het... Dat is afdoende!'

Op hetzelfde ogenblik grijpt de noviet de deurkruk. Het daglicht stroomt binnen als de bliksem van de goede God. Hij heeft de schuldige uitdrukking van mensen die te veel hebben verteld en daar spijt van hebben.

'Maar nu moet u gaan, commissaris.'

Een zonnestraal verblindt de smeris, die met zijn ogen knippert.

Ten slotte kijkt hij op en hij ziet vlak bij de deur een bordje: *Openbare mis: elke zondag om acht uur, in de kapel van het instituut.*

'Dank u wel,' antwoordt de commissaris, voordat hij verdwaalt in de steegjes van het Quartier Latin.

Het christusbeeld heeft een rotkop.

Hij heeft trouwens altijd een rotkop, denkt Chauvier, terwijl hij naar het grote crucifix staart dat de kapel overheerst. Een preker, een lesgever... eentje die je ervan weerhoudt te leven, te vreten, buiten de pot te pissen. Een zedenmeester, kortom. Maar de oude smeris heeft het gevoel dat hij de enige is die zich voor Jezus interesseert. Iedereen kijkt naar de tegels op de vloer.

De Heer zij met u.

En met uw geest.

De enige gestalten die Chauvier kan thuisbrengen, zijn die van de weinige leken die vroeg zijn opgestaan om net als hij de vroegmis van de broederschap van Sint-Vincent bij te wonen: een paar oude vrouwen, een paar Amerikaanse toeristen, een meisje dat de monniken met verlekkerde wellust zit op te nemen. De kleine Ballaran is in Paulin acht jaar lang koorknaap geweest. Zijn moeder had een simpel geloof en stond erop dat haar zoon 'een beetje godsdienst' meekreeg.

Waar was dat goed voor? vraagt hij zich nu af.

Hij heeft verzetsstrijders in de ondergrondse gedood zien worden, steden worden opengereten onder geallieerde bombardementen, geschoren koppen in 1945, toegetakelde lijken in kampen, aan flarden in Indo-China, gemarteld in Algerije... en de politie, die heeft hem de misdaad getoond van de smerigste kant, de meest middelmatige. Wat God daar nog mee te maken heeft...

De monniken veranderen van houding. Chauvier moet opstaan. Dan voelt hij zijn linkerwang heet worden. Hij draait zich om en ziet een gestalte, of liever gezegd twee ogen. Schuilgaand achter een pilaar wordt hij door iemand bespied. Een monnik. En wat voor ogen! Bijtend, brandend, bijna pijnlijk. De man werkt zich naar hem toe.

'U bent het, hè?' zegt hij zachtjes.

'Hoe bedoelt u?' vraagt Chauvier verbaasd aan dat vollemaansgezicht, waarvan elke rimpel schijnt te zijn gevuld met blubber.

De monnik trekt de smeris aan zijn mouw en vraagt nog eens: 'Komt u mij hier beschermen?'

Chauvier zet zich schrap. 'U bent David Guizet, en ik dacht dat u niet sprak.'

'Sst!'

Chauvier voelt dat hij aan de kraag van zijn regenjas naar achteren wordt getrokken. Guizet staat tegen het doopfont, in de halfschaduw.

'Ik moet beschermd worden, want ik blijf een bedreiging voor hem en hij zou me kunnen laten doden. Ik heb alle papieren, begrijpt u? Allemaal!'

Guizet duwt een deur open en daar lopen ze door een gang, langs allemaal vertrekken, als in een hotel.

'Waar zijn we?' vraagt Chauvier.

De ander antwoordt niet, loopt snel vooruit.

'Kom maar mee!'

Ze komen over verscheidene binnenplaatsen, maar zien niemand.

Iedereen is naar de mis, denkt Chauvier.

'Weet hij dat u me bent komen opzoeken?' vraagt Guizet nog eens, terwijl hij blijft staan voor een houten deur, in een grote gang. Hij trekt een sleutel uit zijn mouw. Chauvier weet niet waar hij is.

'Over wie hebt u het?'

'Over hem,' zegt de monnik, en hij doet de deur van zijn cel open.

Chauvier krijgt het gevoel dat hij stikt.

Hij is overal: aan de muur, op tafel, tegen de deur, aan de spiegel, boven het bed. Honderden foto's, krantenknipsels, negatieven, verkiezingspamfletten voor de gemeenteraad.

'Alles is er,' verduidelijkt de monnik, en hij doet de deur dicht nadat hij nog gekeken heeft of niemand ze is gevolgd.

'Jos,' zegt Chauvier met toonloze stem.

'Mijn museumpje,' voegt Guizet er niet zonder trots aan toe.

De smeris staat paf.

'Maar hoe hebt u dat allemaal bij elkaar verzameld?'

'Ik had tijd genoeg,' antwoordt 'broeder David' vermoeid.

Chauviers blikken bestrijken de muren. Guizet loopt naar een foto bij de deur, die een baby voorstelt in de armen van een mooie blonde vrouw.

'Dat is hem, met zijn moeder, in 1904.'

Verderop herkent hij Jos op zijn achttiende, naast een man met borstelige wenkbrauwen en bleke ogen.

'Jos in 1922, in München, met Rudolf Hess.'

Alle grote nazi's zijn er: Goebbels, Goering, Himmler, Bormann, en telkens zijn het privéfoto's, aan tafel of in de fauteuil van de woonkamer. Maar het allerergste blijft die kleurenfoto waarop Jos vrolijk tussen Hitler en Eva Braun zit, op een muurtje boven een geweldig berguitzicht.

'Dat was in 1942, in Berchtesgaden. Een van de laatste keren dat de Führer naar zijn Arendsnest is geweest.'

Maar Chauvier raakt plotseling verstijfd. Bij het bed ziet hij twee foto's. Het koude zweet breekt hem uit. Hij heeft moeite adem te halen. De eerste foto is de trouwfoto van Jos met Anne-Marie, met daaronder: *Mirabel, 18 augustus 1945*. De beide echtelieden schijnen zo gelukkig, zo verliefd, in de poort van het kasteel. Maar de andere foto!

De andere, nondeju!

Die dateert van 1944, als Jos net bij het verzet is gegaan. Ze zijn met zijn achten, in het katharenbos. Jos staat in het midden, met diezelfde triomfantelijke blik als op die foto's die in Duitsland zijn genomen. De zelfverzekerdheid van een middeleeuws heer. Naast hem Marc Pinel, de hoedenmaker. Achter hen glimlacht slechts één man niet. Hij is jonger en draagt een rouwband, want zijn vader is zojuist door een SS-commando vermoord.

De stem van Guizet klinkt als uit het graf: 'Ik had u meteen herkend.'

'Dus u hebt dat dossier Claude Jos uit de militaire archieven laten verdwijnen, hè? Omdat Anne-Marie van Mazas u dat had gevraagd?'

De monnik is van een vreemde medeplichtigheid.

'Met wat hij van u wist,' vervolgt hij, 'had u niet echt de keus, stel ik mij zo voor.'

Chauvier wordt er niet goed van.

'Maar dan... weet u echt alles?'

Guizet kijkt weer berustend.

'Tot mijn grote ongeluk wel.'

Als hij dat zegt, knielt de monnik voor zijn bedje, dat keurig is opgemaakt (Chauvier ziet wonderlijk genoeg een teddybeer op het kussen staan) en steekt zijn handen onder het bed. Hij haalt er een verroest metalen koffertje onder vandaan, dat hij met de kaken op elkaar opentrekt. Het geluid van een oude carrosserie. Daarin ontdekt Chauvier honderden systeemkaarten, kennelijk alfabetisch gerangschikt, als in een archiefkast.

'Even kijken, even kijken,' neuriet de monnik triest, terwijl hij zijn vingers over de rand van de kaarten laat glijden. 'Daar is hij!' zegt hij ten slotte, en hij trekt er een kaart uit met de letter B. '*Ballaran, Gilles. Geboren Lavour, 11 januari 1927, zoon van Ballaran, Claude, gewelddadig omgebracht op...*'

'Ja ja ja!' onderbreekt Chauvier hem.

Hij kijkt nog eens de cel rond en wordt duizelig. Die foto's, die documenten, in dat piepkleine vertrek waarin een man zichzelf al vijfentwintig jaar heeft opgesloten! De monnik ziet zijn verwarring, wijst hem een stoel, waar de smeris zich op laat zakken.

'En dan te bedenken dat het allemaal door u komt,' zegt Guizet met toonloze stem, waarin Chauvier een diepe wanhoop meent te horen. 'Dit komt allemaal door uw romantische liefdesblunder.'

De monnik kijkt Chauvier ontdaan aan, zijn gezicht versteend in een wreed aanwezig verleden.

'In dat dossier zaten de essentiële documenten, weet u? Documenten die mogelijk alles zouden hebben veranderd.'

Versomberd voegt hij er met een omfloerste stem aan toe: 'Ik zou hier niet zitten. Ik zou nog in Verrières kunnen zitten met mijn vrouw,' hij pakt de oude teddybeer en drukt die aan zijn borst, 'met mijn kinderen… met mijn kleinkinderen wellicht.'

Maar dan komt hij overeind, vermant zich en zegt: 'Nou ja, ik begrijp uw redenen. U liep destijds het risico opgehangen te worden.'

Chauvier verschiet van kleur.

'In elk geval heb ik me zonder dat dossier moeten redden.'

Chauvier weet niet hoe het heeft. Hij begrijpt niets meer. Tegenover hem lijkt de monnik zelf vreselijk ontmoedigd. Hij gaat op de rand van zijn bed zitten en verbergt zijn gezicht in zijn handen.

'Het spijt me,' zei hij tussen zijn vingers. 'Ze zullen u hier wel gezegd hebben dat ik nooit sprak.'

Hij kijkt op.

'Na hun dood,' voegt hij eraan toe, terwijl hij de teddybeer teder tegen zich aan drukt, 'was de stilte mijn enige vlucht.'

Hij bekijkt Chauvier eventjes maar zegt dan bijtend, alsof hij wil vechten: 'Ik weet dat u het artikel van *Bres* gelezen hebt. Philippe Crau, de boekhandelaar van Toulouse, heeft mij meteen daarna gewaarschuwd.'

'Crau? Die ook al?' vraagt Chauvier.

Laat je niet om de tuin leiden door je herinneringen, commissaris, zegt hij tegen zichzelf. Wat je wilt weten ligt daar voor je… wraak, commissaris, wraak!

'In dat fameuze artikel,' vervolgt Guizet, 'heb ik nog geen kwart vastgelegd van wat ik echt wist over die zaak van de mummies en dat archeologische onderzoek van Claude Jos, begrijpt u?'

'En waarom niet?'

Guizet trekt een wenkbrauw op.

'Destijds was mijn hoofdredacteur bang voor represailles.'

'Represailles?'

Guizet knikt.

'Maar ik had er al te veel van verteld. Jos heeft er lucht van gekregen en heeft de krant tegen kunnen houden nog voordat ze uitkwam.'

Met gesmoorde stem vervolgt hij: 'En om de zaak onomkeerbaar te maken heeft hij... nou ja, dat weet u.'

De monnik ziet het drama weer, seconde na seconde. De sfeer wordt zwaarder, de lucht wordt drukkend.

Na een poos stilzwijgen zegt Chauvier: 'Maar als u in dat artikel niet alles verteld hebt, wat ontbrak er dan?'

'Dat zou u wel willen weten, hè?' zegt Guizet. 'Maar waar is dat goed voor? Alle lijken zijn momenteel begraven.'

'Ik moet ook nog spoken wreken,' werpt Chauvier tegen.

Guizet legt vriendschappelijk een hand op de knie van de smeris.

'Dat weet ik... Verraad vergeet je niet gauw. Zelfs niet na vijftig jaar.'

De monnik en de smeris voelen zich plotseling heel oud. Twee oudgedienden van Verdun, op een vroege ochtend in november.

'Wilt u echt alles weten?'

De commissaris knikt bevestigend.

'Want als ik u alles vertel, dan zal hij u nooit meer met rust laten, dat weet u toch wel, hè?'

'Ik heb niks meer te verliezen.'

'Ja, dat zeggen ze altijd.'

'Ik luister,' zegt Chauvier op besliste toon, terwijl de monnik een vertellershouding aanneemt.

Vreemde sfeer. Alsof het hele decor verdween. Alsof Gilles opeens weer een kleine jongen was, bij de grote open haard, terwijl zijn vader kastanjes pofte in de as voordat hij hem oude legendes ging vertellen. Meester en leerling. Vader en zoon.

'Alles is in Heidelberg begonnen, begin 1940.'

'Heidelberg?'

'Jazeker, het land van Kant, die grote Duitse universiteitsstad. Vier piepjonge studenten volgden daar de colleges archeologie en werden beschouwd als de besten van hun jaar.'

Knipoog van verstandhouding.

'Ze werden de Svens genoemd, want men wist niet veel van hen, behalve dan dat ze ergens halverwege de jaren twintig in Noorwegen geboren waren.'

'Dus ze waren echt piepjong?' brengt Chauvier in, die dat in zijn hoofd heeft nagerekend.

'Een jaar of vijftien, maar ze waren bovengemiddeld begaafd. Ze hadden ook niet de klassieke school doorlopen, ze waren opgeleid door een soort… huisleraar.'

'Een particuliere onderwijzer?'

'Ja, meer dan dat eigenlijk, een geestelijk vader, die ze vlak na hun geboorte heeft geadopteerd en tot gids heeft gediend.'

Chauvier fronst zijn wenkbrauwen.

'In het kader van hun studie in Heidelberg werden die archeologen opgenomen in wat toen de Ahnenerbe heette.'

'Dat zegt me vaag wat.'

'Dat was een dienst van de SS, die opdracht had de hogere, om niet te zeggen goddelijke oorsprong aan te tonen van het Duitse volk, door overal ter wereld archeologische bewijzen op te graven van die oorsprong.'

Chauvier wordt ongerust. Hij dacht dat die nachtmerries een uitvinding waren van avonturenfilms, zelfs die belachelijke *Raiders of the Lost Ark*, waar Linh hem een paar jaar geleden mee naartoe heeft gesleept.

'Dit is van A tot Z waar,' voegt de monnik toe. 'De nazi's waren overtuigd van hun biologische, culturele en geestelijke meerwaardigheid.'

Guizet wijst op de beroemde foto van Lanta uit 1953.

'In de hele oorlog,' verklaart hij, 'hebben onze vier studenten door Europa getrokken, achter de frontlinie. Zodra de Wehrmacht een historische stad had ingenomen, waren zij er de volgende dag om de musea te doorzoeken, oude vindplaatsen open te leggen, zonder enig respect voor wat dan ook. Alles wat ze wilden waren bewijzen… Ze waren bezeten.'

'Maar u hebt het over de oorlog, terwijl die zaak van de mummies uit 1953 dateert.'

Guizet begint sluw te kijken.

'U dacht zeker dat de val van het Derde Rijk ze had tegengehouden, arme Ballaran?'

Chauvier is onaangenaam getroffen door de verwarrende kilte van de monnik.

'U dacht echt dat de oorlog op 8 mei 1945 was afgelopen?'

De monnik schudt zijn hoofd.

'Er is een officiële geschiedenis… en een geheime… want sommigen zijn doorgegaan.'

'Doorgegaan waarmee?'

'Met de strijd en met het onderzoek… op de eerste plaats de Svens en hun fameuze huisleraar.'

'En wie was dat?'

Guizet glimlacht.

'En dat vraagt u mij?'

Hij wijst op een foto van Jos in SS-uniform, omgeven door zijn vier archeologen, ook in het zwart.

'U hebt hem de eerste keer leren kennen onder de naam Klaus Jode, vervolgens is hij – dankzij u – Claude Jos geworden, zonder dat daar enig tegenbewijs van bestond.'

Chauvier kucht nerveus.

'Maar destijds, voor en tijdens de oorlog, had hij nog zijn echte naam, waaronder de nazi's hem kenden, die van de man die Hitler hoogachtte, die Himmler bewonderde, die de Svens aanbaden.'

Guizet last hier even een retorische stilte in, alsof dit verhaal hem opwindt en zijn leven een doel verschaft.

'En die naam?' piept Chauvier, helemaal in de ban van de verteller.

De monnik articuleert daarop elke lettergreep, alsof er beton uit zijn mond kwam: 'Otto Rahn.'

'Otto Rahn?' herhaalt de smeris.

Hij is ervan overtuigd dat hij die naam nog nooit heeft gehoord. Maar toch weerklinkt er iets in hem, iets heel veraf, verborgen, als een bekend deuntje.

Otto Rahn, Otto Rahn.

'In de hele oorlog,' vervolgt Guizet, 'heeft Otto Rahn zijn leerlingen nooit in de steek gelaten. De Svens waren zijn schepping, dat was van hem. Je vindt het spoor van die archeologen van de Kaukasus tot Tibet, van Mexico tot Paaseiland. En telkens stelde de SS ze de transportmiddelen ter beschikking die voor soldaten hadden moeten worden gereserveerd.'

Chauvier kan amper de draad van de gebeurtenissen volgen.

'Maar hoe is Jos – nou ja, Rahn – uiteindelijk in Paulin terechtgekomen?'

'Door de onderzoekingen, almaar door die onderzoekingen,' vervolgt Guizet. 'Otto Rahn kende de streek en kende heel goed de familie Mazas, allang, van voor de oorlog. Zonder het te weten, bent u hem als jonge knaap ongetwijfeld weleens tegengekomen op het kasteel van Mirabel.'

Dat is nu precies het idee dat Chauvier vreest en dat hem al sinds het begin van het onderzoek achtervolgt. Hier beseft de commissaris hoezeer Guizet dat alles doorzien heeft.

Die vent weet alles van mij!

Plotseling houdt Gilles zich voor dat hij die gebeurtenissen had moeten voorzien, erop had moeten inspelen. Hij had Anne-Marie voor zich moeten houden, voor altijd. Hij had niet moeten zwichten voor de wil van de graaf van Mazas, voor de chantage van Jos, voor het plotselinge verraad van zijn eeuwige verloofde. Hij had haar moeten roven van haar familie om haar ver weg mee te voeren. Maar telkens als hij de film van zijn jeugd weer afdraait – een trieste, stuntelige, glansloze, zielloze film, net als zijn leven van smeris – lijkt ze gegevens te ontberen, als een puzzel waarvan één enkel stuk zou zijn verdwenen... maar dan wel het belangrijkste. En ten slotte – en vooral! – blijft de periode van de paar weken voor het uitbreken van de oorlog, in 1939, voor Chauvier altijd bedekt met een patina, terwijl hij toen al een jongeman was en geen reden had om dat te vergeten. Toch kan hij zich geen enkel feit uit die zomer van 1939 herinneren, alleen maar vage beelden, zonder details. Maar de naam van Otto Rahn lijkt hem verbonden met die onvatbare periode. Dat weet hij zeker.

'In 1944,' vervolgt Guizet, 'werd Rahn klemgezet door de geallieerde landing en heeft hij zich waarschijnlijk uitgegeven voor een "gedwongen" Elzasser, voordat hij zo smerig is geweest zich zelfs als verzetsheld op te werpen.'

En ik heb hem zijn maagdelijkheid op een dienblaadje aangereikt, denkt Chauvier, met een vreselijke steek in zijn buik.

Guizet raadt de problemen van de smeris.

'Ik weet dat u geen keus had en bovendien kon u het niet weten,' stelt hij hem gerust. 'Die man is een duivel.'

Guizet slikt eens, alsof hij op adem moet komen midden in een marathon.

'Want daar bleef het niet bij. Tijdens de oorlog had hij geld verzameld. Hij en zijn vier Svens drukten archeologische schatten achterover die ze op een parallelmarkt verkochten. Daardoor kon hij zo goed van identiteit wisselen toen de rekening moest worden vereffend. Allen die hem konden witwassen, heeft hij onder het geld begraven, als ze hem maar hielpen bij zijn onderzoek.'

'Want dat heeft hij echt voortgezet?'

'Denkt u nou echt dat ik alles uit mijn duim heb gezogen?' zegt Guizet, enigszins getroffen. 'Vindt u niet dat ik voldoende heb geboet voor mijn eerlijkheid en mijn ondoorzichtigheid, mijn dwaasheid?'

Daarop schudt hij het hoofd en vermant zich.

'Neem me niet kwalijk. Ik leef erg alleen, weet u? Waar waren we?'

'Het onderzoek van Jos, nou ja, Rahn. Na de oorlog.'

'Mijn artikel gaat over opgravingen in 1953,' vervolgt de monnik. 'Maar dat is precies waar het voor hem misging. Het was de eerste keer dat journalisten zich interesseerden voor zijn onderzoek, hij die er vanaf het einde van de oorlog altijd in was geslaagd clandestien te blijven doorwerken. Wilde archeologie.'

'Hij heeft Lafaye uit de weg laten ruimen.'

Guizet bevestigt dat met een hoofdknik.

'Eerst Lafaye, toen de ontmanteling van de *Gazette de l'Ariège*, toen de hele redactie naar de oorlog in Indo-China gestuurd.'

De monnik zegt het bijna bewonderend.

'Alles moest worden uitgewist, begrijpt u? De kranten moesten worden teruggekocht, vernietigd, iedereen moest uit de weg worden geruimd die van dichtbij of van veraf van deze zaak op de hoogte kon zijn, zelfs de meest onschuldigen.'

Nieuwe bijtende herinnering. Guizet neemt de teddybeer van het bed en streelt de katoenen oren.

'Sindsdien speelt alles zich af in het duister. Want de zaak is niet af, integendeel!'

'En sindsdien leeft u verborgen uit angst dat u gevonden wordt?'

Een vermoeide triestheid van Guizet.

'O, Jos weet dondersgoed waar ik zit. Waarschijnlijk vermoedt hij dat wij momenteel met elkaar zitten te praten. Maar voor hem betekenen wij niets. Wij zijn eenvoudige details.'

'Maar waarvoor lijkt hij dan zo bang te zijn?'

Plotseling flitst er iets in de blik van Guizet. Dan, zoals een gebouw instort, klapt hij dicht.

'Ik kan u verder niks vertellen.'

'O jawel,' blaft Chauvier. 'Ik moet het begrijpen! Alles!'

De monnik strekt zich uit op zijn bed, als een dode, en staart naar het plafond.

'Ik heb genoeg verteld,' fluistert hij voordat hij zijn ogen sluit.

'Maar u kunt me niet zo laten zitten, nondeju!' schreeuwt Chauvier.

Guizet verroert geen vin. Chauviers stem weergalmt door de gangen.

'Alstublieft,' mompelt de monnik, en hij heft de hand op naar het crucifix aan de muur, tussen de foto's.

Daarop hoort Chauvier geluid in de gang. Haastige passen naderen.

'U had niet moeten schreeuwen!' fluistert Guizet, vreemd opgelucht.

Hij draait zich naar de commissaris en fluistert hem toe: 'Jos is maar bang voor één persoon.'

'Wie is dat?'

'Een vrouw, die kent alle geheimen, zij weet waar hij sinds het eind van de oorlog aan werkt.'

'Maar wie is dat?'

'Zij kent zijn plannen tot in de details. Zij beschermt mij al vijfentwintig jaar.'

'Hoe heet ze?' bromt de commissaris, terwijl iemand op de deur klopt.

'Broeder David? Gaat alles goed?'

De monnik verstijft. Zijn lippen bewegen, maar er komt geen geluid meer uit.

'U hebt zeker van haar gehoord,' zegt hij ten slotte, heel zachtjes. 'Haar romans zijn bekend.'

'Broeder David, doe open!'

'Hoe heet ze?' sist Chauvier, klaar om toe te slaan.

'Marjolaine Papillon.'

'Marjolaine Papillon?'

'Ja, zij heeft de sleutel van het raadsel. Zij alleen kan u nu beschermen. Zij kent Rahn al heel lang, al is ze zijn ergste vijandin geworden.'

De commissaris hoort een geluid in het slot.

'Broeder David, ik ga mijn pasje gebruiken.'

'En waar woont ze?'

'In Berlijn,' antwoordt Guizet, terwijl de noviet van de vorige dag de kamer binnenstormt.

'Maar... maar wat moet u daar?'

De jonge monnik grijpt Chauvier.

'Hola, hola,' roept de smeris. Hij maakt zich los.

Guizet maakt een sussend gebaar naar de portier, maar doet zijn mond niet meer open. Hij geeft de noviet slechts een teken om de commissaris naar de deur te begeleiden.

'Kom mee,' zegt het monnikje, en hij pakt Chauvier bij de arm.

Als ze op het punt staan te vertrekken, beduidt Guizet aan Chauvier dat hij zich naar hem moet buigen. Hij drukt zijn lippen op zijn linkeroor en fluistert zo zacht dat de smeris denkt dat hij het niet begrijpt.

'Wat zegt u?'

Maar David Guizet strekt zich al uit en beweegt niet meer, alsof hij de ultieme verlossing verwacht.

'Kom mee!' beveelt het monnikje geschrokken, en hij duwt de politieagent de cel uit.

Terwijl ze door de gangen lopen houdt de jonge monnik ten slotte Chauvier staande en vraagt hem: 'Zeg nou eens eerlijk, wat heeft hij u in het oor gefluisterd?'

'Ik heb het niet begrepen,' zegt de oude smeris, 'het was alsof hij in zichzelf sprak.'

Maar in zijn hoofd, voor hem alleen, herinnert hij zich die laatste aanbeveling van de monnik, raadselachtig, onverklaarbaar: 'Lees *Halgadøm*!'

2005

'Anaïs, laat me het je uitleggen.'

We rijden al een half uur zonder iets te zeggen. Meteen na het vertrek heeft Venner zijn harde masker laten vallen en zich aan de andere kant van de bank genesteld. Mijn apathie aan de computer en mijn verlammende angst voor het hotel zijn veranderd in kille woede. Ik werp vurige blikken op Vidkun en weet niet of ze branden van haat of teleurstelling. In elk geval heeft de Viking zitten liegen. Hij heeft me verraden. Nog afgezien van die ontvoering! Zo mag je het best noemen!

Het duurt niet lang of mijn tong wordt los en ik geef hem de volle laag: 'Aha! Jij kon mooi toneelspelen, "meneer de specialist van het nazisme", "meneer de apologeet", "meneer de neutrale waarnemer", "meneer de historische discipline", jij wilt zeker dat ik je voortaan "meneer Schwöll" noem, net als "papa"? Die aardige dokter, dat lieve gezinshoofd? Die aardige gehangene in Jeruzalem? Het is toch wel grappig: mijn moeder, de vreemde, was een Jodin, jouw vader SS-arts in een concentratiekamp. Ik moet wel zeggen dat wij voor elkaar geschapen zijn, niet? En wij tweeën zijn momenteel bezig met een nazipelgrimstocht!'

Venner doet zijn best rustig te blijven, maar ik voel dat hij strakgespannen staat, alsof hij zichzelf geweld aandoet. Ten slotte knikt hij, hij draait zich om om te kijken of het plexiglas dat ons van de chauffeur scheidt goed dichtzit.

'Want Fritz weet van niets, dat begrijp je?'

Venner blijft eruitzien als een ijsberg.

'Niemand weet van iets. En ik hoop zeer dat jouw vriend Clemens zijn "vondst" niet aan de grote klok gaat hangen.'

'Want anders?'

'Anders kun jij je voorschot verder wel vergeten.'

'Ik zie dat bij jou alles te koop is, meneer Schwöll. Zelfs herinneringen.'

Venner balt fel zijn vuisten. Op zijn strakke gezicht lijken alleen zijn ogen nog in leven, hij weet dat het te laat is. Nu moet hij spreken.

'Ik luister,' zeg ik, terwijl ik mijn voeten op het bankje leg. 'Het duurt nog wel even voordat we in Parijs zijn.'

Vidkun kijkt naar het dak van de limousine, alsof hij daar een vluchtweg zoekt, dan haalt hij eens diep adem.

'Ik heet Martin Schwöll. Ik ben in 1942 geboren, maar ik heb geen enkele herinnering aan de Tweede Wereldoorlog.'

'Dat is geen excuus.'

'Ik probeer ook geen excuus te vinden, Anaïs. Ik heb je net gezegd, ik ben in 1942 geboren, in Europa. Maar mijn eerste herinneringen dateren van 1946. Mijn familie was het gelukt Europa te ontvluchten dankzij die beroemde "kloosterketen", waar ik het net over gehad heb. Het Vaticaan heeft mijn vader, mijn moeder, mijn beide broers en mij visa bezorgd voor Latijns-Amerika.'

Vidkun werpt een dromerige blik op de weg, grijs op deze regenachtige medio-septemberdag. Maar hij is ver van dat glimmende zwarte asfalt. Voor hem doemt zijn jeugd op.

'We hebben die reis gemaakt op een vrachtschip, dat langs de Afrikaanse kust voer, alvorens de Atlantische Oceaan over te steken. Dat zijn de oudste beelden in mijn herinnering: twee grote pontons met groenteschillen, zwarte zeelui die in de schaduw stukjes hout zitten te bewerken, mijn broers die met mij in het ruim spelen. Mijn moeder die almaar verbaasd was dat wij aan de onlusten ontsnapt waren, en mijn vader... mijn vader maakte aantekeningen in een boekje.'

'Aantekeningen?'

'Mijn hele jeugd heb ik hem aantekeningen zien maken in een boekje. En als ik of mijn broers hem vroegen wat hij deed, dan antwoordde hij onveranderlijk: "Ik bereid jullie toekomst voor, jongens."'

Hij verhardt nu.

'De laatste keer dat ik dat boekje heb gezien was op televisie, in 1963. Toen ze beelden van zijn proces hebben uitgezonden. Mijn vader heeft geweigerd een advocaat te nemen en heeft zich alleen verdedigd, punt voor punt, waarbij hij die aantekeningen heeft gebruikt, die hij twintig jaar lang gemaakt had.'

'Twintig jaar lang had hij zijn verdediging voorbereid?'

'Mijn vader was geen monster en ook geen gek.'

Ik wil hier alweer ontstemd op reageren, maar als hij mijn reactie ziet, vervolgt Vidkun: 'Hij was zich heel goed bewust van zijn schuld. Hij wist dat hij daar vroeg of laat voor moest boeten. Maar één ding vond hij bovenal belangrijk: ons, zijn kinderen.'

'En dat wil zeggen?'

'Hij wilde zich niet laten arresteren voor wij meerderjarig waren.'

'Dus jullie hele jeugd wisten jullie wie jullie vader was en wat hij had gedaan?'

'Dat was het nu juist, dat wisten we niet. De oorlogstijd was het grote taboe thuis. Mijn ouders deden alsof Duitsland dat charmante stadje was in de Argentijnse bergen waar wij te midden van andere Duitsers leefden.'

'Waren dat andere "ontsnapten" van het nazidom?'

'Zo zou je het kunnen uitdrukken.'

'Maar als al die mensen voormalige SS'ers of nazi's waren, hoe konden jullie het dan nooit over de oorlog hebben?'

'In 1945 hebben veel Duitsers het gevoel gehad dat ze wakker werden uit een staat van hypnose waarin Hitler ze vijftien jaar lang had weten te houden. Daarop hebben ze om zich heen gekeken en een puinhoop gezien. Door henzelf veroorzaakt.'

'Alles is uiteindelijk de fout van de baas... Dat is te gemakkelijk!'

Geïrriteerd wordt Venner nu bijtend van toon, met het fanatisme van een wolvin.

'Bij mijn ouders was dat een kwestie van geestelijk overleven. Voor velen was het schuldgevoel verpletterend.'

Ik ben amper overtuigd. Maar de werkelijkheid van de situatie verschijnt mij in al haar lelijkheid.

'Dus als ik je goed volg, dan heb jij niets over de oorlog horen vertellen, over Hitler, over de Holocaust... pas toen je vader werd gearresteerd?'

'Zo was het! Maar dat was een ontvoering, geen arrestatie. Mijn vader werd ontvoerd, hij werd in een zak gestopt en in een spookvliegtuig mee naar Israël genomen. De Argentijnse autoriteiten wisten van niets.'

'Ja, hij trok zich natuurlijk ook persoonlijk het lot van zijn proefkonijnen aan, als hij ze vergaste.'

Vidkun tikt tegen het raam.

'Mijn vader heeft niemand vergast,' antwoordt hij, zonder emotie. Hij is weer staalhard en medisch geworden. Ik huiver, want ik heb net een echt lichtje van waanzin in zijn blik waargenomen. Die blik die anders zo kalm, zo gericht is. Een blik die de vanzelfsprekendheid ziet, die geen twijfel kent. Venner masseert zijn slapen.

'Het beste is dat je me laat uitspreken nu, Anaïs. Zonder me te onderbreken.'

Ik knipper met mijn ogen.

'Ik heb inderdaad pas over de Tweede Oorlog horen vertellen bij de ontvoering van mijn vader. Tot dan toe wist ik dat er ver in het oosten een land was waarin mensen woonden die onze taal spraken. Heel vaag wist ik dat er een soort apocalyptische ramp had plaatsgegrepen, die ons had gedwongen weg te gaan. Een wereld waarvan wij de laatste overlevenden waren.'

Dat is toch te gek, denk ik.

'Wij leidden in Argentinië een rustig, tevreden stadsleven, in een gesloten circuit; als we ons verplaatsten was dat om naar de bergen of naar zee te gaan. Ik heb dus een vrij normale jeugd gehad, vrij gelukkig. Mijn broers en ik woonden op de grote familieboerderij en iedereen hield zich bezig met een deel van het bedrijf.'

Venner glimlacht wat.

'Zo'n rustig leven, van alles afgesloten, wolkeloos, behalve bepaalde dagen waarop...'

Vidkun klemt zijn kaken op elkaar. Hij strandt in zijn verhaal.

'Bepaalde dagen waarop?'

Vidkun kijkt op. 'Bepaalde dagen waarop mijn broers mij verwijten maakten.'

'Verwijten?'

'Ja. Als we alleen waren, vertelden ze mij dat ik niet echt deel uitmaakte van de familie. Dat ik voor mama maar een pop was.'

Hij kijkt mij diep in de ogen.

'Zij noemden mij "de vreemde".'

Het beeld van mijn eigen moeder – de foto op de schoorsteenmantel – vermengt zich met dat van Venner. Maar die vergelijking lijkt meteen van een flagrant slechte smaak. Vidkun slaat zijn handen over elkaar en knabbelt op zijn vingerkootjes, alsof hij op het punt staat een kapitale bekentenis af te leggen.

'Toen de Mossad midden in de nacht inbrak, sliep iedereen. Het ging razendsnel. Ik hoorde geschreeuw in de slaapkamer van mijn ouders, mijn moeder riep: "*Nein!*", er vielen schoten, ik hoorde een auto vertrekken, en toen werd het stil.'

Venner is een tovenaar: ik hang aan zijn lippen alsof mijn leven ervan afhangt.

'We renden allemaal naar de kamer. Mama zat op bed, met een wond op haar voorhoofd, het bloed liep haar in de ogen. En toen zei ze, met een gruwelijk kille stem: "Het is zover."'

'"Het is zover"?'

Vidkun knikt.

'Toen zijn mijn broers naast mama gaan zitten en hebben haar in hun armen genomen. Ze waren gezamenlijk verenigd. Ik bleef op afstand. Niemand vroeg mij erbij te komen. Mijn moeder wees slechts met een trieste vinger naar mij en mompelde: "Martin, ik moet je wat zeggen." Mijn broers vertrokken een voor een, ze keken me vreemd aan. Hans, de jongste, boog zich naar me toe om me in mijn oor te fluisteren: "Vreemde." En toen heeft mama mij het uitgelegd.'

'Wat heeft ze uitgelegd?'

'Alles. De oorlog, Hitler, de kampen. Ik was twintig, Anaïs. Plotseling was het alsof er een sluier voor mijn ogen werd opgetrokken en ik zag de gruwel.'

Gegeneerd slikt Venner.

'Wat ik vooral ook ontdekte was de reikwijdte van het bedrog. Ik was de enige die al die tijd onwetend was gehouden. Mijn broers wisten alles, vanaf het begin. Zij waren in Duitsland geboren. De oudste had zelfs in de kampen geleefd, waar hij mijn vader had geholpen.'

'Maar waarom alleen jij?'

Hij buigt zich naar me toe en zegt zachtjes: 'Ik ben hun kind niet.'

'Hoe dat zo?'

'Ik ben in 1942 geboren, maar ik ben in 1944 door de familie Schwöll geadopteerd, aan het eind van de oorlog. Dat is de tweede onthulling die mijn moeder mij die avond gedaan heeft.'

Ik sta paf. Dat verandert dus alles, denk ik. Maar is dat niet weer een goocheltrucje om een voorsprong te krijgen, om zichzelf vrij te pleiten door de beledigde onschuld uit te hangen, alles aan het toeval te wijten?

'Maar goed... Wie ben jij dan?'

'Dat weet ik nog steeds niet. Mijn moeder zwoer bij alles wat haar heilig was dat papa op een avond thuiskwam met een kindje in zijn armen, smekend dat ze die bij zich moesten houden. Ik was amper twee.'

'En je hebt niet geprobeerd iets te weten te komen?'

'Natuurlijk wel!'

'Wat heb je dan gedaan?'

'Om het te begrijpen moest ik weg, naar Europa. De volgende avond pakte ik de juwelen van mijn moeder en twee dagen later was ik ingescheept voor Le Havre.'

'Ik kwam op 10 september 1963 in Parijs aan, na een lange, chaotische reis.'

De nacht is gevallen en Vidkun stond erop dat we een 'worstpauze' zouden houden in een wegrestaurant, voorbij Frankfurt. Fritz moest de Mercedes voltanken en wij waren uitgehongerd. Ik had hier gebruik van kunnen maken om ze in de steek te laten en weg te vluchten. Ik overwoog het. Tenslotte was ik ontvoerd, ik was met geweld in deze auto meegesleept. Maar waar moest ik midden in de nacht naartoe, op een Duitse snelweg? Dan zou ik uiteindelijk toch terechtkomen op de achterbank bij een van die Teutoonse chauffeurs die nu bij de balie van het restaurant staan. En die zouden van mijn eer niet veel overlaten, denk ik.

En trouwens, wat heb ik te vrezen, behalve nog meer penibele onthullingen? Het enige gevaar is mijn nieuwe inzicht: ik werk samen met een nazizoon. Een man die heen en weer wordt getrokken tussen zijn herinnering en zijn spoken, tussen zijn trots en zijn schuldgevoel. Want schuldig is hij! Schuldig omdat hij me alles heeft verhuld, door niet zonder talent het beeld op te hangen van een oude excentriekeling die eigenlijk te buitenissig is om serieus te worden genomen. Terwijl er verradersbloed door zijn aderen stroomt, geadopteerd kind of niet.

'Goed,' zegt Venner terwijl hij zijn lippen afveegt, 'ik ga verder.'

Iedereen zit gekluisterd aan een televisietje dat hoog in de zaal staat; ik heb alleen oog voor Vidkun.

'Ik had bijna niets bij me, behalve wat kleren en die van mijn moeder gestolen juwelen. Maar mijn eerste missie was een Duitse boekhandel op te zoeken om boeken te vinden over de Tweede Wereldoorlog. Ik moest en zou het begrijpen.'

'En sprak je Frans?'

'Amper, maar ik heb altijd een goed oor gehad. De eerste dagen liep ik door Parijs en luisterde naar de voorbijgangers, en ik herhaalde sommige woorden die ik opving.'

Hij lacht en neemt een slok bier.

'Ik moet er angstaanjagend hebben uitgezien: een grote blonde kerel die in zichzelf pratend over de boulevard liep!'

'En waar woonde je dan?'

Venner stapt over dit detail heen.

'Zodra ik in Parijs kwam, ben ik naar een juwelier gegaan om mijn juwelen te laten taxeren. Ik ben er naar een paar geweest voordat ik er een vond die mij echt eerlijk leek.'

Venner hapt in een glimmend worstje met *Honigsenf*.

'Toevallig,' vervolgt hij met volle mond, 'sprak de juwelier Duits. De eerste vraag die hij mij met enige achterdocht stelde was: "Waar hebt u die juwelen gestolen?" Ik speelde de onschuld en zei: "Het is een voorraad die ik heb gevonden bij een antiquair bij mij in de buurt, in Noorwegen."

Precies op dat moment, heel toevallig, gaf ik mij uit voor Scandinaviër. Mijn naam volgde meteen: Vidkun Venner.'

'En die vent geloofde jou?'

Venner lijkt te aarzelen.

'Laten we zeggen dat hij er het zijne van dacht. Enigszins aarzelend zei hij: "Ik denk dat ik u kan helpen om aardig wat geld te verdienen met deze… schat, jongeman, op voorwaarde dat u ergens met die juwelen naartoe gaat."'

'Bizar.'

'Destijds leek niets mij nog bizar. Ik heb meteen ja gezegd tegen die vent die, nadat hij een enkel collier had aangenomen in ruil voor een fikse som nieuwe franken, met mij afsprak voor die avond zelf.'

Venner fronst zijn wenkbrauwen, graaft in zijn geheugen.

'Die hele middag heb ik langs de Seine gewandeld. De afspraak was gemaakt op de Quai Voltaire, in een particulier herenhuis. Ik meld me om acht uur precies. Ik bel aan. Het duurt even voordat er wordt opengedaan. Ten slotte doet een oude huismeester uit een stripverhaal, met een geel met zwart vest, open en laat me binnen in een immense salon vol meubels, schilderijen en spiegels. Je kon je er amper keren. Eén enkel schemerlampje brandde aan de andere kant van het vertrek. De rest ging schuil in het duister.

"Ik ben zo terug," fluistert de huismeester mij in het oor, voordat hij achter een gordijn verdwijnt.

Ik heb een kwartier staan wachten. Ik durfde niet te bewegen, want bij de minste beweging kraakte het parket. En aangezien die huisknecht niet terugkwam ben ik maar op een van de canapés gaan zitten.

"Wie heeft u gezegd dat u kunt gaan zitten?"'

Duidelijk tevreden met zijn imitatie vervolgt Venner: 'Aan de andere kant van het vertrek, weggedoken in een grote fauteuil, beweegt een gestalte.

Ik sta meteen op en mompel: "Die… meneer zou terugkomen en ik wacht nu al een kwartier…"

"Dat weet ik," onderbreekt die stem me in het duister, "ik was erbij."

Ik zie een hand naar een roze koordje reiken en de luchter gaat aan. De oude man verroert geen vin. Ik herinner me nog zijn blik, borend, als die van een geoloog.

"U bent knap," zegt hij tegen me, en hij beduidt me naderbij te komen.

Ik ben verblind. Verblind door het veel te felle licht. Verblind door al die voorwerpen om me heen. En ten slotte verblind door de adel van die oude man. Trouwens, hij is niet zo oud. Maar hij lijkt moe, ziek. Hij gaat schuil in zijn kamerjas van purperen kasjmier, zijn lange, magere lijf lijkt dat van een overlevende.'

Ik kan er niets aan doen; ik word geboeid door het verhaal van Venner. Alles is verdwenen: de omgeving, het uur, de geluiden. Ik vergeet het pompstation, de chauffeurs aan formicatafeltjes, de televisie die staat te blèren, het geklots van bier aan de tap, de geur van hop, van worst, van pretzels.

Venner vervolgt: '"Gaat u zitten," zegt die man, en hij wijst op een poefje aan zijn voeten. Ik aarzel even en plaats één bil op dat ding, veel te laag voor mijn lange benen. Nog steeds zit die oude man me te bekijken.

"U bent echt heel knap. Samuel heeft niet gelogen. Laat mij uw schatten eens zien," zegt hij, en hij steekt zijn hand uit.

Ik haal een zak onder mijn jas vandaan. Als hij die juwelen ziet, lijkt hij gefascineerd, hij haalt zijn hand door de colliers, de armbanden, de ringen, en zijn ogen worden steeds roder.

"Hou oud bent u?" stamelt hij, terwijl hij een grote camee bekijkt.

"Eenentwintig."

"En waar hebt u die juwelen gevonden?"

Ik dis hem weer het verhaal van de Scandinavische antiquair op. De oude man reageert niet. Tot vandaag de dag weet ik nog steeds niet of hij me geloofde, maar hij staat op en neemt me bij de arm.

"Kom mee," zegt hij, "dan zult u het begrijpen."

Zonder me los te laten neemt hij me mee naar een belendend vertrek, nog groter en nog zwaarder gemeubileerd.

"Kijk!"

Hij wijst me op een portret dat boven een canapé hangt. Daarop zie ik een lelijke, hautaine maar elegant geklede vrouw.

"Mijn moeder."

Ik weet niet wat ik daarop moet antwoorden, maar ik begin het te begrijpen: het collier, de camee, de oorbellen, alles is daar te zien.

"We zijn tegelijkertijd gedeporteerd. Maar zij kon de reis niet baas en is meteen vergast toen ze aankwam in het kamp. Ik heb wat meer geluk gehad."

Hij wendt zich dan tot mij en maakt een buiging.

"Ik ben baron Nissim de Roze."'

Venner haalt eens diep adem en vervolgt dan op nostalgische toon: 'Daarna was alles simpel, viel alles op zijn plaats: Baron De Roze kreeg de juwelen van zijn moeder terug, en nam mij in ruil daarvoor onder zijn hoede. Nog diezelfde avond kreeg ik bij hem een kamer, boven in zijn particulier herenhuis. Kleren, eten, zakgeld. Hij voorzag in alles.'

Ik frons mijn wenkbrauwen.

'Maar, wat vroeg hij in ruil?'

Venner aarzelt, alsof hij woorden zocht.

'Niet heel veel. Hij wilde alleen dat ik er was, bij hem in de buurt. Zijn hele familie was met de deportatie verdwenen. Toen hij in 1945 in Lutetia aankwam was er niets meer. Dus twintig jaar lang is hij bezig geweest alles terug te krijgen, alles terug te halen wat de nazi's – en met name de Fransen – van zijn familie hadden gestolen.'

'En wat was jouw rol daarbij?'

Hier doet Vidkun wat ontwijkend: 'Ach, ik... ik was zijn herschepping, zijn laatste genoegen voor het grote vertrek. Hij had aan zijn verblijf in de kampen een ademgebrek overgehouden waardoor hij verscheidene maanden per jaar naar de bergen moest. Ik ging dan met hem mee.'

'Jij werd zijn... gezelschap?'

'Zo zou je het kunnen zien. Dankzij hem ben ik bij de film beland. Hij heeft me aan de jonge wolven van de Nouvelle Vague voorgesteld. Hij investeerde toen zelf weleens wat geld in films en in ruil daarvoor voelden de regisseurs zich verplicht mij te gebruiken voor een rolletje, als figurant.'

'En is dat lang zo geweest?'

Een schaduw strijkt over Vidkuns gezicht. Hij staart verloren het wegrestaurant in, kijkt naar de lege bierglazen, de ruige smoelen van de chauffeurs, de bediening, het grote televisiescherm op de muur achter ons, en antwoordt dan met enige moeite: 'Baron De Roze kreeg in 1966 een longembolie. Enkele dagen na zijn dood stortten zijn schuldeisers zich op zijn huis en binnen een paar dagen was alles verkocht. Ik heb daarop begrepen dat hij zijn familiegoed had teruggekocht voor driemaal de waarde.'

'En jij?'

Hij ziet er verslagen uit. 'Ik, ik heb me gered. Ik sprak inmiddels voldoende Frans en ik had wat contacten. Vanaf dat ogenblik sluit mijn leven aan bij wat ik je heb verteld in het Arendsnest.'

Plotseling wordt mijn aandacht getrokken door een gezicht. Een bekend gezicht. Ik wijs op het televisiescherm.

'Moet je kijken!'

De hele zaal draait zich om naar het toestel. Het is het journaal. Een presentator leest in het Duits een tekst en links van hem zie je ingelast een foto van een vrouw. Die ik vanochtend heb gezien.

Mijn kreet is nog scheller. 'Angela Brillo!'

Venner vermant zich. Hij klemt zijn kaken op elkaar en werpt zich op het toestel om het harder te zetten. Ik begrijp helemaal niets van al dat gedoe.

'Wat zeggen ze dan?'

Venner is lijkbleek.

'Ze is dood.'

'Dood?'

'Ja.'

'Waar? Wanneer?'

'Houd je mond!' blaft Venner mij toe, want een andere journalist komt op het scherm, rechtstreeks vanuit het bos van Grünewald. Je ziet zwaailichten van politie, ambulances, een drukke, schrikachtige sfeer. Venner springt op en legt twintig euro op de balie.

'We gaan erheen,' zegt hij benauwd.

'Maar wie…'

Hij grijpt mijn arm en fluistert mij in het oor: 'Angela Brillo is vanmiddag vermoord.'

Ik huiver.

'Ze is door wandelaars in het bos van Grünewald bij Berlijn aangetroffen, om een uur of zes. Ze was vermoord, verbrand, en haar lijk was opgehangen aan een eikenboom.'

'Maar wie heeft haar dan vermoord?'

'Dat weet ik niet! Dit is alleen wel het bewijs dat ons onderzoek geen geintje is.'

De auto snort over de snelweg. Lantaarns baden de rijbaan in een licht als van een necropool. Ik zie mijn weerspiegeling – bleek, ontdaan – in de getinte ruiten terwijl in mij de paniek om zich heen begint te vreten. Worden wij het doelwit van een nieuwe mensenjacht? Ik weet al twee weken niet meer hoe ik het heb en nu grijpt deze waanzin ons ook nog eens bij de strot!

'Maar ze hebben ons zeker gezien! De baas van die bar vanochtend! De portier van het hotel! De krantenverkoper gisteren in Spandau! Hij heeft ons op het spoor gezet, niet soms? De smerissen gaan hem ondervragen! Ze kunnen heel goed bij ons uitkomen.'

Venner blijft kalm, alsof niets hem verrast.

'Dat zou me verbazen.'

'Hoe dat zo?'

Ik sta paf van zijn afstandelijkheid. Die houding van oude wijze verdubbelt mijn onrust.

'Alles gaat net zo verlopen als bij die zelfmoorden in 1995. De zaak gaat in de doofpot worden gestopt, het wordt gewoon een dagelijks feit.'

'Maar het is 2005! Hoe kun je er zo zeker van zijn dat...'

'Laat me uitpraten!'

Ik heb kippenvel, maar ik neem gas terug en sla mijn armen over elkaar. Daarop krijgt de Viking een vreemde kleur, bijna pastel, alsof hij van het ene ogenblik op het andere was ontvleesd, zijn lichaam verlaten had, uit was getreden. Die vluchtige en droomachtige indruk wordt meteen uitgewist doordat de telefoon overgaat.

Met enige gêne pak ik het mobieltje uit mijn tas en ik stamel met een belachelijk schuldbewuste stem: 'O... blijkbaar zijn we weer in Frankrijk. Er komen berichten van de afgelopen vijf dagen binnen.'

Venner zegt niets, maar zijn blik wordt weer borend, alsof we zijn onderbroken bij een biecht.

De stem van de voicemail: 'U hebt achtentwintig berichten.'

'Ja, dat kan ik me voorstellen,' zeg ik, en ik bekijk de lijst: Lea, mijn vader, de krant, Clemens.

Voor één keer troost die stortvloed me. Terugkeer naar het echte leven! Dan constateer ik dat Clemens sinds gisteravond al dertien keer heeft gebeld. Ik denk meteen aan mijn onrechtvaardigheid, aan mijn gemene houding jegens hem. Geschokt door zijn ontdekkingen, heb ik hem de verschrikkelijkste dingen geschreven. Toch had hij gelijk.

Alsof ik de bittere beker van mijn schuld geheel wil uitdrinken, dwing ik me elke boodschap van Clemens af te luisteren, waarvan de bewoordingen steeds paniekeriger lijken: 'Maar waar zit je toch?', 'Je neemt nooit op!', 'Niemand heeft iets van je gehoord', 'Ik heb je mail gekregen, ik bedenk niks! Je moet me geloven.'

Als ik ophang, heeft Venner al ruim twintig minuten geen vin verroerd. Als een wassen beeld wacht hij, roerloos. En dan, als mijn mobieltje weer zijn plek heeft gevonden in mijn handtas, vertrekt de Viking weer in zijn herinneringen. Het lijkt wel alsof de dood van Angela Brillo al een verwerkt detail is!

'Zoals ik je al zei in het Arendsnest, is mijn acteurscarrière... uit de hand gelopen. En na drie jaar hard werken in de "softe cinema", ben ik letterlijk ingestort. Het werd te veel!'

'Ingestort? Jij?'

'Mijn depressie is begonnen in de herfst van 1975. In oktober ben ik in een kliniek opgenomen, en daar wordt alles vaag. Het lijkt alsof ik twee jaar geslapen heb.'

'Ben jij twee jaar opgenomen geweest?'

Het licht van koplampen verdiept zijn gezicht als dat van een lijk.

'Voor mij totale duisternis. Alles wat ik me herinner, is dat er op een ochtend een Argentijnse notaris verscheen. Hij was al een week in Frankrijk, maar had de grootste moeite gehad mij op te sporen. Dat was voorjaar 1977. In mei, geloof ik.

Die vent kwam me de dood van mijn moeder berichten. Hij bracht me ook een cheque, aandelenportefeuilles, eigendomsbewijzen voor twaalf boerenbedrijven in Latijns-Amerika en vierentwintig gebouwen in Buenos Aires.'

Hij ziet eruit alsof hij hallucineert, alsof hij drugs heeft geslikt.

'Ik was zo rijk dat ik nooit meer zou hoeven werken, ik kon mij concentreren op wat me altijd al zo intrigeerde, en wat tijdens mijn depressie een obsessie was geworden: begrip.'

'Begrip... Wat wil je begrijpen?'

'Alles. Van wat er in de oorlog gebeurd was. Van hoe mijn vader, en met hem heel Duitsland, zover had kunnen komen. Van wat het nazisme eigenlijk is. Ik ben dwangmatig obsessief geworden. Ik heb het huis in de Porte de la Chapelle gekocht, waar ik enorme verbouwingen heb laten verrichten, en ik heb me vastgemetseld in mijn hartstocht.'

'En wanneer ben je teruggegaan naar Argentinië?'

Venner kijkt naar de vloer.

'Nooit.'

'Je bent niet teruggegaan om je broers en al die bezittingen van je op te zoeken? Je bent het graf van je moeder niet gaan opzoeken?'

'Zij was mijn moeder niet.'

Bijna onmerkbaar is Vidkun verbleekt.

'Zij was mijn moeder niet en dat waren mijn broers niet. Wat het geld betreft, ik wilde niet eens weten waar het vandaan kwam. Daar kon ik me van alles bij voorstellen.'

Zijn redenering lijkt mij opeens verschrikkelijk hypocriet, dit is struisvogelpolitiek, alleen is een struisvogel meer uit op comfort dan op morele verantwoordelijkheid.

'Maar je hebt die poet dan toch maar aangenomen. Je had ook alles kunnen weigeren.'

'Natuurlijk, maar dan zou het naar een van die andere nazi-jongens gegaan zijn. En ik heb het gebruikt voor de goede zaak.'

'Ja zeg, wil je mij voor de gek houden? De "goede zaak"? Een zwembad laten aanleggen en hakenkruisvlaggen verzamelen?'

Misbruik heeft grenzen. Ik ben niet als Lea, maar dit 'oprecht cynisme', zonder rancune, zonder enige moraal, is schrikbarend!

'Ik heb me laten meeslepen door mijn hartstocht voor kitsch en uiterlijk. Maar al dat materiaal, die kennis, heb ik verzameld om uit te komen op dit project, op ons project. Het boek dat wij samen schrijven. Jij en ik, Anaïs.'

Venner weet het allemaal veel te gemakkelijk in zijn voordeel te keren. Deze tactische medeplichtigheid stuit me bijna net zo hard tegen de borst als zijn valse onschuld.

'Door dit hele onderzoek wil ik te weten komen wie ik ben en waar ik vandaan kom. Ik weet dat die zelfmoorden te maken hebben met de overlevenden van het nazisme, van mijn verleden. Ik weet dat er iets achter schuilgaat, iets wat jij en ik moeten ontdekken. Het boek is voor mij en voor alle Duitsers een opdracht, een gedenkplicht, er worden al vijftig jaar dingen voor ons verborgen gehouden! De oorlog is niet voorbij. De oorlog is nu een ondergronds geheim gevecht geworden. De moord op die vrouw vandaag is het bewijs dat dat geheim nog steeds moordt!'

Ik weet niet wat ik moet denken. Meent Venner dit nu echt? Moet ik een man geloven die ik heb zien proosten met de dochter van Himmler? Hoe durft hij aan te komen met 'gedenkplicht', hij die als een kasbloem is opgegroeid, onder een hakenkruizenzon?

'Denk dan na,' vervolgt hij. 'Ik ben in 1942 geboren, ik ben twee jaar later door de familie Schwöll geadopteerd. Het is zo klaar als een klontje: ik ben ook een Lebensbornkind, net als die vier zelfmoordenaars.'

'Maar dat weet je helemaal niet! Je hebt geen enkel bewijs.'

Venner wijst op zijn koffertje als bewijs.

'En die handen dan? Die handen die mij toegestuurd zijn met de post! Denk je dat het toeval is dat die aan mij gestuurd zijn? Aan mij en niemand anders?'

Alles botst in mijn hoofd. Dit is een innerlijke storm! En dan dat arme mens, te grazen genomen op de dag dat wij haar ontmoeten. Is dat een teken? Zijn wij de eerste verdachten of de volgende slachtoffers? Ik kan te ver gaan. Als ik met die vent doorga, word ik net zo gek als hij. Ik ben zo geschokt dat ik niet eens besef dat er grote tranen over mijn wangen stromen.

Hij is een gek! Of hij nou nazi, wees, Jood is of wat dan ook, hij is stapelgek!

Ik verhef mijn stem: 'En ik kap ermee.'

Vidkun verroert geen vin en zwijgt. Met zijn koffertje op zijn schoot blijft hij met gebogen hoofd zitten, alsof hij zijn straf afwacht. Maar er gebeurt niets. Dat heeft nu geen zin. Door zich bloot te geven heeft Venner zichzelf gestraft.

Met een snik kruip ik in elkaar. Het is nog maar vijftig kilometer tot Parijs. Op dit moment moet het lijk van Angela Brillo op de tafel van de patholoog-anatoom liggen.

Het plaveisel van Parijs, de straten, de verkeerslichten, de gesloten winkels: eindelijk, eindelijk! We parkeren aan de voet van mijn flat en ik stap uit de Mercedes zonder het eigenlijk te durven geloven. Nooit heeft die sombere rue Paul Bourget me zo toegelachen, zo idyllisch geleken als nu. Een paradijs! Venner heeft nog steeds geen vinger verroerd. Zittend op het bankje, met zijn handen plat op zijn koffertje, knikt hij me beleefd toe. Maar ik reageer niet. Alles is vervuld. Na de begrafenis kan iedereen naar huis. Mijn huis! Mijn huis, verdomme!

Een teken van hoop: de lift is gerepareerd.

Terwijl ik snel in het hokje stap, besef ik dat het me niet lukt om Venner te haten. Er is iets van een gewonde, een open wond bij die man. Als wat hij zegt waar is – maar hoe kom je daarachter? – dan is zijn leven al een paar keer op zijn kop gezet. En hij kan niets aan de geschiedenis van zijn familie doen, helemaal niet omdat hij pas met zijn twintigste alles te horen kreeg. Maar moet ik dat geloven? Wat moet ik denken? In wie moet ik vertrouwen stellen? Of ook: wie moet ik vrezen: Venner? Of de moordenaar van Brillo?

Tenzij dat één en dezelfde is.

Deze stortvloed van twijfel maakt me duizelig en de lift hijst me tot op de twaalfde verdieping.

'Oef!' Ik adem uit, en ik laat mijn tas op het linoleum vallen. Natuurlijk doet het ganglicht het niet! Op de tast bereik ik mijn deur, en mijn voeten stoten tegen iets zachts.

'Hé!' protesteert een wat slaperige stem.

Mijn gil galmt door de gang.

'Anaïs? Ben jij het?'

'Clemens?'

De gestalte van de jongeman ontplooit zich in het halfduister. Mijn angst is sterker dan mijn verrassing. Het lukt me niet om nog te praten en ik zoek dwangmatig naar mijn sleutelbos.

'Ik…'

Dan neemt Clemens mij voorzichtig bij de hand en loodst die naar het slot.

'Ik zal je helpen.'

Zijn stem! Zijn liefde! Ik ben terug! Het is afgelopen! Afgelopen! Ik kan wel janken van opluchting. Het binnenlicht verblindt ons.

'Graguette?' vraag ik, terwijl ik automatisch mijn hand laat zakken om de kat te aaien.

'Die heb je bij Lea gelaten.'

Clemens is bleek, zijn haren zitten door de war, maar dat is bij mij waarschijnlijk nog erger.

'Hoe lang ben je hier al?'

De jongeman kijkt een beetje verlegen.

'Dat weet ik niet, vanavond moet ik om half tien zijn gekomen.'

'Hoezo "vanavond"?'

Clemens kijkt naar de vloer en ik pak zijn handen om tegen mijn gezicht te leggen. 'Hoeveel nachten slaap jij hier al?'

'Eigenlijk sinds het me niet meer lukt je aan de lijn te krijgen.'

Ik klem hem in mijn armen.

'Ach, schat, je bent stapelgek!'

'Ja, dat kun je wel zeggen,' zegt hij, voordat hij me zachtjes op mijn lippen kust.

Eindelijk, eindelijk, denk ik, terwijl hij me omhelst en me meesleept naar de canapé. Mijn handen glijden onder zijn trui, zoals een drenkeling de vrije lucht hervindt.

'Wacht,' zegt hij met gesmoorde stem.

'Waarom?'

Ik ben aan het eind van mijn zenuwen. Mijn begeerte is woest, urgent. Ik wil alles vergeten, alles doorspoelen met een orgasme.

'Alleen maar om je te vertellen dat ik goed mijn best heb gedaan. Ik beloof je, ik zal je niet meer lastigvallen met de oorsprong van Venner, maar die Claude Jos van je is een heel interessant spoor. Ik heb inlichtingen nagetrokken en…'

'Houd je mond!'

Vergeten, ik wil alles vergeten.

Ik druk Clemens op de canapé en ga schrijlings op hem zitten, waarbij ik zijn armen blokkeer.

'Houd je mond, houd je mond, houd je mond.'

Ik ben daar, in zijn armen, voor hem alleen.

En de rest kan wachten.

1987

'Ik heb me rot gezocht naar gegevens over jouw romanschrijfster,' zegt Linh op verwijtende toon. 'De documenten betreffende Marjolaine Papillon zitten gedeeltelijk in een "K-dossier", en dat is dus zeer vertrouwelijk.'

'Ja, ik luister,' dringt Chauvier aan, terwijl hij de hoorn van de telefoon tegen zijn oor drukt omdat de regen op de telefooncel trommelt. De oude smeris staat in die glazen kooi op de Champs-Elysées en het is acht uur in de avond. Op dat moment is de hele laan één grote opstopping. Toen hij van zijn afspraak met de monnik kwam, heeft Chauvier in de regen door Parijs lopen zwerven, terwijl hij die woorden maar herkauwde, die hem evenzovele raadsels leken: Otto Rahn, Halgadøm, Marjolaine Papillon. Toen heeft hij een beroep gedaan op Linh en hij heeft hem de hele middag gegeven om een spoor te zoeken.

'Ik stel me zo voor dat jij weet wie Marjolaine Papillon is?' vraagt de Aziaat.

'Ja, nu wel,' antwoordt de smeris. 'Ik heb al haar boeken bij Jos zien staan en bij Aurore. En ik ben even naar de drugstore op de Champs-Elysées geweest.'

'Haar boeken worden overal verkocht. Ze is een van de meest gelezen Franse romanschrijfsters.'

'En wat verklaart haar succes?'

Linh smakt eens.

'Haar constante gehalte, denk ik. Ze publiceert al ruim twintig jaar elke herfst een roman van ongeveer gelijke grootte bij dezelfde uitgever, Presses F.L.K. – het huis van de zeer machtige François-Laurent Kramer – met hetzelfde thema.'

'Namelijk?'

'Spionageverhalen, allemaal tijdens de Tweede Wereldoorlog. Er is altijd een onmogelijke romance tussen een mooie verzetsstrijdster en een knappe Duitse officier, meestal een SS'er.'

'Ja, ik ken het genre,' zegt Chauvier grinnikend. 'Maar wat kun je me over haar zeggen?'

Daarop wordt Linhs stem wat gegeneerd: 'Tja, daar wringt de schoen, baas. Er is bijna niets over haar bekend. Alles is onduidelijk, haar leeftijd, haar nationaliteit. Ze geeft jaarlijks één interview af aan Alexandre Bertier voor zijn uitzending *Point-Virgule* op Antenne 2. Daarbuiten: niets.'

'Niets?'

'Volstrekt niets! Ze heeft met F.L.K. een vrijwel alghele vertrouwelijkheidsclausule getekend en ik heb al gezegd dat haar dossier "K" geklasseerd is.'

'Maar je hebt het adres?'

'Ik heb een adres en dat heb ik van mijn vriend bij de politiearchieven. Geen idee of het klopt. Bovendien is het in Duitsland.'

'Aha! Vertel op.'

'Naar het schijnt woont Marjolaine Papillon in Berlijn, in de wijk – ik weet niet of ik het goed uitspreek – Spandau. Ken jij die?'

De commissaris staat paf. Natuurlijk kent hij die wijk. Hij is er bijna vijf jaar dagelijks doorheen gelopen, tussen 1946 en 1951. Na zijn indiensttreding heeft hij een tijd behoord bij de troepen die een maand lang kopstukken van het Derde Rijk moesten bewaken: Hess, Speer, Von Schirach en de rest, in de gevangenis van Spandau. De bezettingsmachten wisselden elkaar af: een maand Frans, een maand Amerikaans, een maand Engels, een maand Russisch. De toekomstige commissaris had de gevangenen zelfs wel eens hun eten gebracht, en met uitzondering van de altijd beleefde Albert Speer, ontvingen ze hem alsof hij de huisknecht was. De smeris probeert rustig te blijven, hoewel alles nu duidelijk begint te worden, als een zeer goed geolied mechaniek.

Want dat adres van Marjolaine Papillon is… dat van de gevangenis van Spandau zelf!

2005

Twee weken zijn verstreken en ik heb niets gehoord van Venner, die naar de Verenigde Staten is vertrokken voor een verkoop van 'nazivoorwerpen'. Ik heb geprobeerd van deze pauze gebruik te maken om me leeg te laten lopen, afstand te nemen, mijn avontuur opnieuw te beschouwen. Dat reisje naar Duitsland heeft me lichamelijk en geestelijk uitgeput.

Ik heb het vastgesteld op het net: de dood van Brillo is inderdaad "zelfmoord"! Kan een dergelijke juridische dwaling geaccepteerd worden? Is dit niet dé gelegenheid om alles te laten liggen en op te geven?

Maar toch, ik geef me niet gewonnen. Ik wil dat boek schrijven. Ik ben al te ver gegaan. Nooit terugkrabbelen, Anaïs! Ik heb slechts aan Clemens gevraagd me bij dat project te steunen, en aan Vidkun om afstand te bewaren. Evenzogoed gaat er geen uur voorbij zonder dat ik aan hem denk, zonder dat ik probeer te begrijpen wat er in zijn hoofd kan zijn omgegaan, hoe hij geworden is wie hij is. Voor mij blijft die man een raadsel. Maar het drama is dat het me niet lukt het hem echt kwalijk te nemen, om hem af te rekenen op zijn geheimen en zijn leugens. Wellicht zijn die hulpmiddelen een onbewuste barrière die ik mezelf opleg om hem niet te gaan haten? Want als ik hem echt zou gaan haten, dan zou deze klus een lijdensweg worden, dan zou ik niet kunnen werken. Maar deze klus boeit me! Dat moet ik gewoon toegeven.

'Van deze klus word je echt helemaal stapelgek!' heeft Lea me al verteld, toen we samen zaten te eten in ons eetcafé op de Butte aux Cailles, drie dagen na mijn terugkeer uit Duitsland, toen ik mijn kat ging ophalen. 'Nee maar, heb je gezien hoe je eruitziet?'

Bij elke aanval antwoordde ik op quasivreedzame toon: 'Maar dit is de kans van mijn leven, die kan ik niet voorbij laten gaan.'

Lea sloeg haar armen afkeurend over elkaar, voordat ze nog een fles wijn bestelde. Ze hing de beledigde onschuld uit, maar ik heb haar nog geen kwart verteld van wat er werkelijk allemaal met Vidkun is gebeurd. Ik heb de meest 'incorrecte' details verzwegen: mijn ontmoeting met Mausi, evenals de ware identiteit van Martin Schwöll. Anders zou Lea een inval van de bond tegen racisme hebben geïmproviseerd in het herenhuis in de Porte de la Chapelle, alvorens de heropening van het tribunaal van Neurenberg te eisen, en daarmee zou Vidkun in Spandau beland zijn! Venner is echter schuldig aan niets, behalve aan een vreemde hartstocht en obscure inzichten. Het is niet eens dat hij een opruiende mening heeft. Die man heeft geen mening, alleen maar vragen zonder antwoord. Hij voelt die vreemde fascinatie voor het absolute kwaad. Maar hoe moet ik dat uitleggen aan Lea, voor wie alles altijd óf zwart óf wit is? Ik moet me dus tevredenstellen met toespelingen, met bedekte zinnen, voldoende veelzeggend om mijn vriendin roodgloeiend te krijgen.

'Nou ja, er klopt niet veel van jouw verhaal.'

Daarentegen applaudisseerde Lea toen ik haar vertelde dat ik met Clemens...

'Tsjonge! Misschien komt het toch nog goed met jou. Neuken jullie vaak? Dat is heel belangrijk!'

Daarbij moest ik weer blozen, maar antwoorden deed ik niet.

Toch zijn Clemens en ik onafscheidelijk geworden. Overdag lopen we langs boekhandels, bibliotheken, archieven. Beiden proberen we pasjes, toestemmingen, vergunningen te bemachtigen om bij de meest ontoegankelijke werken te komen. Het spoor van Claude Jos houdt ons nu al veertien dagen bezig maar het is driedubbel vergrendeld. Die naam is een slot; zodra je hem uitspreekt klapt alles dicht, worden ze ongerust of zijn ze er niet.

'Het spijt me, we kunnen u niet verder helpen.'

Toch komt Clemens op een avond langs met een glazige blik omdat hij een idee heeft. Ik zit al drie uur informatie in mijn computer in te voeren en moet eruitzien als een slaapwandelaarster.

'Wat zeg je?'

Clemens knikt.

'Ik heb het er met mijn vader over gehad.'

Als ik dat hoor, frons ik mijn wenkbrauwen. Beelden komen voor mijn geest, lugubere en vernederende herinneringen: Clemens jankend aan de telefoon, Clemens die groen ziet op Tweede Kerstdag, Clemens verlegen, Clemens gekwetst, Clemens geminacht. Ik heb Michel Bodekian altijd veracht.

'Het spijt me dat ik zo spreek over je vader, maar je weet wat ik van hem denk: hij is een vent die jou minacht, die je nooit heeft begrepen. Zodra je hem langer dan tien minuten ziet, ben je een week lang hysterisch. Hij weet je altijd precies op de juiste plek te treffen, hij weet precies het detail dat je niet wilt horen. Waarom betrek je hem bij ons verhaal?'

'Het gaat er niet om hem erbij te betrekken, liefste,' antwoordt Clemens, terwijl hij een hand door mijn haren haalt.

Ik schiet een eind achteruit om mijn afkeuring te onderstrepen.

Clemens legt me daarop uit dat André Cruveliet, de vertrouwensman van zijn vader, een soort chauffeur-lijfwacht-manusje-van-alles, met pensioen gaat. Hoewel hij werkt voor Michel Bodekian, heeft hij zijn contacten met zijn eerste liefde, de geheime dienst, altijd warm gehouden. Daarom houden zijn vroegere collega's een soort receptie, in hun kantoor, voor zijn vertrek.

'Dat zijn jongens die heel goed zijn ingelicht.'

Aangezien ik geen beter idee heb, stem ik somber in: 'Oké, oké, we gaan erheen.'

Twee dagen later arriveren we dan ook bij het bureau van de Binnenlandse Veiligheidsdienst, rue Nélaton, in Parijs.

'Wist jij dat dit gebouw is neergezet op de plek van de Vél' d'Hiv?' vraagt Clemens' vader, terwijl we in een geblindeerde lift stappen.

Ik schud van nee en ben al op mijn qui-vive. Zijn vader klakt met zijn tong en flapt eruit: 'Jouw onderzoek in aanmerking genomen is dat grappig, vind je niet?'

Grappig, denk ik zonder erop in te gaan. Die vent verandert ook nooit.

De deuren van de lift gaan dicht. Ik kan nog zo mijn best doen, in weerwil van mijzelf vind ik bij die kaarsrechte, aristocratische vent alles wat soms ontbreekt aan Clemens: een soort manlijke zelfverzekerdheid, wat overdreven maar bedwelmend. Michel Bodekian staat bekend om zijn charme, zijn veroveringen, zijn succes. Vijf van zijn zes kinderen werken bij de familiebank, gesticht door hun grootvader, toen hij in 1921 uit Armenië kwam. Alleen Clemens heeft een ander traject gevolgd. Hij is het zwarte schaap van de familie en lijkt lichamelijk meer op zijn moeder; in plaats van de donkere haardos van zijn vader heeft hij lichtblonde haren en een perzikhuid. Zijn vijf broers zijn flinke en luidruchtige playboys, bekend in alle nachtclubs maar in hun werk keiharde onderhandelaars; hij is pennenlikker bij een uitgever. Hij zou zoveel beter verdienen, zoveel meer dan dat baantje van archivaris, van boekenwurm. Maar hij is nooit over zijn jeugd heen gekomen, zijn vernedering als benjamin, als 'watje', zoals zijn vader hem altijd noemde.

Ik heb in zeven jaar meer dan eens zin gekregen hem een trap onder zijn kont te geven. Hem op zijn kop te geven, hem bijtende opmerkingen te ontlokken, als hij maar zou reageren, zich zou vermannen. Maar altijd geeft hij hetzelfde antwoord, wanhopig oprecht: 'Houd nou op, Anaïs! Je lijkt mijn vader wel.'

De lift gaat open en ik zie een lange gang.

'Kom maar mee, kinderen.'

'U bent heel aardig, maar kinderen zijn we niet meer,' zeg ik, terwijl ik de grote man probeer bij te houden.

Vrolijk wendt hij zich tot mij. Hij vindt het leuk als hij terecht wordt gewezen, vooral door vrouwen. Hij bekijkt even mijn loop – en uiterlijk – met een professionele blik; mijn reis naar Duitsland heeft in zoverre vrucht afgeworpen dat ik me nu vrouwelijker kleed, zoals met dit kleine decolleté en deze strakke spijkerbroek. Ik heb me zelfs opgemaakt!

'Dat klopt,' zegt Bodekian, 'ik was trouwens vergeten hoe sexy jij kon zijn. Ik geloof zelfs dat ik het nog nooit gemerkt heb.'

Hij kijkt naar Clemens en voegt eraan toe: 'Bij wijze van uitzondering laat je nu eens je goede smaak blijken.'

Ik sta op het punt uit te varen, maar Clemens buigt het hoofd. We komen nu over een loopbrug, die ons naar een ander gebouw voert, en dan weer door een gang. Achterin gaat een deur open. Een vrolijk geroezemoes dringt tot ons door. Geluid van glazen die tegen elkaar worden gestoten, gelach, liedjes.

'We zijn er,' zegt Clemens' vader, die als eerste naar binnen gaat.

'Ah!' zegt het koor van gasten.

Clemens en ik betreden de zaal en het valt me tegen. Het is gewoon een kantoorkantine waarvan de tafels tegen de muur zijn geschoven om een buffet in te richten. Zo'n dertig mensen – alleen maar kerels – drinken slechte champagne uit plastic glazen. Drie vrouwen met blauwe blouses lopen rond met toastjes. Een grote glazen wand biedt uitzicht op de Eiffeltoren, die achter een flat oprijst.

'Meneer, wat aardig dat u bent gekomen!' roept een gedrongen mannetje met een zwart pak en een das, die zich een weg baant naar vader Bodekian.

'Maar dat is toch normaal,' antwoordt deze, op de toon van een Romeins keizer voordat hij zich verwijdert om zijn hof te gaan begroeten. Het mannetje klampt zich daarop aan mij vast. Zijn rode lippen ruiken naar mousserende wijn.

'Welkom, juffrouw,' zegt hij heel aardig. 'Vrienden van meneer zijn mijn vrienden.'

Dit zeggende neemt hij Clemens in zijn armen en omhelst hem zodat hij bijna geen adem krijgt.

'En ik ben blij om jou weer eens te zien, nicht van me!'

'Anaïs, mag ik je voorstellen aan André Cruveliet.'

Het mannetje lacht mij weer toe, maar zijn ogen kunnen zich er niet van weerhouden over mijn borsten te strijken (wat een idee was het ook om dit aan te trekken naar een feestje voor smerissen!).

'Als André er niet was geweest toen ik klein was,' zegt Clemens nog, 'weet ik niet waar ik vandaag zou zijn.'

Cruveliet kijkt naar de vloer, gestreeld. Vervolgens betoont hij Clemens een oprechte aanhankelijkheid, die mijn reserves doet verdwijnen.

'Zeg nou geen stomme dingen en kom liever een glas drinken.'

Algauw staan we allebei met een glas in de hand de ene politieagent na de andere te groeten: 'Goedemiddag.' Sarriou, Jacques, Terrorismebestrijding.

'Goedemiddag!' Reix, Julien, Fraudebestrijding.

'Hallo!' Dadouère, François, Verdovende Middelen.

Ik knik en doe mijn best te lachen tegen al die rood aangelopen en vrolijke heren. Dat kost me niet zoveel moeite. De vader van Clemens hangt weliswaar de potentaat uit, maar al deze brave jongens zijn aanbiddelijk, sommige een beetje onhandig, maar vriendelijk en gezellig. Ze doen niets anders dan elkaar een beetje plagen, zich dan weer verzoenen en een fles opentrekken. De mousserende wijn stijgt me al snel naar het hoofd en ik zou bijna vergeten waarom ik hier ben, in het hoofdkwartier van de Franse geheime dienst.

Na een half uur vraagt Michel Bodekian de aandacht.

'Heren, mijn zoon is hier niet om zijn vriendinnetje voor te stellen.'

Alle ogen worden op mij gericht. Ik werp een hatelijke blik op vader Bodekian, die vervolgt: 'Beiden werken aan een project van een boek dat over de Tweede Wereldoorlog en de nazi's gaat.'

Clemens en ik worden verrast door de golf van enthousiasme die dit nieuws teweegbrengt.

'Dat is een goed onderwerp!'

'Er valt zoveel over te vertellen,' zegt Cruveliet.

'Dat is het nu juist,' antwoordt Michel Bodekian. 'Zij zouden graag een beroep doen op uw geheugen, eventueel uw dossiers, om hun onderzoek een beetje op gang te helpen.' Hij wendt zich tot zijn zoon en zegt: 'Clemens, jij hebt me nog niet precies verteld op wie of wat je zit.'

Mijn vriend vindt één ding erger dan al het andere: in het openbaar spreken. Hij kan zich maar niet ontdoen van het gevoel dat alle blikken van de wereld op zijn adamsappel zijn gericht. Hij slikt en antwoordt met een geveinsd ontspannen stem: 'We zoeken zo veel mogelijk documenten over een politicus uit het zuidwesten van het land, die in 1995 is gestorven, een zekere Claude Jos.'

Onmiddellijk reactie: een golf van paniek onder de smerissen, die ongemakkelijk naar de vloer beginnen te staren. Vader Bodekian bekijkt verbijsterd zijn zoon en bromt tegen hem: 'Maar... waarom heb je me niet gezegd dat je naar die zaak onderzoek deed?'

Een dreigende stilte is in de zaal gevallen. De smerissen lijken beschroomd, alsof ze onder de douche verrast zijn. Clemens en ik weten niet hoe we deze situatie moeten redden, want iedereen is een tandje zachter gaan praten, alsof ze zich niet willen laten betrappen. Wat voor geheim steekt er achter de zaak Claude Jos, om zo'n kaalslag te veroorzaken? Na enige aarzeling pakt André Cruveliet Clemens bij de schouder om hem apart te nemen. Hij lijkt gegeneerd, alsof hij verraad wil plegen. Hij buigt zich voorover naar het oor van mijn vriend en maakt zich op om te spreken, maar merkt op hetzelfde ogenblik dat Michel Bodekian hem in de gaten houdt, vanaf de overzijde van de zaal. Clemens' vader houdt hem in het oog, lachend maar toch zuur, alsof hij Cruveliet wil verbieden zijn zoon op de hoogte te brengen.

'Weet je, beste jongen, we hebben hier wat wij noemen "K-dossiers". Onderwerpen die niet gevaarlijk zijn voor de staatsveiligheid en die van de burgers, maar die absoluut vergrendeld moeten blijven.'

Vastberaden mij dit niet te laten ontgaan, bemoei ik me ermee: 'En waarom dan?'

Heel even slikt Cruveliet. Tenslotte kent hij me niet.

Maar Clemens stelt hem gerust: 'Je kunt wel praten waar zij bij is.'

'Goed dan,' geeft Cruveliet toe, niet zonder enige aarzeling.

Aan de andere kant van het vertrek staat Michel Bodekian zijn hals te verrekken, maar Cruveliet spreekt een toontje lager: 'De "K-dossiers" zijn meer dan topgeheim. Wijzelf weten niet wat erin staat. Het zijn uiterst vertrouwelijke onderwerpen die alleen een zeer beperkte groep mensen betreffen.'

'Zijn er daar veel van?' vraagt Clemens.

Cruveliet doet alsof hij dat niet weet. 'Een stuk of twintig. Iedereen heeft de lijst min of meer in het hoofd – zelfs je vader – maar vrijwel niemand heeft er toegang toe, want dan riskeert hij ernstige problemen. En jullie Claude Jos zit in die dossiers.'

Clemens en Cruveliet blijven somber in gedachten verzonken, weten niet hoe ze verder moeten. Een lange roodharige slungel komt daarop enigszins wankelend op ons af.

'Houd nou op met die flauwekul, André! Je weet net zo goed als ik wat er over Jos bekend is!'

Cruveliet wordt rood bij de woorden van die dronkenlap. 'Het is een "K-dossier": jij en ik mogen dat niet bekendmaken.'

Hij begint gedwongen te lachen, een lach die overgaat in een rochelende hoest, en pakt mij vast. 'Donder op, ik moet met deze meid praten.'

Ik durf die grote smeris niet aan de kant te duwen, die dreigt elk moment over mij heen te zullen vallen. Die vent is wellicht onze laatste kans!

'Ik heb me ook beziggehouden met die affaire-Jos, ik ook.'

Hij lijkt bij zinnen te komen en recht de rug. Ik doe mijn best kalm te blijven en vraag hem: 'Is er dan sprake van een "affaire-Jos"?'

'Dat kun je wel zeggen! Er is zelfs een collega verdwenen toen hij zich iets te veel voor dat mannetje interesseerde, dat is nu al twintig jaar geleden en het ging om een Toulousaanse commissaris.'

'Christian, toe,' dringt Cruveliet aan.

Maar Christian is op dreef.

'Jos blijft voor ons een mysterie. Naar verluidt was hij verzetsstrijder én collaborateur, Fransman én Duitser, held én nazi. Hij...'

'Houd je bek!'

De dronkaard zakt op de grond met een mond vol bloed. Cruveliet heeft hem een stomp midden in zijn smoel gegeven, waardoor zijn bovenlip is gebarsten. Maar de man is zo dronken dat hij brult van het lachen, languit op het linoleum.

'Jij zult ze er niet van kunnen weerhouden te gaan zoeken,' kirt hij, terwijl hij bijna stikt in zijn bloed.

Als ik dat zie word ik misselijk. Een rood straaltje bereikt mijn schoentjes. Clemens neemt me bij de hand. Er schuift een schaduw achter ons langs.

'Kinderen, we gaan.'

De stem van Michel Bodekian klinkt onheilspellend. Hij werpt de verzamelde menigte een spijtige blik toe. Niemand probeert de dronkaard op te rapen. Allen verkeren in dezelfde staat.

Cruveliet klampt zich aan ons vast.

'Het spijt me vreselijk, meneer, maar ik had niet gedacht dat het zo zou uitpakken.'

'Laat maar zitten!' bromt de zakenman, en hij zwaait met zijn armen.

Als een paar boeien legt hij zijn handen op Clemens en mij, en hij duwt ons naar de uitgang. Maar dan besef ik dat ik iets in de zaal ben vergeten.

'Verdomme, mijn tas!'

'Gauw dan!' bromt vader Bodekian als hij me ziet terugkeren naar het buffet.

Als ik voor een grote kamerplant langsloop, komt er een hand uit de bladeren. 'Juffrouw Chouday, bel morgenochtend dit nummer. Ik weet het een en ander over Claude Jos. Veel.'

Twee vingers houden mij een kaartje voor van het ministerie van Binnenlandse Zaken, waarop een mobiel nummer staat gekrabbeld. Met de mededeling: *Morgen. 15.00 uur. Bar van Hotel Nikko.*

'En zeg vooral niets, tegen wie dan ook!'

'Wilt u wat drinken?'

Met stille beleefdheid buigt de ober zich naar mij toe. Ik ben net op een bankje gaan zitten, voor een laag tafeltje.

'Koffie?'

'Uitstekend.'

De ober – een grote, magere, kromme Aziaat – loopt weg. Ik durf niet meteen de locatie te scannen. Om me heen zitten echtparen, groepen, eenzame reizigers te lunchen, aan een biertje te nippen, pinda's te knabbelen. Klanten, obers, piccolo's, liftbediendes, chauffeurs… allemaal Japanners. Ik voel me een beetje belachelijk. Als je nou niet opgemerkt wilt worden, dan krijg je toch de indruk dat iedereen naar je kijkt. Is dit een val? Als ik het onderste uit de kan wil hebben, is dit niet het moment om te wijken. Zenuwen zijn voor straks. Ik zit in een bar van een Parijs hotel, niet in het hoofdkwartier van de Gestapo! Een ideetje komt bij me op, een heel eenvoudig, heel stom ideetje. Iedereen kan een kaartje van het ministerie pakken en daar iets op krabbelen. Maar ik schuif mijn zorgen aan de kant, want er komt net een man de zaal binnen. En dat is een westerling. Hij kijkt naar mij en ik durf niet op te staan. Met een vage glimlach kruisen onze blikken zich. Hij komt op me af. Ik kom half overeind.

'Nee nee, blijf zitten.'

Hij staat voor me, wat gegeneerd.

'Zijn de anderen er nog niet?'

'De anderen?'

De man is van zijn stuk gebracht. 'U zou met drie man zijn. U bent de brunette en ik…'

Hij wordt onderbroken door de ober, die mij uitdrukkelijk een koffie opdringt. De man is vuurrood geworden. Maar ik kijk niet naar hem. Terwijl ik iets van 'Ik geloof dat ik me vergist heb' stamel, ontvouw ik een papiertje dat de ober onder het schoteltje heeft geschoven: *Kamer 614.*

Kamer 614, denk ik, alvorens te kloppen. Maar mijn hand blijft hangen voor de deur, alsof alles versteent. Plotseling bekruipt de twijfel mij. De twijfel, en de angst. Is het wel verstandig me zo in het hol van de leeuw te wagen? Dit zou best eens een val kunnen zijn, een valstrik om mij het zwijgen op te leggen. Is het geheim van Claude Jos dan zo beladen? En wat betekende dat gewauwel van die zatlap in de rue Nélaton? Verzetsstrijder én nazi. Nader ik het centrum van de macht niet te zeer? Ben ik niet bezig in de voetsporen van Angela Brillo te treden? Maar ik moet en zal het weten. Ik kan het niet weerstaan. De geheimen van Venner liggen wellicht daar, achter die deur, op me te wachten. Misschien zal ik begrijpen wat hij nog niet weet. Dat idee alleen al stuurt mijn hand, die op de geblindeerde deur trommelt, alsof hij een eigen wil heeft gekregen.

'Komt u maar binnen, hij is open,' zegt een stem die me bekend voorkomt. En tot mijn verrassing sta ik oog in oog met... de ober van de bar.

'Het spijt me, maar ik denk dat hier een misverstand is.'

'Nee, nee, nee,' antwoordt de ober met een bijna agressieve stem. 'Ik verwachtte juist u, juffrouw Chouday. Gaat u zitten!'

De kamer is verder helemaal leeg. Geen koffers, geen kleren. Alleen een versleten rugzak, op een laag tafeltje.

'Ik geef de voorkeur aan een ontmoeting hier, dat is discreter. Ik heet Linh Pagès en ik werk niet hier.'

Ik bekijk hem met enige ongerustheid, maar mijn gesprekspartner zoekt in zijn jaszak om mij een politiekaart te tonen.

'Ik ben smeris... in Toulouse.'

Ik bespeur iets van een zuidelijk accent.

'Waarom zoveel mysterie?'

Linh gaat weer zitten en ontkurkt een fles chateldon en schenkt twee glazen in. Ik ben op mijn hoede, maar de man ziet er niet uit als een verhalenverteller en ook niet als een chanteur. Nog iemand die het wil begrijpen. Hij probeert mij toe te lachen.

'Ik heb van uw onderzoek gehoord toen ik in Parijs was. Uw medewerker, Clemens Bodekian, heeft zich uitgesloofd om de hand te leggen op documenten over Claude Jos.'

Als hij die naam uitspreekt lijkt de mond van de smeris te verstijven, alsof hij moeite heeft te articuleren. Hij blijft even zwijgen en kijkt me aan. Sombere ogen, eindeloos triest.

'Hebt u enig idee in wat voor avontuur u zich stort?'

'Ik krijg wel een vermoeden.'

Er komt een doffe angst in mij op, die mijn keel in een wurggreep neemt. Linh haalt een groot, beduimeld manuscript uit zijn rugzak, met losse bladen. Ik zie slechts de titel, met gotische letters: *Halgadøm*.

Ik ben nieuwgierig naar de tekst, maar Linh stopt hem meteen weer in zijn rugzak.

'Ik moet u eerst het een en ander uitleggen. Ik ben hier niet toevallig. Laten we zeggen dat ik een rekeningetje heb te vereffenen met die meneer Jos.'

'Maar... volgens mij is hij al tien jaar dood?'

'Claude Jos is overleden in het voorjaar van 1995, enkele dagen voor uw vier zelfmoordgevallen.'

Hij kijkt me vermoeid aan, met een blik waarin ik geen enkele hoop lees.

'Ik denk dat uw onderzoek het mijne zou kunnen overlappen. Althans gedeeltelijk.'

Ik weet niet meer hoe ik het heb. Mijn aandacht is geheel op die rugzak gevestigd, waaruit nog een hoekje van dat mysterieuze manuscript steekt. De Toulousaanse agent leunt achterover in zijn stoel.

'Mijn carrière is begonnen als medewerker van een smeris die een soort adoptiefvader voor mij werd: commissaris Gilles Chauvier.'

Hij begint nu sneller te praten, zijn ogen beginnen te stralen.

'Nadat het lang voor mij verborgen is gehouden, wil ik nu weten wat er met hem is gebeurd.'

'Is hij dood?'

'Dat is een vrij lang verhaal, maar u zult het wel moeten aanhoren. Hebt u tijd?'

Ik kijk op mijn horloge: het is half vier 's middags.

'Ik heb de hele dag.'

'Dat is ook wel nodig,' antwoordt Linh, en hij strekt zijn benen alsof hij zich opmaakt om een marathon te gaan lopen. Hij haalt een brief uit zijn zak die hij op tafel legt.

'Het begon allemaal met een moord, op een zondagochtend in oktober 1987. Ik was toen nog een piepjong inspecteur en ik was meegegaan met mijn baas Chauvier naar de plaats van de misdaad. Een verkoold en verbrand lijk was ontdekt in een bos dat van Claude Jos was. Het katharenbos.'

1987

Berlijn,
24 december

Beste Linh,
Je weet dat ik je altijd beschouwd heb als mijn zoon. Toen je vader stierf heeft hij me doen beloven dat ik jullie nooit in de steek zou laten, jou en je moeder. Dat is al ruim twintig jaar geleden. Ik hoop dat ik mijn missie vervuld heb, mezelf niet al te zeer heb opgedrongen, niet al te autoritair ben geweest, maar wat kun je anders verwachten van een commissaris van politie?

Je weet ook dat ik niet erg spraakzaam ben als het gaat om gevoelens, dertig jaar bij de politie heeft daar ook geen verbetering in gebracht. Deze brief moet je dus vrij vreemd lijken en ik heb moeite zulke intieme zaken onder woorden te brengen. Maar als ik het voor jou niet zou doen, voor wie dan wel?

Het is twee uur in de ochtend. Ik zit in een hotelletje in West-Berlijn. Dit onderzoek, waarin we ons twee maanden geleden hebben begeven, heeft – dat zul je begrijpen – spoken wakker gemaakt die mij al vanaf mijn jeugd achtervolgen en die ik vroeg of laat onder ogen moest komen.

Dat is inmiddels gebeurd.

Mijn grootste spook heb ik vanmiddag gezien, in de gevangenis van Spandau.

Er zijn geheimen die doden en die altijd zullen blijven doden. Een vreemd voorgevoel zegt me dat deze brief onze laatste handdruk is, de laatste keer dat ik je omhels.

Beschouw hem dus als mijn testament.

Ik zal het je uitleggen: toen ik eergisteren in Spandau kwam, wist ik niet precies wat me te wachten stond. Je had slechts een adres voor me gevonden en dat was dat van de gevangenis. Ik sta hier dus voor een vesting waarin ik een paar maanden heb doorgebracht toen ik in dienst was.

Maar nu Rudolf Hess dood is, heeft deze plek geen zin meer. Het is een lege, stomme gevangenis, die haar mysteriën niet wil prijsgeven en die de geallieerden binnenkort zullen afbreken.

Ik loop een paar keer om het gebouw heen en probeer me te herinneren waar ik naar binnen ging, veertig jaar geleden. Er is niets veranderd. Maar niemand zal me binnenlaten. De soldaten zijn voor het merendeel Russen en die zijn even gesloten als de zware deuren van de gevangenis zelf.

Heb ik zoveel onderzoek gepleegd en zoveel kilometers afgelegd om voor een gesloten deur te komen?

En plotseling hoor ik een stem achter mijn rug. Een accentloze stem die zegt: 'Chauvier... Gilles Chauvier?'

Ik draai me om. Een dik mannetje van een jaar of zestig glimlacht me toe. Hij lijkt me echt te kennen.

'Herken je me niet meer?' vraagt hij, terwijl hij me de hand toesteekt.

Ik moet iets onduidelijks mompelen, want hij begint te schaterlachen. 'Ik weet dat het lang geleden is, maar toch: Dehaine... Arthur Dehaine!'

Ik heb het niet meer! Toen ik die man kende was hij gevangeniskok. Hij heeft nu een restaurant in de wijk.

'Een Frans restaurant!' verduidelijkt hij trots.

Je begrijpt dat ik hem meteen gevraagd heb of hij contact heeft gehouden met de gevangenisadministratie, maar hij vertelt me dat hij halverwege de jaren zeventig alle banden heeft verbroken.

'Alleen Hess zat er nog,' verklaart hij, 'en ik had de indruk dat ik een keizer moest dienen. Toen ben ik ermee gestopt zodat ik mijn eigen tent kon openen.'

Hij ziet dat ik om de hete brij draai, aarzel.

'Maar jij bent hier niet toevallig,' raadt hij.

Toch kan ik hem niets vertellen, en ik verzin een onderzoek over familieleden van Rudolf Hess die zich ergens in Toulouse zouden schuilhouden. We lopen door de straten van Spandau en Dehaine wordt nu heel ernstig.

'Luister,' zegt hij, 'ik ben al tien jaar niet meer in die gevangenis geweest, maar dat wil niet zeggen dat ik niet weet wat er gebeurt.'

Hij wijst me op een etalage, waarin ik lees: AU GRAND GOSIER, FRANSE KEUKEN.

'Je bent mijn gast,' zegt hij, en hij doet de deur van zijn restaurant open.

Het diner is verrukkelijk. Dehaine loopt heen en weer tussen de keuken en mijn tafel, alsof hij slechts mij bedient. Bij de koffie gaat hij tegenover me zitten.

'En wat wil je nu precies weten?'

Nu moeten de kaarten op tafel, zonder echter mijn hele spel te laten zien.

'Ik zoek een zekere Marjolaine Papillon, een romanschrijfster die in Spandau woonde of heeft gewoond.'

'In de gevangenis?'

'In elk geval in de wijk.'

Dehaine denkt na. 'Dat zegt me niks. Na al die jaren dat ik hier zit, ken ik bijna iedereen. Is dat een Française?'

Ik zeg hem dat ik geloof van wel, maar ik weet niet eens hoe ze eruitziet. Want er bestaat geen enkele foto van haar en ik heb nooit interviews met haar op televisie gezien.

'Zo komen we niet veel verder.'

Ik dring aan: 'Het is een vrouw die ongeveer zestig jaar moet zijn, net als wij.'

En plotseling gaat er bij de kok een licht op.

'O, je hebt het over Leni.'

'Leni?'

'Jazeker: Leni Rahn.'

Bij het horen van de naam Rahn schrik ik. Heeft zij iets te maken met die beruchte Otto Rahn, over wie Guizet het gehad heeft, en die de ware naam van Claude Jos zou zijn?'

Ik vraag: 'En... wie is dat?'

Dehaine denkt weer na en zegt dan: 'Ik ken haar niet goed. Niemand kent haar trouwens echt. En toch maakt ze al jaren deel uit van de omgeving. Ze is ouder dan zestig, en minstens één week per maand komt ze naar Spandau.' Hij aarzelt even en zegt dan: 'Maar we hebben haar nu al in geen maanden meer gezien.'

'En wat doet ze als ze hier komt?'

Weer nadenken. 'Leni Rahn had uitzonderlijke toestemming om Rudolf Hess in zijn cel op te zoeken.'

Ik voel dat hij aarzelt om door te gaan.

'Je houdt wat voor me achter.'

Dehaine krabt aan zijn wang. Hij is gegeneerd.

'Er gaan geruchten over haar.'

'Over Leni Rahn.'

De kok knippert met zijn ogen.

'Ja,' zegt hij, 'er gaan geruchten sinds de zelfmoord van Hess. Mensen praten.'

Dehaine kijkt om zich heen en begint zachter te spreken.

'Omdat ik kok was in de vesting, ben ik de kantine geworden van alle militairen uit de buurt, en daar heb ik dingen gehoord.'

Ik kijk eens om me heen en besef dat ik de enige burger in de zaal ben. Dehaine begint nog zachter te praten.

'Leni is vorige zomer naar de gevangenis gekomen, vlak voor de dood van Hess. Ze heeft langer dan gewoonlijk bij hem gezeten.'

Hij fronst zijn wenkbrauwen.

'En vooral,' voegt hij eraan toe, 'ze kwam niet alleen. Ze had iemand meegenomen, een Fransman, een oude vent. Een Fransman uit het zuiden, die hier op een dag is komen lunchen met vier mannen die als tweelingen op elkaar leken. Afgezien van een van hen...'

'... die een litteken aan zijn hals had,' onderbreek ik hem.

Onze kok knikt hierop verrast.

'Dus je weet het al.'

'Ik weet niet alles. Weet je nog hoe die Fransman heette?'

Hij schudt van nee en vervolgt: 'Kennelijk kende Hess hem. De beide mannen hebben hooglopende ruzie gekregen. De hele gevangenis galmde van hun kreten. Het schijnt dat Leni heeft geprobeerd ze te kalmeren, maar dat ze heel hard tekeergingen. Nog nooit had Hess zoveel gesproken sinds hij gevangenzat. Dat wil zeggen sinds zesenveertig jaar.'

Dehaine schijnt op z'n hoede, vanwege de aanwezigheid van zijn gasten. Hij pakt me bij de arm en neemt me mee naar achter in de keuken, naar een kantoortje waar hij de boekhouding doet.

'Leni en de Fransman zijn Hess een paar dagen achter elkaar komen opzoeken. Telkens waren het dezelfde woordenwisselingen, hetzelfde gebrul. Hess had het over "verraad", over "wraak". Telkens kwam de oude nazi er zwakker uit dan de dag daarvoor. De dokter heeft die visites willen laten verbieden, maar Hess heeft erop aangedrongen dat Leni en de Fransman bleven komen.'

Arthur lijkt echt met de zaak in zijn maag te zitten.

'Dat heeft tien dagen geduurd. En toen op een ochtend kwam Leni alleen. De Fransman was weer weg.'

'Waarheen?'

'Dat weet niemand. Daarentegen weet iedereen wat er besproken is tussen Hess en Leni, want ze zijn bespioneerd door een soldaat.'

Ik hoor de klanten zo langzamerhand het restaurant verlaten. Arthur ontspant. 'Waar hadden ze het over?'

'Ze hadden het over een man die Leni absoluut moest opsporen, een man die ze "de uitverkorene" noemden.'

Ik ben niet geheel overtuigd door deze geruchten, maar ik dring toch aan: 'En toen?'

'Ten slotte,' vervolgt Dehaine, 'zou Hess Leni gesmeekt hebben. Hij zou tegen haar hebben gezegd: "Je moet een roman schrijven, onze roman. Ik heb niets meer te verliezen. Maar de uitverkorene moet zich erin herkennen, en hij moet het vóór de anderen begrijpen, vóór de lui van Halgadøm. Jouw roman moet een code zijn, een geheime boodschap. Een weg die hem naar de waarheid van Halgadøm voert, naar het grote geheim, dat wij al die jaren hebben bewaard."'

'Toen,' vervolgt Dehaine, 'nam Leni de oude nazi in haar armen. "Alles staat allang geschreven," zei ze, "Halgadøm heeft zijn roman al."'

Arthur slikt moeizaam en voegt eraan toe: 'De volgende ochtend troffen we Hess hangend in zijn cel aan. Leni was verdwenen, dat was vorige zomer, daarna is ze niet meer teruggekomen.'

Ziezo, beste Linh, zover ben ik.

Mijn hoofd loopt over van de vragen maar ik probeer rustig te blijven. Schrijven aan jou helpt. Ik heb woorden op mijn zorgen kunnen plakken.

Ik weet niets van Marjolaine Papillon, maar ik zal alles doen om haar op te sporen. Nu gaat het om mijn leven en mijn eer. Ik doe dit niet voor mij, maar voor Anne-Marie. Als een laatste afscheid.

En toch, diep vanbinnen, bloeit de zekerheid dat alles binnenkort afgelopen zal zijn. Ik weet er te veel van. Veel te veel, zelfs al ontsnappen hele delen van die geschiedenis mij nog. Ik weet niet of ik de tijd zal hebben die nog te vinden. De mannen van Jos moeten mij op het spoor zijn.

Je zult denken dat ik jou in mijn val meesleep door je deze brief te sturen, maar het tegendeel is het geval. Ik wilde je alleen waarschuwen, dat je uitkijkt om niet zoals ik te verzanden. Want ik herhaal het, ik weet te veel... en niet genoeg. Wie is Claude Jos in werkelijkheid? En wie is Otto Rahn? Dat zijn allemaal vragen zonder antwoorden, maar als ik jou niet zou hebben geschreven, zou ik je hebben voorgelogen. En dat had ik niet kunnen verdragen.

In mijn kapotte en mislukte leven ben jij de enige persoon die ik oprecht zou betreuren.

Vergeet me niet.

Je Gilles.

2005

'Twee maanden later,' besluit Linh met doffe stem, 'in februari 1988, is het lijk van Gilles ontdekt, opgehangen en verbrand, op een landgoed in de Yvelines, in Montfort-l'Amaury. "Zelfmoord", concludeerde de prefectuur, die het dossier zo snel mogelijk wilde sluiten.'

Ik ben er ondersteboven van.

Koortsachtig geef ik Linh de brief van Chauvier terug, en die stopt hem in zijn enveloppe. De Aziaat staat het huilen nader dan het lachen. In mijn aanwezigheid heeft hij alles herleefd en hij krijgt het er benauwd van. Hij slikt, masseert zijn slapen alsof hij moet vechten tegen migraine.

'Diezelfde week heeft broeder David Guizet zelfmoord gepleegd in zijn cel in het Quartier Latin.'

Voor mijn ogen verandert het verdriet van Linh in een soort administratieve neutraliteit, alsof hij een politierapport voorleest.

'De Svens zijn onvindbaar gebleven, net als Marjolaine Papillon, wier jaarlijkse romans hetzelfde succes blijven hebben. Wat Claude Jos betreft, die is op 23 april 1995 op de leeftijd van eenennegentig in zijn bed gestorven. In Paulin is het plein voor het stadhuis herdoopt in "Esplanade Claude Jos (1904-1995), verzetsheld, burgemeester van Paulin (1947-1995), afgevaardigde van de Tarn." Ironisch, hè? Aurore, zijn kleindochter, heeft het kasteel van Mirabel overgenomen.'

Linh wrijft uitgeput in zijn ogen.

'Ziezo, dan weet u nu alles.'

Ik weet niet wat ik moet zeggen, ik sta verstomd, ik ben verbijsterd. Waar heb ik me in gestoken? Wat betekenen al die dubbele bodems, die ketens van raadsels? Moet ik ook het lot van Chauvier en van Angela Brillo ondergaan? Een voorzienige zelfmoord? Ben ik echt in gevaar, of is Linh slechts een depri agent, die half gek is geworden door de dood van zijn adoptiefvader?

'En wat hebt u daarna gedaan?'

De Toulousaan laat zijn waakzaamheid varen, zoals je een lafheid toegeeft.

'Ik heb mijn collega's niets verteld.'

Zijn stem sterft weg. 'Toen ik de as van Gilles bij Mimizan in de Atlantische Oceaan verspreidde, heb ik me vast voorgenomen te wachten. Mijn eigen leven en dat van mijn moeder stonden op het spel.'

Hij gaat rechtop in zijn stoel zitten.

'Ik heb nu de baan van Chauvier, in Toulouse.'

Zijn handen beven, buiten is het bijna donker. In de ramen van de grote herenhuizen van het zestiende arrondissement vermoed ik gestalten, kinderen die in grote salons lopen, vaders die zich omkleden voor het avondeten, moeders die de tafel dekken.

Wat is de echte wereld eigenlijk? vraag ik me af, en ik loop naar het raam om het open te trekken. De hunne? De onze?

Een gure, vochtige wind stroomt het vertrek binnen. Het duurt niet lang meer of het seizoen van verkoudheid, griep en koorts breekt weer aan. Langzaamaan komt Linh bij. Hij heeft veel gesproken. Het is de eerste keer dat hij het hele avontuur vertelt, vanaf het begin. Een geschiedenis die hij heeft gereconstrueerd, die hij op orde heeft gebracht, op grond van wat hij wist van Chauvier, de verspreide bekentenissen van de commissaris, aantekenboekjes die hij na zijn dood heeft teruggevonden, en wat hij uiteindelijk na verloop van jaren wel kon raden. Linh doet de lamp op het nachtkastje aan. In het raam zie ik nog slechts het interieur van de kamer en de weerspiegeling van de agent. Hij wrijft zich nog eens in de ogen en trekt de minibar open.

'Wilt u wat drinken?'

Zonder na te denken neem ik een gin, die ik opentrek en half leegdrink. De alcohol brandt in mijn darmen. Bevangen door een plotselinge duizeling zak ik op de rand van het bed.

Met aarzelende stem stamel ik: 'Maar als Jos in 1995 is gestorven, waarom hebt u dan zo lang gewacht met het onderzoek voort te zetten?'

'Ik was doodsbang.'

'Waarvoor?'

Linh trekt een blikje bier open en ruikt eraan alsof het wierook was.

'In de weken na de dood van Claude Jos heb ik me inderdaad weer met de zaak beziggehouden. Het zat me al ruim zes jaar dwars! Ik heb de dossiers weer ter hand genomen, het begin van het onderzoek, een hele reeks genegeerde details.'

Ineens vertonen zijn ogen sporen van een hevige angst. Een aangeboren angst, die van de mens voor het beest.

'Op een avond is er een gemaskerde man het appartement van mijn moeder binnengedrongen om haar met een scheermes te bedreigen.'

Ik ril.

'En heeft uw moeder toen de politie gewaarschuwd?'

'Nee, nou ja, jawel, ze heeft mij gebeld. Maar ik kon mijn collega's niet waarschuwen. Het was een overtreding. Een onderzoek voortzetten zonder toestemming van je superieuren is een overtreding.'

Weer geeft hij uiting aan zijn uitputting.

'Ik heb het dus maar geseponeerd.'

Ik knik en zet het flesje gin weer aan mijn lippen. Dit keer brandt de vloeistof zo in mijn keel dat ik bijna stik.

'Is alles in orde?' vraagt Linh, zich naar mij over buigend. Ik beduid hem dat hij me niet moet aanraken en antwoord een beetje vaag: 'Mmm, mmm... Ik denk het wel. Ik verneem zojuist dat ik de vinger heb gelegd op een vastgelopen neonazistische samenzwering, maar afgezien daarvan gaat alles goed. Maar waarom wilt u dan nu voortgaan met dat onderzoek?'

De Aziaat schenkt mij nog een glas chateldon in.

'Mijn moeder is twee maanden geleden gestorven.'

'Vermoord door hen?'

'Nee, nee, niet door hen. Haar verlamming had al twee jaar geleden de longen bereikt. Ze is kunstmatig beademd, maar vorig jaar verloor ze het bewustzijn.'

Hij zwijgt en ik durf er niet aan toe te voegen: en u hebt haar ontkoppeld.

Ik bedenk dat als ik ooit kinderen krijg, ik van ze ga eisen dat ze dat zullen doen.

'Ik heb dus niets meer te verliezen,' vervolgt de Aziaat.

'En wat wilt u dan van mij?'

'Een soort samenwerking: u houdt mij op de hoogte van uw onderzoek, ik help u met mijn toegang tot de archieven. En dat zonder erover te spreken met uw uitgever, evenmin als met uw vriend Clemens, en zelfs niet met de heer Venner.'

Ik klap meteen dicht.

'Met de heer Venner zijn mijn betrekkingen tot een minimum beperkt.'

'Jawel, maar ooit moet u hem toch weer gaan opzoeken.'

Ik haal mijn schouders op.

'Dat weet ik.'

Daarop klapt Linh in zijn handen, als om zijn apathie te verjagen.

'We zitten in een woud van vragen zonder antwoord! Welk geheim heeft Hess tot zelfmoord genoopt? Wie is Claude Jos in werkelijkheid? En wat voor verband bestaat er met Vidkun Venner?'

Ik recht mijn rug en doe mee met het spelletje door te zeggen: 'En u vergeet er nog een paar: wat is Halgadøm? En wie is Marjolaine Papillon in feite?'

Linh trekt een mysterieus gezicht, met een spoor van een glimlach.

'Op dat punt denk ik u te kunnen helpen.'

Hij werpt een blik op tafel en ik herinner me het manuscript.

Ik pak de grote bruine enveloppe en haal er een dik pak losse vellen uit.

Leni Rahn
Halgadøm, de vervloekte archipel
Roman

'Is dit die beroemde roman waar Rudolf Hess het over had, enkele dagen voor zijn dood? De tekst waarover Guizet met Chauvier heeft gesproken, toen hij het klooster moest verlaten?'

Linh antwoordt niet. Gefascineerd blader ik erin.

'Maar… hoe bent u hieraan gekomen? Waar hebt u dit gevonden?'

'Er zijn bepaalde dingen die ik u niet kan vertellen. Althans niet meteen. Dit is een kopie en ze is voor u.'

Hij pakt mijn arm en knijpt er stevig in.

'Laat het aan niemand zien! Lees het, ik denk dat u verbanden zult kunnen leggen. Maar…'

Hijgend zwijgt hij. Mijn onderarm wordt zowat gevoelloos.

'Maar…'

'Maar… als deze roman geen sciencefiction is, hebben wij alle reden op onze uiterste hoede te blijven.'

Tweede deel

Leni
'Mijn voorouders waren heidenen, mijn ouders ketters.'

— Otto Rahn, *Het hof van Lucifer*

Leni Rahn

Halgadøm, de vervloekte archipel

Roman

Voorwoord

Spandau, 17 augustus 1987

Het verval van beschavingen is het meest opvallende en tegelijkertijd meest obscure van alle verschijnselen van de geschiedenis. Al jarenlang aarzel ik deze 'roman' het licht te doen zien. Hij is bijna veertig jaar geleden geschreven en ligt sinds die tijd in een koffer te rusten. De vreemdelingen die hem hebben kunnen lezen, zijn zeldzaam.

En toch is dit geen roman, of althans niet helemaal! Ik heb niets bedacht. Zo waren mijn kindertijd, mijn jeugd, mijn eerste hartstocht, mijn eerste dromen. Elke locatie bestaat, ieder personage is echt. Sommigen van hen leven vandaag nog. En juist hen – hun reacties, hun herinneringen – heb ik twintig jaar lang gewantrouwd. Maar ik zeg nogmaals, *Halgadøm* is geen werk van fictie. Alles is echt!

Deze bladzijden zagen vrij kort na de Tweede Wereldoorlog het licht, maar ik heb me er altijd van weerhouden ze te publiceren. De reden daarvan? Een vreemde nostalgie naar Halgadøm. Erger nog: een imbeciele eerbied voor mijn eerste meesters, een absurd eerbetoon aan de Svens, aan Doktor Schwöll, aan Otto Rahn, vooral aan Otto! Otto! Al die leugens, al dat verraad!

Helaas! Recente gebeurtenissen dwingen mij mijn houding te herzien. Het lange gesprek dat ik gisteravond heb mogen hebben met Rudolf Hess heeft mij uiteindelijk overtuigd: de wereld moet het weten!

221

Deze nacht nog, nadat ik de gevangene van Spandau naar zijn cel heb laten terugkeren, zal ik alles nog eens doorlezen. Er is geen regel te veranderen aan dit 'avontuur'. Hooguit heb ik dit voorwoord toegevoegd, als om mezelf van de goede gronden voor mijn ondernemen te overtuigen. Om mezelf moed te geven...

Want nu nog aarzel ik. En toch weet ik dat ik gelijk heb. Toch weet ik dat ik het moet doen om hun voortgang te stuiten. Dat ze moeten worden tegengehouden voordat ze terugkomen en zich voorgoed vestigen!

Mijn hele leven heb ik slechts moeilijkheden gekend, maar Halgadøm is daar, voor onze deur, klaar om toe te slaan. Het rijk van Otto is geen fantasie, het is een gruwelijk reële dreiging. En voor het eerst in al die jaren kan ik me niet ontdoen van een bepaald gevoel, een vaag, ongezond, sluipend gevoel, ondanks alles wat ik gezien heb, ondanks de gruwel waarvan ik getuige ben geweest, ondanks de slachtingen waaraan ik heb deelgenomen en waar ik bij ben geweest, ben ik voor de eerste keer in mijn lange en dwaze leven bang om te sterven.

L.R.

1938

Noorwegen,
herfst, 8 uur 's ochtends

Ieder kind zat aan zijn tafeltje. Ze mochten niet praten. Rechtop, met ge-spannen blik, wachtte eenieder. Ze waren met zijn vijven: vier jongens en een meisje, en ze hadden dezelfde kleren aan: een marineblauwe broek, een wit hemd, een smaragdgroene das, een jasje met een wapen waarop het volgende devies stond geborduurd: MEINE EHRE HEISST TREUE (Mijn eer heet trouw).

'Net als op een Engelse school,' had Otto gezegd.

Het meisje keek door het raam naar buiten, maar het was donker.

Hoe dan ook, wist ze, de nacht duurt een half jaar.

Een bleek licht viel in de grote bibliotheek en omstraalde de planken met een zachte triestheid. Daarop wendde ze haar dromerige blikken op de beide soldaten. Hun twee bewakers leken in de boekenkasten op te gaan. Dat zwarte uniform, die oerblauwe ogen, die blonde haren die bijna wit waren.

Waar staan ze naar te kijken? vroeg ze zich af terwijl ze probeerde hun onverstoorbaarheid te doorgronden. Dat *Führerbild*? Dat grote zwarte schilderij, hangend aan de middelste kast, tegenover hen?

Ze zaten al een kwartier te wachten. Allen keken af en toe naar de gro-te klok, rechts in het vertrek, bij het haardvuur.

Hij komt te laat...

Buiten ging het harder waaien. Je hoorde het geluid van de golven die op de rotsen braken. Je rook die zilte lucht, die de bibliotheek binnen-drong en zich vermengde met de lekkere geur van het brandende berken-hout. En plotseling schrok het meisje: een deur sloeg dicht, een windvlaag door het vertrek, een sterke geur van algen.

'Neem me niet kwalijk, kinderen, maar met die wind was de oversteek nogal moeilijk.'

Oom Otto, dacht ze blij.

De kinderen sprongen overeind en strekten de arm. Ze wendden zich tot het Führerbild en scandeerden tegelijk: '*Heil Hitler!*'

'Al goed, al goed, ga maar zitten.'

Vanachter zijn bureau klapte oom Otto in de handen.

'Goed! Waar waren we?' vroeg hij, terwijl hij zijn gouden draadbrilletje opzette alvorens een groot schrift open te slaan. Stilte in de zaal. Hij glimlachte tegen ieder van de kinderen en keek ten slotte een van de jongens aan.

'Jij?'

Het kind bloosde. 'Eh, hm,' stamelde het, 'we waren bezig de mythe van Thule te bestuderen?'

Oom Otto perste zijn lippen op elkaar. 'Kom eens bij het bord om je les op te zeggen.'

Het kind werd vuurrood. Hij zocht om zich heen naar een schijn van medeleven, een reddingsboei, maar iedereen staarde naar zijn schoolbank, in afwachting van het einde van de bui.

'Waar wacht je nog op?' vroeg Otto, die al van het podium af was gekomen om plaats te maken voor het kind.

Arme jongen, dacht het meisje in weerwil van zichzelf toen ze zijn rode kop zag. Hij stond ongemakkelijk in zijn uniform een beetje te wankelen, kon niets zeggen.

Geërgerd klemde oom Otto zijn kaken op elkaar. 'Dat begint goed.'

Hij liep naar de boekenkast, de bibliotheek in, tussen de banken door, met mechanische pas, en liet goed het ijzer van zijn zwarte laarzen klinken.

'Ik vraag me soms af wat ik voor jullie beteken.'

Hij boog zich voorover naar een van de jongens en schreeuwde hem in het gezicht: 'Ik zou jullie ook naar de kazerne kunnen sturen, net als de rest.'

Automatisch wendden de kinderen zich tot de soldaten, die geen vin hadden verroerd.

'Jullie hebben geen flauw idee hoeveel geluk jullie hebben,' zei oom Otto nog, en hij gaf de jongen een teken om van het podium af te gaan en weer te gaan zitten.

En toen zei hij op vermoeide toon: 'Leni, voor de klas.'

U zult het met me eens zijn: ik had geen alledaagse jeugd.

Ik heet Leni. De schrijvers van vroeger begonnen altijd heel rustig hun verhaal bij de geboorte van de held, maar zo ver ga ik niet terug, want aan het begin van dit verhaal, 1938, was ik al twaalf, en ik was voor mijn leeftijd vrij onderontwikkeld. Ik had bijna geen borsten en ik bloedde ook nog niet maandelijks. Lichamelijk waren de Svens veel volwassener. We waren even oud, maar sommigen kregen de baard al in de keel. We woonden allemaal op de archipel van de Håkon, in het noorden van Noorwegen. De Håkon liggen boven de poolcirkel, in de Atlantische Oceaan. Je hoeft ze niet op een kaart op te zoeken want je zult ze niet vinden. De Håkon staan er nooit op. Wij zaten in het noordelijkste deel van de streek: even verderop lag het pakijs!

U zult u afvragen: maar dat moet heel koud zijn! En dan zal ik zeggen: 'Dat viel wel mee.'

Oom Otto had ons uitgelegd dat de zeestroming die de Golfstroom heet langs de Noorse kust kwam en ervoor zorgde dat wij ijsvrij bleven, want de kou vanuit het hoge noorden werd getemperd door de temperatuur van de oceaan. Op de Håkon kwam de zon op en bleef dan maandenlang in de lucht hangen. Wij noemden dat verschijnsel 'het gele licht'. In de winter daarentegen brandde er altijd elektrisch licht. Wij noemden die gedempte en ijskoude atmosfeer 'het blauwe licht'.

De Håkon waren een groepje platte eilanden, omgeven door hoge zwarte, vulkanische hellingen die in zee afdaalden en die ons als een soort arena omgaven. Altijd rezen voor onze ogen die 'vogelmuren' op: stukken verticale bergwand, zomaar midden in de oceaan, waarvan de grootste hoger was dan 500 meter. Er woonde niemand, dat was het rijk van de meeuwen, van de papegaaiduikers, van de zeekoeten en het korstmos. Die natuurlijke barrière beschermde ons tegen de wind en deed ons leven in een keteldal van een kilometer of tien doorsnee. Het was heel moeilijk om per schip naar de Håkon te komen, want de doorgang zat vol klippen. Daarom nam oom Otto de vliegboot.

'Van bovenaf gezien,' zei hij altijd, 'lijkt het echt op een perfecte cirkel met een aantal eilanden eromheen. Een soort vestingdorp.'

Volgens de legende van het hoge noorden bewoonden wij een van de laatste nog boven water uitstekende delen van Atlantis, overgebleven van het legendarische Thule. Ik heb me dikwijls afgevraagd hoe de eerste inwoners daar waren gekomen, zo ver leken de Håkon van andere eilanden verwijderd. Om ze te bereiken moest je langs een enorme draaikolk, die door de mensen de maalstroom werd genoemd. Die werd ook wel het 'zeemanskerkhof' genoemd, want duizenden schepen waren door dat gat meegesleurd en lagen daar op de bodem van de zee.

Al eeuwenlang leefde de archipel van visserij. Enkele keren per jaar gingen de dapperste vissers naar het vasteland om hun gedroogde en gezouten kabeljauw te verkopen. Velen keerden daarvan niet terug, want zij ontdekten de echte wereld ofwel eindigden hun leven in dat 'zeemanskerkhof'.

Pas toen oom Nathaniël kwam, veranderde alles.

Oom Nathaniël was steenrijk. Iedereen hier noemde hem 'Herr Korb', maar ik gaf de voorkeur aan 'oom Nathi'. Hij had de Håkon twintig jaar daarvoor gewoon gekocht.

'Dit is mijn huis,' zei hij vaak als de mensen – vissers of soldaten – hem kwamen storen, 'en ik kan jullie er zo uit schoppen!'

Nathaniël Korb was een Wener en hij had zijn fortuin opgebouwd op de resten van de Eerste Wereldoorlog. Hij had de archipel in 1924 van de Noorse staat gekocht, maar hoewel hij eigenaar van die eilanden was geworden, had hij er geen enkele inwoner van uitgesloten. Sommige families zaten er al eeuwen en leefden daar onder heel moeilijke omstandigheden. Nathaniël Korb gaf ze meteen een maandsalaris en liet echte huizen voor hen bouwen, met keukens, badkamers, en ook kassen.

Die droge eilanden werden een oase. Hij had zich daarbij laten helpen door 'mannen in het zwart'. Ik weet dat je 'SS'ers' moet zeggen, maar ik geef de voorkeur aan 'mannen in het zwart' (dat is ridderlijker!). In ruil voor hun hulp mochten zij zich hier installeren. Die hadden ook, naar de plannen van oom Otto, dat enorme huis van Nathaniël Korb gebouwd. De miljardair wilde geen kasteel, maar een huis op de begane grond, in het meest zandige deel van de archipel. Hij had altijd gedroomd over dat netwerk van platforms op palen, met elkaar verbonden door pontons en gaanderijen. Een grote houten slang, waarvan kop noch staart te vinden was. Een eindeloze reeks kamers, salons en slaapkamers waarin hij alleen woonde, omgeven door zijn personeel. De Håkon waren zijn luchtkasteel, zijn Eden, en niemand mocht hem er storen. Het enige deel van zijn huis waar wij, de kinderen, mochten verblijven was de bibliotheek waarin oom Otto ons lesgaf. Natuurlijk verleende oom Nathi mij veel meer privileges omdat ik zijn 'prinsesje' was. Ben ik van koninklijken bloede? Dat zou ik niet weten, maar ik ben hier geboren. Mijn ouders behoorden tot die eerste Duitsers die de nieuwe huizen hadden gebouwd. Ik kan me niets van hen herinneren, want ze zijn omgekomen in een storm die in 1927 de eilanden heeft geteisterd. Ik was één jaar oud.

'De storm is plotseling komen opzetten,' vertelde Ingvild me vaak, onze geliefde min. 'Dat is de vloek van de Håkon. Ze zeggen dat de oceaan eens per eeuw slachtoffers wil in ruil voor zijn clementie. Dus de wind steekt dan op tussen de eilanden en speelt met de stroming totdat het water omhoogkomt. Wij waren heel kwetsbaar.'

De golf heeft alles weggeslagen. Tweederde van de inwoners kwam bij die ramp om. Oom Otto, oom Nathi en de anderen ontkwamen aan de dood. Mijn ouders niet. Toevallig waren de baby's van de gemeenschap toen de volwassenen aan het werk waren, in een crèche ondergebracht, een van de weinige gebouwen die niet door de golven werden meegesleurd. En zo komt het dat de Svens en ik wezen werden, zo komt het dat oom Nathi ons adopteerde, en zo komt het dat oom Otto ons opleidde. Sinds die tijd heeft niemand het meer over 'de ramp' gehad. En als onze geliefde Ingvild er half hardop over sprak, keek ze altijd of er niemand in de buurt was voordat ze haar verhaal begon.

Ik wist niets van de wereld, maar het kon me ook niets schelen. Kon die net zo mooi zijn als onze waken bij de zomerzonnewende, ons springtij bij de equinox? Oom Otto had het ons wel verteld: op de Håkon leefden wij in de gouden eeuw.

De archipel van de Håkon bestaat uit drie grote eilanden, die vrij ver van elkaar af liggen. Het hoofdeiland heet Yule. Daar stond het 'paleis' van oom Nathi. Op een paar honderd meter daarvandaan had de miljardair een spartaans, lelijk gebouw laten optrekken: de 'kazerne'. Dat was het tehuis van de 'mannen in het zwart', het nest van de SS'ers. Zij vormden de wacht van Håkon en elke zomer werd er een nieuwe troep uit Duitsland gestuurd om zich een jaar lang te laten trainen. Ons huis, de 'slaapzaal', was het derde gebouw op het eiland. Oom Nathi wilde het aan de rand van het water hebben, aan het eind van een bergrug, zoals de pieren van Engelse badplaatsen. Een soort onbeweeglijke boot boven het water. 's Nachts hoorden we de vissen onder de planken door zwemmen. Soms zelfs orka's. Hun staart sloeg tegen de grote metalen stangen die in het water waren geplaatst en ons tot fundering dienden.

Wat oom Otto betreft, hij had zijn eigen appartementen op de bovenste verdieping van de kazerne, in een hoektoren. Hij had die 'donjon' of 'wachttoren' genoemd, want het was het hoogste punt van het eiland. Afgezien van het paleis van oom Nathi, de kazerne en onze slaapzalen, was Yule slechts een platte kei, midden in de archipel. De grond was er zo droog dat het onmogelijk was er wat dan ook te laten groeien. Er was een natuurlijke bron gevonden, waardoor we zoet water hadden. Maar voor het eten hadden we Ostara nodig.

Het eiland Ostara was veel groter en moderner. Het was net zo plat als Yule, maar bedekt met een laag grond die diep genoeg was om er landbouw te kunnen bedrijven. Het klimaat van de Håkon en de aanwezigheid van licht tijdens slechts een half jaar hadden de ingenieurs van het Rijk gedwongen een systeem van kassen en zonnepanelen te ontwikkelen. Het eiland was dan ook bezaaid met grote glazen klokken, als larven van een gigantisch insect. We konden op Håkon van alles eten, zelfs exotisch fruit zoals bananen, passievruchten, kokosnoten en tamarinde.

Er gold nog een vaste regel in de archipel: alleen vrouwen konden op Ostara werken. Ze waren allen van het noordse type: lang, helderblauwe ogen, blonde haren die bijna wezen op een soort gezond albinisme, wat duidelijk bleek als ze moe, verhit en hoogrood uit die oververwarmde kassen kwamen. Een verbazend beeld: in het holst van de winter kwamen die Walkuren halfnaakt een beetje zeelucht scheppen, zonder de kou te voelen. Een verstikkende zinnelijkheid dampte van hun lijven. Dat was ongetwijfeld de reden waarom het eiland was gereserveerd voor vrouwen, die in de taal van de Håkon 'Schwester' werden genoemd, dat wil zeggen zusters. Ze kwamen vrijwel nooit van het eiland af, leefden in hun eigen onderkomens, tegen de kassen aan. Wij zagen ze soms uit de ramen van de slaapzaal.

En dan was daar nog het vreemdste en meest raadselachtige eiland: Halgadøm. Dat lag aan de andere kant van de eilandenring, op het noorden, aan de voet van de 'muren', en het fascineerde mij vanaf mijn prille jeugd, want wij mochten er niet heen en we mochten er zelfs niet over praten. We wisten alleen dat er gebouwen werden neergezet.

'Op een dag zullen jullie Halgadøm leren kennen,' zei oom Otto meer dan eens. 'Maar daarvoor zijn jullie nu nog te jong.'

Meer konden we er met geen mogelijkheid over te weten komen.

Weliswaar heerste Nathaniël Korb als een soort keizer over ons rijk, maar oom Otto was zijn prins, zijn zwarte eminentie. De soldaten noemden hem onderling 'de regent'.

Wie was hij? Waar kwam hij vandaan? Wat voor jeugd had hij gehad? Had hij familie? Al die vragen werden niet beantwoord. Oom Otto was weliswaar officier van de SS, maar leek amper op de ariërs uit de kazerne. Hij was niet groot en niet sterk. Hij was een mager mannetje, energiek en bijna jongensachtig. Ondanks het feit dat hij in de dertig was, gaven zijn donkerblauwe ogen bevelen met de impliciete aandrang van echte despoten. Hij was zo iemand die je graag wilt behagen, wiens vriendschap en vertrouwen je graag wilt winnen.

Zo kreeg hij alles voor elkaar. Vooral van de Svens.

Voor zover ik me kan herinneren, heb ik de Svens altijd gekend. Ze waren net als ik wezen van de ramp, en net als ik volgden ze de lessen van oom Otto. Alle vijf maakten we deel uit van de 'uitverkorenen'. Oom Otto greep elke gelegenheid te baat ons de overwinningen van de Führer, ginder, in ons land, te verklaren. Hij had het met hartstocht over het genie van de kanselier, het talent van zijn naaste medewerkers, de fantastische gestrengheid van zijn lijfwacht, de toekomstige elite van de wereld: de SS.

'Maar,' voegde hij eraan toe, 'de enige elite, het ware koninklijke bloed, dat is dat van jullie, mijn kinderen. En de "mannen in het zwart" zullen nooit meer zijn dan jullie knechten.'

Op dat precieze moment keken zijn ogen altijd vuriger dan de onoverwinnelijke zon van de zomerzonnewende.

Hoewel de Svens uit uiteenlopende ouders waren geboren, leken ze een vierling. Ze hadden hetzelfde arische uiterlijk, dezelfde halsstarrige blik, een gemeenschappelijke hardheid. Ik ben er nooit achter gekomen wie hun voornamen had bedacht (Sven-Odin, Sven-Olaf, Sven-Gunnar, Sven-Ingmar), maar door hun grote gelijkenis noemden we hen 'de Svens', zonder onderscheid te maken.

Eén Sven en ik hadden een speciale verhouding. Ik was het 'vrouwelijk quorum' van ons kleine pensionaat, terwijl de Svens een vroegrijp cynisme toonden waardoor ze alles met sarcasme benaderden. En natuurlijk was ik, met mijn engelenkopje en mijn aanstellerij van modelmeisje, vaak het doelwit van hun grappen. Hoe vaak ben ik niet wakker geworden in een kletsnat bed, bedekt met poep van papegaaiduikers? Het gebeurde ook wel dat mijn spullen verdwenen en dat een putjesschepper van de SS ze in de vuilnisbakken van de kazerne terugvond. En, nog perverser, de Svens kwamen me vaak onder de douche bekijken. Terwijl ik me overgaf aan het stomend hete water, zag ik dan hun gezichten door het gordijn, als zonnen in de mist. Soms, zogenaamd spelend, kwamen hun handen in mijn buurt, betastten mijn lijf, raakten mijn benen... totdat ik ging schreeuwen en mijn kamerjas om me heen trok en ze uitschold voor *Schweine*. Dat waren onsmakelijke maar dagelijkse grappen, die ik uit een imbeciel eergevoel liever niet aan oom Otto meldde.

Toch was Otto best op de hoogte, dat wist ik zeker, maar het hoorde vast bij onze opleiding. Ik moet dus geduld oefenen, zei ik tegen mezelf, terwijl ik onder de perverse blikken van die vierling onder de lakens kroop. Hetzelfde hield ik me ook voor op die decemberdag in 1938, waarop de Svens en ik langs het klif gingen wandelen, aan de andere kant van Yule. Het was het enige klif van ons eilandje en wij mochten er niet heen. Maar onze geliefde Ingvild had vast niet goed opgelet doordat ze urgent weg moest, want Björn, haar man, had net een ongeluk gehad bij de visvangst.

'Braaf zijn, kinderen, ik kom terug voor het eten!'

'We kunnen nu naar het klif gaan,' zei een Sven, terwijl hij de gestalte van Ingvild nakeek, die uit het licht verdween.

'Maar dat is verboden,' wierp ik tegen.

Daarop keken de Svens elkaar glimlachend aan en duwden mij voor zich uit.

'Vooruit, meisje!'

We liepen over vlak terrein, stuitten op stenen die tussen het korstmos uitstaken en waren al snel bij het klif. De wind woei door onze haren en de kreet van een zeekoet vermengde zich met het geluid van de golven die op de rotsen braken.

'Het is hoog,' zei een van de Svens, bijna in weerwil van zichzelf.

Natuurlijk, die wand is veel minder hoog dan de steile eilanden die de archipel omgeven (onze 'vogelmuren'), maar wie eraf viel, sloeg op de rotsen te pletter.

'We zullen eens zien wie hier echt een man is!' verkondigde degene die tot de expeditie had besloten. Vijf meter voor ons was de afgrond, een donker, gapend gat, klaar om ons op te slokken.

De Svens overlegden met elkaar, hitsten elkaar op om niet hun angst te tonen, bogen zich over de rand en schrokken. Elke keer sprongen ze toch weer terug en lachten beschaamd.

'Zo hoog is het nou ook weer niet,' zei de eerste.

'Het stelt niks voor,' antwoordde de tweede.

De beide anderen toonden slechts hun minachting. Maar allemaal hadden ze moeite weer op kleur te komen. Toen was het mijn beurt.

'Vooruit!'

'Nee!' zei ik huilend, want ik had altijd vreselijk last van hoogtevrees en alleen al het idee van het klif deed mijn knieën knikken.

'Vooruit, je hoort het toch!'

Hun blikken waren dreigend. Dus ik liep door. De lucht leek me ijskoud. Alles ging schuil in het halfduister. Het blauwe licht, de middernachtzon, verlichtte de archipel sinds enkele dagen... en voor maanden.

Ik zag schaduwen van vogels, die met een vreselijke kreet in de zee doken, alsof ze op mijn schaduw wachtten! Plotseling leek alles om me heen plakkerig, onherroepelijk klevend. En de rand was nog maar twee meter verderop!

'Ik kan het niet,' piepte ik, en mijn knieën knikten tegen elkaar.

'Doorlopen, zeg ik!' antwoordde een Sven, vlak achter mij.

Op hetzelfde ogenblik voelde ik zijn adem in mijn nek. Zijn hand raakte mijn rug.

Als ik niet doorloop gaat hij me duwen, dacht ik, terwijl de jongens stonden te grinniken. Ondanks het duister zag ik de grote leegte vlak voor mijn voeten. Een windvlaag belaagde me, rechtstreeks uit zee, met de lucht van wier en vogelpoep. Bedwelmd door die geuren begon ik te wankelen.

'Ho!' schreeuwde de Sven achter mij, die me opving maar zich tegen mijn rug aan drukte en me naar de rand van het klif duwde. Ik was doodsbenauwd.

'Nee, nee! Ik smeek je!'

Allemaal stonden ze te gieren van het lachen, maar mijn beul had er steeds meer moeite mee. Want wij stonden tegen elkaar aan, en als ik een stap naar voren had gedaan, waren we allebei gevallen. Ik voelde zijn lichaam tegen het mijne beven, wat me moed gaf. Hij was bang, maar dat mocht hij de anderen niet laten blijken. Dan zou hij zijn gezicht verliezen. En plotseling leek het hem dwars te zitten dat hij zich tegen een meisje aan had gedrukt. Twee koorddansers. Ik klemde mijn kaken op elkaar, maar bleef staan, welbewust dat alles nu alleen nog van mij afhing. Springen? Niet springen? Achter me was het muisstil geworden. Ze hielden allemaal hun mond, want ze begonnen het nu te begrijpen. Sven ademde sneller. Hij drukte zich tegen me aan. De afgrond was daar, voor onze ogen. Hij begon te hijgen. Zijn lippen raakten mijn nek, zijn handen streelden mijn wangen, daalden af naar mijn hals. Langzaam wreef hij zich tegen mij aan, trok zijn been tegen mijn billen.

'Laat haar los,' zei iemand.

Daarop leek Sven een elektrische schok te krijgen.

'Laat haar los!' zei die persoon weer.

De jongen kwam zo snel overeind dat ik naar voren werd geduwd. In een flits zag ik alles: de afgrond, het wier, het witte schuim, bijna lichtgevend op de blauwe nachtgolven. De geur van het zeewier kwam nog sterker, nog weerzinwekkender naar boven. Ik sloot mijn ogen, klaar om te gillen bij mijn val, niet wetend welke nachtmerrie het ergst zou zijn.

En toen deed ik mijn ogen open. De armen van oom Otto drukten zich tegen mijn borst. Wij lagen plat op de rots, maar hij verslapte zijn greep niet. Otto bekeek me met geamuseerde vertedering, die ik niet kon thuisbrengen. Wat de Svens betrof, die bewogen niet meer, maar ik zag in het blauwe licht hun vier koppen parelen van het angstzweet.

'En wat hadden jullie gedaan als ze was uitgegleden?' vroeg Otto met kalme stem, zonder zijn ogen van mij af te wenden. Hij streelde mijn voorhoofd met de rug van zijn hand, speelde met mijn blonde lokken. De Svens stonden als aan de grond genageld. Ondanks het halfduister kon ik zien dat hun witte huid vuurrood was geworden. Ze ademden schoksgewijs, doodsbang voor wat nu mogelijk kon komen. Mijn beul stond een eindje verderop. Hij leek zijn natte broek te verbergen met zijn handen en wachtte op zijn straf. Maar Otto werd niet boos. Hij stond op en hielp mij opstaan. Zijn blik richtte zich op de open zee.

'Ik ben trots op jullie,' zei hij zachtjes.

De Svens sperden ongelovig hun ogen open; ik niet minder!

'Wat jullie hebben gedaan is het bewijs van een zekere moed, maar jullie hebben je vergist wat het slachtoffer aanging.'

Otto sprak nu nog slechts tegen de Svens. Zijn stem klonk luguber, met grote hardheid: 'Binnenkort, jongens, kunnen jullie met echte poppen gaan spelen. Die komen met honderden tegelijk, en die zijn voor jullie.'

Hij wendde zich naar de zee. In de verte zag je het eiland Halgadøm.

'Het werk vordert,' sprak Otto, als in zichzelf. 'En binnenkort kan ik jullie erheen brengen.'

Meteen verloren de Svens alle angst en stonden Otto met grote ogen bewonderend aan te staren.

'Echt waar?'

'Het duurt niet lang meer. De opera is bijna klaar.'

Wij beefden.

'De wat?' vroeg ik verbijsterd.

'Een opera?' zeiden de Svens in koor.

'Ja, mijn kinderen,' antwoordde Otto, alsof dat voor de hand lag. 'Het is een grote operazaal die op Halgadøm wordt gebouwd.'

'Een theater?' vroeg een Sven, die zijn teleurstelling amper kon verbergen.

Otto knikte en sprak: 'Een groot theater aan de rand van het water, uitziend op de oceaan.'

'Maar... wat wordt daar dan gespeeld?'

Otto liep naar de rand van het klif, om op zijn beurt de afgrond uit te dagen.

'Sinds oom Nathaniël zich hier heeft geïnstalleerd,' vervolgde hij, 'werkt hij aan een grote, mythologische opera, tot meerdere glorie van het nieuwe Rijk: *De kinderen van Thule.*'

Allemaal herhaalden wij als papegaaien: '*De kinderen van Thule?*'

'Dat wordt een fantastische opera, een nieuwe klassieker,' vervolgde hij met afwezige stem. 'De opera van de toekomst... Oom Nathi heeft het libretto geschreven en de muziek is in Duitsland gecomponeerd door de beste musici van het Rijk.'

Toen draaide hij zich naar ons om en wees met uitgestrekte arm op de open zee, als voor een militair saluut: 'En nu kennen jullie de geheime missie van Halgadøm.'

'Jazeker, mijn engeltje, jazeker! Een grote operazaal, en wel een van de mooiste ter wereld, hoop ik.'

De les was net afgelopen en ik was oom Nathi gaan opzoeken, achter in de bibliotheek, in zijn grote clubfauteuil. De oude man had me bij de hand genomen en was naar het raam gelopen. Van hieruit kon je Halgadøm zien. De toppen tekenden zich somber af in het blauwe licht en de miljardair verslond het tafereel met zijn grote, bleke ogen. Lichtgrijze ogen. Van die ogen die de wereld hebben verzaakt en voor de droom hebben gekozen.

De Svens stonden nog bij het bord met Otto te kletsen. Maar toen een van hen merkte dat ik met Korb stond te praten, kwamen ze allemaal meteen naderbij.

'Wanneer is hij klaar, uw opera, oom Nathi?' vroeg een Sven suikerzoet.

Meteen verkilde de miljardair. Hij had het niet op de Svens, hij wantrouwde ze.

'Ik weet niet waar je het over hebt,' antwoordde de oude man vijandig.

De Svens gingen schokschouderend naar de slaapzaal, en een SS'er blafte: 'Het is tijd voor uw injectie, Herr Korb.'

Op hetzelfde ogenblik kwam de dokter de bibliotheek binnen, zonder ons een blik waardig te keuren. Achterin bij het raam begon hij een spuit te vullen en daarbij neuriede hij: '*O du mein holder Abendstern.*'

'Dieter!' riep oom Nathi terwijl hij op hem afliep. 'Het spijt me, maar ik zou bijna mijn prik vergeten hebben.'

'U weet anders best dat Vril niet kan wachten, Herr Korb.'

De dokter, een grote, rosblonde man met een fijn draadbrilletje, draaide zich om.

'Hé, maar dat is de kleine Leni,' zei hij grijnzend toen hij me zag. De oude man liet zich op een bank zakken en stroopte de rechtermouw van zijn hemd op. Hij balde zijn vuist en de dokter legde een knevel met een nylon band.

'Vuist maken,' zei Dieter op neutrale toon.

De dokter hief de spuit op en drukte om de lucht eruit te krijgen. Er kwam een vermiljoenrood straaltje uit.

'Ik hoop dat het vers is?' vroeg oom Nathi, wiens ogen rolden van genotzucht, voor de zekerheid.

De dokter onderdrukte zijn ergernis.

'Natuurlijk, natuurlijk…' bromde hij. 'Het is vanochtend afgenomen.'

'Dat heb ik ook liever,' antwoordde de oude man, terwijl hij zijn ellebooghoolte aan de arts voorhield. De naald drong in de ader. Ik kon het niet laten een gezicht te trekken. Ik kon nooit goed tegen prikken, niet bij mezelf, maar bij anderen ook niet. Maar al te vaak was ik getuige van die dagelijkse injectie van oom Nathi. Het was zijn idiootste manie: uit jaloezie op die mooie blonde soldaten die 'zijn' archipel bevolkten, had Korb geëist dat hij eens per dag een injectie zou krijgen met een beetje 'arisch bloed'. Hij wist ook wel dat hij daar niet blonder en ook niet jonger van werd, maar hij wilde dat die superieure essentie in zijn lichaam kwam, zijn hersens zou bevloeien. In de archipel lachte iedereen in zijn vuistje om die idioterie!

'Een soort kinderdroom,' had hij mij toegegeven, op een dag dat ik hem een watje in de holte van zijn arm zag drukken. 'Toen ik klein was, vertelden ze mij altijd de legende van het Vril.'

'Het Vril?'

'Het Vril is een magische vloeistof die je eeuwig leven geeft als ze in je lichaam komt. Zoals het elixer van het lange leven van de alchemisten.'

Hij was ervan overtuigd dat arisch bloed een dergelijke macht had. Geloofde hij er echt in of was het slechts om zijn kinderdroom te bevredigen? Niemand wist dat. Maar elke ochtend, om klokslag elf uur, liet oom Nathi een ampul met bloed dat paste bij het zijne afnemen bij een van de jongere SS'ers van de archipel. Nathaniël vroeg niet naar de identiteit van de donateurs en had een blind vertrouwen in zijn arts.

'Dieter, zoals elke ochtend ben ik je mijn leven schuldig,' zei oom Nathi, terwijl hij de dokter amicaal op de rug klopte. De arts blikte of bloosde niet en antwoordde op droge toon, terwijl hij de spuit weer opborg: 'Nou nou! U bent anders best in vorm!'

'Dankzij u,' antwoordde Korb. 'Toen ik tien jaar geleden uit Wenen vertrok had ik leverkanker. Tegenwoordig voel ik me kiplekker.'

De dokter sloeg onmerkbaar de ogen ten hemel en ik las van zijn lippen een medelijdend 'Mein Gott'. Maar oom Nathi leefde in zijn droom. Hij was naar het venster gelopen en zag een colonne soldaten voorbijkomen, zwart als de rotsen, blond als de maan. Hij leek nog in de verste verte niet op hen.

'Denkt hij echt dat hij kan worden zoals zij?' vroeg ik de dokter, toen we het paleis van oom Nathi verlieten, die verzonken in zijn arische fantasieën achterbleef. We liepen alleen op de zandweg. De soldaten waren naar de kazerne en ik zag in de verte een paar orka's. Het was plotseling heel koud. De dokter knoopte zijn witte jas dicht.

'Ik doe een mengsel van water en kleurstof in die ampullen. Als ik hem echt bloed zou injecteren, zou hij het geen maand uithouden,' gaf hij toe terwijl hij zijn brilletje in een hoornen etui deed waarop zijn initialen stonden: D.S.

Iedereen wist dat Doktor Schwöll oom Nathi bedotte – voor zijn eigen bestwil – maar hij had het me nooit zo rechtstreeks verteld. Ik keek nieuwsgierig naar zijn lange, rode, vierkante gestalte, zijn diepliggende ogen, zijn als met een potlood getekende snor waar nog zoveel geheimen achter schuil moesten gaan! Dieter Schwöll was de derde man van de archipel. Hij was een oude vriend van oom Otto en had zich vanaf het begin op de Håkon gevestigd als lijfarts van oom Nathi. Maar Doktor Schwöll was absoluut geen gewone huisarts met een stethoscoop. Weliswaar bracht hij de miljardair een dagelijks bezoek voor die absurde injectie, maar zijn dagen bracht hij verder door op het eiland Halgadøm. Hij ging er elke ochtend heen en kwam 's avonds terug, maar de aard van wat hij daar deed viel onder 'militair geheim', en alleen de soldaten mochten soms met hem mee ernaartoe. Dat betekende dat wij ons overgaven aan allerlei gissingen... die niet echt pasten bij het idee van een operazaal.

De familie Schwöll woonde op Yule, in een huis bij de kazerne, omgeven door een vrij luguber tuintje: de 'cottage'. De dokter was getrouwd met een Noorse, wier familie vijftig jaar daarvoor naar Duitsland was geëmigreerd. Zodoende was Solveig Schwöll dan ook blij geweest toen ze terugkeerde naar het oude land. De Schwölls hadden twee zoons, van dertien en twintig. De jongste, Hans, een jaar ouder dan ik, was even blond en sportief als de Svens. Maar hij had (gelukkig!) een veel levendiger intelligentie en een soort vreemde charme, die hem onderscheidde van de andere bewoners van de archipel. Als vanzelfsprekend was hij in die paramilitaire wereld, waarin alles orde, bevel, regel en wet was, mijn bondgenoot geworden. Wij hadden eenzelfde kijk op de dingen, een gezamenlijke nieuwsgierigheid die niet ontbloot was van enige twijfel. Verder waren wij samen opgevoed en hadden we altijd goed met elkaar kunnen opschieten... zodanig dat de Svens ons vaak de 'tortelduifjes' noemden. Wat moesten we doen aan die bijnaampjes, behalve ze openlijk minachten? Maar het is waar dat wij graag samen wandelden, hand in hand, op de oevers van Yule, waarbij onze schoenen werden besproeid door het schuim, ver van het lawaai en de opwinding van de Svens. Wij hielden boven alles van de deugden van de stilte – die geconcentreerde stilte van de jeugd, waarin alles ademt, alles ritselt – en Hans en ik konden ook uren met elkaar praten. Wij begrepen elkaar met een half woord. Hans was jaloers op mijn leven terwijl ik verlangde naar het zijne.

'Maar jij hebt geluk,' zei hij. 'Jij hebt geen ouders die je bevelen geven, jij hebt een echt volwassen leven.'

'Jij snapt het niet helemaal,' antwoordde ik dan. 'Jij hebt een moeder die van je houdt, een vader die je respecteert.'

Wij waren voor elkaar een spiegel, maar we hadden ook behoefte aan dat spiegelbeeld, alsof het het voorbijgaande bewijs was van ons bestaan. Daarom waren wij zo onafscheidelijk geworden. Zijn oudere broer Knut was al volwassen, die wilde net als zijn vader arts worden. Hij koesterde trouwens voor Dieter Schwöll een verering die aan het belachelijke grensde en die hem ertoe bracht de vaderlijke uitspraken in een boekje te noteren. Daarom ging Knut sinds het begin van de herfst met de arts mee naar Halgadøm, omdat Dieter wist dat zijn zoon zou zwijgen als het graf. En we konden hem bestoken met zoveel vragen als we wilden, de jongeman bleef onvermurwbaar: 'Ik kan jullie niets zeggen, het is "militair geheim",' zei hij op een zondag tegen ons toen wij aan het balspelen waren op het platte terrein achter het paleis van oom Nathi.

De Svens bleven die magere, verwaande jongeman echter met vragen belagen.

'Vooruit, vertel! Wat is dat voor verhaal van een opera?'

Maar Knut schudde zijn hoofd en slikte moeizaam. 'Echt waar,' stamelde hij, 'als jullie het zouden weten, zouden jullie niet meer kunnen slapen.'

2006

'Maar niets wijst er op dat die Marjolaine Papillon dat... *Halgadøm* zou hebben geschreven,' bromt F.L.K. 'En bovendien is die tekst onafgemaakt. Hij houdt veel te abrupt op! Als Otto Rahn onder de bommen sterft, tijdens de verwoesting van de archipel. En dan die brief die hij nalaat, die verhalen van mummies zijn belachelijk! Slechte treinlectuur, meer niet!'

'Nou ja! U snapt ook wel dat het helpt bij ons onderzoek.'

De uitgever klapt dicht als een schelp, maar ik blijf aandringen. Ik heb hem nodig! Ik heb er te veel in gestoken, ik heb te veel risico's genomen om nu alles zich gewoon in de leegte te laten oplossen. Ik heb gelogen tegen Linh en ik heb die tekst aan Vidkun, aan Clemens, aan F.L.K. laten lezen, maar dat moest! Helaas! Behalve een kleine biografie van vijf regels, volstrekt nietszeggend, bestaat er verder geen enkele informatie over Marjolaine Papillon. Niet op internet, niet in bibliotheken: nergens! De enige die ons kan helpen is haar uitgever, te weten: de onze.

'Het spijt me, Anaïs: het antwoord is nee!'

F.L.K. slaat zijn armen over elkaar en duikt weg in zijn grote leren stoel, die hij naar de glazen wand toe draait. Het is bewolkt. Het is winter. Op het gazon heeft de tuinman zijn maaier verwisseld voor een hark. Ik voel dat de uitgever van zijn stuk is, wat hij vast niet gewend is. Je kunt toch niet een zo duidelijk spoor opgeven! Er zijn te veel aanwijzingen in die roman, te veel sleutels. Waarom heeft Marjolaine Papillon die nooit gepubliceerd? Omdat haar echte jeugd erin wordt verteld? Maar waar houdt die roman op en waar begint de geschiedenis? En Vidkun? Komt die in die tekst voor? Die monsterlijke Doktor Schwöll, is dat zijn adoptiefvader? Is het allemaal niet een romanesk schimmenspel? Ik sta op en loop naar de grote, bloedrode boekenkasten die de deur omgeven. F.L.K. lijkt bedolven onder zijn eigen leugens, kijkt in de verte, alsof Clemens en ik al weg zijn. Is dat een manier om ons weg te sturen? Dan kent hij mij niet goed.

'Staan ze daar allemaal?' zeg ik op schijnbaar luchtige toon, terwijl ik op de rijen wijs.

Met een berustende uitdrukking knikt F.L.K. van ja, zonder ook maar het minste geluid te uiten. Ik verroer geen vin. Clemens kijkt gegeneerd naar zijn baas. Hij heeft vreselijk het land aan dit soort situaties. Hij kan er niet tegen als zijn autoritaire rolmodellen in twijfel worden getrokken. En F.L.K. lijkt zo onthand dat Clemens hem bijna een reddingsboei zou willen toewerpen.

Die heeft heel wat opgehikt, zeg ik bij mezelf terwijl ik de ruggen van alle Marjolaine Papillons bekijk. Tientallen boeken, allemaal even groot.

'En je vertelt me dat ze alles in het Frans heeft gepubliceerd?' zeg ik terwijl ik op goed geluk een boek pak: *Herinnering aan Dantzig*, gedateerd 1971.

'Geen enkele Duitse uitgever wilde haar romans.'

'Waren ze... te nazistisch?'

'Niet alleen dat. Maar Marjolaine heeft een nogal romaneske benadering van de geschiedenis. In Duitsland zouden sommige lezers dat kunnen aanzien voor revisionisme. En ik ben niet gek op processen.'

Over romanesk gesproken, denk ik, nog gefascineerd door het avontuur van de kleine Leni op dat droomeiland, die hoge muren, die orka's, die magische opera, vlak bij het pakijs.

Ik bekijk een voor een de titels van Marjolaine, allemaal variaties op hetzelfde thema, allemaal ontspoorde '*Harlekijns*': *De minnaars van Dresden, De grote hartstocht van de Führer, De Vestaalse maagd van Mauthausen, Ga je nog terug naar Berlijn?*

'Afgezien van oud-strijders, interesseren die verhalen de mensen nog?'

'Het nazisme is slechts een metafoor, Anaïs.'

'Een metafoor?'

'Het verwijst naar iets wat ons allemaal aangaat, iets wat veel dieper gaat: het absolute kwaad, de angst voor de menseneter. Maar een verleidelijke, bijna aantrekkelijke menseneter.'

'De schoonheid van de duivel,' zeg ik, 'ik ken dat. En dat verkoopt nog steeds goed?'

F.L.K. streelt het hout van zijn bureau. 'Marjolaine is in haar eentje goed voor twintig procent van de omzet van het huis. Zonder haar zouden we op de fles gaan.'

F.L.K. ontgaat het ironisch lichtje in mijn ogen niet, waarop hij er bijna zoetsappig aan toevoegt: 'Natuurlijk rekenen wij ook op onze nieuwe schrijvers en schrijfsters om onze catalogus nieuw leven in te blazen.'

'Maar help ons dan toch, goddomme! Haar adres, haar telefoonnummer, iets waardoor we contact met haar kunnen opnemen.'

'Dat is nu precies het enige wat ik niet kan doen! Je kunt net zo goed de baas van Coca-Cola het recept van zijn limonade vragen. Mijn discretie staat in het contract. Het is zelfs de voorwaarde voor mijn exclusiviteit met mevrouw Papillon.'

Dit verstoppertje spelen wordt belachelijk. F.L.K. staat op.

'Als je me in elk geval zou kunnen vertellen hoe je die tekst te pakken hebt gekregen, dan zou ik wellicht…'

De uitgever maakt zijn zin niet af en legt aarzelend een hand op mijn schouder. Tot mijn verrassing merk ik dat hij naast mij staat. Hij is kleiner dan ik.

'Denkt u echt dat ik zo'n trut ben?'

De uitgever zet zich schrap. De verrassing geeft mij moed.

'Moet ik u er soms aan herinneren hoeveel u investeert in dat kutboek? Vidkun Venner en ik kosten u anders aardig wat!'

F.L.K. is gevoelig voor dat argument en fronst zijn wenkbrauwen. Behoudend, op de achtergrond, staat Clemens duizend angsten uit.

'Ik zie dat juffrouw Chouday een… curieus karakter heeft, Clemensje. Je zult je vast niet vervelen.'

Clemens wordt bleek, maar die vlieg vang ik hem af.

'Ga een beetje de onderwijzer uithangen! Clemens is net als ik: hij wil begrijpen. Hij maakt voortaan deel uit van de equipe, net als ik. Hij is er zelfs van overtuigd dat er een vervolg op *Halgadøm* bestaat en dat dat best eens hier zou kunnen liggen, in uw bureau, ergens verstopt.'

'Aha! Denk jij dat, Clemens?'

Clemens wil al ontkennen, maar ik pak zijn hand en begraaf mijn nagels erin.

'En of u dat wilt of niet, we zullen het vinden.'

Ik dans op het scherp van de snede, ik weet dondersgoed dat ik aan het bluffen ben. Weliswaar heeft Clemens de oude chauffeur van zijn vader, André Cruveliet, op het spoor van Papillon gezet, maar het dossier is geklasseerd K, net als dat van Jos. Clemens verroert zich niet. Hij kijkt mij nu aan met een bijna jongensachtige verering.

'Ik heb wellicht een oplossing,' laat F.L.K. zich ten slotte ontvallen.

Ik trek een wenkbrauw op.

'O, ja?'

De uitgever aarzelt even, opent dan een laag meubeltje van gekleurd mahonie en haalt er een stapeltje dvd's uit die hij op tafel legt. Geïntrigeerd komen we een stap naderbij.

'Jullie weten misschien dat Marjolaine voor elk van haar boeken maar één keer een interview afgeeft. Ze eist daartoe thuis te worden gefilmd, en alleen. Dat doet ze al jaren.'

'Die Alexandre Bertier van de uitzending *Point-Virgule* hebben we ook te pakken willen krijgen. Maar hij is altijd op vakantie, je zou denken dat hij dood is!'

F.L.K. knikt.

'Nee, nee. Hij is niet dood, hij is echter gebonden door dezelfde eis van geheimhouding als ik.'

Het wordt zo langzamerhand duidelijk dat deze uitgever bezig is een slag met zichzelf te leveren.

'Alles is er. Ik heb alles op dvd laten zetten, vanaf het eerste interview in 1964 tot het laatste, dat is drie maanden geleden uitgezonden.'

'En is dit geen smoesje om er onderuit te komen?'

'Kijk zelf maar.'

'Dat zal ons er niet van weerhouden haar adres op te sporen, dat weet u toch?'

F.L.K. doet alsof het hem niets kan schelen, maar dat lukt niet helemaal. Op een quasiontspannen toon zegt hij nog: 'Bekijk ze nou allemaal maar. Geloof me, Anaïs, Marjolaine zal jullie niet meer vertellen dan wat in haar interviews staat.'

Dat is haar dus: Leni Rahn!

Die uitgesproken trekken, die metalen blik, die stijve houding. Marjolaine Papillon lijkt op die oude sterdanseressen die roerloze draken worden, die kleine ratten terroriseren. Alles aan haar contrasteert met het kader van de interviews: de mooie rieten stoel, het prieeltje dat ondanks de herfst nog ritselt van de nachtvlinders, de aanwezigheid van een moeras waaruit je in de stiltes zuchten lijkt te horen opstijgen, het mooie huis in het zuidwesten, waar Marjolaine Papillon haar enige jaarlijkse interview afgeeft. En de traag, met zachte stem gestelde vragen van Alexandre Bertier, een ouwe rot van het scherm, die elk jaar weer over hetzelfde begint, meegaat met dezelfde wendingen, dezelfde doodlopende stegen in sukkelt. Op een enkel detail na, en natuurlijk het feit dat elk boek een ander plot heeft, is elk interview strikt genomen hetzelfde. Wat een corvee!

Clemens heeft zojuist de derde dvd erin gedaan. We hebben al acht interviews gezien, waaronder het oudste. Wij zetten ons nu schrap om de laatste jaren (2000-2005) te bekijken.

Clemens zakt achterover in zijn stoel.

'Ik kan niet meer.'

Helaas, het nieuwe interview begint al.

'Dames en heren, goedenavond, *Point-Virgule* wordt zoals elke eerste vrijdag van oktober rechtstreeks uitgezonden uit Coufigne, het landgoed van Marjolaine Papillon, in het zuidwesten van Frankrijk.'

We luisteren niet. Of amper.

'Ik kan ook niet meer,' zeg ik, en ik ga lekker tegen Clemens aan liggen. Gelukkig hoeven we dat niet te bekijken op mijn piepkleine televisietje. De 'theesalon' van de ouders Bodekian, in hun flat aan de avenue du Président-Wilson, heeft keizerlijke allure. Grote leren canapés, dure koffietafels, en die gigantische televisie die daar staat, met de verwaandheid van een pasja. Het was Clemens' idee om hiernaartoe te gaan. 'Mijn ouders zitten een week in Marrakesj. We kunnen die dvd's net zo goed op hun plasmascherm gaan bekijken.'

Toen we in het appartement kwamen, zijn we zelfs op de oude agent-chauffeur André Cruveliet gestuit, die na zijn pensioen huismeester is geworden. Hij voelde zich schuldig dat hij ons niet had kunnen helpen bij ons onderzoek en was gedienstig als een huisknecht.

'Zal ik wat te eten maken voor jullie, kinderen?'

Tien minuten later kwamen Lapsang souchong, clubsandwiches en lange vingers onze marathon vergezellen. Maar nu wordt het toch allemaal wat te veel! Op den duur lijkt de stem van Alexandre Bertier verschrikkelijk mechanisch. Niemand gelooft er meer in. Zij niet en hij ook niet.

'Wat zo buitengewoon aan u is, mevrouw Papillon, dat is die enorme vruchtbaarheid van uw verbeeldingskracht, die zich elke keer weer vernieuwt.'

'Ik houd van werken. Ik heb al heel snel discipline geleerd, vanaf mijn jeugd. Mijn ouders waren uiterst streng.'

'Hebben zij u Frans geleerd?'

'Ja.'

'En u hebt nooit overwogen om rechtstreeks in uw moedertaal Duits te schrijven?'

'Ik ben geen Duitse, ik ben Scandinavische. Mijn moedertaal is Noors. Maar ik ben opgegroeid in Beieren.'

Ik probeer me dat meisje voor te stellen, me haar voor te stellen als 'Leni'. Dat is trouwens niet zo moeilijk. De romanschrijfster ziet er nog steeds uit als een modelscholiere, ze heeft een rotkop, typisch de beste van de klas. Zo'n vrouw die bij het vergelijkend examen een eervolle vermelding heeft gekregen, voordat ze zelf les ging geven. Ik begrijp nu, nu ik haar zo plechtstatig en een tikkeltje hoogmoedig meemaak, dat de Svens zich rot hebben moeten ergeren.

'Naar verluidt schrijft u wel teksten in uw moedertaal, maar hebt u de vertaling ervan in het Frans verboden.'

'Er wordt zoveel over mij verteld: dat ik reislectuur schrijf, dat ik mijn boeken niet zelf schrijf, dat ik nazi ben geweest... maar na tientallen romans heb ik nog steeds de huid van een krokodil!'

Clemens slaat zijn ogen ten hemel. 'Dat gelul van die krokodil zegt ze ook elke keer.'

Ik krijg een stuip van vermoeidheid en druk me tegen Clemens aan.

'Mag ik daar liggen?' zeg ik terwijl ik op zijn schouder wijs. Zijn ogen zijn bloeddoorlopen. We zitten al acht uur voor dat plasmascherm. Ik vlij me nog eens tegen Clemens aan en duw mijn neus in zijn hals. Ik voel een opkomende vertedering voor hem, alsof hij de enige is die mij nog boven water houdt.

'Als ik jou toch niet had,' zeg ik fluisterend, 'dan denk ik dat ik alles erbij zou laten zitten.'

Clemens antwoordt niet en streelt zachtjes mijn hoofd. Dan drukt hij een kusje op mijn hete voorhoofd.

'Heb jij koorts?'

'Dat is de televisie.'

Clemens fronst zijn wenkbrauwen en pakt de afstandsbediening.

'We worden nog een keer ziek van die flauwekul!' moppert hij terwijl hij de dvd-speler uitzet.

Daarop verschijnt het avondjournaal.

'Verdomme, we zijn om twaalf uur begonnen en het is kwart over acht!'

Patrick Poivre d'Arvor, met zijn boetvaardige gezicht, heeft het over een recent Duits drama: 'In Tübingen is weer een gehandicapt kind ontvoerd, in de nacht van vrijdag op zaterdag. De kidnappers zouden tijdens de slaap van de ouders het huis zijn binnengedrongen, die de verdwijning van hun trisomisch zoontje Tobias van drie pas de volgende ochtend hebben vastgesteld. De nieuwe regeringsleider Angela Merkel is meteen naar de ouders gegaan en hoopt deze zaak te regelen, want deze ontvoeringen zijn nu al twee jaar aan de gang in Duitsland.'

'Hoe laat hebben we die afspraak?' vraagt Clemens, die al in geen jaren meer in het Musée de l'Homme is geweest.

'We zijn twintig minuten te vroeg,' zeg ik, terwijl ik een skelet streel. Dat benige netwerk fascineert me. Ik heb nooit begrepen hoe dat alles bij elkaar kan houden. Vooral de voeten.

'Er zitten meer botjes in de voet dan in de hele rest van het lichaam,' vertelde mijn vader me vaak, als hij mij de 'natuurlijke historie' uitlegde, op de grote keukentafel, in Issoudun. De schriften lagen verspreid over het wasdoek en wij zaten op wankele, rechte rieten stoelen. De boeken, de woordenboeken en de schriften lagen tussen de schillen van rapen en de bosjes nog te doppen boontjes, in oude kranten gewikkeld.

Voor mij hebben de eerste herinneringen aan school een lucht van gebakken ui, chloorwater en vliegenpapier. Want mijn vader had verordonneerd dat de keuken mijn klaslokaal zou zijn.

'Dat is het laboratorium van de ziel, Nanis.'

Het was vooral het enige vertrek dat uitzag op een binnenplaatsje, terwijl de woonkamer of mijn kamer uitzag op de straat, en op de lagere school, pal tegenover ons. Elke ochtend hoorde ik de kinderen onder mijn raam voorbijkomen, schaterlachend of huilend in de armen van hun ouders. Voor mij was dat een andere wereld. Waarom kan ik niet gewoon met de andere kinderen meedoen?

'Omdat je niet zoals de rest bent, Nanis. Je bent beter dan zij. Met mij ga je sneller en kom je verder.'

In feite waren mijn vader en ik net zoiets als Leni en Otto!

'Dit is een lugubere plek!' zeg ik met een slecht humeur, denkend aan de schedels die de SS-doktoren hadden verzameld. Had Dieter Schwöll er ook een? Heeft Vidkun met echte botjes gespeeld toen hij klein was?

Ik pak Clemens bij de hand.

'Ik weet echt niet waar dit alles toe zal leiden.'

Clemens raakt meteen in paniek.

'Hoezo, dit alles?'

'Dit alles: dit onderzoek, al deze doodlopende stegen.'

'Maar het lukt ons wel!'

'Nou ja, de start was niet best, die nazizoon die zich laat doorgaan voor een Scandinaviër.'

'Maar nu weet je wie hij is en is jullie verhouding opgeklaard.'

'Opgeklaard? We communiceren nog slechts per e-mail, terwijl we worden geacht samen een boek te schrijven.'

'Maar jij hebt die oplossing zelf voorgesteld.'

'Weet ik, weet ik. Ik kreeg de kriebels. Ik werd opeens bang van dat alles. Maar wellicht is hij niet het gevaarlijkst in de hele zaak.'

'Je bent toch niet bang voor mij, hè?'

Automatisch tel ik de vloertegels.

'Lieverd, je betrekt altijd alles op jezelf. Wat dat betreft ben je net je vader.'
Smerige opmerking. Clemens reageert niet.

'Ik denk alleen dat deze hele zaak gevaarlijk is, echt gevaarlijk. Die Vietnamese smeris die als een spook verschijnt om mij die tekst voor te leggen. Die maatschappij Halgadøm, zogenaamd gevestigd in Noorwegen, maar die nergens te vinden is, in geen enkel handelsregister. Die burgemeester uit het zuidwesten die een van de kopstukken zou zijn van de nazigeneeskunde. Die onvindbare romanschrijfster, van wie absoluut niet te bewijzen valt dat zij echt Leni Rahn is, die wellicht nooit anders bestaan heeft dan in haar verbeelding. Ik ben het zat.'

'Wat ben je zat?'

'Alles!'

Mijn stem weerklinkt door het museum.

Clemens kijkt een beetje bedremmeld. Hij is te gek op mij, binnen enkele weken is hij er te snel aan gewend mij niet te hoeven verlaten, hij kan het idee dat ik onze relatie op de helling zou zetten niet verdragen.

'En ik? Heb je ook genoeg van mij?'

'Jij, jij, altijd jij,' zeg ik, terwijl ik zijn wang streel. 'Jij neemt steeds meer plaats in, weet je dat?'

Clemens haalt opgelucht adem.

'Echt waar?'

'Ik ben blij dat jij er bent.'

Terwijl we elkaar teder omhelzen, sluiten we onze ogen en laten we ons koesteren door de stilte. Plotseling klinkt er geritsel vlak bij ons.

'Juffrouw Chouday?'

Ik duw Clemens weg.

'Dat ben ik.'

Een vrouwtje dat amper ouder is dan wij, maar door haar bril, een muisgrijs mantelpakje en een onderdanige manier van doen ouder lijkt, bekijkt ons met verscheurende jaloezie.

'De conservator verwacht u in zijn kantoor.'

'Ach, die beroemde "nazimummies"!'

De conservator leunt met een dromerige uitdrukking achterover in zijn oude stoel. 'Als u denkt dat u de eerste bent die daarover komt praten...'

De man is amper ouder dan zestig, maar hij heeft een kop van een poedel met een monocle uit het begin van de twintigste eeuw. In dat massieve kantoor van het Trocadéro lijkt alles versteend in de tijd. Alsof die skeletten het personeel van het museum hebben aangestoken.

'Er komen regelmatig mensen langs van alle leeftijden die vragen stellen over dat onderwerp,' vervolgt de conservator, terwijl hij met zijn briefopener speelt.

'U hebt er dus van horen spreken?'

'Het is een oud refrein in ons beroep.'

'En u erkent dat de nazi's een archeologisch programma hebben opgezet?'

De conservator laat de briefopener om zijn wijsvinger draaien.

'Het Derde Rijk heeft ongetwijfeld een paar geleerden omgekocht, paleontologen, archeologen, weet ik veel. Maar verder gaat het niet.'

Hij grinnikt even minachtend. 'Die legende is vooral ontstaan door Pierre Benoît, met zijn roman *Montsalvat*, eind jaren vijftig.'

'*Montsalvat*?'

'Een goed boek trouwens. Poëtisch, zoals zo vaak bij Pierre Benoît. Hij is begonnen met die mythe over de nazi's die op zoek waren naar de graal.'

'Volgens u is het dus volledig uit de duim gezogen?'

Maar de conservator vervolgt de lijn van zijn gedachten: 'Dat is opgepikt door Hollywoodfilms uit de jaren tachtig. Denkt u maar aan wat Adorno zei: "Het occultisme is de metafysica van imbecielen."'

Hij schijnt vergeten te zijn dat hij niet slechts tegen zichzelf spreekt en stopt voorzichtig de briefopener in zijn neus, als een sonde. We moeten ons inhouden om niet in lachen uit te barsten. Plotseling beseft de conservator dat wij er zijn en rukt hij het ding weg, waarbij hij probeert een ontspannen toon aan te slaan.

'Wat die affaire uit de jaren vijftig betreft,' vervolgt hij met luidere stem, 'dat is slechts een min of meer verzonnen krantenbericht, dat door provinciale pennenlikkers is opgezet.'

'Dat zijn dus geen nazi's geweest en er is ook geen sprake van een mummie?'

'Een of ander middeleeuws skelet dat is ontdekt door een stelletje labielen in uniform. Tenslotte heeft niemand ze ooit gezien, die mummies. In elk geval geen enkele geleerde.'

'Geen enkele geleerde die u kent,' verbetert Clemens hem.

De conservator neemt hem eens op. 'Jongeman, wij zijn met weinigen in ons beroep. Iedereen weet alles van iedereen. Als zoiets bestond, dan kunt u er zeker van zijn dat wij er lang voor de provinciale journalisten van op de hoogte zouden zijn.'

Ik doe er een schepje bovenop: 'En het artikel in *Bres*? "Mummies uit een andere wereld"?'

Als ik dat zeg, wordt de conservator weer een beetje vrolijk. Zijn blik lijkt doordrenkt van nostalgie.

'Daar heb ik vaak over horen praten, maar ik heb het nooit in handen gehad. Dat is vast weer een of ander rookgordijn van die oude grappenmaker van een Bergier. Ik heb hem goed gekend. Ik heb zelfs de weinige serieuze artikelen in *Bres* over de Prehistorie en archeologie geschreven. Maar als je nou spreekt van wetenschappelijke discipline...'

De conservator buigt zich over zijn bureau, alsof hij net een masker heeft afgezet en wil tonen wie hij echt is: geteisterd, moe, stoffig, maar helder van geest.

'Kinderen, er is zoveel moois op deze wereld. Doe niet net als ik, sluit je niet op in het verleden, in de boeken. Geloof me, ik weet waar ik het over heb. Ga eropuit, leef, jullie onderzoek zal jullie slechts teleurstelling en verdriet bezorgen.'

1939

Zeven uur. Klaroenstoten. Ik opende mijn ogen in dat onveranderlijke blauwe licht. De winterzonnewende naderde. Zoals elke ochtend hees ik me uit mijn bed en ging naar de gang van de slaapzaal. Buiten stond een soldaat op ons te wachten, met een slang in de hand. Wij werden zoals elke ochtend besproeid met ijskoud water, toen er een oorverdovend lawaai boven onze hoofden losbarstte. Automatisch bukten we, en de soldaat richtte zijn straal naar boven, als een luchtafweerkanon.

Het was een vliegboot.

'Op dit uur?' fluisterde een Sven tegen zijn broers, terwijl hij zijn borst wreef om die – tevergeefs? – op te warmen.

'Misschien komen de Engelsen ons bombarderen,' antwoordde een ander, waardoor hij de onrust herhaalde die door oom Otto half was verwoord, terwijl hij op zijn stijve blauwe vingers beet. Maar het vliegtuig keerde boven het eiland, zonder projectielen af te werpen. De wacht van de kazerne ving het in een groot zoeklicht en iedereen haalde opgelucht adem: er stond een hakenkruis op.

'Oef!' lieten de Svens zich ontvallen.

Ten slotte streek het toestel neer op het water. Wij hadden geen vin verroerd, hadden bijna de bijtende kou vergeten.

'*Heil Hitler! Heil Hitler!*' riep een stem achter ons.

In het halfduister zagen we oom Otto die op de veerdam af stormde, terwijl er passagiers uit het vliegtuig stapten. Zonder vaart te minderen klapte Otto in zijn handen om het haventje, het vliegtuig en de bezoekers te doen verlichten. Wij werden verteerd door nieuwsgierigheid en kwamen dichterbij. Een piloot en drie mannen in burger waren uit het apparaat gekomen. De derde man draaide zich om en keek naar de horizon, naar de schaduw van het klif, de bleke maan, de zwarte massa van de gebouwen.

'Ik hoor al heel lang spreken van dit Eden!' zei hij, terwijl hij zijn stijve benen losmaakte. Otto bekeek hem wantrouwend.

De derde man, nog heel jong, met donkere wenkbrauwen boven borende blikken, leek elk element van het decor te bekijken, om het thuis te brengen, te analyseren en het ergens in zijn bewustzijn op te slaan.

Hij zag ook ons. 'En wie zijn die elfjes?' vroeg hij met een verbaasde glimlach.

Otto draaide zich om. Hij had ons niet gezien.

'De kinderen? Maar wat doen jullie daar!?'

De 'regent' durfde ons echter waar die bezoekers bij waren niet op onze kop te geven.

'Kom eens dichterbij,' zei de man.

De Svens en ik wisten niet hoe we moesten reageren, maar Otto gaf ons een teken te gehoorzamen. De bezoekers sperden verbaasd hun ogen open.

'Maar die kinderen zijn naakt!' sprak de oudste verontwaardigd.

'Dat is omdat we net uit het water komen,' antwoordde een van de Svens, alsof dat de vanzelfsprekendste zaak ter wereld was.

'Uit het water?'

Otto klapte in zijn handen.

'Goed, goed, goed,' zei hij met beschaamde stem. 'Nu jullie er toch zijn, kinderen, zullen we jullie ook voorstellen.'

De drie heren fronsten hun wenkbrauwen. Hun bezoek begon onder vreemde voortekenen.

'Heren,' zei Otto, terwijl hij op ons wees, 'dit is de toekomstige aristocratie van het Rijk. De zuurdesem van het toekomstige Duitsland.'

Bij die woorden bekeken de bezoekers ons met veel meer belangstelling.

'Leni en de vier Svens volgen de modernste opleiding van de SS. Binnenkort zullen zij ons bevelen.'

Gewend aan de redevoeringen van Otto durfden wij er niet al te zeer in te geloven en we bleven stokstijf staan, terwijl we het steeds kouder kregen.

Otto liep op de bezoekers af.

'Kinderen, ik zal een van de belangrijkste artistieke persoonlijkheden van het Rijk aan jullie voorstellen.'

Hij wees op de oudste.

'Herr Doktor Richard Strauss, de meest gevierde componist van Duitsland en Oostenrijk, maker van de *Rosenkavalier*, van *Salomé*, van *Elektra*, van...'

'Laat zitten,' fluisterde Strauss verrukt.

Daarop wees Otto op een magere man.

'Dit is Carl Orff, een andere componist die bevriend is met het bewind en die een briljante toekomst voor zich heeft.'

De man sloeg de hakken tegen elkaar.

'En hier is ten slotte de hoofdarchitect van de Führer, Herr Doktor Albert Speer.'

De man met de zachte blik zat nog steeds gehurkt.

'Dag, kinderen,' zei hij vriendelijk.

Toen stond hij op en liep op ons af. Hij ging met zijn hand over ons hoofd, gaf een tikje tegen onze wangen en voegde er met een verfijnde stem aan toe: 'Maar vertel ze dan toch tenminste wat wij hier komen doen, Otto.'

Otto wierp een blik om zich heen, alsof hij inspiratie zocht, en we zagen de schaduw van een grote vis vlak bij de kust langszwemmen.

Vast een orka, dacht ik.

'De heren zijn komen kijken hoever wij zijn gevorderd met de grote operazaal die gebouwd wordt voor de toekomstige cantate van oom Nathaniël: *De kinderen van Thule.*'

Daarop ontspanden de bezoekers zich enigszins.

'Richard Strauss en Carl Orff zijn de componisten, en wat dokter Speer betreft, hij ontwerpt het decor.'

Daarop viel een lange stilte. Wij begonnen te bibberen.

Otto merkte dat en maakte er meteen gebruik van: 'Maar jullie hebben het koud, kinderen. Ga jullie gauw aankleden.'

Onze voeten waren al ongevoelig van de kou geworden en wij renden over de grindweg die naar de slaapzaal voerde. Toch ving ik nog een flard op van de dialoog die mij de hele ochtend bleef boeien: 'Wat verschaft mij de eer van dit bliksembezoek?' vroeg oom Otto.

'Daar heb ik om gevraagd,' antwoordde Speer, die zijn lieflijke toon liet varen om er administratieve koelte voor in de plaats te stellen. 'De kanselarij maakt zich ongerust: men heeft gehoord dat er vreemde dingen gebeuren in uw archipel.'

'Wie wil er eieren?' vroeg Ingvild ondeugend.

'Ik, ik, ik!' riepen de kinderen, gezeten rond de oude gestreepte, zwart geworden, bevlekte vurenhouten keukentafel. De couverts lagen al gereed en de grote kachel ronkte van tevredenheid.

Wij waren gek op zeekoeteieren, die Ingvild fantastisch kon klaarmaken. In haar rechterhand hield ze een grote gietijzeren pan, in haar linker een mandje vol ronde, groene eieren. Zij was de koningin van dit rijk van vaatwerk, koperen pannen, soepketels en conserven.

'Ik wil ze als roerei!' verklaarde een Sven.

'En ik zacht gekookt!' sprak een andere.

Een derde Sven wilde net zeggen wat hij wilde, toen Ingvild op strenge toon zei: 'Tut, tut, tut, kinderen, iedereen eet vanochtend omelet.'

'O,' bromde de vierling.

'We hebben vandaag een gast,' vervolgde de kokkin, die de eieren een voor een in een kom brak, 'en die heeft mij om omelet gevraagd.'

Allen wendden zich naar Hans Schwöll. Enigszins beschaamd werd de zoon van de arts van de archipel vuurrood.

'Nou ja, als jullie wat anders willen,' stamelde hij tot de vier Svens, die steeds bozer keken.

'Wat voor voorrecht heeft hij om wat dan ook te eisen?' vroeg een van de Svens zich – gemeend – af.

Ingvild klopte de eieren met een garde en hoorde niets. Ze bekeek de kruidenkast om te zien of alles er was.

'Hij is geen echte ariër en ook geen echte Duitser, want zijn moeder is Noorse!' vervolgde een andere Sven.

'Willen jullie weleens ophouden?' probeerde Ingvild met weinig overtuiging, geheel gewijd aan haar eieren. 'Wat hebben jullie tegen Noren? Ik ben ook Noorse.'

Daarop goot ze het beslag in een dampend hete pan, en een lekkere warme lucht doorstroomde het vertrek. Hans bleef rustig, en met een knipoog verzekerde ik hem van mijn sympathie. Daarop zaten de Svens te wachten!

'Nou ja, Hansi is natuurlijk Leni's liefje.'

Ik verstijfde en ging er niet op in. Hans lachte nerveus.

'Doe niet zo stom,' was zijn enige antwoord.

Maar ik voelde dat hij gekwetst was. Telkens als hij met ons kwam ontbijten, in de keuken van het paleis van oom Nathi, zaten de Svens hem te pesten, probeerden hem als het ware te ontgroenen.

'Alsjeblieft!' zei de kokkin, terwijl ze ons om beurten een flink stuk voorzette.

Hans begon in zijn omelet te prikken.

'Mmm, verrukkelijk,' zei hij tegen Ingvild.

De kokkin bloosde.

'Mmm, verrukkelijk,' bauwde een van de Svens hem na. 'Ja, als je ook een moeder hebt die heel slecht kookt!'

Waarop zijn buurman zei: 'Met zo'n grote kont en van die koeienogen.'
'Ze lijkt wel een zeeolifant!'
Iedereen begon te lachen. Ik voelde me heel ongemakkelijk.
Hans sloeg met zijn vuist op tafel. Ingvild draaide zich om.
'Wat is er?'
Ze was bezig geweest haar pan schoon te maken en had niets van de pla-
gerij gehoord. Hans was weer vuurrood geworden. Tranen sprongen hem
in de ogen en hij deed zijn best ze terug te dringen. De Svens waren ver-
rukt, maar hadden die woede niet verwacht. Want Hans leek nu echt boos.
Onder de tafel legde ik kalmerend mijn hand op zijn knie. Dat was een
stomme fout!
'Welja, toe maar, schaam je niet!'
'Verwen hem ook nog eens, natuurlijk!'
De Svens barstten in lachen uit.
'Kinderen! Kinderen!' zei Ingvild, die Hans langzaam overeind zag ko-
men, zijn ogen zwart van haat.
'O, o!' zeiden de Svens in koor, alsof ze naar vuurwerk stonden te kij-
ken.
Maar de dokterszoon had geen zin in lachen. En wat mij betreft, ik
stierf van schaamte. Hans stond nu. Hij stak zijn hand uit naar het aan-
recht en greep een keukenmes.
'Hans!' gilde Ingvild.
Maar het was al te laat!
Hij wierp zich op een van de Svens en drukte het lemmer tegen zijn
halsslagader. De ander slaakte een kreet en hield zich daarop roerloos als
een pop.
'Nou heb je niet zo'n grote bek meer, hè?'
Ingvild was in paniek.
'Laat meteen dat mes los!'
Maar Hans verroerde zich niet. Hij hield zijn mond bij het oor van de
Sven en fluisterde: 'Heeft mijn kleine ariër zijn eieren liever hard of zacht
gekookt?'
De andere Svens durfden nu niet meer te lachen. Zij keken naar hun
broer alsof ze zelf werden gekeeld en automatisch beschermden ze hun
hals. Het lemmer werd steeds meer tegen de huid gedrukt. En als hij slik-
te duwde het kind het mes verder tegen zijn eigen keel. Niemand verroer-
de meer een vin, niemand durfde meer adem te halen.
'Het is een schandaal!'
Iedereen schrok. Het lemmer trok een rood spoor over de keel van Sven,

maar Hans deinsde meteen terug en liet het kind los, dat begon te janken.

'Denken jullie dat wij imbecielen zijn?' hernam de stem.

De kreten kwamen van de ingang. We hadden ze vergeten: onze bezoekers waren er nog.

Die zijn net terug van Halgadøm, ze hebben de opera gezien, dacht ik, en ik keek naar de Sven, die zijn hals met zijn servet depte. Maar iedereen was nu op zijn qui-vive, zelfs Hans, want bij de ingang verhieven ze de stem. We begrepen dat er iets belangrijks gebeurde, iets wat veel belangrijker was dan onze kinderruzies.

'Otto, je hebt ons allemaal in het ootje genomen!' hoorden wij de stem van Albert Speer. 'Dat ga ik melden aan de Führer, en ik zal eisen dat wij deze ongeluksarchipel bombarderen.'

Wij vergaten onze ruzies en waren een en al oor. Zelfs Ingvild, die zodoende de regels overtrad, deed de deur halfopen zodat wij het beter zouden kunnen horen.

'En ik stel me zo voor dat die imbeciel van een Korb niet eens op de hoogte is,' hoorden we Richard Strauss zeggen. 'Het is jullie vast gelukt hem het een en ander wijs te maken, niet?'

'Het is monsterlijk!' voegde Carl Orff eraan toe.

'Helemaal omdat wij echt aan die partituur hebben gewerkt!' zei Strauss met een stem vol haat.

'Wel, wat is je antwoord?' zei Speer, geërgerd door de stilte van Otto.

'Ik heb niets te antwoorden,' zei Otto met ijskoude stem. 'Ik heb slechts de bevelen van Reichsführer SS Himmler opgevolgd.'

'Dat zullen we dan weleens zien!' concludeerde Speer, die we vervolgens het gebouw hoorden verlaten, gevolgd door de beide componisten.

Door het raam van de keuken zagen we ze naar de vliegboot lopen, die meteen opsteeg.

'En?' zei oom Otto, die de keuken binnenkwam en verrast was ons allemaal met de neus tegen de ruit te zien. 'Zijn jullie klaar met ontbijten?'

We keken hem geschrokken aan en liepen weer naar onze plek. We voelden dat er iets ernstigs gebeurde, maar durfden niets te zeggen. Otto leek verbazend kalm. Zijn mondhoek beefde alleen de hele tijd.

'Wat heb jij in je nek?' zei hij terwijl hij op Hans' slachtoffer wees.

De Sven mompelde: 'Niks, niks, ik ben uitgegleden op een rots.'

Verrast glimlachte Hans hem dankbaar toe, maar de andere Svens schuimbekten van haat, alsof ze zeggen wilden: 'Wacht jij maar af, jochie.'

Ik had liever gehad dat mijn vriendje was aangeklaagd dan die tweeslachtige genade.

'Otto!' sprak daarop een stem, bij de ingang.

In de deuropening zagen we het slaperige gezicht van Nathaniël Korb verschijnen.

'Wat is er?' vroeg de miljardair. 'Heb ik een vliegtuig gehoord?'

Hij keek glazig uit zijn ogen.

'Welnee, Nathaniël, je hebt gewoon last van je gehoor!'

Onnozel vroeg de oude man, op de toon van een braaf kind en zonder zich te bekreunen om onze aanwezigheid: 'Denk je dat ik binnenkort het bouwterrein zal kunnen bezoeken?'

'Heb geduld, Nathaniël,' antwoordde Otto zachtjes. 'Ik zweer je dat je niet teleurgesteld zult zijn.'

Hij keek Korb nog eens in de ogen en vroeg toen: 'Je hebt toch vanochtend je injectie wel gehad?'

Er verstreken verscheidene dagen. Onze mysterieuze bezoekers hadden een duidelijke herinnering nagelaten, waarover niemand met Otto durfde spreken. We zagen hem vaak op het klif staan, met zijn blikken op Halgadøm gericht.

'We moeten opschieten,' fluisterde hij tussen zijn tanden.

Na dat vreemde ontbijt ging Hans naar huis zonder represailles van de Svens. Als bij stilzwijgende overeenkomst had niemand het meer over die ruzie, die helemaal verkeerd had kunnen uitpakken. Niettemin bekeek de vierling Hans, als hij de Svens tegenkwam – op de kliffen of in de kazerne – met kille haat, alsof ze hun wraak hadden uitgesteld naar betere dagen. Het 'slachtoffer' van Hans moest enkele dagen een groot verband dragen, dat eruitzag als een gipskraag. En toen hij de week daarop naar het bord moest om zijn les op te zeggen, kon hij er slecht door spreken. Aan het eind van de les ging ik net als elke dag naar de bibliotheek, om oom Nathi gedag te zeggen.

'Schatje, wat zie je er vanochtend weer lief uit!'

Ik deinsde langzaam achteruit, slikte mijn walging weg, hoewel het uiterlijk van de oude man van dag tot dag erger werd: zijn ogen waren omgeven door rode wallen en bloeddoorlopen, zijn tandvlees werd donkerder dan de veren van papegaaiduikers en uit zijn mond kwam een lucht van rotte vis. Toen klonk een luide kreet aan de overkant van het vertrek.

'Ja!'

Ik draaide me om, de Svens stonden bij Otto te draaien, aan het zwarte bord, zoals je een held vereert. De huisleraar keek mij aan met spijtige blik. Maar de Svens stortten zich al op mij, duwden oom Nathi aan de kant om mij te omgeven met hun triomfkreten.

'Morgenochtend neemt oom Otto ons mee naar de bouwplaats van Halgadøm!'

'Echt waar?' vroeg ik, verrukt.

Maar de 'regent' draaide zich om terwijl de Svens bekoelden.

'Ons, jou niet. Oom Otto heeft gezegd dat hij alleen mannen daarnaartoe mee kan nemen.'

Ik kreeg het heet van verontwaardiging. Ik liep naar Otto toe.

'En ik?'

Oom Otto hurkte neer en legde zijn handen op mijn wangen. Achter mij stonden de Svens te grinniken. Alsof ze zeggen wilden: arm kind!

'Het is een mannenzaak,' sprak Otto zachtjes.

Ik las een uitdrukking van oprechte tederheid in zijn ogen, maar ik werd verteerd door verdriet, ik kon me niet neerleggen bij die voorkeursbehandeling.

'Maar waarom?'

Otto kwam snel overeind. Hij was bekoeld.

'Omdat ik dat zeg,' besloot hij.

Vervolgens verliet hij de zaal, gevolgd door de Svens, die voor het paleis gingen voetballen. Ik ging door de grond. Ik voelde me beledigd, vernederd, in de steek gelaten.

'Weet je, ik mag er ook niet heen.'

Oom Nathi zat nog steeds in zijn stoel en leek iets van zijn helderheid te hebben herwonnen. Ik draaide me naar hem om.

Is hij eigenlijk niet de enige in wie ik vertrouwen kan stellen? vroeg ik me af.

'Al wekenlang dringt Otto aan op geduld en hij zegt de hele tijd dat ik anders "teleurgesteld" zou zijn, dat ik "het goeie moment" moet afwachten.'

Terwijl hij dat zei omklemde hij de armleuning van zijn stoel.

'Het lijkt wel alsof dit niet mijn huis is, alsof ik deze hele onderneming, dit hele eiland, al die verdomde soldaten niet financier!'

Oom Nathi wond zich op. Hij ademde met moeite. Hij leek lucht tekort te komen, masseerde dwangmatig de holte van zijn linkerarm en keek smekend naar de ingang. Toen klaarde hij helemaal op.

'Dag, Leni.'

De witte jas van de getrouwe Doktor Schwöll was net in de deuropening verschenen. Hijgend bekeek oom Nathi zijn redder. De arts pakte zijn spuit en zei op rustige toon tegen mij: 'Wil jij niet even buiten gaan spelen?'

De volgende ochtend waren de Svens vertrokken toen ik wakker werd. Oom Otto was ze waarschijnlijk bij dageraad al komen halen om ze naar Halgadøm te brengen, zonder ze bloot te stellen aan mijn beschuldigende blikken. Ik rekte me uit onder mijn oude linnen lakens en keek op het klokje op mijn metalen nachtkastje: het was bijna tien uur! Vandaag had er geen klaroenstoot geklonken. Ik had heel lang geslapen en ik was alleen in het gebouw.

In de steek gelaten? Ik keek uit het raam om te zien of het eiland verlaten was. Maar ik zag de gebruikelijke colonnes soldaten, die langs het klif patrouilleerden.

'In elk geval wees,' bromde ik, en ik sprong uit het bed om mijn uniform aan te trekken. Een soldaat stond me voor de deur op te wachten.

'Fräulein Leni?'

Het was een nieuwkomer – vrij jong en net zo blond als de rest – en wij kenden elkaar niet.

Ik zei met slaperige stem: 'Ja', en hij hield me een brief voor, die verzegeld was met een hakenkruis.

Oom Otto, dacht ik, en ik herkende het handschrift.

Beste Leni,
Ik smeek je, neem het me niet kwalijk. Ook jij zult binnenkort op de hoogte worden gesteld, jij zult veel meer te weten komen!
Heb geduld, mijn hartje, en vertrouw me.
Je wordt verwacht deze wat bijzondere dag door te brengen bij de familie Schwöll.
Tot vanavond.
O.

En Otto had gelijk: de dag was wat je noemt bijzonder. Gelukkig dat Hans er was. Mijn enige vriend. De ochtend brachten wij door met een wandeling over het eiland Yule en we hadden het over Halgadøm.

'Op sommige avonden,' zei Hans, 'als mijn vader en mijn broer Knut terugkomen van een dag werk op Halgadøm, kunnen ze niet praten. We eten zwijgend en als ik vragen stel, iets te weten wil komen, krijg ik te horen dat ik mijn mond moet houden.'

Ik knikte, kende dat gevoel van onbevredigde nieuwsgierigheid.

'Er is daar iets aan de hand,' vervolgde Hans. 'Iets waarover mijn vader en mijn broer niet kunnen spreken. En ik wil weten wat!'

Hij kneep in mijn hand, het deed me bijna zeer. 'Ik moet het begrijpen!'

255

Daarop wendde hij zich tot mij. 'Als ik een middel vind om ernaartoe te gaan, ga je dan mee?'

Dat hoefde hij mij niet te vragen! Ik zei meteen ja en ik voelde zijn lippen het puntje van mijn neus raken.

'Vertrouw dan op mij. Ik weet niet hoe ik met een boot moet varen, maar ik red me vast wel,' zei hij tegen me, toen hij de vissersbootjes voorbij zag varen, die tussen de kliffen door loodsten om ons onze dagelijkse portie vis, zeefruit en wilde eieren te brengen.

'Je moet ook de weg kennen,' wierp ik tegen. 'Zelfs Otto doet dat niet alleen.'

'Als we maar een kaart hebben.'

Maar de kaarten werden door de soldaten bewaard. Het leek ons allemaal onmogelijk, onoverkomelijk, en nog nooit had ik me zo onthand, zo leeg gevoeld. Die situatie werd trouwens nog verergerd – dat moest ik toegeven! – door de afwezigheid van de Svens die, ondanks hun pesterijen en hun rotopmerkingen, een vast baken waren in mijn dagelijks leven.

De lunch was vreemd. We zaten maar met zijn drieën aan tafel: Hans, zijn moeder en ik, in de eetkamer van de cottage. Voor de gelegenheid had Solveig voor ons zelfs haar (verrukkelijke) kabeljauwfilet met zeewier klaargemaakt. Maar dat was dan ook het enige lekkere in deze beproeving! Want zodra we aankwamen verstijfde de Noorse in haar grote rode wollen jurk en toen ze de deur opendeed, mompelde ze wantrouwig: 'O ja, dat is waar ook, zij is er ook.'

'Mama, toe,' zei Hans.

Daarop sloeg zijn moeder de ogen ten hemel en liet ons binnen. Tijdens het eten sprak niemand. We hoorden alleen de kauwbewegingen van onze kaken op de halfrauwe kabeljauw, het geluid van onze lippen aan de glazen, de vorken die klikten onder de verguld houten luchter.

Soms zei ik: 'Het is lekker!', waarop Solveig dan antwoordde met 'Dank je', op een toon die net zo vrolijk klonk als een requiem.

Naast mij speelde Hans stommetje. Zodra hij zich opmaakte het woord te nemen, keek zijn moeder hem aan met een vernietigende blik, en dan zweeg hij weer. De sfeer was om te snijden! En toch, aan het eind van de maaltijd schoof Solveig haar stoel achteruit en vroeg mij: 'Ben jij hier gelukkig, Leni?'

Ik wist niet wat ik daarop moest antwoorden en ik zei, bijna uitdagend: 'Oom Otto zegt dat de Håkon het paradijs op aarde zijn.'

'Het paradijs,' zei Solveig wat dromerig grinnikend. Het leek alsof ze met de rug tegen de muur stond. 'Dat weet ik zo net niet,' antwoordde ze.

Hans was verward, maar Solveig was op dreef: 'Heb je ze vanochtend zien vertrekken?' vroeg ze mij. 'Jouw vier broers en jouw "lieve" oom Otto?'

Ik schudde van nee en zei: 'Ik sliep nog.'

'Ze zijn hier voorbijgekomen,' vervolgde de lange Noorse, met haar blik op oneindig. 'Ze zijn voorbijgekomen om Dieter en Knut op te halen, mijn man en mijn oudste zoon.'

Ik aarzelde en vroeg toen: 'Maar u, weet u wat er op Halgadøm gebeurt?'

Ze zag zo wit als een doek en antwoordde niet. Niemand verroerde een vin. Solveig stond ten slotte op om een fles aquavit te gaan pakken, waarvan ze zichzelf een groot glas inschonk.

'Maar mama toch!' zei Hans verontwaardigd, toen zijn moeder het in één teug leegdronk. De ogen van Solveig werden even glazig als die van een dode vis en ze bekeek mij met de scherpe blik van een zoöloog.

'Mis jij je ouders niet?'

'Mama!' protesteerde Hans weer.

Solveig glimlachte liefjes tegen haar zoon en wendde zich weer tot mij. Ze wachtte op mijn antwoord. Ik durfde niet toe te geven dat ik nooit aan ze dacht, dus ik verzon het verdriet van een wees.

'Ja natuurlijk,' zei ik met een gemaakte pruillip.

'Wat weet je van hen? Wie waren ze?'

'Vissers, maar Duitsers, geen Noren,' antwoordde ik alsof dat vanzelfsprekend was. 'Ze woonden op de archipel, en ze zijn omgekomen in een grote ramp.'

'Ja natuurlijk,' zei Solveig grinnikend, en ze schonk nog eens aquavit in. 'Heb je ook foto's van ze?'

Hans sprong op van zijn stoel. 'Mama, laat Leni met rust!'

Solveig werd steeds roder, de inhoud van de fles slonk.

'Waarom?' vroeg ze haar zoon agressief. 'Jij beschermt haar, hè? En ik had je al verboden om…'

'Mama!'

Hans was lijkbleek. Hij durfde mij niet meer aan te kijken maar stond van tafel op en bromde tegen me: 'Kom mee!'

Ik stond op, zonder Solveig uit het oog te verliezen. Ze werd geteisterd door verdriet en verveling, en leek op een oud vrouwtje dat op de man met de zeis zit te wachten.

'Het zijn geen kinderen zoals jij, Hansi,' zei de Noorse snikkend, die haar glas omklemde. 'Je kunt wel doen zoals zij, je zult nooit op ze lijken.'

Ze hikte eens. 'En dat is maar beter ook! Want het zijn monsters, hoor je? Monsters!'

Daarop verborg ze haar hoofd in haar handen en barstte in tranen uit.

Monsters, dacht ik die avond, toen ik de Svens zag terugkomen. Ze kwamen om klokslag negen uur. Ik was al in de slaapzaal, in pyjama in bed, en deed mijn best een verhandeling over rassenkunde te lezen die oom Otto me had gegeven. Zou ik liegen als ik zei dat ik ze niet meteen herkende? Of althans dat een twijfel mij bekroop toen ik ze zag verschijnen...

Ik lag languit, het gordijn van mijn box open naar de gang, en ik zag een soort spookverschijning. Ja, het was echt een spookverschijning! Tegenover mij leek ze met bleke, dode ogen boven de vloer te zweven. Toen kwam ze naderbij en verdween. Ik hoefde niet overeind te komen, want de vier Svens kwamen als vier bleke spoken voorbij, zelf al schaduwen. Ik hoorde de stem van Otto, vanaf buiten: 'Welterusten, jongens!'

Daar voegde hij met aarzelende stem aan toe: 'Maak jullie geen zorgen, jullie wennen er wel aan, je moet niet vergeten dat je hoort tot het ras van de meesters!'

De deur sloeg dicht en ik hoorde hem weglopen.

Geen geluid meer, alleen het razen van de storm, die een kwartier daarvoor was opgestoken. Maar de Svens zeiden niets. Ze lachten niet, ze zeiden niets. Geïntrigeerd door hun stilzwijgen stond ik op en ging naar hun box: daar waren ze niet. Ik hoorde geluid uit de badkamer komen. Ik aarzelde even, voordat ik me liet leiden door vreemde en onrustbarende geruchten. Bij de deur van de douche gekomen schreeuwde ik: 'Maar... wat is er met jullie gebeurd?'

Geen antwoord. De vier Svens waren daar, naakt, verstijfd, ieder voor een spiegel. Ze bekeken zichzelf, alsof ze probeerden te bewijzen dat ze zichzelf nog waren.

'Is alles in orde?' stamelde ik. Er kwam geen antwoord. Ze stonden even roerloos alsof ze opgezet waren. En toen zag ik hun ogen. Daar was iets aan veranderd. Een soort nieuwe diepte, alsof ze ze uitgehold hadden.

'Ga naar bed!' zei een Sven kortaf. Zonder na te denken gehoorzaamde ik hem.

Daarna gingen de Svens dagelijks naar Halgadøm. 's Morgens vroeg kwam Otto ze halen, en hij bracht ze pas 's avonds om een uur of negen terug.

Niettemin ging hun paniek van de eerste dag al heel snel over in berusting. Geen spotternij meer. Voor hen bestond ik gewoon niet meer. Als ze 's avonds terugkwamen, gingen de Svens rustig slapen, verzonken in hun gedachten. Soms leek het me alsof ik in hun ogen nog de verwarring van de eerste avond kon lezen, maar dat was een voorbijgaand visioen, een echo van een ver verleden. Ook gebeurde het wel dat ik gelijk met hen opstond, om ze te zien vertrekken. En altijd was Otto daar, die mijn blikken ontweek.

Al een paar weken was mijn geestelijke vader nu nog slechts een vluchtige schaduw. Hij had zijn 'Leni, hartje' opgegeven.

Heeft hij eindelijk zijn echte kinderen teruggevonden? vroeg ik me af als ik ze bij dageraad aan boord zag gaan, terwijl de zon begon aan haar grote terugkeer boven Håkon, zich opmaakte om zich voor de maanden van het 'gele licht' te vestigen. Ik zag ze als een hechte familie over de oever, over de rotsen lopen. Een gespannen familie, dat wel, geen blik van verstandhouding, geen vrolijkheid. Maar wel in volslagen osmose! Zo samengesmeed dat ik er nostalgisch van werd, en mijn tranen moest verdringen. Hun boot, een klein vaartuig dat door een visser werd bestuurd, verdween tussen de klippen. En de vijf triomfantelijke soldaten hielden hun blikken gericht op Halgadøm, zoals je naar een schat kijkt. Mijn vingers klampten zich vast aan de vensterbank en ik deed het raam dicht om me op mijn bed te laten vallen. 'En ik dan! En ik dan?'

Aan het eind van de lente kwam ik meer te weten. Het was één uur in de ochtend. De Svens sliepen als ossen, hun ogen halfopen, verstard in hun dromen. Ondanks de stilte en mijn angst kon ik het niet laten ze te gaan bekijken voordat ik de slaapzaal verliet. Al een hele poos was ik midden in de nacht niet naar buiten geweest. Het was nog koud, maar het was vrijwel klaarlichte dag: het gele licht had zich nu gevestigd. Ik was het begrip van tijd kwijt. Het moest tegen half juni lopen. Mijn schoenen kraakten op de rotsen. Ik stootte tegen elke steen, vertrapte elke schelp. Behalve dat geluid leek alles zo kalm, zo vreedzaam! Ons Noorse Eden, in slaap verzonken, met zijn schone verhoudingen, zijn ideale huizen, zijn zwarte rotskliffen en zijn groene uitgestrektheid, leek echt een verloren paradijs. Maar ik wist nog helemaal niets.

Zoals afgesproken stond Hans me op te wachten bij het haventje, dat van de vissersboten. Vijf boten lagen bij de kade in de zacht klotsende golven.

Daarop zag ik een gestalte boven Hans uittorenen en ik bleef stokstijf staan. Maar Hans gaf mij een teken naderbij te komen.

'Wees maar niet bang,' zei hij, terwijl zijn volgeling zijn kap afdeed.

'Ingvild?' liet ik me ontvallen, verbijsterd haar daar te zien.

'Sst!' antwoordde ze voordat ze op mij af kwam.

Drie samenzweerders in de dop. Hans wees op een kleine sloep met buitenboordmotor, die aan de kade lag. Ik voelde me steeds minder op mijn gemak.

'Moeten we daarin?'

De jongeman maakte een berustend gebaar.

'Het is de boot van Björn, mijn man,' fluisterde Ingvild. 'Hij is klein, maar hij vaart.'

'En bovendien heb ik tussen de papieren van mijn vader een kaart van de klippen gevonden!' voegde Hans er met gemaakt vrolijke stem aan toe, terwijl hij me een oud stuk papier liet zien, dat verweerd was door wind en zout. En toch ontging me iets.

'Maar... waarom?' zei ik terwijl ik naar Ingvild keek.

De kokkin grijnsde en gaf toen toe: 'Björn is verdwenen. Ook hij werkt aan de bouw op Halgadøm. Tot deze winter was hij visser, maar Otto heeft hem geworven voor zijn "bouwteam".'

Ze zweeg even en wees op Halgadøm, zo dichtbij in het gele licht.

'In het begin,' vervolgde ze, 'kwam Björn nog elke avond thuis. Een boot nam de arbeiders 's morgens mee en bracht ze tegen zeven uur 's avonds terug.'

Een lange zucht.

'En na een paar weken bracht hij daar af en toe de nacht door. Steeds vaker. En als hij terugkwam was het alsof hij de dood in het gezicht had gekeken. Je kon niet met hem spreken, je kon hem geen enkele vraag stellen.'

Ingvild onderdrukte een snik en leunde op mijn schouder. De blikken van Hans en mij kruisten elkaar, en hij maakte een veelzeggend gehaast gebaar: 'We moeten opschieten!'

Maar Ingvild was aan het praten en ik moest haar aanhoren.

'Sinds drie weken is hij niet meer teruggekomen. En Björn is niet de enige. Hier vraagt iedereen zich het een en ander af. We hebben Halgadøm het "weduweneiland" genoemd, want sommigen denken dat onze mannen daar vermoord zijn. Allemaal... maar niemand durft meneer Otto iets te vragen, zijn soldaten jagen zoveel angst aan, ze zijn zo...'

Haar zin ging verloren in een snik.

'We moeten erheen,' zei Hans met heel zachte stem. We klommen in de boot. En terwijl wij de mist in voeren, werd Ingvild opeens bevangen door weerzin en riep: 'Nee, dit is waanzin! Terug! Ik heb jullie niet alles verteld!'

Maar het was te laat, we waren al op weg.

2006

'Nou ja, kun je me er niet meer van vertellen? Heb je geen vertrouwen meer in mij?'

Zoals vaak tegenover Lea heb ik dat vage gevoel voor een disciplinaire raad te staan.

'Ja, maar dat is het niet. Slechts een deel van het onderzoek is gebaseerd op geheime documenten en...'

'Ja ja, ik ken het refrein, ik heb het al begrepen!'

Woedend prikt Lea met haar vork in haar tajine en ze bekijkt met chagrijnige blik haar glas morgon.

Om haar ondervraging af te breken, leg ik mijn hand op de hare.

'Vertel eens wat over je zelf, we hebben het altijd maar over mij.'

Met volle mond bromt Lea: 'O, ik werk. De zender is bezig een nieuwe tv-reality show op te zetten. Iets debiels, zoals gewoonlijk: operazangers en stripteasedanseressen, veertien dagen zonder licht opgesloten in de kloof van Padirac, uitsluitend gefilmd met infrarood. Flauwekul, en dan weet je nog niet de helft!'

'Ik heb je nog nooit iets goeds horen vertellen over je werk.'

'Omdat het kutwerk is!'

Dat antwoord is eruit, maar Lea heeft niet van haar bord opgekeken. Ze is alleen wat rood geworden. Lea is ongelukkig met haar werk, hoewel ze veel geld verdient. Het is ook een zeer gevoelig onderwerp. Ze vindt het vreselijk erover te spreken.

'Mijn werk is een ander leven,' heeft ze me weleens toevertrouwd. 'Ik schuif mezelf aan de kant en ik gehoorzaam. Op een bepaalde manier denk ik dat ik dat leuk vind. Ik hoef niet na te denken, en ik ben van een afschrikwekkende efficiency!'

Was het diezelfde avond dat ze me, dronkener dan gewoonlijk, gekust heeft? We waren net uit het café, het was koud en Lea wilde mij per se thuisbrengen. Aanvankelijk had ze haar arm om mijn schouders geslagen, 'om je op te warmen, trut'. En vervolgens, bij de flat, heeft ze zich tegen mij aan gedrukt en haar lippen op de mijne geplant. Het ging allemaal zo snel! Het was maar een korte kus, maar ongelooflijk intens, en we hebben het er nooit meer over gehad. Daarna ben ik zonder me om te draaien de flat in gelopen.

Hoe lang geleden is dat nu? vraag ik me af terwijl ik Lea bekijk, die zorgvuldig haar bord schoonveegt met een stukje brood. Drie jaar misschien?

Maar toch blijft het intieme leven van Lea me een raadsel. En zij durft mij te verwijten dat ik haar niet alles vertel!

'Nou, dames, was het lekker?'

De ober haalt ons uit onze apathie. Stapelt de borden op zijn blad, met de vaardigheid van een koorddanser. Evenzogoed valt hij bijna over mijn tas.

'Neem me niet kwalijk, dat is mijn laptop.'

'Geeft niks. Wist je dat we tegenwoordig wi-fi hebben?'

'O, ja? Wil je me even excuseren, Lea?' zeg ik, terwijl ik meteen de laptop pak.

Lea, die zich opsluit in haar dromerij, mompelt tussen haar tanden door, zonder op te kijken: 'Pas maar op de kruimels.'

Ik moet een gegiechel onderdrukken en zeg: 'Mmm', om niet de bui van mijn vriendin te verpesten.

U hebt één boodschap.

Als ik zie dat die mail van Vidkun komt, voel ik een prikkeling in mijn nek. Alsof ik gebeten word door een insect. We wisselen dagelijks mails uit, maar elke keer voel ik me vreemd, een mengeling van schuldgevoel, walging en een soort ingehouden aanhankelijkheid. Ik ben duidelijk nog niet klaar met die Viking!

Lieve Anaïs,
Zoals ik je al vertelde in mijn mail van vanochtend, verandert het lezen van Halgadøm *aanzienlijk de opzet van ons onderzoek. We moeten absoluut die Marjolaine Papillon spreken, en ik begrijp niet dat F.L.K. zich daar zo tegen verzet. Het is zelfs onrustbarend. Maar als wij er via dat kanaal niet komen, moeten we een ander vinden...*

'Nou, ga maar zoeken, jochie!'

Sinds New York heb ik van mijn kant geprobeerd meer te weten te komen over Otto Rahn, maar alles blijft vaag. Hij duikt op in een esoterische roman uit de jaren zestig, Nieuwe katharen voor Montségur, geschreven door Saint-Loup, een oude Waffen-SS'er, maar daar schieten we niets mee op. In 1939 schijnt Otto Rahn in de bergen verdwenen te zijn. Niets wijst erop dat hij ooit in Scandinavië heeft gezeten. Evenmin wijst iets erop dat hij ook maar enig verband heeft gehad met de Lebensborn. Net zoals niets erop wijst dat Marjolaine Papillon, als zij inderdaad de schrijfster is van die tekst, niet alles uit haar duim heeft gezogen.

We staan dus voor nieuwe raadselen, die alleen wij kunnen oplossen. Alleen wij, en daar bedoel ik jou en mij mee, Anaïs. Net zo goed als je vriendje Clemens, die je per se bij ons avontuur hebt willen betrekken. Voor de rest kunnen we niemand vertrouwen en moeten we iedereen wantrouwen. Ook F.L.K., omdat hij ons bepaalde informatie wil onthouden, ook die mysterieuze Aziatische politieagent die als een deus ex machina is opgedoken.

Kortom, we moeten elkaar wederzijds kunnen vertrouwen, Anaïs, daar sta ik op.

Nou ja, denk ik, terwijl ik de cursor verplaats, daar begint hij weer. Het refrein van alledag.

Dit pro domo pleidooi ben je vast zat, maar ik herhaal nog eens dat het mijn bedoeling was je alles te vertellen, stukje bij beetje.

Anaïs, je moet me vertrouwen. We krijgen dat boek nooit af als we niet open met elkaar spreken en als we niet hand in hand samenwerken. Je zult wel begrepen hebben dat ik in dit labyrint evenmin de weg weet als jij, het boek is voor mij de enige kans om te ontdekken wie ik ben en waar ik vandaan kom, de kans om echt te weten wie mijn ouders waren, hoe wreed die onthulling dan ook kan zijn!

Ik smeek je dus, help mij.

Vidkun.

'De rotzak, de rotzak!' zeg ik terwijl ik mijn laptop dichtklap als een blikken bus. Lea heeft weer kleur en ook weer die bijtende maar vrolijke toon.

'Wat is er?' vraagt ze, terwijl ze zichzelf nog wat morgon inschenkt.

Zonder in te gaan op de details van *Halgadøm*, verklaar ik mijn wankele relatie met Venner, zijn dagelijkse mails, zijn behoefte om het 'weer goed te maken'.

Lea lijkt perplex. 'Misschien meent hij het.'

'En dat zit jij mij te vertellen?'

Lea, de passionaria van de salonsocialisten, die het opneemt voor een zoon van een SS-arts?

'Misschien heeft hij de waarheid verborgen om je niet in de war te brengen.'

'Dat heet gewoon liegen!'

Ik ben de richting kwijt, ik ben verdwaald in een bos. Alsof het hele onderzoek zich tegen mij keert.

'Nog een toetje, dames?'

Je kunt net zo goed tegen een muur praten. We bekijken elkaar stil en uitdagend, alsof we allebei bij de ander een oplossing zochten.

'Nou goed hoor, ik kom wel weer langs.'

De ober loopt weg en tikt met een teder gebaar met zijn wijsvinger tegen zijn slaap. Hij kent ons al heel lang.

'En... Clemens?' vraagt Lea half hardop. Die naam alleen blust de brand, als een kalmerend middel. Een zoete indruk maakt zich van mij meester.

'O, Clemens is zo... lief.'

'Lief? Meer niet?'

'Nee, ik ben gek op hem.'

'Verliefd soms?'

Ik heb een pesthekel aan dit soort vragen. Alsof plotseling de wereld aan mijn lippen hangt. Gevoelens kun je niet aan iemand uitleggen. Dat is het meest serieuze, het meest geheime dat wij hebben. Omdat ik afleiding zoek, houd ik Lea mijn glas voor. Dat is slecht gespeeld!

'Mag ik nog wat?'

'Kunnen jullie goed met elkaar opschieten?' houdt Lea vol, en ze schenkt de fles leeg.

'Ja, tenminste, dat geloof ik wel. Ik ben er niet zo aan gewend.'

Ik laat even een stilte vallen.

'In feite heb ik de indruk dat ik een beetje zijn moeder ben.'

Lea slaat haar ogen ten hemel. 'Hou nou toch op!'

Ze buigt zich naar mij toe en streelt mijn wang met de rug van haar wijsvinger.

'Anaïs, trutje van me, je weet dat ik gek op je ben.'

'Ja.'

'Je weet dat ik alleen maar oog heb voor jouw welzijn, wil je me dan niet vertrouwen?'

Ik ben steeds minder op mijn gemak, en knik. Lea blijft mijn gezicht strelen.

'Oké, dan ga je nu doen wat ik je al jaren vertel. Morgenochtend, in plaats van je op internet te werpen om je neus tussen die nazi's te steken, ga je naar het Gare d'Austerlitz, je neemt een retourtje Issoudun en je gaat een onverwacht bezoek aan je vader afleggen.'

Ik weet wel dat Lea gelijk heeft. Vandaag meer dan ooit. Ik zou zoveel rustiger zijn, zoveel vrijer, als ik mijn jeugd onder ogen zou durven komen. Als ik die confrontatie zou aangaan, pas dan zou ik echt verder kunnen. Dan zou ik kunnen proberen iemand anders te worden, en geen halve maatregel, geen half leven, iemand die ergens halverwege tussen zijn herinneringen en wat hij wil vastzit. Ik weet dat al mijn demonen daar verstopt liggen, in dat huisje waar ik nooit terug ben geweest.

'Geloof je dat ik daarheen moet?'

'Dat geloof ik niet, dat weet ik.'

Ik zit die ochtend bijna alleen in mijn wagon naar Issoudun. Drie rijen verderop zit een oud dametje zorgvuldig een banaan te pellen, die ze met kleine stukjes doorslikt, met de schroom van een spitsmuis. En plotseling word ik doodsbenauwd ook zo te zullen worden.

Alleen, denk ik, terwijl ik het oude dametje opneem, dat nu een bibliotheekboek tevoorschijn heeft gehaald en de bladzijden omslaat nadat ze aan haar wijsvinger heeft gelikt. Ik doe alsof ik mijn portefeuille laat vallen om te kijken wat ze leest. Nee maar, Marjolaine Papillon! *De laatste trein naar Sobibor*, een van haar oudste titels. Ik zoek tastend mijn weg in een woud van aanwijzingen! De trein rijdt nu door grote agrarische vlakten. Het platteland met zijn meest trieste uiterlijk. Bleke omgeploegde aarde, verschrompelde bosjes, met hier en daar industriegebieden waar je doorheen komt als door een nachtmerrie. De zon breekt door de mist en valt mij in het oog. Als een soort belachelijke uitdaging doe ik mijn best niet met mijn ogen te knipperen. Daardoor wordt mijn herinnering een soort caleidoscopische schittering en bestormen beelden mijn geest. Ik herinner me de blik van die anderen, op die eerste septembermaandag in 1995.

Dat is tien jaar geleden...

Ik ging naar de middelbare school, mijn vader had er eindelijk in toegestemd mij naar het lyceum te sturen. Was die veranderde houding het gevolg van die brief die hij in de zomer had gehad, afkomstig van het gemeentehuis van Issoudun, ondertekend door de vereniging van ouders van leerlingen? Ik was te laat, er was nog maar één plaats achter in de klas, naast een dikke jongen die zijn mond niet had afgeveegd nadat hij zijn reep chocola had opgevreten. Een dertigtal ogen volgde mij terwijl ik door de klas liep. Verrassing. Onrust. Begeerte.

Daar is ze! Eindelijk! De dochter van die vreemde.

Een stalen bal in mijn buik, maar ik hield het hoofd hoog. Ik kende al die koppen. Een voor een waren ze verbonden met een herinnering, een vluchtig beeld, ontstolen aan de strengheid van mijn vader. Al die pubers hadden op de school tegenover ons gezeten, allemaal hadden ze bij ons door de ramen proberen te kijken, of de kolonel nu inderdaad een dochter had bij die 'vreemde', die rare vrouw over wie niemand het had zonder stilzwijgende toespelingen.

De eerste dagen zei niemand iets tegen me. Zelfs de leraren schenen niet graag dat meisje aan de les te laten deelnemen, dat niet de normale school had gevolgd, een geprivilegieerde, leerling van haar eigen vader. En vervolgens, toen we het eerste huiswerk terugkregen en ik de beste cijfers had in alle vakken, werd ik er alleen maar verdachter door. Niemand durfde op me neer te kijken, want de pubermythologie wilde dat ik macht had, zoiets als die Carrie in die gruwelfilm. Ik was de tovenares, ik was de heks van het lyceum.

Elke avond ging ik naar huis zonder tegen iemand te praten, mijn gedachten geheel bij mijn studie. In werkelijkheid was het werk mijn enige vrijheid. Daardoor kon ik me afzetten tegen mijn vader, die trouwens geen greep meer op me had.

'Het spijt me, papa, maar ik heb morgen een repetitie.'

Als je mij moest geloven, had ik die dagelijks. Een mooie smoes! Het werk was mijn vesting geworden. Soms hield de kolonel het niet meer en voer hij uit: 'Maar je praat nooit meer met me! Wat heb je toch?'

Dan keek ik expres vaag naar hem, alsof hij me stoorde. Had hij me niet die discipline bijgebracht, die obsessie van het bijtijds voltooide werk? Drie jaar lang hadden we geleefd als een oud echtpaar dat nog slechts met gebaren communiceert: de vaat, de was, het huishouden. In feite maakte mijn vertrek waarschijnlijk niet veel uit, want we leefden al enkele jaren in parallelle werelden. Op diezelfde ochtend kreeg ik de resultaten van mijn eindexamen: alles goed.

Mijn vader trok een gezicht en zei: 'Ik had beter verwacht.'

En toen, voor de eerste keer, sprong ik uit mijn vel. Alles kwam eruit, als een doorgebroken abces. Achttien jaar wrok, stille woede, ingehouden boosheid, het kwam allemaal terecht op de tegelvloer van de keuken, drie uur lang. Mijn opsluiting, de militaire discipline, het verbod met anderen om te gaan, mijn leven, mijn kas, afgesloten van alles. En het ergste was nog, dat mijn vader er niets van begreep. Hij keek alsof hij het in Keulen hoorde donderen. Echt waar!

'Maar dat heb ik allemaal voor jou gedaan. Om je te beschermen. Je moeder...'

Die zin kon hij niet afmaken, want ik sprong meteen in de bres. Mijn moeder... Ik wist niets van haar, door hem. Hij had altijd alles voor me verborgen gehouden. Hij verplichtte me slechts af en toe haar graf te gaan bezoeken, elke zondagmiddag, in weer en wind. En als papa moe was (moe waarvan? dat vraag ik je!), moest ik alleen. Hoeveel keer ben ik niet mede- lijdend bekeken door de anderen, op het kerkhof? Mijn schimprede duur- de tot diep in de nacht.

'Maar dan...' zei mijn vader ten slotte, weggezakt in zijn fauteuil, '... dan veracht je mij?'

Volslagen uitgeput, hijgend, barstte ik in tranen uit en kreunde: 'Was dat maar waar.'

Want dat was het ergste. Ik hield van mijn vader. Heel erg veel. Twee uur later had ik besloten te vertrekken, voorgoed, en stond ik op het per- ron van het station van Issoudun. Datzelfde station waar mijn trein zojuist is gestopt.

Nu al!

Ik voel mijn darmen krimpen zodra ik een voet op het lege perron zet. Al snel bestormen de geuren mij. Ik verlaat het station en een lucht van houtvuur, oude stenen, bakkersoven dringt in mijn neus. Alles komt zo sterk, zo hevig terug, dat ik er bijna van moet kotsen. Dat winterse uit- zicht van een afgrondelijke triestheid. Ik weet nog heel goed waar het huis staat, maar ik wil er niet meteen heen gaan. Ik begin met een rondje stad, om het terrein te verkennen. Ik loop de straten in, en alles lijkt me hele- maal verstard.

Een dode stad.

Een foto van de tijd. Alles is ouder geworden, meer niet. Ik kom gestal- ten tegen en besef een vreemd detail: voor het eerst durf ik de mensen aan te kijken. Als meisje had mijn vader me altijd geleerd naar de grond te kij- ken. En op school hield ik mijn hoofd altijd schuin, wat me een reputatie van achterbaksheid bezorgde.

'Ik ben groot geworden.'

Voor mij lijkt een poortje te grinniken. Als vanzelfsprekend hebben mijn voeten me naar de begraafplaats gebracht! De poort piept van roest en kou. Het geluid van mijn hakken op het oude grind is nog hetzelfde. Een ijskoud gevoel, het betreden van een andere wereld, een universum van kalmte, leegheid en geheimen. Sommige graven zijn veranderd, maar het duurt een poosje voordat ik dat van mijn moeder vind. Ik herken haar niet meteen. Destijds was het marmer gebarsten en was de steen verwaarloosd. Nu zie ik tot mijn grote verrassing een schoon graf, met bloemen, opgepoetst. De davidster is opnieuw verguld en de naam is goed leesbaar: JUDITH CHOUDAY 1944-1980.

1980: mijn geboortejaar.

Mama... Hoe lang hebben wij samen geleefd? Een paar uur? Ik kniel. De kou van het marmer dringt door mijn spijkerbroek. Automatisch betast ik het boeketje dat op het graf staat. De bloemen zijn vers. En dan val ik bijna flauw. Die inscriptie was me ontgaan. En toch staat ze daar, voor mijn ogen, op het graf gegraveerd, onder de naam van mijn moeder. Het speeksel stroomt gewelddadig mijn mond in, stijgt me naar de keel, ik klap dubbel om te kotsen.

Maar het is te laat, want ik heb het gelezen: ANAÏS CHOUDAY, 1980-1998.

'De klootzak!'

Mijn stem gaat verloren in de vochtige straten. Tranen stromen over mijn wangen. Mijn voeten stampen op de grond, met de gewelddadigheid van een soldaat. Ik kan er niet bij, hoe durft hij! Hij heeft me vermoord! Mijn vader heeft me vermoord! Mijn eigen vader!

1998: het jaar dat ik eindexamen deed. Het jaar dat ik ervandoor ben gegaan!

Hoe kun je zoiets doen? Hoe kun je zo ontkennen wat ik ben, mij zo minachten? Om vooral maar het 'wat zullen ze ervan zeggen' te vermijden, heeft mijn vader gedaan alsof ik dood was! Heeft hij me soms ook nog een echte begrafenis bezorgd? Heeft hij soms een lijk gehaald bij het lijkenhuis, om mij volgens de regels te begraven?

Dit alles lijkt me van een duizelingwekkende laagheid, maar deze ontdekking zweept me op en ik ben nu vastberaden de rekening met die kolonel te vereffenen.

Alle rekeningen.

En daar is het dan. Het huis van mijn jeugd. De kleine gevel, drie verdiepingen met ramen, een pannendak en luiken, allemaal dicht. Niets is veranderd. Behalve de rozenstruik, die hij heeft laten creperen. Eén paar luiken staat open. Dat van de woonkamer. Met pijn in mijn buik loop ik op de gevel af.

Lieve hemel! Daar is hij, twee meter bij mij vandaan. Mijn vader. Hij zit in zijn stoel – nog steeds dezelfde stoel, versleten, stuk – in een tijdschrift te bladeren. In het vertrek liggen overal tijdschriften. Ik ben de kluts kwijt, ik durf niet naar mijn vader te kijken. Het is zo moeilijk toe te geven dat hij oud is geworden! Heel even draait de kolonel zijn hoofd naar het raam, maar hij ziet me niet.

'Papa,' fluisteren mijn lippen, onmerkbaar. 'Papa.'

En dan voel ik me weer onwel worden. De kamer is veranderd. Op de schoorsteenmantel staat nog steeds een foto van mijn moeder, maar de rest is anders geworden. Vanaf mijn eerste stukjes tot aan mijn recente artikelen is alles daar, ingelijst achter glas, aan de muur gehangen. Er ontbreekt vast niets. Het gevoel van onwelzijn boort me in de maag, ik moet me vasthouden aan de zonneblinden. Maar mijn vader hoort niets. Dan besef ik dat hij een van mijn laatste artikelen in de *Paris Match* zit te lezen. Een artikel dat ik een week voordat ik Vidkun Venner heb ontmoet, heb geschreven. De oude man zit wat krampachtig te lezen, alsof hij een proefwerk zit te bestuderen. Tandenknarsend besef ik dat hij de tekst met rood potlood zit te verbeteren.

Nee toch, denk ik, weer op het punt om in tranen uit te barsten. Hij is ook geen snars veranderd!

Walgend kijk ik op mijn horloge: De volgende trein naar Parijs gaat over elf minuten, als ik ren haal ik hem nog net.

'En je bent niet naar binnen gegaan?' vraagt Clemens, terwijl hij een dampende kom naar mijn lippen brengt.

'Waar was dat goed voor geweest? Er is niks veranderd. Hij leeft nog steeds in zijn ivoren toren, al zeven jaar. Hij denkt dat ik nog zijn leerling ben en hij corrigeert mijn artikelen een voor een. Vervolgens heeft hij me vermoord en begraven.'

Ik stort in. Clemens pakt de kom aan en neemt me in zijn armen.

'Kindje toch, het spijt me zo voor je!'

'Ik ben geen kindje!'

De soep stroomt bijna over de grond.

'Alsjeblieft, ik voel me zo rot. Ik heb niet eens een douche kunnen nemen. Ik was nog niet terug in Parijs of ik ben de hele nacht in mijn appartement gaan lopen ijsberen. Ik zie er niet uit!'

'Hoe het ook zij,' zegt de jongeman, wijzend op de kraampjes van Clignancourt, 'we zijn hier in het rijk van stof en viezigheid.' Clemens en ik eten samen een kom ouderwetse uiensoep in een vieze tent op de rommelmarkt.

'Arme schat,' zegt Clemens weer, en hij streelt mijn hals. Volgens mij is dat de eerste keer dat hij me 'schat' noemt. Maar ik kook te zeer om daar op te letten.

'Kom maar mee, zegt hij, terwijl hij een bankbiljet naast de kom soep legt. 'We gaan een eindje lopen.'

Zijn hand in de mijne, dat is al een belofte van liefde. Clemens is gek op de rommelmarkt. Hij koopt er nooit iets, maar hij houdt van die sfeer 's morgens vroeg; die rommelige, drukke sfeer, waarin alles geboren lijkt te worden. Een leuke chaos, die die maniakale orde van het huiselijke appartement compenseert. En bovendien is Clemens een ochtendmens. Ongetwijfeld de enige merkwaardigheid die hij van zijn vader geërfd heeft.

Het merendeel van de standjes gaat net open. De kooplui pakken dozen uit, barsten in lachen uit bij het begin van de dag, reiken elkaar bekertjes koffie aan. Het is koud. Hete damp komt tussen papperige lippen uit. Iedereen verschuilt zich achter zijn pelskraag en ik heb er spijt van dat ik mijn das niet bij me heb. Op hetzelfde ogenblik slaat Clemens een sjaal om mijn hals.

'Ik heb er altijd een extra bij me.'

De jongeman groet de oude verkopers, de boekhandelaren.

'Hé, Clemens!'

'Hé, jochie, ben je weer van de partij?'

Clemens lacht ze toe, weet niet wat hij moet zeggen. Want hier kent niemand de ander echt. Iedereen maakt deel uit van het decor. En dan merk ik dat ik van minuut tot minuut verhard. Mijn ogen, mijn herinnering zijn nog altijd in Issoudun, bij mijn jeugd, bij mijn graf. En ik heb moeite me te concentreren op zijn redenaties, die hij tegenover mij ophangt als een soort ontsnappingsmiddel.

'Ik heb nog eens over onze zaak nagedacht. Als dat verhaal van die mummies niet volslagen door Marjolaine Papillon uit haar duim is gezogen, dan moeten wij dat spoor op een andere manier volgen dan via de uitgever.'

'Mmm.'

Ik heb helemaal geen zin daaraan te denken, ik wil liever langs de standjes en de uitstallingen slenteren. Toch lijkt Clemens vastberaden mijn geest te scherpen.

'Ter zake, alleen al voor de affaire-Jos moeten er nog raadsels worden opgelost. Hoe heeft Rahn dat bombardement overleefd? Hoe is hij Claude Jos geworden? Zijn die vier zelfmoordenaars inderdaad de Svens?'

Ik loop met besliste pas door.

'Wat doe je nou!'

'Ik loop, ik probeer te ademen. Ik heb meer dan genoeg van al die rotzooi!'

De woorden verstikken mijn keel. Clemens zet de pas erin om bij me te komen en struikelt over een standje met kantwerk.

'Hela!'

De koopman is woest. Hij bukt zich en raapt zijn stukje stof op.

'Je zou me wel effe kunnen helpen!'

Maar Clemens kijkt mij in de ogen. We praten niet meer, maar onze uitwisseling is des te intenser.

'Waarom doe je zo, schat? Waarom...'

'Het spijt me.'

We voelen allebei de geërgerde aanwezigheid van de verkoper achter ons.

'Daar zijn hotels voor, hoor.'

Ik loop naar Clemens toe.

'Het spijt me, het spijt me. Het...'

Ik ga met mijn hand over zijn wang, maar hij krimpt ineen, want hij wantrouwt het. Dan pak ik hem met geweld en ik omhels hem heftig.

'Nou nou!' zegt de koopman.

En dan komt de bekentenis eruit, zonder voorbedachten rade: 'Ik denk echt dat ik van je hou. Maar je hebt geen gemakkelijke aan de haak geslagen!'

Bibberend neemt Clemens mij meteen in zijn armen.

'Dat geeft niks,' stamelt hij, terwijl hij mijn haren streelt. 'Ik ben er nu, ik ben er.'

Wat heb ik net gezegd? Waar begin ik aan? Dat heb ik nog nooit tegen iemand gezegd.

'Ik hou van je, ik hou van je, ik hou van je,' zeg ik, terwijl ik me tegen Clemens aan druk.

'Oké, Romeo en Julia, mag ik misschien mijn handel nou terug?'

De koopman, met zijn grote vliegerjack en zijn camouflagebroek, kan een zekere vertedering toch niet onderdrukken. Wij komen overeind, rillend en verdaasd. Clemens ziet dan dat hij nog een verkreukeld stukje kant in de hand heeft.

Enigszins gegeneerd houdt hij het de verkoper voor.

'Wat kost dat?'

De man met het camouflagepak neemt nu een welwillende houding aan.

'U hoeft u niet verplicht te voelen het te kopen, hoor, ik heb er zat van.'

Hij pakt het kant en zegt nog: 'En bovendien is het echt iets voor de liefhebber.'

Hij ontvouwt het en laat het aan ons zien… en Clemens verbleekt.

'Ah… Anaïs… kijk dan!'

'Is er iets mis?' vraagt de verkoper.

'Waar hebt u dat vandaan?'

'Zeg, maar dat gaat jou niks aan!'

'Waar?'

Met enige achterdocht mompelt de koopman iets maar ten slotte geeft hij toe: 'Dat is een vent die eens in de twee, drie jaar langskomt. En zekere Duteil. Hij heeft er een voorraad van op zolder, thuis in Lamorlaye, in de Oise. Naar verluidt was het een nazikraamkliniek in de oorlog. Hier, kijk maar.'

Ik pak het stukje kant. Het is een babyhemdje. Maar op de mouw herken ik, met zwart draad geborduurd, het logo van de SS.

1939

De oversteek was zo'n kinderspel dat we algauw begrepen dat de klippen, draaikolken en gevaren van het 'ontoegankelijke Halgadøm' verzinsels waren om nieuwsgierigen op een afstand te houden. Dat was de eerste ontdekking.

Na twintig minuten – we hadden niet meteen de motor aangezet, om het eiland niet te wekken – waren we aan de rand van die onbekende kust. Ik had me Halgadøm groter voorgesteld, maar het eiland is een soort heuveltje, waarvan wij slechts een helling zagen. We legden een beetje op goed geluk aan bij de rotsen en zetten het anker klem tussen twee stenen. Daarna stapten we aan wal, van rots op rots. We konden een zekere kinderlijke, onweerstaanbare opwinding niet onderdrukken, nu het avontuur begon. Ik keek mijn ogen uit. Halgadøm leek op Yule, ons eiland: hetzelfde kale terrein, dezelfde rotsige heuvels. Alleen waren we iets dichter bij de zee – die vanaf de muren goed zichtbaar was – ook de lucht scheen er prikkelender. Een mengeling van alg en visschubben.

We stonden al snel voor een groot wit gebouw, gelijkvloers als het paleis van oom Nathi, maar viermaal zo groot! Het strekte zich uit langs een oever, die aangroeide tot een klif. Momenteel sliep iedereen.

'Hier moeten de bouwvakkers de nacht doorbrengen,' raadde ik, 'dus Björn moet daarin zitten.'

Ik aarzelde om naar een raam te lopen, want ik meende iemand te horen ademen, maar Hans greep mijn arm.

'Straks,' zei hij. 'Kijk dan!'

Hij wees op een enorm gebouw, aan de overkant van de heuvel. Iets wat wij vanaf Yule niet konden zien.

Meteen dacht ik: de opera. Hoe moet ik die beschrijven? Ik had nog nooit een gebouw van die vorm gezien. Het stond op dat natuurlijke schiereiland, dat Halgadøm afsluit en uitkomt op de open zee. Het gebouw zelf leek een grote witte schelp, een reuzenei dat rechtstreeks op de rots was gelegd. De opera van Halgadøm stond in de steigers, met kranen eromheen, als de gevangene van een metalen spin. Hij zat vol groenachtige kijkgaten, die hem het uiterlijk van een onderzeeër in aanbouw gaven.

Hans en ik verroerden geen vin, gefascineerd door dat apocalyptische tafereel. Want het geheel gaf een morbide indruk, het wekte een dof gevoel op, dat de atmosfeer verzadigde. Onze oren wenden aan die grafstilte en toen hoorden we iets. Het kwam van de bouwplaats zelf. Ik herinnerde me een van de zeldzame vertrouwelijke mededelingen van Otto tegenover oom Nathi: 'Op Halgadøm werken de arbeiders dag en nacht aan ons project. Hoe sneller ze klaar zijn, des te sneller zullen wij *De kinderen van Thule* kunnen horen.'

'Dag en nacht,' zei ik, terwijl ik naar de bouwplaats af daalde. Toen ik de structuur van de muur van dichtbij bekeek kon ik een zekere teleurstelling niet onderdrukken. Ik had me voorbereid op iets veel... keizerlijkers. Oom Nathi had me foto's en tekeningen van de grote Europese zalen laten zien: Parijs, Milaan, Napels, Wenen. Hier leek het 'ei' op een bleke meteoriet. Gladde muren, karakterloos. Maar het was vooral die witte kleur die me intrigeerde: stralend, bijna lichtgevend, geladen met elektriciteit. En plotseling hoorden we stemmen.

Die kwamen van binnen. Daarop werd het gerucht sterker en sterker en bereikte zijn hoogtepunt in een knal. Hans en ik waren versteend. Het geluid van het werk was gestopt.

'Wat was dat?' vroeg ik zachtjes.

'Dat weet ik niet, maar luister: ze zijn weer aan het werk.'

En inderdaad, langzaam was de activiteit weer begonnen.

'Nu we er toch zijn moeten we verder,' zei Hans vastberaden, en hij liep langs de muren van de opera. We liepen eromheen maar konden geen ingang vinden. Soms betastte ik met mijn hand het oppervlak, dat zachte materiaal, strelend onder mijn handpalm.

'Het lijkt wel zijde,' zei ik, zonder het te kunnen geloven.

'Stil,' antwoordde Hans, die zijn oor tegen de muur drukte.

Binnen was het gerucht inderdaad weer begonnen: hamers, takels, zagen, metaalachtige schokken, motoren, in het Duits gebrulde bevelen. Ik onderscheidde zelfs een vreemde taal vol keelklanken.

Zou dat een Noors dialect zijn? vroeg ik me af, amper overtuigd.

Maar dat zou niet het enige raadsel blijven. Plotseling bleef Hans staan.

'Daar!' zei hij, terwijl hij op een patrijspoort wees, die lager was dan de andere en die een zeegroen schijnsel op ons wierp. 'Maar die is toch veel te hoog!' wierp ik tegen.

'Voor jou of voor mij,' zei hij met een halve glimlach. 'Maar niet voor ons beiden.'

Hij nam me in zijn armen, tilde me op tot de patrijspoort en vroeg, kreunend onder de inspanning: 'En? Wat zie je?'

Ik kon geen antwoord geven, ik kon niet eens meer ademhalen!

'Maar zeg dan toch iets!' zei Hans, die zijn evenwicht begon te verliezen en zich schrap moest zetten tussen twee rotsen om mij op te kunnen duwen. Ik hing nu pal voor het raam. Maar het schouwspel was hetzelfde: weerzinwekkend, verachtelijk. En ik die dacht dat Halgadøm... O, lieve god! Otto, Otto! Wat had hij ons op de mouw gespeld?

'Het is een gevangenis,' zei ik zonder overtuiging tegen Hans, die me niet had losgelaten.

'Een gevangenis?'

'Ja, een strafkamp.'

'Maar het is toch een opera?'

'Dat weet ik niet. Er zijn geen stoelen, geen zetels, en er is geen podium. Alleen maar drie witte rechtopstaande buizen, op de grond, tot aan het plafond.'

'Buizen?'

Ik knikte van ja.

'Maar waarom een gevangenis?'

'Omdat er mensen zijn.'

'Gevangenen?'

'Dat weet ik niet. Ze zijn met velen. Tientallen. Misschien wel honderd of tweehonderd.' Ik kon niet onder woorden brengen wat ik zag en probeerde me eraan te onttrekken. Maar dat ging niet.

'Wat doen ze?'

'Ze werken, als arbeiders. Maar ze lopen in streepjespakken. En ze gehoorzamen soldaten in het zwart.'

'SS'ers?'

'Ja, en...'

'Kijk eens aan, daar hebben we onze tortelduifjes.'

Hans, dodelijk verschrikt door die stem, verloor zijn evenwicht en wij vielen over elkaar heen. Daar stonden ze, alle vier, over ons heen gebogen. Hadden ze ons gevolgd? Hadden ze mij de slaapzaal horen verlaten? Dat weet ik niet, maar ze bekeken ons met de grijns van een hyena. De Svens leken in de verste verte niet meer op die middelbare scholieren van onze lessen met Otto. Ze waren gestoken in het zwarte uniform van de SS en zagen eruit als wrede, onvermurwbare huursoldaten, die alleen in het duister opereren. De Sven die de vijand was van Hans toonde nu zijn mooie litteken aan zijn hals, als een soort wapenfeit. Hij gaf de anderen een teken mij op te rapen, maar duwde Hans op de grond en ging zelfs op zijn borst zitten.

'Zo, Hansi, herinner je je mij nog?'

Hans antwoordde niet, hij kookte van haat.

'De kleine Hansi vindt het niet leuk als wij de draak steken met mama, hè?'

Hij kneep hem onder zijn neus. Hans kon zijn armen niet meer bewegen, die waren vastgepind.

'Heeft Hansi een goeie reis gehad?'

Weer een kneep, sterker, nu op het rechteroog. Uit Hans' rode, bloeddoorlopen oog stroomden tranen.

'Au! Kleine Hansi heeft veel pijn.'

Toen volgde een oorvijg. Die klonk als een vlag in de wind, en Hans' hoofd vloog tegen de rotsen op.

'Is Hansi blij dat hij zijn vriend Sven weer ziet?'

Hans klemde zijn kaken op elkaar en spoog hem in het gezicht.

'O, lelijke Hansi! Viezerik!' bromde de Sven, en hij veegde zich schoon voordat hij hem een vuistslag midden in zijn gezicht gaf.

Ik schreeuwde: 'Houd op!' Maar de andere Svens hielden me vast.

'Jullie wilden Halgadøm zien?' zei de beul met een zere hand. Hans' gezicht was één bloedvlek geworden.

'Ga dan maar mee met de gids!'

We betraden de zaal, waarvan de deur schuilging achter een trap.

'Gij die hier binnentreedt…' begon een Sven.

'… laat alle hoop varen!' vervolgde een andere.

Een hels kabaal, een geweldig lawaai, als het einde van de wereld. En die lucht! Het rook naar zweet, metaal, bloed en rottend vlees. Hans en ik beseften dat de zaal bezaaid was met lijken. Zonder blikken of blozen stapten de soldaten eroverheen, evenals de gevangenen. Hooguit schoven ze de lijken tegen de muren om te zorgen dat ze er niet over struikelden. Wij waren versteend. De zaal was gigantisch.

De opera van oom Nathi, dacht ik, geschrokken van dit monsterlijk cynisme. Het geheim van Otto. En ik bekeek die drie lange, verticale buizen die midden in de zaal tegen elkaar aan stonden. Daarop herinnerde ik me die verontwaardigde verwijten van de drie bezoekers, Speer, Orff en Strauss. Hun schrik, hun walging toen ze de werkelijkheid van Halgadøm hadden ontdekt.

'Nou, vooruit!' sprak een Sven, en hij gaf me een duw in mijn rug.

Niet naar die lijken kijken! Niet naar die gevangenen, schreeuwde een innerlijke stem. Ik probeerde me zelfs te concentreren op de technische dimensie van dit geval: de buizen, het werk. Ik voelde een wrede wanhoop bezit van me nemen en drukte me tegen Hans aan.

'Maar wat gebeurt er? Wat gebeurt er toch?'

'Wat hebben zij?' verbeterde Hans met wollige stem, want zijn lip was gesprongen. Daarop stelden we vast hoezeer de Svens hier in hun element, in hun wereld waren: duiveltjes in een miniatuurhel. Een nieuwe stuip van haat jegens Otto ging door mij heen.

En dat alles hiervoor? Een gevangenkamp? Een geheim leger? Een geheim wapen? Al die jaren les, onderwijs, om gevangenisbewaker te worden?

'Waar komen die vandaan?' vroeg ik Hans, die net als ik naar die tientallen bezige mannen keek, wier ogen allang geen uitdrukking meer hadden.

'Geen idee,' antwoordde hij. 'Weer zo'n geheim van jouw oom Otto.'

We zagen een gevangene op ons afkomen die ons meteen bekend voorkwam. Hij stamelde met een vreemd accent: 'Leni... ooi-elle Leni...'

IJzige kou doorboorde mijn longen. 'Björn?'

De visser knikte met zijn hoofd, alsof hij zich schaamde. Hij hief zijn armen op om me zijn gestreepte pyjama te tonen, de sporen van boeien op zijn polsen en aan zijn enkels. Zijn kleren waren besmeurd met bloed en viezigheid. Björn was nog maar een verre herinnering aan die trotse zeeman die ons verse vis bracht, in de keuken van Ingvild, en die zijn vrouw triomfantelijk begroette. Nu was Björn nog slechts een schaduw. Een lopend lijk, dat mijn hand in zijn ontvelde klauw nam en probeerde iets tegen me te zeggen.

'Mlkk... Leni... vrrr... gadum...'

Zijn mond vertrok. Björn maakte wat schichtige gebaren, alsof hij iets wilde, maar ik begreep het niet. Hij lachte nog tegen me, met de energie van de wanhoop, en ik kreeg zin in zijn armen in tranen uit te barsten. Daarop kwam een andere gevangene, die Björn opzijduwde en hem een paar onbegrijpelijke zinnen toefluisterde, terwijl hij op de Svens wees.

'Het is normaal dat je ze niet begrijpt,' besefte Hans met walging, 'ze hebben geen tong meer!'

Ik kreeg geen kans te reageren, want de vier Svens hadden zich al op ons geworpen, maar ze wilden Hans en mij niets doen. Ze wezen spottend op Björn. Ineens zag ik in hen die vier scholieren terug en ik ergerde me er alleen maar des te meer aan. De gevangene begon te gebaren en stamelde in zijn koeterwaals: 'Brr... Sven... Leni...'

De Svens barstten in lachen uit en aapten hem na: 'Baga! Baga! Baga! Praat dan toch, ouwe man!'

Vernedering van een gevangene, wiens ogen volstroomden met de laatste tranen die hij nog had. En toen opeens vloog Björn een van de Svens naar de keel en vielen ze achterover. Grote stilte in de zaal. Iedereen had het gezien, iedereen was opgehouden met werken. Zelfs Björn bewoog niet meer. Hij lag op de Sven en was zich bewust van het feit dat hij zijn doodvonnis had getekend. De arme man wist niet waar hij kijken moest. Hij liet zich op de grond rollen, stond niet meer op, kromp in elkaar, in afwachting van zijn straf. Die liet niet lang op zich wachten!

'Willen wij de held uithangen?' vroeg de Sven die hij had omgegooid, terwijl hij zijn SS-uniform afstofte.

'Je mag de martelaar gaan uithangen,' voegde de Sven met het litteken eraan toe. Daarop trapten de jongens hem om beurten in het gezicht. Ik wilde me omdraaien, maar ik werd geboeid door dit schouwspel. Ze trapten steeds sneller. Ik hoorde het kraakbeen barsten, het bot splijten. Björn schreeuwde niet eens. De Svens bleven doorgaan. Ze raakten in een soort trance, stonden met zijn vieren over de man die ze in elkaar sloegen en waarbij ze op de pijnlijkste plaatsen mikten. Toen ze zich eindelijk terugtrokken, lag Björn te stuiptrekken. In een laatste inspanning draaide hij zich op zijn rug en zagen we zijn gezicht. Bloed, ontveld vlees. Zelfs de ogen waren kapot.

Ik voelde de neiging te gaan kotsen en greep Hans bij de arm, die kreunde van pijn. Daarop slaakte Björn de vreselijkste, wreedste kreet die ik ooit heb gehoord. Een rauwe klacht, die uit het diepst van zijn binnenste kwam. En toen de Sven met het litteken zijn revolver pakte, kon ik een zucht van opluchting niet onderdrukken. Met een soort beroepsmatige berusting mikte hij, hij maakte de gevangene af en fluisterde daarbij: 'Houd je mond.'

Daarop ging alles heel snel. Een Sven wees op het lijk van Björn en grinnikte: 'Kleed hem uit!'

Ik hikte: 'Wat zeg je?'

Maar hij gaf mij een oorvijg waardoor ik over de dode heen viel.

'Trek zijn kleren uit en trek ze aan!'

'Doe wat hij zegt,' zei Hans tegen me, die op zijn beurt het pak van een ander lijk aangewezen kreeg.

Ik aarzelde nog, maar de Svens spanden opzettelijk zichtbaar hun revolvers. De stof leek aan het lijk vastgegroeid. Het lijk van Björn was nog slechts een hoop botten en vlees, licht als een bosje dode bloemen. Toen ik me uitkleedde, grinnikten de Svens, maar ze verroerden zich niet. Geen handtastelijkheden zoals in de slaapzaal, geen obscene blikken meer, ze waren volwassen geworden. Ze waren wezens geworden zonder gevoel, zonder begeerte, zonder zinnelijkheid. SS'ers. Alsof slechts wij tweeën hier waren – waren wij uiteindelijk niet de laatste menselijke wezens in dit vertrek?' – draaiden Hans en ik elkaar de rug toe en trokken snel de gestreepte pyjama's aan.

'Nou, dat staat jullie uitstekend!' zei een Sven lachend.

'Het lijkt wel alsof ze voor jullie gemaakt zijn,' vervolgde een ander.

Ik zwom in het pak, dat van Hans reikte hem tot de knieën.

'En nu slapen!'

De jongens sleepten ons mee naar een belendend vertrek, zwart en stinkend, een soort grote hangar, waar ik geleidelijk aan rijen stapelbedden kon ontwaren. Alle strozakken waren bezet door andere gevangenen, sommigen werden wakker, maar niemand durfde te spreken, want ze hadden de Svens herkend. Ze leken te willen zeggen: kijk, nieuwkomers! Arme donders.

De Svens wezen ons daarop twee bedden.

'Leni boven, Hans onder.'

Heel even nog bekeken ze ons, stralend van vreugde alsof ze een goeie grap hadden uitgehaald. Daarna verlieten ze in de pas en grinnikend de zaal.

Ik weet niet hoe lang ik wakker heb gelegen.

Otto, dacht ik, Otto, dit kan toch niet.

Het laatste geluid dat ik hoorde voordat ik wegdommelde was dat van het gesnik van Hans.

'Lieve god!'

Het gebrul wekte de hele barak. Geluid van laarzen, voorbereiding tot de strijd. Ik had moeite wakker te worden. Heel even vroeg ik me af waar ik was, voordat ik weer die ontvelde lichamen terugzag, die metalen bedden, en de lucht van de dood die me naar de keel steeg. Daarop herkreeg de nachtmerrie haar onverdraaglijke werkelijkheid. Het was nog niet afgelopen: de gevangenen om ons heen waren dodelijk geschrokken bij het zien van militairen die met woeste blik tussen de bedden door liepen. En ik huiverde toen ik oom Otto herkende, gevolgd door zes 'mannen in het zwart'. Zodra zij voor hen langskwamen, krompen de dwangarbeiders in elkaar in hun pyjama, op hun stromatras. Maar Otto keurde ze geen blik waardig.

Ik was bijna net zo geschrokken als de gevangenen. Als de Svens zo wreed waren gebleken, wat viel er dan van hun meester te verwachten? Hem vooral was ik ongehoorzaam geweest. En nu ik wist wat voor lot hij zijn slachtoffers toedacht…

'Aha, daar zijn jullie,' riep hij toen hij bij ons bed kwam. Ik had door de grond willen zakken, ik keek beschaamd de andere kant op: die situatie, dit pak, mijn verraad, het zijne. Heel even bekeek Otto mij met een mengeling van gruwel en opluchting, toen wierp hij zich op mij en nam me in zijn armen.

'Mijn prinsesje, het spijt me zo! Het spijt me zo erg!'

Ik wist niet hoe ik het had: wat speet hem? Dat hij mensen tot slaven maakte of dat hij mij zijn geheim moest onthullen? Ik liet hem begaan. Hij streelde mijn haren, kuste mijn voorhoofd en mijn ogen. Ik kon me niet ontspannen, maar Otto was nog nooit zo aanhalig geweest. Hij die anders zo afstandelijk deed! Het onwelzijn veranderde nogmaals van kleur. Wat ik vooral voelde was een vreselijke schaamte tegenover de gevangenen, die mij nu met dezelfde vrees bekeken als Otto of de SS'ers. Met een kus was ik van kamp gewisseld. Judas in weerwil van mijzelf. Eindelijk zette Otto me op de grond, voor het bed van Hans, die stil was blijven liggen. Het bloed en de tranen waren opgedroogd en hadden dikke sporen op zijn wangen nagelaten. Boven zijn rechteroog leek een glimmende wond rijper dan een kers.

'Sta op!' beval Otto hem, alsof hij de enige boosdoener was. Hans kwam overeind op zijn bed. Nog voordat hij iets kon zeggen nam ik het woord: 'Het was mijn idee! Ik heb Ingvild gevraagd ons haar boot te lenen, Hans kon er niks aan doen.'

Maar oom Otto was geen imbeciel.

'Ingvild heeft me alles verteld,' onderbrak hij, en hij legde zachtjes zijn hand op mijn wang. Ik maakte me los, ik walgde van het contact. Toen bekeek hij Hans minder streng en gaf hem een klopje op zijn schouder.

'En er was lef voor nodig, heel veel moed zelfs, om aan deze expeditie te beginnen. Ik ben trots op jullie beiden.'

Die opmerking verwonderde mij maar half. Ik wist heel goed dat Otto in zijn waardeschaal moed boven verraad stelde. Maar wie was op dit moment nu eigenlijk de verrader? En vooral, waarvan? Het was onmogelijk die vragen te ontlopen, die mijn woelende hersenen bleven bestormen. Wat was de betekenis van dit eilandkamp? Hoe kon mijn oom Otto zo gevoelloos blijken?

Otto zocht in zijn zakken en hield Hans twee pillen voor.

'Hier, slik die maar, dan voel je je beter.'

Hans durfde zich niet te verzetten en slikte de twee pillen door, tot grote tevredenheid van Otto, die alweer zijn strenge houding aannam en ons een teken gaf met hem mee te gaan.

'Kom mee, volgens mij hebben jullie hier lang genoeg gezeten.'

Binnen een minuut was ik weer de kleine Leni en zonder na te denken liep ik achter Otto aan. Het instinct boven alles. Wat Hans betrof, die leek zo verrast door deze afloop dat hij moeite had zijn opluchting te verbergen. Wij vergaten er bijna die tientallen verbijsterde mensen door, ongelovige getuigen van ons weerzien, die ons in een handomdraai weer uit hun gevangenis zagen vertrekken. Voor mij was de nachtmerrie afgelopen.

Oef, dacht ik toen ik buiten stond, aan de voet van de opera. De vier Svens waren er ook, omgeven door een heus klein regiment.

'De familie is weer compleet,' snauwde oom Otto. Hij keek de vier jongens met zeer dreigende blik aan. Maar de Svens hadden alleen oog voor ons, hun jonge, trillende lijven op de grond geplant als stokken van pure haat, klaar om te ontploffen, waarvan verstrooide vuurwerkmakers de lonten te vroeg hadden ontstoken. Otto tikte met zijn voet op de rots en ze sprongen in de houding. Toen liep hij voor hen langs, als bij een inspectie.

'Ik dacht anders dat ik jullie een basisregel had bijgebracht.'

Otto maakte een halve draai, gaf ze de een na de ander een oorvijg en sprak daarbij ritmisch: 'Men getuigt van zelfrespect door de ander waardig te behandelen!'

Vervolgens, in een oogwenk, keek hij weer op zijn gebruikelijke wijze, onaangedaan. Hij hief zijn blik naar de zon.

'Speelkwartier afgelopen. Naar huis toe.'

Hij wees op een pontje, dat beneden klaarlag.

De Svens strompelden ernaartoe, terwijl Otto ze op joviale toon toeriep: 'En denk vooral niet dat deze zaak is afgedaan door een eenvoudig stel oorvijgen!'

Het proces greep de volgende dag plaats. Wij werden om negen uur allemaal in de bibliotheek van oom Nathi bijeengeroepen. De oude miljardair zat ons op te wachten, zoals altijd in zijn clubfauteuil, maar zijn vage blik begreep niet meer wat er bij hem gebeurde en ook niet welke nieuwe grap die duiveltjes van Svens nu weer hadden bedacht. Voor de gelegenheid was de rangschikking van het vertrek veranderd. Er waren stoelen en banken bij gezet, om een groot deel van de gemeenschap te kunnen herbergen. Iedereen ging zitten voor het zwarte bord waar Otto stond. De 'regent' werd omgeven door twee SS'ers en wachtte tot het stil werd. Daarop knipte hij met de vingers in de richting van de deur.

'Laat de beklaagden binnenkomen.'

Een verbijsterd gemompel voer door het publiek. De vier kinderen traden voor ons, aan elkaar geketend, naakt als apen in een dierentuin. Vernederd, vol schaamte, met de blik naar de vloer, liepen ze over het middenpad achter elkaar aan, om bij Otto op het podium te gaan staan.

'Goed,' zei Otto, 'aangezien iedereen aanwezig is kunnen we nu beginnen.'

Hij haalde diep adem en sloeg toen een quasimagistrale toon aan: 'Vrienden, jullie zijn gewoon mij te horen spreken over die zo zeldzame waarden als daar zijn eer, trouw, respect voor zuiver ras, herenbloed. Weet niettemin… bla-bla-bla…'

Daarop wijdde Otto uit met een lange theoretische redevoering die ogenschijnlijk niets te maken had met de huidige situatie.

Les, dacht ik. Hij geeft ons les!

Maar die les was dit keer vooral gericht op de meesters van het eiland. Wand die waren er allemaal. Vooraan zat Doktor Schwöll met zijn oudste zoon Knut, met rechte rug, en hij hing aan Otto's lippen.

Militaire discipline, dacht ik, net als de Svens, net als die twintig soldaten die in het vertrek stonden, langs de muur.

Daarentegen leken Solveig en mijn arme Hans verslagen, bijna onzichtbaar. Mijn vriendje zat nog onder de blauwe plekken en drukte zich tegen zijn moeder aan, met zijn linkerarm in een mitella. Zijn blik ving de mijne: die verloren blik, alsof alles – zijn pijn, zijn wonden, de reden van zijn aanwezigheid hier, deze ochtend – hem onbekend was. Ik kreeg er de rillingen van! Ik zag een raam halfopen staan, niet ver van een posterende soldaat, en ik liep ernaartoe om een beetje frisse lucht te krijgen. Heel even bleef ik stilstaan om me ervan te overtuigen dat niemand mijn gedoe had opgemerkt, maar iedereen was volslagen in de ban van de mooie stem van oom Otto.

'Toen de Führer deze kolonie in Noorwegen creëerde, was het zijn bedoeling ons vertrouwen te schenken, want onze missie is heilig. Het verlenen van bescherming aan diegene die zonder verdediging is, een juiste en ridderlijke houding tegenover vrouwen en meisjes, dat zijn zaken die voor een SS'er vanzelfsprekend zijn… bla-bla-bla…'

Bijna buiten adem draaide ik de spanjolet een eindje tegen het venster. Buiten was een andere wereld. Het was heerlijk weer. De vogels zongen. Meeuwen streden om vis. Vissers kwamen terug de haven in. Een bootje werd gevolgd door een paar orka's, die met het kielzog leken te spelen als twee kinderen met schuim in een badkuip.

De onschuld, dacht ik, alsof de betekenis van dat precieze woord mij vandaag wreed ironisch leek. Op hetzelfde ogenblik vielen mij de hoogten van Halgadøm op, die zich aftekenden in de mist.

De onschuld bestaat niet meer… ze is dood!

Daarop schrok ik: ik voelde iets aan mijn been.

'Je hebt mij nog niets verteld.'

Ik draaide me om: oom Nathi zat vlak bij mij en verslond me met zijn blikken. Daarop besefte ik dat ik, om bij het venster te komen, me had afgezet op de leuning van zijn clubfauteuil. De miljardair grijnsde met zijn vage blik en bloeddoorlopen ogen.

'Wat heb je daar gezien?'

Had Nathi begrepen wat mij was overkomen? Of deed hij maar alsof? Ik wist niet wat ik moest antwoorden, maar hij suggereerde mij het antwoord.

'Vordert het werk? Heb je de zaal gezien? Het podium? Zijn de stoelen mooi? Zijn ze rood met goud, zoals ik had gevraagd?'

Wie hield wie nu eigenlijk voor de gek? Toch durfde ik mijn bezoek aan het eiland van de gevangenen niet toe te geven en speelde de onschuld zelve. Tenslotte was het niet uitgesloten dat Otto probeerde mijn stilzwijgen, mijn vermogen iets geheim te houden op de proef te stellen.

'Alles is zoals u het hebt gevraagd, oom Nathi, en het werk zal binnenkort wel klaar zijn.'

De miljardair straalde extatisch en vouwde zijn handen.

'Wat een wonder! Wat een wonder!' sprak hij verrukt, en hij hief de ogen naar het plafond. 'Wat ben ik gelukkig!'

Nee, dacht ik, hij weet het niet. Hij weet niets. Net als ik, tot gisteren.

Ik kreeg zin om te gaan brullen. Mijn leugen stond me tegen. En dan die toespraak van Otto over eer, over openheid, vertrouwen! Hoe kon hij dat doen? Een gemompel doorvoer het publiek.

'De sanctie,' fluisterden ze allemaal.

Ik besefte dat ik al een hele poos niet meer luisterde. Toch sprak Otto nu met stemverheffing.

'Kinderen,' schreeuwde hij, 'voor deze daad van verraad jegens de regels van de gemeenschap, voor deze vrijpostigheid ten opzichte van enkelen van de meest vooraanstaande leden ervan' – zijn blik kruiste de mijne – 'wil ik jullie leren onderscheid te maken tussen meesters en slaven.'

Zijn ogen schitterden met woeste vreugde.

'En dat is waarom jullie, om mij ervan te overtuigen dat jullie dat "verschil" zullen inzien, veertien dagen op Halgadøm zullen gaan werken.'

De Svens leken opgelucht.

'Als arbeiders.'

Ze blaften: 'Wat?' Maar de soldaten brachten ze al vier gestreepte pyjama's, die ze waar iedereen bij was moesten aantrekken, zonder hun boeien te mogen afdoen. Het was een pijnlijk schouwspel. Het was eerder beschamend dan pijnlijk trouwens. Ze waren zo log en zo onhandig met hun kettingen, dat er gesmoord gelach onder het publiek te horen was. Ik schaamde me voor de Svens.

'En de sanctie wordt meteen opgelegd,' voegde Otto eraan toe, waarop hij de soldaten een teken gaf de Svens mee te nemen.

En ook dit vindt iedereen normaal, vroeg ik mij opstandig af. Die gestreepte pyjama's! Het woord 'arbeiders'? Die sanctie? Wat gebeurt er toch? Werd mijn paradijs de eerste kring van de hel? Ze waren dus allemaal op de hoogte, dacht ik, terwijl het publiek opstond, als aan het eind van een schouwspel.

Daarop nam Otto mij terzijde achter in de bibliotheek.

'Hoe voelde je je?' vroeg hij samenzweerderig.

Wat moest ik daar nu op zeggen? Ik werd verscheurd tussen mijn liefde voor die vader, die meester, dat unieke baken in mijn leven, en diepe walging voor het monster wiens werk op Halgadøm ik had ontdekt. Een kil, vastberaden, geduldig monster. Maar zodra me een negatief beeld van Otto voor de geest kwam, werd het meteen weer verdrongen door een gevoel van schuld, en dat was nog erger. Het lukte me niet enig verwijt te verwoorden.

'Het gaat al beter,' uitte ik ten slotte fluisterend. Maar ik kon me er niet van weerhouden naar Hans te kijken, die door zijn moeder werd meegenomen naar hun huisje. Moeder en zoon stonden op het punt het vertrek te verlaten en Solveig hielp mijn vriendje, die hinkte als een oude man. Ze bleef even staan, en haalde uit haar schort een buisje pillen. Hans slikte er met droefgeestige blik drie door. Op hetzelfde moment boorde hij zijn blik in de mijne, alsof hij mij wilde beschuldigen van al het kwaad op aarde. Wat een onstuimige woede!

'Leni, luister je?'

Ik kwam weer op aarde.

'Ga maar naar de slaapzaal,' zei hij, 'en maak een koffertje klaar.'

Alles om me heen stortte in: mijn moed, mijn goede bedoelingen, Otto wist mij zo goed te manipuleren!

'Word ik weggestuurd?' vroeg ik, terwijl ik een snik onderdrukte.

Otto barstte in lachen uit en drukte mij tegen zich aan.

'Welnee, schatje, van zijn leven niet, integendeel! Ik neem je mee op reis.'

Ik was van mijn stuk gebracht.

'Waar gaan we dan heen?'

Onmiddellijk was ik weer een onschuldig meisje, helemaal opgewonden door het vooruitzicht op haar eerste vakantie. Ik dacht dat ik gestraft zou worden, en nu ging ik de wereld ontdekken! Otto aarzelde en antwoordde daarop: 'Naar Frankrijk, naar het zuidwesten. Naar die oude vriend van wie ik je weleens verteld heb: mijn hoogleraar mediëvistiek, de graaf van Mazas. Je zult je niet vervelen: zijn dochter Anne-Marie moet ongeveer jouw leeftijd hebben.'

2006

'Dat moet de Lebensborn van Lamorlaye geweest zijn: de enige SS-kraam-
kliniek op Franse bodem.'

De toon van Venner. Zijn stem. Het zachte golven van zijn stemkleur.
Dat vreemde accent. Vidkun is gisteren teruggekomen uit de Verenigde
Staten en Clemens heeft me aangemoedigd hem te bellen.

'Na die ontdekking op de vlooienmarkt moet je hem op de hoogte houden, niet dan?'

Terwijl hij dat zei wist Clemens dat hij met vuur speelde. Door me van
Venner te verwijderen, ben ik juist dichter bij hem gekomen. Mijn verklaring op de vlooienmarkt van gisterochtend had niets van een theatrale im-
provisatie. Clemens neemt een steeds belangrijker plaats in. Hij weet hoezeer ik hem momenteel nodig heb, zeker na mijn andere 'ontdekking', die
van de begraafplaats. Mijn naam op dat graf. Een herinnering die ik niet
kan verdringen. En nu zitten we alle drie in de grote limousine van Venner, in de vroege ochtend, op de Autoroute du Nord.

'*Scheisse!*' bromt Fritz, want alles zit zoals gewoonlijk dicht. Nu Venner
tegenover me zit, joviaal maar enigszins gegeneerd, realiseer ik me dat ik
blij ben hem terug te zien. Ik heb dat idee van me afgehouden: drie weken
heb ik hem gemist. En Clemens heeft het best begrepen en pakt me bij de
hand.

'Gaat het, schatje?'

'Ja ja. Ik ben alleen wat moe.'

Zware stilte. Alsof iedereen eigenlijk niet weet waar hij moet beginnen.
Uiteindelijk is het Vidkun die het ijs breekt, met zijn minerale glimlach.

'Alvorens aan te komen, wilde ik jullie nog een paar aanwijzingen geven
over de plaats waar we vanochtend heen gaan.'

Heel voorzichtig pakt hij het stukje kant van de SS, hij streelt het als
een talisman en brengt het aan zijn lippen.

'Wij gaan nu naar Lamorlaye, een stadje vlak bij Chantilly, in de Oise.'

'Dat wisten we,' bromt Clemens.

Venner begint daarop zalvend te spreken, alsof hij een recept uit een kookboek oplepelt.

'Die Lebensbornkliniek heeft gefunctioneerd vanaf 1943, maar is pas officieel geopend op 6 februari 1944, een symbolische datum voor het Franse recht.'

'Symbolisch?'

'Tien jaar daarvoor hadden de mensen van het Croix-de-Feu bijna het bewind omvergegooid. Een jaar later...'

'Goed, die kliniek dus,' onderbreekt Clemens hem.

Venner verliest zijn goede humeur. Hij vindt het niet leuk als hij wordt onderbroken.

'Die kliniek, beste Clemens, is gesticht in een grote villa in Anglo-Normandische stijl, oerlelijk maar enorm, die eigendom was van de grondleggers van de chocoladefabriek Ménier.'

'En in 1945 is alles verwoest?'

'Het kasteel is in de maand augustus 1944 geëvacueerd.'

'En daarna?'

Venner kijkt een beetje ondeugend.

'Ja, daar wordt het nou juist pikant. Het kasteel is momenteel van het Rode Kruis, dat er een weeshuis heeft ingericht.'

'Er zitten dus nog steeds kinderen daar?'

'Nog steeds. Maar ik ben er maar één keer heen geweest, lang geleden. Alles wat te maken had met de Lebensborn is in 1944 verwoest.'

Daarop laat hij het kantwerk zien.

'Maar als jullie me vertellen dat je dit soort dingen nog aantreft op de zolders van de kliniek, dan zou ik die man van jullie weleens willen zien.'

Hij zoekt een naam.

'Duteil,' vult Clemens aan, op neutrale toon.

Op hetzelfde ogenblik rijdt de auto een landweggetje op.

'Juist,' besluit Venner, 'we zijn er.'

RODE KRUIS VAN FRANKRIJK
CENTRUM VOOR FUNCTIONELE AANPASSING VAN KINDEREN

'We zijn bij de smurfen!'

Mijn opmerking slaat nergens op, maar komt eruit als een hartekreet. Fritz parkeert de limousine aan de rand van een vlak terrein, tegen een talud dat de kliniek scheidt van het bos, en wij stappen uit. De locatie is net zo sinister als het weer! Ik voel me niet op mijn gemak, steek de kraag van mijn jas op, want de lucht is verzadigd van vocht, met een geur van boombast, mos en paardenstront. In de verte horen we paarden galopperen.

'De trainingsbanen liggen net hierboven in het bos,' fluistert Venner.

Dit landgoed lijkt echt op een gehucht uit een stripverhaal. Het lijkt niet zozeer op een kasteel, maar herinnert meer aan die bizarre huisjes uit een attractiepark, met torentjes, ronde daken, schoorstenen, klokken, en de ramen beschilderd in felle kleuren, klokkentorens, grindpaden, gesnoeide buxussen.

'Was dit een particulier huis?' vraagt Clemens zich verbaasd af, terwijl we midden op een grote binnenplaats uitkomen, omgeven door vier roodblauw-bruine en witte gebouwen.

'Voor de oorlog wel,' zegt Venner, die de omgeving bekijkt alsof hij er een precies detail in zoekt. Zijn voet speelt met een kleine houten troon met goudverf die kapot aan de voet van een muur ligt.

'Maar het is leeg,' zeg ik, gehaast om verder te gaan. 'Er is hier niemand.'

En inderdaad, dit landgoed lijkt weliswaar onderhouden, maar ook ontdaan van leven. Bevroren in de tijd. Een snerpende bel klinkt door alle gebouwen, die bijna onze trommelvliezen doorboort. Op hetzelfde ogenblik gaan alle deuren open en stromen troepen kinderen de binnenplaats op, alsof ze haast gestikt waren. Ik sta paf van dit tafereel, want de omgeving lijkt meteen op een kleuterschool: de kinderen stoeien met elkaar, anderen schateren van het lachen. Vidkun, Clemens en ik zijn verbijsterd. Alle drie hebben we hetzelfde gedacht: je zou zeggen dat je terug in de tijd werd geprojecteerd!

'Wat moet u daar?'

De stem, kil en agressief, verrast ons. Er komt een lange, magere vrouw door de kinderschaar aan gelopen, ze ziet eruit als een kraai, doet alsof ze voor de Inquisitie werkt.

Venner wendt zich tot ons. 'Laat mij maar begaan.'

De vrouw staat al voor hem.

'Wie bent u?' snauwt ze, met een bijna walgende blik, alsof ze tegenover een stel pedofielen staat. Venner maakt zich op om te antwoorden, maar Clemens is hem voor: 'Wij doen onderzoek naar de geboortepolitiek van het Derde Rijk, en wij...'

'Nee toch! Alweer?'

De vrouw is vuurrood geworden. Vidkun bekijkt Clemens woest: dat is nu precies wat hij niet had moeten zeggen. Ik kan een geërgerde lach niet onderdrukken. Maar de verpleegster steekt al van wal.

'Komt u ons nou weer lastigvallen met die verhalen van een Lebensborn?'

Clemens antwoordt niet.

'Dat gebeurt tegenwoordig elke week! Helemaal sinds een zogenaamd kind van die kliniek een paar jaar geleden zijn memoires heeft geschreven.'

Andere kinderen komen naar ons toe.

'Juffrouw Lemoucheux! Juffrouw Lemoucheux!'

'Kinderen, jullie zien dat ik bezig ben!'

Een meisje met een grote roze strik in haar haar probeert de verpleegster te vermurwen.

'Hebt u die auto daarboven gezien?'

'Wat?'

Nu ziet ze onze limousine staan.

'En nog wel met een chauffeur ook! De camera's liggen in de kofferbak, neem ik aan?'

Terwijl we ons opmaken om de aftocht te blazen, krijg ik een idee. Ik glimlach naar het meisje met de roze strik en kniel bij haar neer.

'Zeg eens, ken jij meneer Duteil hier?'

'Natuurlijk. Dat is de oppasser van de hertogin met de fikkies!'

'Van wie?'

'Dat is het huis beneden, dat hebt u vast wel gezien.'

'Joséphine!'

De hand van de verpleegster pakt het meisje bij de strik en trekt haar achteruit. Het kind schreeuwt van pijn.

'En hoepel op!'

Het meisje heeft niet gelogen: er is nog een landgoed naast het centrum van het Rode Kruis, maar lager.

'Dat ziet er niet vrolijker uit dan boven,' merkt Clemens op, terwijl de auto stopt voor een hoog ijzeren hek, verweerd door de tijd, maar voorzien van kettingen en hangsloten.

'Wat zei dat kind?' vraagt Venner.

'Ze had het over "de hertogin met de fikkies". Maar ik weet niet wat dat betekent.'

Weinig gerustgesteld stappen we uit de Mercedes. Het landgoed lijkt midden in het bos te liggen. Die lucht van kreupelhout bestormt ons weer, hier vermengd met de geur van moeras. Dan wend ik me tot Clemens. Hij lijkt in de war. Hij zal het mij niet zeggen, maar ik weet zeker dat hij moet denken aan de jacht van zijn vader, als hij verplicht werd voor drijver te spelen. Hoe vaak heeft hij niet met walging een hert verstrikt zien raken in het moeras, onder de gefascineerde blik van de jagers? We lopen door in een poging voorbij de tralies van het hek te zien waar die landweg heen voert. Maar het pad maakt een bocht en we krijgen niets anders te zien dan kreupelhout. Instinctief, als primaten, grijpen we ons vast aan de bemoste spijlen. Op hetzelfde ogenblik horen we een zwaar geluid in het struikgewas. Ik kan een kreet niet onderdrukken. Voor ons is een groot hert uit de varens komen zetten, als een geestverschijning. Het staat op een paar meter aan de andere kant van het hek. Ik denk aan de legende van Sint-Hubertus.

Er ontbreekt nog slechts een kruis tussen zijn gewei, denk ik, terwijl de tienender ons zonder een spoor van vrees hautain aankijkt. Het tafereel wordt sprookjesachtig! Niemand zegt iets, maar alle drie worden we bevangen door een vreemde kalmte. De tienender staat nu op nog geen meter van ons af. Zijn hoeven zakken in het zand van het pad, met de elegantie van een balletdanser. Wij, de mensen, blijven verstijfd bij het hek staan. Zijn kop is enkele centimeters van ons verwijderd. Daarop buigt het hert zich voorover en besnuffelt mijn gezicht, dat tussen de spijlen hangt. Ik schrik, maar ik doe mijn best niet te bewegen. De adem van het dier voelt heet aan op mijn wang. Onze blikken kruisen elkaar. Het lijkt wel alsof hij me wil zoenen. Ik meen een geamuseerde blik te zien. Alsof het dier vriendelijk de draak met mij steekt. Alsof het wil zeggen: heb ik jullie even leuk gefopt?

'Lucien!'

We hebben het allemaal gehoord. Zeker het hert, dat de kop heeft opgeheven, zonder zich nog om te draaien.

'Lucien, waar zit je?'

De stem komt naderbij. Die man rent vast.

'Aha, ben je daar, Lucien toch!'

We hebben hem niet zien komen.

'Wat moet u daar?' vraagt een bleek mannetje, geheel kaal, als een baardeloze albino. Hij is gekleed in een goudkleurig suède pak, van een zeldzame elegantie, volkomen in tegenstelling tot zijn vrij grimmige uitdrukking en zijn vieze kop. De ontnuchtering valt zwaar! Maar het mannetje lijkt amper geïntrigeerd door onze aanwezigheid. Hij loopt op het hert af, wiens nek hij streelt zoals je dat bij een paard zou doen.

'Heb je nieuwe vrienden gemaakt, Lulu!'

Dit is te gek. Het hert spint als een kat en likt dan de witte wang van die trol. Een hele poos zijn de man en dat beest bezig elkaar op die vreemde manier te knuffelen. Ik herinner me een opmerking van mijn vader, aangaande herten: 'Het is ongetwijfeld het meest ontembare dier.' Eens te meer had mijn vader ongelijk!

'Maar nu weet ik nog niet wat u daar moet,' herneemt het mannetje, zonder het dier los te laten. Hij heeft zelfs een zakmes getrokken en krabt het gewei schoon. Het hert laat hem begaan, knijpt de ogen dicht. Meteen worden wij alle drie wakker. Einde van de droom!

'Wij zoeken ene meneer Duteil,' zegt Venner, die mijn hand heeft losgelaten en een paar stappen achteruit is gaan staan. Bij het horen van die naam begint het mannetje te beven.

Het hert ruikt de angst van zijn meester en zet zich schrap, doorboort hem bijna met zijn gewei. Maar dat kan hem niets schelen. Hij kijkt aandachtig, met onderzoekende blik, naar de drie indringers die wij zijn en loopt langzaam naar het hek.

'En wat moeten jullie van hem?'

'We willen hem een paar vragen stellen.'

'Hoezo, bent u het?' vraagt Clemens.

De man schudt van nee, plotseling verloren, alsof hij betrapt was op een leugen.

'Ik ben de bewaker van het landgoed... Maar ik woon hier alleen... Ze zijn allemaal dood... Lucien en ik leven hier in vrede. Wij willen hier niet weg.'

Zijn toon wordt steeds smekender. Het lijkt net alsof hij verward een bekentenis doet, hij schudt met het bovenlijf als een kwezel.

'Het kasteel is van mij... Dat heb ik gekregen... toen de hertogin overleed.'

'De hertogin?' onderbreekt Venner hem.

'Toen ze stierf, heeft ze me alles nagelaten... zelfs de honden.'

De hertogin met de fikkies, denk ik dan. Maar de ander vervolgt zijn klaagzang: 'Maar de honden, die kon ik niet houden... Die konden niet opschieten met Lucien... Lucien houdt niet van honden.'

Bij het horen van zijn naam is het hert op Duteil afgelopen, niet zonder enige schroom, alsof zijn meester hem weleens zou kunnen slaan.

'Lucien, die is als een zoon voor me, ik heb hem gekregen toen hij nog een baby was, hij lag op het gazon voor het kasteel... nietwaar, Lulu?'

Wij staan paf. Venner knikt vervolgens op de zak van Clemens, waar een stukje kant uitsteekt.

'En dit?' vraagt Clemens terwijl hij de stof ontvouwt. 'Zegt dit u wat?'

Meteen wordt Duteil groen. Hij wordt bevangen door angst, graaft zijn vingers in de vacht van het hert, dat zich schrap zet en meteen het kreupelhout in schiet.

'Nou?' dringt Venner aan.

Maar de trol lijkt niet in staat iets te zeggen en schudt almaar van nee, met een brandende blik. Daarop vervolg ik: 'Ze hebben ons gezegd dat het hiervandaan kwam. En uw naam is daarbij genoemd.'

Het mannetje gaat met zijn handen naar zijn hoofd.

'U mag hier niet zijn... Dit is mijn terrein.'

Daarop doe ik alsof ik arts ben van een gekkenhuis. 'Meneer Duteil, we weten heel goed dat we hier op uw terrein zijn, en we willen alleen weten waar u dit hemdje hebt gevonden.'

Maar Duteil ligt al op zijn knieën op de grond. Hij slaat nu met zijn voorhoofd tegen het zand van het pad, steeds harder.

'Ik moet toch overleven... Dat gaat allemaal niet vanzelf... Ik heb dingen moeten verkopen... Het is ook zo groot.'

'U hebt dus spullen uit het kasteel verkocht nadat u het geërfd had?'

Duteil zegt niets meer. Zijn hoofd heeft inmiddels een echt gat in de grond gemaakt. Zijn wangen zijn grijs van het zand, zijn wenkbrauwen zitten onder het stof.

'Van mij... alles is van mij... Ik doe wat ik wil... Weg... jullie moeten weg... meteen.'

Dan kijkt hij ons aan met zijn bloeddoorlopen ogen en brult: 'Meteen!'

Op zijn kreet wordt gereageerd met geblaf. Duteil draait zich om naar de weg en ziet er nu uit alsof hij volslagen in paniek raakt, alsof een monster op het punt staat zich op hem te werpen. Er klinkt een galop door het kreupelhout. Kreetjes klinken op, als van kwade godheidjes. Duteil spring achteruit. Werpt zich achterover. Leunend op zijn ellebogen kruipt hij achteruit de varens in. En als er een dier verschijnt, barst ik in schaterlachen uit.

'Wat een mop!'

In een oogwenk staan ze met tien, twintig, dertig, vijftig rondom Duteil, hem vrolijk zijn voorhoofd te likken en zich tegen hem aan te wrijven.

'Cavaliertjes!' zegt Clemens, verbijsterd door wat hij ziet. De vijftig taangele met witte hondjes, met schattige blik, dansen om Duteil heen, die zich echter lijkt te wringen van pijn, als een aangeschoten hert.

'Nee! Alsjeblieft!'

'Zo, zo!'

Daarop verschijnt een lange, stokoude vrouw, met een jagersjas en een leren kniebroek aan, die met gedecideerde pas tussen de dode bladeren door loopt, met behulp van een Oostenrijkse wandelstok. Haar muisgrijze hoedje, met een lange fazantenveer erin, verleent haar het uiterlijk van een plumeau. Alleen het geweer en een weitas met lijsters ontbreken er nog aan.

'Ben je de clown weer aan het uithangen, arme Jean-Claude! Maar wat is dat?' Ze ziet plotseling de drie indringers, aan de andere kant van het hek. 'En dat nog wel waar bezoekers bij zijn!'

Ze loopt snel op ons af en haalt een zware sleutelbos uit haar zak.

'Ik weet niet wat ik moet,' zegt ze op volslagen normale toon, terwijl ze een voor een alle hangsloten openmaakt. Verlicht door een snelle glimlach voegt ze eraan toe: 'Jean-Claude is onmogelijk!'

Wij zijn helemaal de kluts kwijt en weten niet wat we zeggen moeten tegen die oude dame, wier prachtige gestalte, getekend door een leven in de openlucht, we staan te bewonderen.

'Ziezo!' zegt ze, terwijl ze de vleugel van het hek naar zich toe trekt.

Wij staan even als aan de grond genageld.

'Nou, komt u binnen!'

Daarop ziet ze de Mercedes, waar Fritz nog steeds aan het stuur zit. In feite is hij ingeslapen.

'Het is het beste dat u de wagen hier laat, want die kan weleens vies worden… Er komt zo zelden meer bezoek.'

Ze lijkt in de wolken door onze aanwezigheid, en wij lopen het landgoed op. Als het hek eenmaal weer dicht is, gaat de oude vrouw voor ons staan.

'Ik weet het, ik moet er vreemd uitzien in uw ogen, maar ik ben zo blij dat ik eens bezoek krijg. Ik woon hier al jaren alleen met die arme Jean-Claude, en hij heeft ze niet allemaal meer op een rijtje. Hij is ervan overtuigd dat hij heer is van een middeleeuws domein. Soms gelooft hij zelfs dat ik al dood ben.'

Ze slaat daarbij triomfantelijk op haar borst. 'Terwijl ik geheel in vorm ben, dank u zeer!'

Heel even aarzelt ze, dan steekt ze een hand naar ons uit, even uitgedroogd als die van een skelet. 'Ik ben de hertogin van Pochez, en welkom op Balagny.'

Een verloren wereld, denk ik terwijl ik discreet om me heen kijk. De schilderijen, meubels, prullaria, alles is bedekt met grote hoezen. Slechts de beide canapés zijn zojuist door Duteil onthuld, waar wij bij staan.

'Het spijt me,' zegt de hertogin, 'maar ik kom bijna nooit meer in de salon. Maar ik kan u toch ook niet in de keuken ontvangen.'

Ze wijst ons op de canapés en iedereen gaat zitten. Het vertrek moet weelderig zijn geweest, maar ik klem mijn kaken op elkaar. Ik ben een kattenmens en hier zijn overal honden! De vloer van het vertrek is vol van die beestjes, die onder de meubels wegschieten, tafeltjes doen wankelen, aan de hoezen krabben. De hondengeur is bijna overweldigend, maar de hertogin lijkt niet van plan de grote ramen van de salon open te zetten.

We hadden beter buiten kunnen blijven, denk ik.

Aan de andere kant van de salon, achter de vieze ruiten, ontdek ik een enorme vijver. Twee reumatische zwanen zwemmen daar een beetje doelloos in rond. Een vermolmd bootje ligt aan een wankel steigertje. Maar dat alles ademt ontegenzeglijk poëzie, als de laatste adem van een mythisch dier voordat het uit het geheugen der mensen verdwijnt.

Venner slaat zijn benen over elkaar en glimlacht naar onze gastvrouw. Met zijn voet duwt hij beleefd een cavaliertje aan de kant, dat wat aan zijn schoen stond te knabbelen.

'Het is erg aardig van u dat u ons wilt ontvangen.'

De oude vrouw fronst de wenkbrauwen.

'Ik heb u al gezegd: er komt mij bijna niemand meer opzoeken. Dus ik ben blij met ieder bezoek.'

Maar ze bedenkt zich en hervindt haar klassieke zelfverzekerdheid, waarin zelfs het reliëf van een begraven schoonheid is terug te vinden.

'Maar zegt u eens wat u hier komt doen.'

Clemens staat op het punt het hemdje tevoorschijn te halen als de rode deur wagenwijd openzwaait. Opnieuw gekef. Alle honden stortten zich erop. Duteil verschijnt, gekleed als huismeester, geheel in het wit, met witte handschoenen en een groot dienblad in de handen. Hij valt bijna door alle cavaliertjes en wankelt tot het midden van de salon.

'Honden toch! Houd je kalm!' schreeuwt de hertogin. Meteen blijven alle beesten roerloos zitten of gaan op de grond liggen, hun ogen gericht op de meesteres, met een zucht van gehoorzaamheid. Ik ben onder de indruk van hun onderworpenheid en ik denk aan de jeremiades van Graguette, als zij niet voor elkaar krijgt wat ze wil. Duteil zet de thee, de kopjes en kleine, verschrompelde koekjes op de lage tafel voor ons neer.

'Dank je wel, Jean-Claude.'

Maar als de huismeester Vidkun ziet, begint hij weer te beven.

'Mevrouw de hertogin.'

Verrast bekijk ik de trol, en de oude vrouw doet alsof ze geërgerd is, om hem vervolgens te gaan verwennen zoals je dat bij een kind zou doen.

'Je gaat nou toch niet weer beginnen, hè, Jean-Claude! Niet waar de gasten bij zijn!'

Dan wijst ze op de tuin buiten.

'Maak maar liever drie rondjes om de vijver. Dat is goed voor je.'

Hij slikt eens en knikt.

'En neem die honden mee, die hebben nog niet genoeg gerend vandaag.'

'Nee toch hè, mevrouw de hertogin! Ik…'

'Zo is het genoeg!'

Duteil werpt een afkerige blik op de meute, die heeft begrepen waar deze confrontatie om gaat en de albino aankijkt met instinctieve spot. Hij loopt achteruit naar de grote openslaande deuren die op de vijver uitkomen. De hertogin lacht eens spottend. Het moet gezegd dat het tafereel ook heel grappig is! De oude vrouw legt zelfs haar hand bij Vidkun op de knie – een aristocratisch gebaar, zonder enige vulgariteit – en met de andere wijst ze op de honden. 'Moet u eens kijken.'

Als Duteil de beide deuren opendoet, slaakt de meute een gebrul van vreugde en het geheel stormt naar buiten, waardoor de trol uit zijn evenwicht wordt gebracht, achteruitwankelt en op het grind belandt. De hertogin schaterlacht en klapt in haar handen.

'En doe die deur ook weer dicht alsjeblieft! Je weet best dat ik niet op de tocht wil zitten.'

Duteil staat op, bekijkt het gezelschap, en met een scheef gezicht trekt hij de deuren dicht. We zien hem zich mopperend naar het water begeven, waarop de hertogin met schrille stem zegt: 'In werkelijkheid is Jean-Claude gek op mijn lieve diertjes en zij op hem… maar hij is te trots van aard!'

Ze buigt zich naar het tapijt, met haar kaken op elkaar, en raapt een plukje haar op dat in de slag verloren is. 'Het probleem is dat hij onmogelijk is,' bekent ze terwijl ze het toefje in haar handen streelt, alsof het een vogeltje was. 'Maar die arme, zijn leven is niet altijd even gemakkelijk geweest… Zoals de meesten van die kinderen is hij een beetje uit balans gebleven.'

Meteen valt alles op zijn plaats.

Eindelijk, denk ik bij mezelf, want ik begon al echt te twijfelen aan het belang van onze aanwezigheid bij deze dwaze oude vrouw. De hertogin heeft niets gemerkt, haar blik lijkt verloren in haar herinnering. Ze trekt een voor een elke haar uit het toefje en legt het op een mahoniehouten tafeltje, waarvan ze de hoes achterover heeft geslagen om het blad vrij te maken.

'De... kinderen?' vraagt Vidkun zachtjes.

'Er waren er zoveel! Bijna honderd, geloof ik. Ik ging ze vaak bekijken, hiernaast.'

Dan wendt ze zich tot mij, alsof alleen een vrouw dit kan begrijpen. 'Ik was gek op die baby's. Ze waren mijn schatjes! Onschuldig, vrolijk, en zo zacht...'

Dan zakt haar gelaat in als een kaartenhuis en ze blaast over de haartjes die het vertrek in vliegen. 'En op een dag zijn ze vertrokken... allemaal!'

Haar onderlip trilt, ik knik om haar op gang te houden. 'Op een ochtend, zoals elke dag, ging ik de kleintjes bekijken, in de kraamkliniek, maar er was niemand meer. Hopen as rookten nog op de binnenplaats. Ze hadden de hele papierhandel en een heleboel archieven verbrand.

Ik ben overal gaan kijken: in de kamers van de soldaten, in de ziekenboeg, in de paringszalen; er was geen kip meer. De geallieerden waren een paar maanden eerder binnengevallen, maar de hoofdofficier van de kraamkliniek, die eens per week op Balagny kwam eten, had ons verzekerd dat we nergens bang voor hoefden te zijn. De Führer zou het allemaal regelen.'

Opeens voelt de atmosfeer een beetje klam aan. Vooral Clemens, die nog nooit met zo'n 'nostalgisch persoon' te maken heeft gehad. Ik denk terug aan mijn avond bij Mausi Himmler. Wat Vidkun betreft, hij weet dat we nu bij de kern van de zaak komen en dat we haar vooral niet de draad van haar herinnering moeten laten verliezen. Hij kijkt dus heel geconcentreerd en wendt zijn blikken niet meer van de oude vrouw af. Maar de hertogin is mijlenver van ons verwijderd. Ze loopt in de doolhof van haar herinneringen, wij hebben alleen maar tot aanleiding gediend.

'Ik ben bijna een uur midden op de binnenplaats blijven zitten. En toen hoorde ik de kreet van een kind. Die kwam uit een van de kamers, op de eerste verdieping.'

De oude vrouw slikt eens, alsof ze moet huilen.

'Ze waren er een vergeten – een piepkleintje – midden in een vertrek vol met linnengoed.'

Daarop kijkt ze mij trots aan. 'Ik aarzelde geen seconde. Ik heb hem in mijn arm genomen en hem meegenomen naar huis. Hij had nog zijn... uniformpje aan.'

'Zo'n uniformpje?' vraagt Clemens, die het SS-hemdje tevoorschijn haalt.

Ik moet een vloek onderdrukken: eikel!

Wat Venner betreft, die lijkt op het punt Clemens te verscheuren, maar hij houdt zich meteen in, want de oude vrouw heeft weer kleur gekregen. Ze knipoogt samenzweerderig tegen de jongeman en antwoordt: 'Ik wist wel dat jullie niet toevallig langskwamen. U bent hier voor de zolder?'

'De zolder?'

'Ja, daarboven heeft mijn vader alles opgeslagen. Ik weet dat Jean-Claude de eindjes aan elkaar knoopt door hier en daar wat achterover te drukken om ze te verkopen. Maar er is ook zoveel!'

Plotseling staat ze op, met de elegantie van een oud beeld.

'Kom maar mee, ik zal u mijn schatten laten zien.'

De hertogin heeft ons eerst meegesleept door een doolhof van donkere gangen, lege vertrekken en kronkelige trappen. Maar als ze de deur van de zolder opent en wij verblind worden door het licht, is het contrast er des te heviger door!

'Ik doe nooit de luiken dicht en Jean-Claude wit de ruimte om de drie jaar.'

Zelfs de balken zijn besmeerd met die verblindende kleur, bijna lichtgevend geel. Venner staat te stralen, alsof hij de grot van Alibaba heeft ontdekt. Ik voel me niet op mijn gemak. De ruimte lijkt iets vreeswekkends te verbergen, iets onzegbaars. Ik zoek de hand van Clemens om haar in de mijne te klemmen. Samen lopen we naar binnen.

Rustig blijven, trut, tenslotte is dit maar een zolder, zeg ik tegen mezelf terwijl ik naar het plafond kijk. Het indrukwekkend macramé van hout vormt het balkwerk van het huis. Sommige balken moeten oeroud zijn en zijn beslagen met min of meer verroeste metalen stangen om het hele gebouw bijeen te houden. Ik houd mijn blikken omhooggericht omdat ik bang ben naar de rest te kijken. Venner en Clemens worden daarentegen gefascineerd door al die spullen.

Die spullen...

'Volgens mij zijn we op iets belangrijks gestuit,' fluistert Vidkun, klaar om dit alles te verslinden. Ik knijp mijn hand verder dicht, alsof ik Clemens' hand wil fijnknijpen. Ik ken dit alles echter beter dan hij, ik ben al in Venners nest geweest. Maar hier, vandaag, lijkt alles anders. Het is nieuwer, echter. Helemaal fris... onbevlekt... authentiek...

'Komt u maar, komt u maar,' dringt de oude vrouw op vrolijke toon aan. 'U mag alles aanraken, dat vind ik niet erg. De echte liefhebbers zijn zo zeldzaam!'

Ik slik, maar ik begrijp dat ze in Venner meteen de specialist heeft herkend. Zodra hij binnen is, wordt hij meteen aangetrokken door de belangrijkste voorwerpen, die het meest buitengewoon zijn. De grote Normandische kasten die uitpuilen van linnengoed, hemdjes, bloesjes, handschoenen, lakens, dekens, alles gemerkt, kunnen hem niets schelen. Maar zijn ogen zijn meteen gevallen op de duurdere details: hier een SS-dolk, daar een schilderij van Hitler, dat niet het officiële portret van het Derde Rijk is. Verderop medische spullen in uitstekende staat, op een ijzeren roltafeltje gelegd. Ik ontdek ze met samengekrompen maag, terwijl Vidkun eropaf loopt en voorzichtig een soort heel groot pincet pakt, waarvan de uiteinden op de poten van een kikker lijken.

'Ik kan u niet zeggen wat dat is,' zegt de hertogin. 'Maar u lijkt een kenner te zijn.'

'Ik ken het Derde Rijk beter dan de geneeskunst ervan.'

'En toch was het een zeer nauw verbonden met het ander,' antwoordt ze op bijzonder nostalgische toon.

Daar komt de aap uit de mouw, denk ik, met iets van walging. Om mijn verwarring te verbergen, streel ik het witte linnengoed met mijn vingers. Wat Clemens betreft, die loopt naar een klerenstandaard vol hangertjes en hij streelt met verschrikte blik een zwart uniform. Dat had hij nog nooit gezien! De hertogin van Pochez schenkt geen aandacht meer aan ons. Ze leunt tegen een grote kast en verliest zich weer in haar herinneringen.

'Die kraamkliniek was een paradijs, echt waar. De kinderen leken zo gelukkig! De artsen verwenden ze, de verpleegsters waren gek op ze. Dagelijks ging ik met ze spelen. Ik zong ze oude Franse liedjes voor.'

Daarop begint ze op trieste toon te zingen: '*Ces messieurs sont partis, pour chasser la perdrix.*'

De laatste woorden verklinken in een zucht. Haar blik is wazig geworden als de vijver voor het kasteel. Ik zie twee traantjes in haar ooghoek parelen. En dan werpt de hertogin als een paard haar hoofd achterover en zucht eens diep.

'Het verleden, het verleden.'

Clemens aarzelt even voor die kasten vol kleren en vraagt dan: 'U zei toch dat ze alles vernietigd hadden? Hoe hebt u dit allemaal dan nog kunnen redden?'

'Mijn vader was dik bevriend met de geneesheer-directeur. Toen ze besloten te vertrekken, heeft hij mijn vader een gunst gevraagd. Een soort... bewijs van vertrouwen.'

'O, ja?' zegt Venner, die steeds geïntrigeerder raakt. De oude vrouw bekijkt Vidkun met tederheid.

'De dokter leek trouwens wel op u, meneer. Groot, blond, krachtig. Misschien wat jonger.'

Ze wijst op de klerenstandaard waar Clemens zo door wordt gefascineerd. 'Als u een van die uniformen zou aantrekken, zou u echt als twee druppels water op hem lijken.'

Vidkun kucht eens gegeneerd en Clemens kan het niet nalaten te spotlachen: 'Verjaag de natuur...' zegt hij grinnikend, maar zijn kwinkslag gaat over in gekreun, want woest als ik ben, ben ik op zijn tenen gaan staan.

'Je begint niet weer, hè!'

Vidkun slikt en stamelt dan: 'U moet ons toch eens vertellen hoe dit allemaal bij u is beland.'

'Dat is doodeenvoudig, de geneesheer-directeur die aan het hoofd stond van de kraamkliniek heeft mijn vader gevraagd die hele voorraad hier te bewaren. Maar dat ben ik pas een paar weken later te weten gekomen, toen de kliniek al ontruimd was. Ze hebben dat gedaan toen ik weer eens bij mijn grootmoeder was, in Parijs. Vervolgens moesten ze halsoverkop weg, waarbij ze zelfs een baby zijn vergeten,' zegt ze, terwijl ze door het raam op Duteil wijst, die met een rondje vijver bezig is.

'En wat had uw vader moeten doen met al dit... materiaal?' vraagt Clemens, terwijl hij een hemdje ontvouwt dat lijkt op wat hij op de rommelmarkt heeft gevonden.

'Niets. Ze zouden een paar maanden later terugkomen om het allemaal op te halen. Als de vrede eenmaal getekend zou zijn.'

Ik vul aan: 'En toen kwam er een eind aan de oorlog.'

'Helaas,' zegt de hertogin, dromerig.

Venner ijsbeert door het vertrek.

'En zijn ze nooit teruggekomen?'

'Nooit. We hebben op ze gewacht. Jarenlang. En in de... nogal gespannen sfeer van na de oorlog konden wij natuurlijk niet hardop vertellen wat wij op onze zolder op het platteland allemaal hadden.'

'Hebt u niet al te veel problemen gehad bij de zuivering?'

Gegeneerd schudt de oude vrouw met haar hoofd van links naar rechts.

'Ik was pas zestien. En Jean, mijn oudste broer, zat in het verzet. Hij heeft ons dus... het ongemak bespaard van hen die "collaborateurs" werden genoemd.'

Weer een stilte. Niemand durft hier iets op te zeggen.

Ik vraag ten slotte: 'En bij dat alles, waren daar geen geschreven archieven bij? Documenten over de stichting van de kliniek?'

'Jawel, natuurlijk, een heleboel dossiers!'

Alle drie spitsen we de oren.

'En waar zijn die?' vraagt Venner.

De oude vrouw kijkt teleurgesteld.

'Dat heb ik een jaar of vijftien geleden allemaal verkocht. Als ik geweten had dat dat iemand zou kunnen interesseren!'

Vidkun, Clemens en ik kijken elkaar spijtig aan.

'Ik had nooit zoveel geld verwacht voor eenvoudige brochures. Ik heb er het hele dak van kunnen laten restaureren.'

'Herinnert u zich de koper nog?'

'De kopers, bedoelt u. Ik zou ze niet zomaar kunnen vergeten. Ze waren met zijn vieren… Noordse types. Charmant, dat wel!'

'In welk jaar, zegt u?'

'Dat moet in 1988 geweest zijn, begin van het jaar. Ik kan het me nog herinneren: het was heel koud. Het was op het moment van de grote stormen. Daarin hebben we trouwens veel bomen verspeeld.'

'Dat is net na de affaire-Chauvier,' fluistert Clemens mij in het oor.

'Een half jaar na de zelfmoord van Hess,' vult Venner aan, bijna stereofonisch, aan de andere kant.

'Wat zegt u?' vraagt de hertogin, die zich half omdraait.

'Niets, niets,' zeg ik, terwijl ik me vastklamp aan de trapleuning, want de loper zit los.

We volgen de oude zottin op de trappen van haar kasteel. Als we weer in de buitenlucht voor het huis staan kan ieder eindelijk ademhalen. We kijken eens naar het bos: Duteil is net klaar met zijn rondjes vijver. De honden hebben de gestalte van hun meesteres herkend en komen keffend aangerend.

'Mijn schatjes!' verheugt ze zich, knielt om zich te laten aflikken door hun rode tongen. Wij kijken elkaar eens aan en Venner beduidt dat het tijd is op te stappen.

'Het was mij een genoegen,' zegt de hertogin, geheel verloren onder haar meute. Duteil blijft op de achtergrond staan, alsof hij niet op ons af durft te komen, nog steeds wantrouwig. In de lucht slaakt een vlucht raven schrille kreten, om vervolgens op het dak van het kasteel neer te strijken, klaar voor de aanval. Vol haat doet Duteil een jager na en mikt met een onzichtbaar machinepistool op de vogels.

'Hij is nog een kind,' zegt de oude kasteelvrouw vertederd, die opstaat terwijl ze zich afstoft. 'Ik zal u uitlaten.'

'Doet u geen moeite, mevrouw,' antwoordt Venner beleefd.

'Jawel, jawel!' besluit het oude mens. 'Dan heb ik een beetje oefening. Jean-Claude, wil jij mijn andouillette opwarmen, alsjeblieft?'

'Jazeker, mevrouw de hertogin.'

We zien hem weer het huis in gaan, met een chagrijnige maar opgeluchte blik. Clemens, die zich moet inhouden om niet in lachen uit te barsten, fluistert mij toe: 'Denk je dat dit een metafoor is?'

Maar ik geef geen krimp. Mijn vriend kijkt meteen beteuterd. Wij lopen achter onze gastvrouw aan, omgeven door een wolk van cavaliertjes. Gek genoeg lijkt het bos mij dieper dan toen wij kwamen, raadselachtig gewoon. Alsof we in het hol van de heks moesten doordringen om het bos een toverbos te laten worden. Aan de rand van een talud zien we Lucien, het grote hert, dat ons laatdunkend aankijkt. De hertogin klapt in haar handen en roept met schelle stem: 'Attaqueren!'

Meteen werpen de honden zich op het arme beest, dat tussen de varens verdwijnt.

'Die hebben vanmiddag werk zat. Ik veracht dat beest. Hij verwoest mijn aanplantingen. Jean-Claude had best een wat minder lastig troetelbeest kunnen uitkiezen.'

'Waarom hebt u hem Duteil genoemd?'

'Dat weet ik niet meer. Een idee van mijn vader. We kunnen hem moeilijk Pochez gaan noemen!'

'En hebt u contact gehouden met het personeel van de kraamkliniek?'

De hertogin blijft even staan.

'U bedoelt na de oorlog?'

'Ja.'

Kort, geconcentreerd stilzwijgen.

'Nu u het zegt: nee, met niemand.'

Ze krabt haar neus, een korstje valt op de grond, waardoor een stuk roze huid zichtbaar wordt.

'Nou ja, wel met Marjolaine natuurlijk.'

'Wát zegt u?'

De hertogin wordt verrast door deze hysterische reactie.

'Maar kent u Marjolaine Papillon dan niet? Ze schrijft die beroemde liefdesromans, die zo vreselijk gekunsteld zijn en zich afspelen in de Tweede Wereldoorlog. Ik heb er trouwens nooit een uit kunnen lezen. Ik krijg er slaap van!'

'Hoe kent u haar?'

'Ze heeft een paar maanden in de kraamkliniek gelogeerd. Ze was iets ouder dan ik, maar wij mochten graag samen door het bos wandelen. Ze had het dan over haar jeugd, op een eiland in Scandinavië.'

Ik sla mijn armen over elkaar en druk ze zo hard tegen mijn borst dat ik bijna plof.

'En... bent u bevriend gebleven?'

'Dat zeg ik u. Ze is trouwens echt de enige. De anderen zijn allemaal verdwenen... de lafbekken!'

De hertogin loopt weer verder, niet zonder zich te bukken om een van haar honden te strelen.

'Zo, honnepon... zo!'

Wij zijn op ons qui-vive, ons bewust van het feit dat wij nu geen enkele fout mogen maken. Nu is het Clemens' beurt om tot de aanval over te gaan: 'Ziet u haar nog weleens?'

De hertogin blijft doorlopen.

'Ze had de gewoonte aangenomen hier jaarlijks in augustus veertien dagen te komen logeren. Vaak gingen we samen naar de oude kraamkliniek. En om te schrijven ging ze dan op zolder zitten, tussen mijn nazirommel. "Dat inspireert me," zei ze. Maar...'

De hertogin staat stil, en wij met haar.

'Maar?'

De hertogin loopt naar een eik en met het puntje van haar wandelstok krabt zij de bast eraf.

'Ik heb al een hele poos niets meer van haar gehoord. Sinds het einde van de jaren tachtig, om u de waarheid te zeggen. Ze stuurt me weleens haar nieuwste boek. Met haar "hartelijke eerbetuiging". Zo zielig!'

Daarop drukt ze zich tegen de stam en ademt de lucht van het mos op.

'Vriendschap is maar een betrekkelijk begrip. Net als trouw.'

Plotseling voelen we ons uitermate gegeneerd, alsof we getuige zijn van een intiem tafereel.

Maar Venner schraapt zijn keel en dringt met zachte stem aan: 'Weet u toevallig waar ze woont?'

'Totdat ze zich te goed achtte voor mij? Ja natuurlijk.'

Ik kan het gewoon niet geloven.

Het oudje kijkt even naar de top van de bomen en zegt dan: 'Marjolaine Papillon, Domaine de la Coufigne, Route de la Grande Carlesse, 09881 Belcastel, in het zuidwesten.'

Vidkun straalt van een kannibalistische vreugde, kijkt naar de toppen van de bomen zoals je kijkt wanneer je de hemel dankt, en schaterlacht.

1939

We vlogen bijna twee dagen. Ik was nog nooit van de Håkon weg geweest en die reis was een ware omwenteling: zoveel beelden, zoveel nieuws! De oceaan, de kust van Scandinavië, van Frankrijk, van Aquitanië. Plotseling bestond de wereld op een andere wijze dan op het donkere bord of in mijn verbeelding. Ze ontvouwde zich oneindig ingewikkeld voor mijn ogen. In dat opzicht was Otto een slimmerik: dit schouwspel was een volmaakte afleiding. Tijdens de eerste uren van de reis vergat ik hem de vragen te stellen die me op de lippen brandden. Maar toch fluisterde iets diep in mij dat oom Otto mij nooit helemaal de waarheid zou vertellen. En nog dieper fluisterde een andere stem me in dat dat was zoals het moest zijn. Dat ik dat moest begrijpen. Die visioenen, die even waargenomen gruwel, die ik nooit had kunnen vermoeden, waren dat geen etappes van een inwijdingsreis? De weg naar die 'verlichting' waarover Otto ons zo vaak tijdens de les had verteld? Zoveel tegenspraken bestormden mijn geest! En ik probeerde me vast te klampen aan het idee van een allang vastgelegd plan.

Midden onder de reis probeerde ik toch verlegen te vragen: 'Oom Otto?'

'Ja, hartje,' zei hij, terwijl hij zich uitrekte. We vlogen net boven Frankrijk, velden, bossen, dorpen. De grote rust van het platteland. Daarop haalde ik diep adem en flapte eruit: 'Wat gebeurt er op Halgadøm? Waarom staan er drie van die grote silo's in de opera? Wie zijn die gevangenen? En wie heeft ze van hun tong beroofd?'

Oom Otto keek een beetje benepen, deed net alsof hij nadacht over zijn antwoord.

'Leni, kleine Leni, schatje van me, je stelt te veel vragen.'

Hij ging met zijn hand over mijn voorhoofd, met een heel lief gebaar.

'Het is geen toeval dat ik je niet meteen heb meegenomen naar Halgadøm, ik heb voor jou veel edeler plannen. Geleidelijk aan zul je dat begrijpen.'

Om de waarheid te zeggen begreep ik er helemaal niets meer van, maar ik liet me wiegen door Otto's stem.

'Ik heb het jullie altijd voorgehouden: wij moeten leren onze gevoelens te beheersen, geen pijn en ook geen medelijden te tonen. En bovenal: geen enkel genoegen scheppen in het bedrijven van wat sommigen "kwaad" noemen... uit zwakte, uit onwetendheid.'

Hij haalde eens diep adem.

'En dat is precies het punt waartegen de Svens hebben gezondigd.'

Het gesprek had mij niet veel opgeleverd, behalve dan de bevestiging dat niets van dat alles toeval was. Die afwezigheid van toeval echter suste mijn angsten en ik doezelde weg.

Twee uur later maakte Otto me wakker.

'Leni, kijk eens!'

We vlogen over de ruïnes van een kasteel, boven op een steil klif.

'Montségur,' fluisterde Otto geboeid. Hij maakte een gebaar naar de piloot om boven de vesting rond te vliegen. Het leek mij allemaal wonderbaarlijk: de ruïnes, dat klif, die strenge bergen, verloren in de mist van de toppen. En hier en daar verre gletsjers waarin de zon weerspiegelde.

'Ik heb het toch over de katharen gehad?' vroeg Otto, terwijl hij zijn stem verhief om boven het lawaai van de motor uit te komen.

'Ja, een beetje,' antwoordde ik.

En daarop, brullend om boven de wind uit te komen, vertelde hij me het een en ander... op zijn manier.

'De katharen geloofden dat de mens en de wereld waren geschapen door het kwaad en dat je je moest verheffen tot het goede door een zoektocht naar zuiverheid.'

Otto dacht even na en vervolgde toen: 'In dat opzicht zijn wij precies als zij. Wij verwerpen hartstocht, wij staan onthechting voor, zoals ik jullie ook heb geleerd.'

Zuiverheid, dacht ik ongelovig, weer bestormd door die beelden van de grote slaapzaal en die toekomstige kadavers.

Maar Otto raakte in de ban van zijn uitleg: 'Op de rand van het graf deden de katharen aan handoplegging, die *consulamentum* werd genoemd, een laatste kus voor de grote reis. Sommigen denken dat zij op die manier hun ultieme geheim doorgaven, een geheim dat weleens dat van de wereld zou kunnen zijn, van de hele mensheid.'

Otto maakte een gebaar naar de piloot en we klommen weer. Ik hield mijn voorhoofd tegen de ruit gedrukt.

'Helaas, in de ogen van de Kerk en de koning van Frankrijk kregen de katharen te veel macht, en daarom werd de Inquisitie tegen ze ingezet. Maar ze boden weerstand, ze sloten zich op in hun vestingen, zoals die van Montségur.'

Ondanks de hoogte zag ik nog de rijen bezoekers, die een steil pad op liepen, om de vervallen muren te beklimmen.

'Telkens staken die vervloekte christenen uiteindelijk die kastelen in brand, als een geweldige holocaust ter ere van degene die zij aanzagen voor de ware God.'

Otto raakte op dreef. Hij ademde schoksgewijs en streelde de bergen met begerige blikken. Ten slotte gebaarde hij naar de piloot om door te vliegen, en we verlieten de hemel van Montségur.

Zo vlogen we nog een half uur, waarop Otto opstond en zeer geconcentreerd het uitzicht bekeek.

'Hier!' zei hij ten slotte, en hij wees op een groot veld met palen, dat dienstdeed als een geïmproviseerd vliegveldje. Het was een grote grasvlakte aan de voet van een heuvel waarop een kasteeltje van roze baksteen stond, dat zacht in het zonlicht straalde. Een rustiek en burgerlijk bouwsel, zo volslagen verschillend van Montségur. Op het veldje stonden verscheidene gestalten naar ons te kijken. Een van hen stond met borden te zwaaien, om de piloot aan te zetten tot afdaling. Mijn maaginhoud kwam naar boven. Otto pakte me bij de hand.

'Houd je goed vast!'

Ik drukte me tegen hem aan, steeds minder gerustgesteld. Ik keek eens uit het raam en zag rillend dat het terrein kort was en dat het een moeilijke landing zou worden.

'Alles gaat goed,' zei Otto, niet overtuigend genoeg om echt geruststellend te kunnen zijn. Maar ik sloot liever mijn ogen. Plotseling daalde het vliegtuig, waardoor de hele romp ging trillen. Ik wachtte − met angstzweet − tot de motor werd afgezet. Dat leek jaren te duren! En eindelijk landde het toestel, minderde vaart en stond stil.

'Leni,' fluisterde Otto.

Maar ik zat stokstijf stil, met mijn ogen dicht. Daarop hoorde ik een schelle lach en durfde eindelijk een ooglid open te doen. Twee kinderen stonden naar me te kijken. Een jongen en een meisje. Ze stonden voor het vliegtuig, stralend. Achter hen riep iemand met schorre stem: 'Anne-Marie! Gilles! Blijf daar niet staan!'

Daarop verscheen de gestalte van een grote man van een jaar of veertig, met een pak, een das en een strohoed, die riep: 'Ballaran, zeg tegen je zoon dat hij de bagage van de juffer draagt!'

'Goed, meneer!' antwoordde een stem met een sterk zuidelijk accent.

De jongen pakte mijn koffer en liep naar het kasteel.

Onhandig klom ik uit het vliegtuig, opgevangen door de man die 'Ballaran' werd genoemd.

'Laat mij u helpen, juffer.'

De man met de strohoed was blijven staan. Hij keek met grote welwillendheid en een soort opluchting naar Otto die nog in het vliegtuig zat. Daarop wendde hij zich stoïcijns tot mij.

'Dat is dus onze kleine beschermeling,' zei hij, terwijl hij zich naar mij overboog. 'Dag, juffrouw, ik ben de graaf van Mazas.'

'Dag, meneer,' antwoordde ik in het Frans.

Hij gaf me op een rare manier een hand: tegelijkertijd beleefd en begerig. Het blonde meisje stond achter hem. Hij draaide zich naar haar om en zij kwam een stapje naar voren.

'Dit is mijn dochter Anne-Marie. Jullie zijn denk ik ongeveer van dezelfde leeftijd.'

'Precies dezelfde, meester,' antwoordde Otto, terwijl hij met een soepel gebaar uit het vliegtuig sprong.

De strohoed wierp hem een brede glimlach toe.

'Je bent gauw gekomen!' zei hij.

Otto rechtte zijn rug en hief zijn handen ten hemel.

'Ach, ik ben blij weer in dit land te zijn. Ik mis het zo! Ik kan niet meer tegen die lugubere eilanden.'

Ik kon bij zoveel schijnheiligheid een kreet niet meer onderdrukken (helemaal uit de mond van Otto!).

'Ja, maar op de Noordpool vind je de echte zon ook niet, Otto. De graal heeft licht nodig.'

Otto aarzelde even en vroeg toen: 'Maar u hebt hem echt, meester?'

'Ik ben bang van wel,' zei Mazas, op de toon van een prediker.

Alles bleef nieuw. Nog nooit had ik door een veld gelopen. Nog nooit was ik door een wijngaard gekomen. Nog nooit had ik de grond zo dicht en zo vet gezien. Op de Håkon waren alleen korstmos en keien. Met uitpuilende ogen bij het zien van een zo vrijgevige natuur ging ik mee naar het kasteel. Mijn 'initiatie' beviel me beslist steeds meer! Anne-Marie liep vooruit om de weg te verkennen, gevolgd door Ballaran, de rentmeester, die ik achternaliep. Achter me waren oom Otto en de graaf van Mazas verzonken in hun herinneringen en liepen te lachen, als twee scholieren. Ik hoorde ze praten over de 'zaal', 'katharen', 'reïncarnatie', 'samenzwering', 'alchemie'... maar dat interesseerde me niet. Ik was te gelukkig en ik ademde gretig elke seconde die zo zuiverende lucht in. We moesten door de wijngaard voordat we op het terras kwamen, aan de voet van het huis. De zogeheten Gilles stond op me te wachten voor de ingang van het kasteel, met mijn koffer in de hand. Hij was ongelooflijk serieus.

'Mooi, hè?' zei hij tegen mij, met een bloemrijk accent.

'Ja.'

Daarop wees hij naar de top van het bos, dat zich uitstrekte aan de andere kant van de wijngaard.

'Dat bos daarbeneden, dat heet het "katharenbos".'

Vervolgens voegde hij er op een mysterieuze toon aan toe: 'Ze zeggen dat het er spookt.'

Ik durfde niet te antwoorden dat ik veel onrustbarender wezens kende dan spoken uit sprookjes (maar waarom zou ik dat boertje kwetsen?), dus vroeg ik: 'En is het landgoed groot?'

'Achter het katharenbos zijn nog tientallen en tientallen velden. Het landgoed van de graaf is het grootste uit de streek!'

Hij sprak met zoveel trots dat ik me er niet van kon weerhouden te zeggen: 'Het lijkt wel of alles hier van jou is.'

Hij keek me sluw aan en liep op me af.

'Op een dag zal het dat ook worden!'

'Gilles!'

De jongen verstijfde.

'Juffrouw Anne-Marie!'

Het meisje kwam op ons af en bekeek mij met amper verholen jaloezie.

'Papa heeft tegen je gezegd juffrouw Leni naar haar kamer te brengen, niet een madrigaal voor haar te zingen!'

De jongen keek naar de grond.

'Zeker, juffrouw Anne-Marie,' zei hij, en hij wees mij op de deur. Hij bekeek haar met een blik die droop van verliefdheid.

'Na u, juffrouw Leni.'

Zonder verder nog een woord te zeggen bracht hij mij naar mijn kamer – een hoog baldakijn midden in een vrijwel kaal vertrek – waar Otto me vroeg tot de avond te blijven.

Om acht uur 's avonds gingen we naar beneden om te eten. We gingen allemaal aan een grote ronde tafel zitten, in een immense eetzaal, met overal schilderijen aan de muur, waarop taferelen uit het kathaarse epos.

'De Mazas,' vertelde de kasteelheer, 'stammen af van Esclarmonde de Foix, een legendarische kathaarse.'

Otto ging er niet op in en glimlachte, alsof hij het ijs wilde breken, in plaats van die zo Franse stijfheid te behouden. We aten met slechts enkele mensen, maar dat was niet minder intimiderend! Mazas, Anne-Marie, Otto en ik zaten voor tientallen bordjes, glazen, couverts, waarin ik helemaal de weg verloor, omdat ik alleen maar gewend was groente, vis of eieren te eten. Deze zogenaamde 'spijzen van het land' waren mij zo onbekend dat ik me verloren voelde met die patés, worsten en hammen. Ik aarzelde, wist niet hoe ik moest snijden, wanneer ik mezelf moest opdienen, wat ik het eerst moest eten. Belachelijk!

Anne-Marie merkte dat ik ermee zat en ik zag haar een paar keer achter haar servet een giechel onderdrukken. De couverts klikten op de borden, de glazen tinkelden, de deur van het vertrek kraakte als een oude man, en ik was op mijn hoede. Het eten werd opgediend door mevrouw Ballaran, de kokkin en de moeder van de kleine Gilles. Ze kwam met de gerechten uit de keuken, een aanpalend vertrek, waar Gilles met zijn vader en onze piloot aan tafel at. Sinds een minuut of tien zat Otto Mazas te verklaren hoe Hitler, onder gebruikmaking van een maatschappij die 'Ahnenerbe' werd genoemd, een groots programma van archeologische opgravingen had opgezet. Hij gebruikte bij zijn verklaringen filosofische termen uit zijn lessen mythologie en onze les werd plotseling praktijkwerk, bewegende geschiedenis, iets levends!

Omdat ik wilde doen alsof ik me interesseerde voor het gesprek van de volwassenen, vroeg ik: 'Wat is dat, Ahnenerbe?'

Mazas keek mij vernietigend aan, alsof ik een onherstelbare fout had gemaakt. Ik kromp ineen op mijn stoel.

'U moet het haar niet kwalijk nemen, meester,' mompelde Otto, 'ze weet het niet.'

Geheel verlamd slikte ik eens.

'Leni,' zei de 'regent' zachtjes tegen mij. 'Wij zijn hier niet op de Håkon. In Frankrijk neemt een kind het woord pas als het hem gegeven wordt.'

Een kind, dacht ik, en ik fronste mijn wenkbrauwen. En als ik Mazas eens vertelde hoe die zogenaamde kinderen op de Håkon leefden? Maar dat zou weer handelen als een kind geweest zijn, ik moest juist laten zien

dat ik rijp was. Afgelopen met de bokkesprongen! 'Verdragen en je afzij-
dig houden,' had oom Otto ons zo vaak voorgehouden.

Ik behield dus mijn kalmte en stamelde: 'Neemt u mij niet kwalijk.'

Maar de graaf ontdooide al en nam een lepel knoflooksoep.

'Om jouw vraag te beantwoorden,' zei Otto nog, 'de Ahnenerbe is een
afdeling van de SS die het verleden van het Germaanse volk moet opgraven.'

Ik knikte zonder verder een woord te durven zeggen.

Op hetzelfde ogenblik wendde Mazas zich tot de keuken en sperde zijn
ogen open van wellust. 'Aaaah!' riep hij uit.

Ik zag twee runderribben aankomen, dampend en knapperig, gedragen
door mevrouw Ballaran.

Vlees, dacht ik met walging. Ik keek Otto eens smekend aan, maar hij
reageerde met compromisloze blik.

Mazas zei trots: 'Mevrouw Chauvier kan het beste vlees klaarmaken uit
de hele streek!' en hij haalde een mes uit zijn ceintuur.

Bij het compliment voerde de kokkin een vreemde knicks uit.

'Meneer de graaf weet dat ik getrouwd ben,' antwoordde ze op onderdanige toon. 'Al vijftien jaar lang heet ik geen Chauvier meer.'

Mazas schaterlachte en beduidde haar daarop met een kort gebaar terug
te gaan naar de keuken.

'Die vrouw is een wonder,' zei hij zachtjes, toen ze eenmaal weg was.
'Haar ouders, de Chauviers, werkten al op het kasteel toen ik nog kind
was. Ze is met Ballaran getrouwd, de zoon van onze voormalige rentmeester.'

Hij grinnikte eens. 'Op die manier,' voegde hij eraan toe terwijl hij het
vlees aansneed, 'blijft alles in de familie!'

Of ik wilde of niet, ik moest mijn bestek op dat bloedige rundvlees loslaten. Tenslotte is de hele wereld carnivoor. En ik moest het op een dag
toch proberen. Uiteindelijk proefde ik dan voor de eerste keer bloed en ik
moest toegeven dat het vlees verrukkelijk was. Ik verslond zelfs rode,
glimmende plakken, tot groot genoegen van de graaf.

'Nou, ze heeft een goeie eetlust, die kleine!'

Anne-Marie sprak niet. Soms draaide ze zich om naar de keuken, keek
naar Gilles, die haar antwoordde met zijn gelukzalige glimlach. Vervolgens, als haar territorium eenmaal was afgebakend, was ze weer tevreden.
Wij bleven allebei stil zitten, maar bij het dessert, waarbij mevrouw Chauvier ons een verrukkelijke *nègre en chemise* opdiende, gaf Mazas dan eindelijk 'het woord' aan zijn dochter, zoals je een getemde aap toont.

'Anne-Marie, vertel ons eens iets van de graal.'

Ze stond op van haar stoel en hield haar handen op haar rug. Met haar blikken gevestigd op de grote luchter boven de tafel zegde ze haar lesje op.

'De traditie leert ons dat beschavingen altijd iets heiligs en verlorens hebben gezocht, zoals de uitspraak van het woord "god" bij de joden of de graal bij de christenen.'

Mazas knikte haar bemoedigend toe.

'De graal zou een beker zijn, gevormd door de engelen uit een smaragd met 144 facetten, die tijdens zijn val uit het voorhoofd van Lucifer is gevallen. Hij zou aan Adam zijn toevertrouwd in het aardse paradijs, voordat die eruit werd verjaagd. Seth, als zoon van Adam, ging terug om hem te zoeken en hij werd verborgen door de druïden tot de komst van Christus. Daarop dronk Jezus er de wijn uit bij het laatste avondmaal en Maria-Magdalena ving er het bloed van de kruisiging in op.'

Ze aarzelde even, en haar vader fronste zijn wenkbrauwen.

'En waar is hij sindsdien?' hielp hij haar op weg.

Anne-Marie rechtte de rug en vervolgde: 'Hij zou bewaard worden in Montsalvat, de "berg van de redding", een gebied waar niemand bij kan. Hij zou aanvankelijk in Rome zijn bewaard, maar in 410 geroofd zijn door de Visigoot Alaric, om in Carcassonne te worden bewaard, en vervolgens, toen de Moren invielen, zou hij verborgen zijn in de Pyreneeën.'

Stilte. Mazas bleef even doodstil zitten en begon toen langzaam te applaudisseren, waarbij hij ons stimuleerde mee te klappen. Ik verborg mijn afkeer, applaudisseerde voor de juffer, niet zonder te denken: ik weet er veel meer over dan zij. Ze heeft het niet gehad over de Parzival van Eschenbach – en niet over het rijk van prins Jan – niet over de kathedraal van Genua...

Maar ik hield mijn mond. De pauze was voorbij. De beide heren bekeken elkaar met groeiende, om niet te zeggen sensuele, intensiteit.

'De graal...' vervolgde Otto, als betoverd. Mazas keek mij en Anne-Marie aan.

'Otto, ik geloof dat het tijd is dat onze meisjes naar bed gaan.'

Ik stond op het punt te reageren: meisje! Meisje! Allang niet meer! Maar weer nam oom Otto zijn verzoenende uitdrukking aan.

'Ga je mee?' vroeg het meisje mij. 'Ik zal je begeleiden, anders vind je nooit je kamer.'

Ik was verbaasd, want die zin verborg helemaal niets achterbaks. Anne-Marie was zelfs een en al zachtheid. We verlieten de eetzaal.

'Het spijt me dat ik wat nors deed waar mijn vader bij was,' fluisterde ze glimlachend, 'maar hij is heel streng en ik moet erg opletten.'

'Waarop dan?' vroeg ik, terwijl ik achter haar aan liep over de grote trap.

'Op alles: hoe ik me houd, waar ik sta. In zijn ogen ben ik nog maar een heel klein meisje.'

Anne-Marie bleef even staan en leunde tegen de lange koperen trapleuning. Boven haar grijnsden portretten van voorouders in het stof. Hun wapens waren sinds de tijd van de katharen niet meer opgepoetst!

'Sinds mijn moeder dood is,' zei Anne-Marie, 'is mijn vader ervan overtuigd dat hij alles verkeerd doet, maar hij maakt het alleen maar erger.'

Ik aarzelde even en vroeg toen: 'Waaraan is jouw moeder gestorven?'

Ze werd zenuwachtig. 'Dat weten we niet. Een longziekte. Ze was operazangeres.'

Anne-Marie had dat kinderlijke karakter helemaal afgelegd en op dat precieze moment leek ze waarschijnlijk meer op haar moeder. Verschrikkelijk veel.

'Allebei mijn ouders zijn overleden,' zei ik, als om me te verontschuldigen.

Anne-Marie glimlachte samenzweerderig.

'Dan moeten wij met elkaar kunnen opschieten,' zei ze heel serieus. Daarop vervolgde ze haar klim.

Gilles stond naast de deur van mijn kamer in stilte te wachten.

'Zijn jullie klaar?' zei hij zonder te bewegen, met een ontspannen stem. 'Heeft juffrouw Anne-Marie goed gegeten?'

Anne-Marie keek geërgerd.

'Het is goed, hoor, mijn vader is er niet meer.'

De jongeman leek mij plotseling ook ouder geworden.

'Heb je het haar gevraagd?' vroeg hij Anne-Marie.

De rollen leken nu omgekeerd.

De jonge kasteelvrouwe wendde zich naar mij en antwoordde: 'Nog niet.'

Heel even bekeken beiden mij in stilte. Toen liep Gilles op mij af.

'Kun jij een geheim bewaren?' vroeg hij.

Ik voelde paniek in me opwellen en stamelde: 'Ja, dat denk ik wel.'

'Denk je dat of weet je het zeker?'

Ik herkende in de ogen van Gilles de vastberadenheid van de Svens. Dus duwde ik hem achteruit.

'Ik zal niets zeggen. Tegen niemand. Beloofd.'

Gilles en Anne-Marie wisselden tevreden blikken uit.

'Kom dan maar mee.'

Het was een prachtige nacht. De maan was net op en wij liepen door een poortje het park in. Op mijn tenen volgde ik Gilles en Anne-Marie, tussen gesnoeide buxussen en lanen met haagbeuken, vierkante schaduwen in de lange kathaarse nacht, weer een droom. We moesten over het terras boven het bos, tot onder aan het kasteel.

'Dit is het gevaarlijkste ogenblik,' fluisterde Gilles.

'Geen geluid maken, en precies achter ons aan lopen,' zei Anne-Marie.

Ze pakten ieder een van mijn handen, en als drie dansers liepen we met een paar sprongen over het terras. Vervolgens moesten we naar het bos naar beneden, door de wijngaard. De droge grond ademde verrukkelijke geuren uit! En hiervandaan leek het kasteel op een operadecor. Maar het was niet het moment om het te gaan staan bekijken. We liepen om ons vliegtuig heen, naar de rand van het bos.

'Pas op, er zijn veel bramen,' waarschuwde Anne-Marie, die het kreupelhout in dook. Ik op mijn beurt drong het bos in en het werd pikkedonker. Tussen de verstrengelde takken, de bramen, de varens, de struiken, kon de maan niet meer schijnen. Wij kwamen maar langzaam vooruit. De geuren waren nu overgegaan in een zware lucht van mos en vermolmd hout. De grond kleefde aan onze voeten. Hier en daar scheen de maan tussen de bomen en dan verdwenen we weer in het duister. Een plantaardige gevangenis, waarin de beide autochtonen zich volmaakt op hun gemak leken te voelen. Na wat mij een heel lange zwerftocht leek, kwamen we voor een grote opening, uitgehold in de rots. Mijn gidsen bleven plechtig staan.

'Vanaf nu,' mompelde Gilles bazig, 'geen woord, geen geluid, geen plotselinge beweging meer.'

Hij kwam vlak bij me staan, ik rook de knoflook op zijn adem.

'Jullie moeten mij volgen. Wat we hier doen is strikt verboden!'

Ik zag de bewondering van Anne-Marie voor 'haar' Gilles.

Ze zou hem gevolgd hebben naar het eind van de wereld. De jongeman stak een lamp aan, en we drongen de grot in.

Het was aardedonker. Ik kwam tastend en voorovergebogen vooruit in die rotsgang. De lichtstraal van Gilles scheen heel ver voor ons uit. Zodra ons hoofd het plafond raakte, werden onze haren gewassen met saltpeter. Alle geluiden waren gedempt. En die lucht van vocht was bijna bedwelmend. Zonder dat ik het durfde toegeven, werd ik bang. Ik wilde net vragen: 'Waar zijn we?' toen de beide jongelieden plotseling bleven staan. Gilles richtte zijn lamp op de muur. En vervolgens, heel snel, ging hij met de lichtstraal door de ruimte. Alles ging veel te snel, maar ik had het begrepen. Op enkele meters voor ons had ik gereedschap zien liggen; hamers, schoppen... en tenten. Militaire tenten met een hakenkruis erop.

'Ze slapen,' fluisterde Gilles.

'Dat zijn Duitsers, net als jij,' fluisterde Anne-Marie, terwijl we snel een andere gang in doken, hoger, minder smal.

De Ahnenerbe, dacht ik.

Gilles zei, met een bijna heldere stem: 'Ze zijn al maanden hier.'

'En mijn vader heeft er nooit iets van gezegd,' voegde Anne-Marie er-aan toe.

'Maar... weet hij wel dat jullie het weten?'

'Ben je gek!' zei het meisje. 'Als hij dat wist zou hij me afmaken!'

Ze wees op de zoon van de oppassers. 'Gilles heeft deze plek ontdekt, op een dag dat zijn vader en hij aan het jagen waren in het bos.'

De jongeman nam het van haar over en greep daarbij mijn hand: 'Papa dacht iets te horen, in het kreupelhout, en hij schoot in de lucht. Toen hoorden we een kreet, en een jonge blonde vent, helemaal in het zwart, kwam uit de struiken met de handen in de lucht. Hij sprak geen Frans en zag er bang uit. Hij riep: "*Ausweis!*" en liet ons een vergunning zien, in het Frans en het Duits. In de brief stond dat een groep archeologen uit Hei-delberg toestemming had om opgravingen te doen in het katharenbos. De brief was getekend door de graaf van Mazas en een zekere Otto Rahn.'

Ik zei niets. De jongeman kreeg een samenzweerderige uitdrukking op zijn gezicht en vervolgde toen zijn relaas: 'Papa herkende de handteke-ning van de graaf en liet de mof vertrekken. Hij vroeg me tegen niemand iets te zeggen, vooral niet tegen de graaf. En ik ben alleen teruggekomen, de volgende ochtend. En zo heb ik de grot ontdekt.'

Hij lachte even.

'En toen heb ik alles aan Anne-Marie verteld.'

De twee geliefden pakten elkaar bij de hand.

'Al vijf maanden,' zei het meisje op zachte toon, 'is het ons geheim. We komen hier bijna elke avond.'

Ze drukten zich tegen elkaar aan. Gilles fluisterde: 'Maar niemand weet het. Helemaal niemand.'

'Waarom ik dan wel?' vroeg ik.

Op raadselachtige toon zei Gilles heel zachtjes: 'Omdat wij vandaag met zijn drieën moeten zijn.'

Ik zou er best meer van hebben willen weten, maar we gingen weer op weg. We hoefden niet lang te lopen; we kwamen algauw in een nog veel grotere grot, breder en hoger dan die waarin de tenten stonden. Overal om ons heen zag ik open grond, zakken, en heel veel gereedschap. Gilles raapte een lantaarn op, haalde een doosje lucifers tevoorschijn, en ik ontdekte de andere grot. De twee tieners pakten mij ieder bij de hand en trokken me naar het midden toe.

'Moet je kijken.'

Aanvankelijk begreep ik het niet. Het was een grote rechthoekige bak van drie bij twee, tegen de rots aan, en kennelijk diep. Hij reikte mij tot de schouders, maar leek zo diep dat ik niets zag toen ik erin keek.

'Nou en?' zei ik ongelovig.

Gilles en Anne-Marie keken elkaar medeplichtig aan en gaven mij toen de lamp.

'Pas op, hoor, niet loslaten.'

Dat was net op tijd! Want ik was bijna in het gat gevallen. Het was een graf! Of liever gezegd een sarcofaag. Ik weet niet meer wat ik het eerste zag: de voeten, de benen, het lijf, de handen of de ogen? De ogen ongetwijfeld. Een hele poos bleef ik geboeid door dit visioen, verstijfd in de nacht. Groene ogen waren het, net als de rest van het lijf. De huid leek zelfs van perkament. Hij was naakt, de handen waren gevouwen over zijn geslacht. De zwarte haren kwamen hem tot de ellebogen, als een soort lijkwade. Ik klampte mijn vingers aan de rand van de sarcofaag.

'Maar dat is een reus,' zei ik als tegen mijzelf.

'Twee meter achtentwintig,' hoorde ik Gilles zeggen, 'ik heb hem gemeten.'

Ik kon mijn ogen er niet vanaf houden. Een hele poos bleven we allemaal stilzwijgend staan, daarop klonk de stem van Anne-Marie op haar beurt in de nacht: 'Heb je zijn voorhoofd gezien?'

Een elektrische schok doorvoer me. Ja, ik had zijn voorhoofd gezien. Natuurlijk! Vanzelfsprekend! Maar ik begreep niets. Helemaal niets meer! Het was een tatoeage, tussen de wenkbrauwen. Een hakenkruis, subtiel bewerkt, in de huid gegraveerd, net een derde oog.

'We weten niets van hem,' zei Anne-Marie.

'Maar hij beschermt ons al vijf maanden,' voegde Gilles eraan toe, terwijl hij zich tegen de dochter van de graaf aan drukte. Ze legde haar hoofd op zijn schouder en lachte mij toe.

'Hij is onze eigen godheid,' zei ze.

Daarop herinnerde ik mij een van de eerste lessen van oom Otto, op de Håkon. De Svens en ik waren amper ouder dan acht, toen Otto het met ons had over de 'onbekende hogere wezens'.

Volgens oeroude legenden zouden die de laatste afstammelingen geweest zijn van het zuivere oerras, hetzelfde dat leefde op het Arctische eiland Thule voordat dat verwoest werd. De beroemde kinderen van Thule, dat waren zij! Slechts enkelen overleefden de ramp die hun vaderland verwoestte. Daarop bleven ze verborgen, 'onbekend' in de ogen van de wereld, maar besloten ze het lot van het heelal ter hand te nemen. Naar verluidt waren het reuzen, zeer zuiver van uiterlijk... en droegen ze een hakenkruis op het voorhoofd.

'Maar dat is toch maar een legende,' had ik toen tegen oom Otto gezegd, aan het eind van de les.

'Wie weet, kleine Leni,' had hij dromerig geantwoord. 'Ze zeggen dat op de dag dat wij de onbekende hogere wezens zullen terugvinden, de wereld eindelijk op weg zal gaan naar zuiverheid. Maar dat zal ten koste gaan van talloze mensenlevens.'

Talloze mensenlevens, hè? dacht ik terwijl ik naar de mummie keek. Die zo rustige, zo vreedzame man, ongetwijfeld al duizenden jaren dood, was hij de reden van alle moorden waarvan ik op Halgadøm getuige was geweest?

Ik raakte zo verstrikt in mijn vragen dat ik geen aandacht meer had geschonken aan Gilles en Anne-Marie: beiden waren voor de sarcofaag geknield en sloten de ogen. Ik stond paf: ergens achter in een Occitaanse grot bewezen een jonge kasteelvrouwe en de zoon van haar oppassers eer aan een onbekende mummie. Een instinctieve heidense eredienst. Heel even – maar het ogenblik leek me eindeloos – bleven ze roerloos zitten, en toen werden ze tegelijk wakker.

Anne-Marie keek me met raadselachtige blik aan.

'Je vraagt je natuurlijk af waarom we je hier mee naartoe hebben genomen?'

Ik knikte en stond een beetje te wankelen op mijn benen, weinig op mijn gemak. Gilles kwam op me af en hield me een stuk papier voor dat bedekt was met een verzorgd handschrift.

'Wij hebben begrepen dat alles gaat veranderen.'

'Vanwege jouw komst en die van Otto Rahn,' verduidelijkte de dochter van de graaf, plotseling triest. Ze keek naar de grond, alsof zij daar iets uit kon aflezen, er logica kon vinden. Maar hoe moest ik haar uitleggen wat ik slechts meende te raden?

'Wij hebben hier de mooiste ogenblikken van ons leven beleefd,' vervolgde Gilles op een wanhopig volwassen toon, 'en we wilden zo graag dat er iets van zou blijven.'

'Een sacrament,' zei Anne-Marie.

Allebei wezen op het blad dat ik vasthield. Ik kreeg amper de tijd ernaar te kijken of de twee geliefden gingen tegenover mij staan, in de houding. Ik besefte daarop dat ik met mijn rug tegen de sarcofaag stond, als tegen een podium.

'Lees maar,' zei Gilles.

Ik aarzelde, maar las toen gebrekkig voor, zonder alles te begrijpen (ik kon Frans slecht lezen): 'Gilles Ballaran, wilt u tot echtgenote Anne-Marie van Mazas, en haar trouw blijven tot de dood u scheidt?'

Gilles slikte eens en zei zachtjes: 'Ja.'

Ik durfde niet op te houden, want het paartje leek helemaal betoverd. Ze straalden een bovennatuurlijk licht uit. De geliefden hielden elkaars hand stevig vast zonder mij uit het oog te verliezen. Ik vervolgde: 'Anne-Marie van Mazas, neemt u tot echtgenoot Gilles Ballaran, en belooft u hem trouw te zijn tot de dood u scheidt?'

De jonge tiener haalde eens diep adem en antwoordde vervolgens: 'Ja.'

De tekst werd waanzinnig!

'Door de macht van de heilige mummie, door het licht van het goddelijk hakenkruis, door de macht van de grotten in het katharenbos, verklaar ik u verenigd door de onverwoestbare banden van het huwelijk, voor het leven en voor de eeuwigheid.'

Heel even keken de beide verloofden elkaar vroom aan; toen fluisterden ze: 'Amen.'

Gilles en Anne-Marie kusten elkaar alsof ze elkaar nooit meer terug zouden zien. Mijn rol was uitgespeeld. Voor hen was niets meer belangrijk behalve zijzelf. In het licht van de grot, in de schaduw van de mummie, hadden de geliefden zich tegen elkaar aan gedrukt en fluisterden elkaar lieve woordjes toe, flarden van zinsneden. Ik hoorde ze iets fluisteren over 'voor altijd, mijn liefste, voor altijd'. 'Wat er ook gebeurt, wij zullen altijd voor elkaar zijn, voor eeuwig!' En ze bleven elkaar maar kussen.

Plotseling hielden ze echter toch op en keken verschrikt achter mij.

Ik stamelde: 'Wat... wat gebeurt er?'

Maar ik hoorde een geluid dat uit de gangen van de grot kwam. Gilles trok me meteen naar het donkerste deel van de ruimte.

'We hebben bezoek,' fluisterde de jonge Ballaran nostalgisch, alsof alles maar een spelletje was geweest.

'Bezoekers,' herhaalde ik, terwijl ik Otto en de graaf van Mazas zag komen. Ze liepen druk te gebaren en gingen naar de mummie toe. Maar ik hoorde niet wat ze tegen elkaar zeiden en ik kwam overeind om mijn oren te spitsen.

De vuist van Gilles kwam meteen op mijn hoofd neer.

'Niet bewegen!' fluisterde hij doodsbenauwd. Als konijntjes tegenover de fret drukten wij ons tegen elkaar aan, in ons schaduwhoekje. De beide mannen hadden zich nu over het graf gebogen, een meter bij ons vandaan. Met een zwaai van hun lamp zouden ze ons ontdekken!

'De smaak van het verleden kun je niet leren, Otto. Ik weet het, ik voel het. Dit is het eerste ras, mijn vriend, het allereerste ras! We zijn er.'

'Dat hoop ik maar,' antwoordde oom Otto, die het enthousiasme van de Fransman wat leek te temperen.

'Maar het is toch duidelijk! We hebben eindelijk het eerste onbekende hogere wezen gevonden. Het lag bij mij, onder mijn bos!'

Ik had wel gelijk, dacht ik met vreemde trots, bereid mij te tonen om aan Otto te laten zien wat ik begon te begrijpen, en dat ik net zo enthousiast was als Mazas. Maar Otto leek te aarzelen.

'Niets wijst erop dat wij op het goede pad zijn.'

'Maar alles is er, *mein Freund*!' hield Mazas met een kinderlijk fanatisme aan. 'De grootte, het merkteken op het voorhoofd, de symbolen: alles!'

'Dat moet ik toegeven, maar het is zo goed dat wij ook weleens het slachtoffer zouden kunnen zijn van een studentengrap,' antwoordde Otto bezorgd. 'Wij moeten de acht anderen nog vinden. U weet ook wel dat we niets kunnen beginnen zonder de negen stoffelijke resten.'

De negen stoffelijke resten? vroeg ik me ongelovig af.

'Jouw mannen zijn ermee bezig, nietwaar?' vroeg de graaf.

Nadenkend streelde Otto zich over zijn kin.

'Ik heb vier nog jonge elementen, die binnenkort operationeel zullen zijn.' Daarop verhardde zijn toon, toen hij eraan toevoegde: 'Ik moet ze alleen nog wat... discipline bijbrengen!'

Ik huiverde, denkend aan de Svens. Dit was dus hun missie, het uiteindelijke doel van hun opleiding.

Maar ik dan? dacht ik. Wie ben ik? Wat ben ik?

Mazas vervolgde: 'En hoe denk jij ze op te graven, die andere mummies?'

Oom Otto schudde zijn hoofd. Wilde hij de graaf niet te veel vertellen?

'We hebben een paar sporen,' zei hij. 'Maar die bevinden zich in landen die het Rijk vijandig zijn.'

'Dan vallen jullie ze toch binnen?' zei Mazas, alsof dat een grapje was.

Oom Otto grijnsde eens en antwoordde met schorre stem: 'U weet niet half hoezeer u het bij het rechte eind hebt, meester.'

Bij die opmerking sprong Gilles op en gleed uit over een rots.

'Maar wat is...?' brulde Otto, terwijl Mazas zijn lamp op de jongeman richtte, die met een verstuikte enkel voor hun voeten lag. Ik beet op mijn tong om niet te schreeuwen van angst en Anne-Marie kneep mijn hand zowat fijn. De beide volwassenen liepen op Gilles af. Mazas was sprakeloos, maar Otto kon een glimlach niet onderdrukken. Hij scheen met zijn lamp in onze richting en ontdekte ons, Anne-Marie en mij, tegen elkaar aan gedrukt.

'Zo zo zo,' bromde hij, 'ik zie dat onze meisjes niet de weg naar hun kamer hebben gevonden, vanavond.'

De graaf was vuurrood geworden.

'Ettertjes!' schreeuwde hij, terwijl hij zich op Gilles wierp. 'Jullie hebben geen enkel recht om hier te zijn.' De jongeman kromp in elkaar, en ik zag, gebaar voor gebaar, het tafereel met Björn op Halgadøm. Maar Rahn hield hem tegen, voordat hij de hand kon heffen tegen de puber.

'Meester, wacht.'

Otto fluisterde hem iets in het oor. Hij wees op Gilles en Anne-Marie en stopte een klein parelmoeren doosje in zijn hand. Bij dat gebaar draaide Mazas zich naar mij om en vroeg achterdochtig: 'En zij?'

'Voor haar,' zei Otto kalm, 'zorg ik wel.'

En terwijl de graaf op de 'jonggehuwden' afliep, hield hij ze ieder een pil voor.

'Slik dat door en ga meteen terug naar het kasteel,' zei hij met onderdrukte woede. Gilles en Anne-Marie slikten de pillen door met een vreemde grijns.

'En nu vort!' bromde Mazas nog, terwijl het paar in de duisternis verdween.

Die avond bracht Otto door aan de telefoon. Zijn kamer was naast de mijne en ik hoorde hem spreken met Berlijn, München, Wenen, Berchtesgaden. Als hij niemand aan de lijn kon krijgen, brulde hij, werd boos, en gooide zo gewelddadig de hoorn op de haak dat de muren ervan trilden. Nog nooit had ik hem zo zenuwachtig meegemaakt. Toen we uit de grot naar boven waren gekomen, had hij geen woord gezegd. Hij had alleen even over mijn wang gestreken en gemompeld: 'Nieuwsgierige ondeugd, hup!'

Maar ik had daar geen vijandschap en ook geen strengheid in gehoord. Alleen dat beetje trots dat hij al een paar weken over mij koesterde. Ik had het dus bij het juiste eind. Ik was op de goede weg. Mijn nieuwsgierigheid leek in de verste verte niet op een tekortkoming; ze was zelfs een noodzakelijke deugd voor mijn vooruitgang.

De volgende ochtend, toen ik wakker werd, deed ik de ramen van mijn kamer open, die uitzagen op het bos, en zag de zwarte soldaten die een grote rechthoekige metalen kist in het ruim van ons vliegtuig aan het laden waren.

De mummie, dacht ik gefascineerd. Het onbekende hogere wezen, een van die geheime meesters van de mensen, daar, voor ons! En die was van ons!

Op hetzelfde moment stormde Otto mijn kamer binnen. 'Leni, kleed je aan, we vertrekken over een uur!'

'Maar ik dacht dat we hier twee weken bleven!'

Otto verstarde.

'Het gaat allemaal een stuk vlugger dan ik voorzien had.'

Twintig minuten later liep ik met mijn koffer over de grote trap van het kasteel te slepen. Hij was zwaar en ik had er moeite mee, tree na tree. Toen ik op de tweede overloop kwam, werd ik bij de pols gegrepen.

'Ik doe het wel, juffrouw.'

Ik draaide me om en zag Gilles. De jongen knikte me gedienstig toe en daalde de trap af. Ik voelde me niet lekker worden: in zijn ogen ontdekte ik hetzelfde vage licht als in die van Hans, tijdens het proces van de Svens. Gilles had me niet herkend, erger nog: hij had me nooit gezien.

Mijn intuïtie werd bevestigd toen ik Anne-Marie op het terras zag, in de volle ochtendzon. De graaf van Mazas, met zijn strohoed op zijn hoofd, zat aan een tuintafel waarop een uitgebreid ontbijt was geserveerd. Tegenover hem zat zijn dochter een zachtgekookt ei uit te lepelen, en ze groette mij zonder overtuiging. Ook zij wist niet meer wie ik was.

Met ijskoude ironie stelde Mazas ons aan elkaar voor: 'Leni is de dochter van meneer Rahn, liefje, die Duitse vriend die hier heeft gelogeerd.'

'O, ja!' zei het meisje, en ze wijdde zich weer aan haar stukjes brood. Mijnerzijds had ik de moed niet wat dan ook door te slikken. Maar Otto verscheen al snel op het bordes en liep naar ons toe.

'Leni, het spijt me verschrikkelijk dat ik je moet wegroven bij de lekkere eieren van de graaf van Mazas, maar wij moeten weg!'

Beneden zat de piloot al in de cockpit, terwijl de vader van Gilles de propellor aanzwengelde. Toen we bij het ronkende apparaat kwamen, bleef Gilles mij maar aankijken, alsof hij in zijn geheugen zocht. Ik schaamde me dood, maar ik kon niets zeggen, want had hij iets begrepen?

Hij hoorde niet meer bij de uitverkorenen. Ten slotte zei hij met toonloze stem: 'Goede reis, juffrouw.'

Ik knikte en draaide me om naar het kasteel. Anne-Marie en haar zachtgekookt ei zaten nog steeds op het terras. Toch draaide ze zich naar ons om en ik zag haar naar het bos kijken. Wat herinnerde ze zich? Ik rilde, vreemd genoeg voelde ik me goed. Ik wist het wel! Alles... of bijna. Daarop werden groeten uitgewisseld. Otto nam Mazas bij de arm.

'Mijn vriend! Mijn zoon!' sprak de graaf. 'Wij gaan zulke grootse dingen doen!'

En terwijl de motor bromde, stapten wij in het vliegtuig.

Mazas voegde er nog aan toe: 'De wereld gaat veranderen... dankzij jou, Otto!'

Otto deed alsof hij het landschap om zich heen militair groette. Toen zagen we een gestalte door de wijngaarden komen aanrennen, struikelend en roepend: 'Meneer de graaf! Meneer de graaf!'

'Zet de motor af!' brulde Otto.

Dat is mama Chauvier, dacht ik, want ik herkende de moeder van Gilles, die hijgend bij Mazas kwam.

'Nou?' vroeg deze streng.

Het lukte haar maar niet op adem te komen.

'Meneer de graaf...' bracht ze hijgend uit, 'ik heb net naar de radio geluisterd. De moffen zijn Polen binnengevallen. Ze zeggen dat Frankrijk ze de oorlog gaat verklaren.'

Mazas verbleekte en draaide zich om naar Otto.

En de 'regent' zei doodkalm tegen zijn oude vriend: 'Je ziet, ik had al gezegd dat de opgravingen zouden kunnen doorgaan... en zich konden uitbreiden.'

De Fransman nam zijn strohoed af en veegde zich het voorhoofd af, alsof alles te snel voor hem ging. Maar Otto grapte: 'Laten we tenminste als goede vijanden uit elkaar gaan.'

2006

Clemens was nog nooit bij Vidkun geweest, in de Impasse du Castel-Vert, en dit decor had hij niet verwacht. We zitten nu alle drie in de extravagante bibliotheek van de Viking, die zo vreselijk naar chloor stinkt. Dat bijzondere herenhuis, die naziportretten, die overblijfselen, die voorwerpen, die grote hakenkruisvlaggen, opgehangen als gordijnen en baldakijnen. Clemens is verbijsterd, maar ik, ik voel dat ik zin heb in actie, in beweging. Het is al besloten: morgen gaan Venner en ik naar Toulouse om naar dat raadselachtige dorpje Belcastel te gaan, waar Marjolaine Papillon zich zou verstoppen. In het hol van Leni Rahn!

'Kan jouw Toulousaanse smeris ons daarheen rijden?'

'Dat hoop ik, het is tachtig kilometer van het vliegveld!'

'Hij heeft ons op het spoor van Marjolaine gezet.'

Clemens, die dit niet kan volgen, luistert naar onze dialoog zoals je naar een film kijkt: als toeschouwer. Als hij verlegen zegt: 'En ik dan?' voel ik spijt opkomen.

Ik kan hem niet zomaar laten staan. Niet vandaag. Niet na alles wat hij voor mij heeft gedaan. Niet na alles wat ik hem gisterochtend op de vlooienmarkt heb bekend. Maar het is ook absoluut niet nodig dat we allemaal naar Toulouse gaan.

'Het zou beter zijn als jij hier blijft,' zeg ik tegen hem, met een gevoel van schuld.

Clemens verbleekt. Hij weet niet wat hij moet antwoorden. Ik ook niet trouwens! Dit is echt niet het ogenblik om met gevoelens aan te komen.

'Ik ga je zelfs iets heel vervelends vragen.'

Clemens kijkt me aan met zijn slachtofferogen.

'Nou?'

'Jij moet alle boeken van Marjolaine Papillon gaan doornemen waarvan het plot op een of andere manier verwijst naar Halgadøm.'

'Maar dat is een titanenklus!'

'Je hoeft ze niet te lezen. Je hoeft alleen maar naar aanwijzingen, coïncidenties te zoeken. Dat kan ons wellicht helpen.'

Mijn blik kruist die van Vidkun, die zich bewust is van de neteligheid van de situatie. Wie weet? Clemens kan zijn kont tegen de krib gooien en alles aan F.L.K. gaan melden. Terwijl die uitgever absoluut niets van onze plannen mag weten.

Clemens staat op en loopt geërgerd de trap op.

'Oké, oké, ik heb het begrepen! Ik ga meteen beginnen. Jullie willen misschien ook nog dat ik fotokopieën maak en jullie koffie breng?'

Daarop voel ik een steek in mijn buik.

'Wacht even!'

Ik ga hem achterna.

'Het spijt me.'

Clemens verstijft en kijkt me aan met een mengeling van nostalgie en minachting.

'Ik heb het begrepen, hoor! Maar laat je nou niet weer inpalmen, Anaïs! Die vent denkt alleen aan zichzelf.'

Automatisch draaien we ons om naar Venner, die zeer gespannen zijn geografische kaarten zit te analyseren. Clemens heeft geen ongelijk en dat weet ik ook heel goed: Vidkun zit in zijn wereld. Een wereld die nu voor onze ogen gestalte krijgt. Maar ik kan mijn fascinatie voor die vent niet onder stoelen of banken steken.

'Hij denkt alleen aan zichzelf,' herneemt Clemens, 'terwijl ik…'

Hij slikt eens.

'… ik, ik van je hou.'

Wankel draai ik me naar hem toe.

'Maar… ik… mij…'

'Goed, zijn jullie zo langzamerhand klaar met dit roerende afscheid?' vraagt Venner daarop met autoritaire toon. Clemens vloekt stilletjes en maakt zich bruusk los, waardoor ik bijna van de trap word gegooid. Daarna loopt hij naar boven. Zijn passen zijn zwaar als die van een soldaat.

Ik steek nog mijn arm naar hem uit en fluister: 'Wacht even alsjeblieft.' Maar mijn laatste woorden gaan verloren in het dichtslaan van de deur.

'Alstublieft, meneer, dat is dan zevenendertig euro.'

Vidkun reikt de chauffeur twee biljetten aan.

'Houd het wisselgeld maar.'

Al snel verdwijnt de wagen in het duister.

'De zon komt op,' zeg ik, en ik wijs op de roze lucht, aan de overkant van de Place du Capitole.

'Die agent van je had ons toch wel op het vliegveld kunnen gaan halen.'

Vidkun zet de kraag van zijn antracietkleurige jas op. Ik kijk op mijn mobieltje: half acht.

'Hij zal zo wel komen.'

De Viking slaat zijn handen tegen elkaar om zich op te warmen.

'Aan het eind van de dag moet ik terug zijn in Parijs.'

'Een afspraak?'

'Dat had ik je nog niet verteld: ik zie Alexandre Bertier om vijf uur.'

Ik sta paf!

'De presentator van *Point-Virgule*? Was je van plan nog lang te wachten alvorens mij op de hoogte te brengen?'

'Ik hoorde het zelf pas gisteravond laat. Maar die afspraak is niet erg belangrijk omdat wij Marjolaine Papillon *herself* gaan opzoeken.'

Ik bal mijn vuisten, geïrriteerd dat hij toch nog dingen voor mij durft verbergen. Clemens heeft gelijk: die vent zal altijd een einzelgänger blijven.

'Het doet er niet toe! Ik ga met je mee vanavond.'

'Onmogelijk. Ik heb een afspraak met hem in zijn club op de Champs-Elysées en dat is een herensociëteit.'

Zonder te antwoorden haal ik mijn schouders op, en ik kijk de andere kant op. Om ons heen is geen kip te zien. Als je nou zo geheimhouding op prijs stelt, dan is het toch een raar idee om af te spreken op de beroemdste plek van de roze stad.

'Op dat uur is er niemand,' verzekerde Linh me gisteravond over de telefoon. 'En ik woon vlak in de buurt.'

Nog slaapdronken zien we een vuilniswagen voorbijkomen. Twee grote zwarten, uitbundig in hun groene pak, spelen met de vuilnisbakken en geven ons knipoogjes.

'Alles goed, tortelduifjes?' vraagt een van hen, op het moment dat hij op de treeplank gaat staan.

Venner lacht gegeneerd.

Aan de hemel is zojuist de zon verschenen. Een van haar stralen valt pal op een stuk muur, waardoor het plein verlicht wordt. Het roze van de gebouwen wordt er des te stralender door. Een echte brand. Geleidelijk aan verschijnen er gestalten, geboren uit het licht. Ze zijn gestoken in vliegeniers- en regenjassen, en gaan de confrontatie aan met de felle kou van deze winterochtend, het hoofd in de wind.

'Anaïs?'

Ik voel een hand op mijn schouder en draai me om: Linh Pagès, in een dikke vliegeniersjas.

'Ik had jullie niet verteld hoe koud het deze week zou zijn in Toulouse.'

Op hetzelfde ogenblik besef ik dat ik echt helemaal verkild ben, maar ik schud me los.

'Dit is meneer Venner.'

Linh knikt.

'Hoe lang doen we erover om in Belcastel te komen?'

'Een uurtje, maar…'

Hij maakt zijn zin niet af, want hij ziet iemand voorbijkomen.

'Is er iets?'

Linh zet de capuchon van zijn jas op. Hij lijkt echt bezorgd, en duidt ons mee te gaan naar een steegje.

'Er is nog iets wat ik jullie niet heb verteld,' voegt hij eraan toe als we voor een dubbel geparkeerd Cliootje staan.

Terwijl ik op de achterbank ga zitten vraag ik: 'En wat is dat?'

Venner doet zijn portier dicht en Linh zet de motor aan.

'Ik ben bedreigd.'

'Bedreigd?'

'Anonieme telefoontjes, dat soort dingen. Ik moet erg opletten. En jullie zouden er zelf ook goed aan doen voorzichtig te zijn.'

'Zijn het echt bedreigingen?'

Linh kijkt ongerust in zijn achteruitkijkspiegel. Achter ons lijkt een grote auto op het punt de bumper te raken.

'Stomme telefoontjes. Gehijg.'

'Dat kan iets heel anders zijn.'

'Dat denk ik niet. Toen ik onderzoek ben gaan doen naar de verdwijning van Gilles Chauvier, vijftien jaar geleden, heb ik net zulke telefoontjes gehad. Vervolgens zijn ze in een hogere versnelling gegaan: ze hebben mijn moeder bedreigd.'

Bij die woorden streelt hij vroom een kleine Aziatische Sint-Christoffel die op het dashboard zit. We zwijgen alle drie. Al snel zijn we Toulouse uit en rijden pal naar het zuiden. De zon vestigt haar rode bal aan de horizon. Ze komt boven de rand van de Pyreneeën uit, waarvan ik de gletsjers zie schitteren. Nevelflarden hangen boven de velden als kleine bewegende wolkjes.

'Wat is dat mooi!' zeg ik zachtjes. Dan besef ik pas hoezeer ik van dit werk, dit leven, deze keuzes houd. Ik zou het in mijn broek moeten doen van angst, maar een soort euforie stijgt me naar de wangen. Ondanks mijn angst en mijn twijfel (of wellicht juist daarom), voel ik die smaak voor het onbekende opkomen, die mijn gezicht streelt als een winters briesje. Mijn vader vindt het misschien niet leuk, maar ik leef! Een versleten bord trekt daarop mijn aandacht. Het zit tegen een boom gespijkerd en het opschrift is bijna onleesbaar: WELKOM IN KATHARENLAND!

Belcastel is een vestingstadje van roze steen, typerend voor de streek. Een vierkant dorp boven op een heuvel. De zuidgevel van elk huis heeft een prachtig uitzicht op de Pyreneeën. De daken zijn nog wit van de ijzel. Op deze januarimorgen is er geen winkel open, behalve een dampende bakkerij en een piepklein postkantoortje. Er is bijna niemand op straat, maar ik zie wel boze smoelen achter ruiten, schuilgaand achter vitrage. In Belcastel voelen ze zich nog steeds belegerd. De wagen rijdt nu heel langzaam, door die steeds smallere straten. Hier een wasplaats, daar een huis met een uitkraging, dat op de voorbijgangers lijkt te vallen. Twee kilometer verderop staat een bord in de berm: ROUTE DE LA GRANDE CARLESSE.

De weg voert naar de voet van een heuvel, naar een dooiend bebost terrein, en ik zeg verheugd: 'Bij wijze van uitzondering was dit gemakkelijk.'

'Wacht maar af,' antwoordt Venner op behoedzame toon.

'In Vietnam zeggen ze dat je nooit de huid van de beer moet verbranden voordat je hem hebt opgegeten.'

Niemand gaat in op Linhs opmerking, en al snel rijden we op een landweg. Het pad is duidelijk al lange tijd niet bereden. De wagen hotst en botst, ijs kraakt onder de banden, Linh moet zijn stuur goed vasthouden, Vidkun en ik proberen dat aan het portier te doen, maar worden als springbonen door de Clio geworpen. We komen door een heel dicht bos, met veel ondergroei.

'Als het haar om rust gaat,' zegt Linh, 'heeft ze haar schuilplaats goed uitgezocht, onze romanschrijfster!'

Maar als we weer het bos uit komen begrijpt niemand er nog iets van.

'Wat is dit?' bromt Vidkun. Hij gooit woest zijn portier open en glijdt bijna uit, want zijn stadsschoenen zijn niet berekend op bevroren grond. Onhandig loopt hij voort.

'Ik snap het niet,' zegt Linh, die op zijn beurt uit de auto komt en met grote stappen Venner vergezelt. Dit is een bouwput. Op een enorme open plek staan drie vrachtwagens, betonmolens, oranje keten in de kou.

Venner zet zijn handen aan zijn mond. 'Is er iemand?'

Geen antwoord.

Huiverend in de vochtige koude stel ik vast: 'Het ziet er verlaten uit.'

Venner trekt meteen zijn jas uit en gooit die over mijn schouders. Ik bedank hem met een hoofdknik. De locatie ademt een diepe triestheid: volslagen verlatenheid. Plotseling wordt de Viking rood en schopt tegen een kluit grond.

'Verdomme!'

De opmerking van Linh ligt voor de hand: 'Laten we naar het gemeentehuis gaan.'

'Aha, u bent naar de Grande Carlesse geweest? Ik hoop dat u een goede auto hebt!'

De dikke vrouw neemt ons op met haar ronde ogen. Alles aan haar is rond. Haar hoofd, haar mond, haar lijf, haar kuiten en ook het zuidelijk accent. In de enige zaal van het gemeentehuis, gezeten op de enige stoel achter het enige bureau, bekijkt ze ons achterdochtig, zich goed bewust van haar belangrijkheid.

'En wat moest u daar?'

'Wij zochten de voormalige eigenares, mevrouw Papillon.'

'Ken ik niet.'

Venner heft wanhopig zijn armen op. 'Dit wordt bespottelijk!'

In weerwil van mezelf kijk ik naar de inrichting van het piepkleine gemeentehuis: foto's van het dorpsfeest, kiekjes van oude mensen, verkiezingspamfletten, geïllustreerd met pasfoto's.

Venner wendt zich tot de burgemeesteres. 'Is het een oude bouwput?'

'Hemel! Ik was nog niet eens gekozen toen ze dat huis hebben platgewalst.'

'Er heeft dus ooit een huis gestaan?' houdt Linh vol.

'Jazeker... Dat heette "Domaine de la Coufigne". Maar daar woonden Parijzenaars. Je zag ze nooit.'

Meteen verbeter ik haar: 'Dat was één dame, uit Parijs. En ze heette Marjolaine Papillon.'

'Maar ik zeg u toch dat die naam mij niets zegt!'

Ze heeft rode wangen gekregen.

'En Rahn? Leni Rahn?'

'Ook niet.'

Venner leunt tegen de muur en probeert zich te concentreren.

'En wat bouwen ze daar?'

Bij die vrouw is vaagheid een tweede natuur.

'De werkzaamheden zijn al vijftien jaar onderbroken. Het goed is privéterrein, we kunnen er niets aan doen.'

'En van wie is het dan?'

'Nee maar, waar bemoeit u zich mee?'

'Van wie?' dondert Linh, terwijl hij zijn politiekaart uit zijn zak haalt en op het bureau knalt. Het zien van die blauw-wit-rode kaart verplettert het arme mens. Wat spijtig loopt ze naar de enige kast in het vertrek en ze haalt er een dik dossier uit, dat ze op haar bureau legt. Ze kijkt ons ongerust aan, alsof ze verwacht dat we haar gaan folteren.

'Eens zien... Coufigne... Coufigne...'

Gretig komen we nader, en zij probeert haar paniek te verbergen.

'Het lijkt alsof de verkoopakte is getekend in het buitenland, ik geloof in Duitsland.'

Venner slikt eens.

'En de koop?'

'In 1990.'

'En de naam van de koper?'

'O ja, neem me niet kwalijk!' Ze buigt zich weer voorover.

'Dat is een buitenlandse onderneming. Ik weet niet of ik het goed uitspreek. Ik geloof dat je dat zo moet zeggen... Halgadøm.'

Ze weet niet wat ze met onze reactie moet: ik slaak een kreet van vreugde en Venner maakt een danspasje.

'Het lijkt wel alsof u dat leuk vindt!'

'En hebt u de gegevens van die firma?'

De burgemeesteres schudt van nee, alsof het haar spijt onze vreugde te moeten temperen, maar ze voegt eraan toe: 'Maar ik denk dat ik u nog wel kan helpen.' Het zweet parelt op haar voorhoofd. 'Uw Marjolaine Papillon doet me toch ergens aan denken.'

Ze haalt een doos brieven onder haar bureau vandaan.

'Ik krijg soms post op die naam, Papillon.'

Met haar hand gaat ze door de enveloppen.

'Gebeurt dat vaak?' vraagt Linh.

'Nou, vijf of zes keer per week.'

Ze steekt de draak met ons, denk ik. Dan zwaait ze met een stapel brieven, allemaal geadresseerd aan Marjolaine Papillon. Wij doen ons uiterste best kalm te blijven.

'En wat gaat u daarmee doen?'

'Hetzelfde als altijd.'

Ze pakt haar pen, streept het adres door en zet er een ander onder, met een bestudeerd en bijna kinderlijk handschrift.

François-Laurent Kramer, Villa Les Grands Chênes, 78490, Montfort-l'Amaury.

'Dat is het privéadres van F.L.K.,' constateert Venner, die zijn wangen masseert. 'Zijn weekendhuis.'

Linh wrijft eveneens in zijn handen, alsof hij die uit een lethargie wil wekken.

'Hij verzamelt daar de post om die door te sturen naar Marjolaine.'

'Daar komen we nog wel achter,' zeg ik, terwijl ik mijn mobieltje pak.

Venner rukt het mij uit handen.

'Ben je gek? F.L.K. mag onder geen beding weten dat we hier zijn!'

Ik sla mijn ogen ten hemel en pak mijn telefoon terug.

'Denk je nou echt dat ik achterlijk ben? Ik was van plan Clemens te bellen!'

Venner doet zijn best te ontspannen maar blijft op zijn hoede.

'En wat kan hij meer weten dan wij?' vraagt Linh. 'Papillon is verhuisd en haar uitgever schermt haar af, meer is er niet aan de hand.'

Maar ik heb een ideetje.

'Misschien, mischien...' zeg ik, terwijl ik het nummer intoets. Ik had alleen maar een smoes nodig. Al uren weersta ik de verleiding hem te bellen. Om te weten of het goed met hem gaat en of hij niet al te boos op mij is. Of hij klaar zal staan als ik terugkom.

'Hallo, je bent verbonden met het antwoordapparaat van Clemens.'

'Clemens... met mij... Kun je me terugbellen? Ik denk dat we een nieuwe aanwijzing hebben.'

Ik sta op het punt op te hangen, maar stamel nog zachtjes, bijna onhoorbaar: 'Ik houd echt van je, weet je?'

Ik handel zelden impulsief, maar hier heb ik geen enkel moment geaarzeld. Toen ik op de muur van het gemeentehuis zag dat de bus van 12.08 uur Belcastel verbond met Paulin, leek me dat voor de hand liggen. Linh probeerde me nog van mijn idee af te brengen: 'Waar is dat goed voor? Daar vindt u niks. Jos is al tien jaar dood.' Maar door het feit dat hij zo aandrong nam mijn nieuwsgierigheid slechts toe. Had Linh misschien ook iets voor ons te verbergen? Ik heb hem Venner naar het vliegveld laten terugrijden en ben op de bus gaan staan wachten.

'Ik ben een grote meid, maak je maar geen zorgen om mij.'

Je had Venner op dat moment moeten zien! Volslagen in paniek, alsof hij de touwtjes niet meer in handen had. Jazeker, die vent heeft ons ook niet alles verteld! Nu zit ik al twee uur in die oude rammelkast van de Autocars Occitans, die naar hooi en oude kippen ruikt. God zij geloofd! Eindelijk roept de chauffeur: 'Paulin, Rond-point de la Ramière!'

Daarop vraag ik de chauffeur: 'Het kasteel van Mirabel, weet u ook waar dat is?'

'Ah, bij de zottin?' zegt de vent grinnikend, terwijl hij op zijn stuur leunt. 'U moet die weg volgen over drie kilometer, dan komt u er zo. Maar het is wel een raar idee om...'

'Dank u wel, meneer,' zeg ik terwijl ik uit de bus stap.

Tot mijn grote verrassing sta ik midden op het platteland.

Ik zie de kathedraal, een kilometer verderop in vogelvlucht. Ik sta aan de rand van een van die onvermijdelijke industriegebieden die tegenwoordig te vinden zijn aan de rand van Franse steden. Nou, meid, je wilde zo graag afvallen!

Door de kou gebeten sla ik mijn armen over elkaar en loop richting Mirabel.

1939

De reis vanaf Mirabel leek me eindeloos. Otto had de piloot gevraagd over zee te vliegen. Sinds enkele uren waren wij de grootste vijand van Europa geworden. Maar dat nieuws, dat conflict dat zich dreigde uit te spreiden over de aarde, liet mij even siberisch als de snavel van een papegaaiduiker. Mijn eigen leven stond bol van zoveel raadsels!

'Ik kan me zo voorstellen dat je je het een en ander afvraagt in je kopje, Leni,' zei Otto ten slotte, terwijl hij me trakteerde op een oprechte glimlach. 'Voor de draad ermee, ik luister naar je.'

Ik haalde eens diep adem en schreeuwde toen boven de motor uit: 'Waar zijn die pillen voor?'

Otto keek al somberder. Hij zocht even naar woorden en zei toen: 'Om de herinnering te... te verzachten.'

'Ze veroorzaken geheugenverlies, hè?'

Otto leek te aarzelen. Ik was assertiever dan hij had verwacht!

'Dat hangt van de dosis af. Ze veranderen sommige herinneringen in dromen. En zoals je weet, vergeet je dromen op den duur.'

Ik antwoordde niet, en hij voelde zich verplicht te verduidelijken: 'Het is een molecuul dat uitgevonden is door Doktor Schwöll, op basis van korstmos van de Håkon. Het wordt gebruikt in het leger, bij de speciale diensten, voor het militair geheim.'

'Maar die hebt u toch aan Hans gegeven? En toen ook aan Gilles en Anne-Marie?'

Otto klapte dicht en zei: 'Ik had geen keus.'

Ik hield aan: 'Die mensen zijn mijn vrienden, maar die herinneren zich mij niet meer?'

Otto ging rechtop zitten en trok de rits van zijn jack dicht. Het werd koud in het toestel. Buiten viel de nacht. Het vliegtuig vloog soms door wolken heen, roze als rauwe vis.

'Bij Gilles en Anne-Marie was dat zo, die hebben je maar vierentwintig uur gezien. En verder ken ik Mazas, die gaat ze er een kleine dosis van toedienen. Ze zullen je vergeten: jou, mij, alles wat er de afgelopen dagen is gebeurd.'

Otto wreef zich in zijn nek, alsof hij daar kramp had, en vervolgde: 'Voor Hans daarentegen is het veel milder. Hij zal altijd je vriend blijven, alleen jullie kleine "escapade" is uit zijn geheugen gewist.'

'Maar waarom ik niet?' ging ik verder. 'Waarom hebt u er mij niet van gegeven?'

Otto leek verrast.

'Zou jij alles willen vergeten? Jij die mij onophoudelijk vragen stelde over Halgadøm, over de opera, over de rol van de Svens, over de bouwplaats?'

Hij overwoog het probleem en ik verbeterde mezelf: 'Waarom ik, waarom heb ik recht op een voorkeursbehandeling?'

Zijn stem werd nog vriendelijker toen hij sprak: 'Omdat jij het verdient, hartje, omdat jij niet bent als de rest. Jij bent van een hogere essentie, ik zou nooit willen jouw geheugen bij willen stellen.'

Hij trok me tegen zich aan, zachtjes legde hij mijn hoofd op zijn schouder.

'Jij bent als het ware mijn dochter, weet je? En ik wil dat jij evenveel weet als ik.'

Ondanks zijn mooie woorden hield Otto zijn mond tot we terug waren in Noorwegen. Op de Håkon hernam het leven zijn loop: onveranderlijk, buiten de tijd, alsof ik nooit weg was geweest van de archipel. Nooit maakte Otto een toespeling op ons Franse avontuur. Ik wist alleen dat de grote metalen kist per boot naar Halgadøm was gezonden. Doktor Schwöll was ongelooflijk gefascineerd, had Otto bij de schouders gepakt en geroepen: 'Dit is wonderbaarlijk! Won-der-baar-lijk!'

Wat was er dan zo wonderbaarlijk? Was die mummie echt een overblijfsel uit een verloren tijdperk? En wat gingen ze doen met die stoffelijke resten, waarom werden die naar de hel van Halgadøm gestuurd?

'Alles wat in die grotten van het katharenbos is gebeurd, moet onder ons blijven, Leni!' waarschuwde Otto mij. 'En vertel vooral de Svens niets... Dat zou allemaal veel te zwaar, veel te ernstig voor ze worden.'

'Maar de Svens zijn nog gevangen op Halgadøm,' antwoordde ik.

'Niet lang meer.'

Otto had gelijk. Een paar dagen na mijn terugkeer zag ik een bootje naar de kust van Yule komen. Het was avond, ik zat op een rots en keek naar de ondergaande zon. We bereikten het einde van het gele licht; half september, de equinox kwam eraan. Het bootje legde niet ver van mij aan, bij een uitstekende rots.

De straf is afgelopen, dacht ik, en ik huiverde. De Svens hadden nog hun gestreepte pyjama's aan. Ze keken schrikachtig om zich heen, alsof ze niets herkenden, alsof ze de wereld terugvonden.

Alsof ze uit de hel terugkomen, dacht ik nog, terwijl ik ze wankel de weg naar de gebouwen op zag lopen. Ze waren spectaculair vermagerd, hun kleren waren vies, er zaten gaten in, bloedvlekken op, ze zaten onder de bulten en korsten en liepen lusteloos voort.

Een schaterlach klonk achter mij en Otto liep vrolijk op hen af.

'Kijk, kijk, daar hebben we onze ondeugden!' zei hij op een beschermende toon. 'Zo erg was het toch niet?'

Hij klapte in zijn handen en kirde: 'Zien jullie wel, de straf is al afgelopen.'

Daarop draaiden de vier jongens zich als één man naar mij. Waren ze onder invloed, net als Hans, die mij sinds ik terug was zonder reden ontliep? Hadden ze die geheugenpillen geslikt? Toen ze me zagen straalden de Svens pure haat uit.

Nee, dacht ik met groeiend onbehagen, zij hebben de pillen van Doktor Schwöll niet geslikt.

Ondanks hun rancune bewaarden de Svens een beleefde afstand tot mij, alsof Otto ze had gewaarschuwd. En tegen elke verwachting in begonnen de echte problemen pas met oom Nathi. Niemand kon nog ontkennen dat de miljardair langzaam wegzakte in de waanzin. Hijzelf maakte zich ook geen illusies meer. Elk moment eiste hij zijn 'dosis Vril', lag hij te stuiptrekken op de grond, in zijn bibliotheek of voor het huis, waar de soldaten bij waren, als Doktor Schwöll te laat kwam.

'Dieter! Ik smeek je!'

'Ik ben er al, ik ben er al!' riep de arts dan, terwijl hij op de oude man af liep, die lag te schuimbekken. En de ogen van oom Nathi bleven vertrokken totdat het middel zich door zijn aderen verspreid had.

'Zie je wel, Dieter, ik word weer een onbekend hoger wezen, het is voor elkaar! Ik voel het... Ik weet het!'

Schwöll maakte zich dan walgend los en vertrok meteen naar Halgadøm.

Om andere geheugenpillen te bedenken, vroeg ik me af als ik hem zag weglopen. In het geval van oom Nathi was er zelfs geen sprake meer van geheugenverlies. De miljardair ijlde, slaakte zulke heftige kreten dat de soldaten hem 's avonds aan zijn bed moesten vastbinden.

'Dat komt omdat ik een metamorfose onderga, *Schätzl*,' legde hij me de volgende dag uit als hij – tijdelijk – zijn bewustzijn had hervonden. 'Ik ben bezig een onbekend hoger wezen te worden. Binnenkort zal ik het derde oog ontvangen.'

Hij bracht mijn wijsvinger naar zijn wenkbrauwen en zei: 'Het zonnerad, het hakenkruis zal op die plek gaan verschijnen!'

Alles raakte halverwege oktober in een stroomversnelling. Ik zat op een ochtend een roman over een zeemansavontuur te lezen in de bibliotheek van het paleis, toen een kamermeisje van Nathi me kwam halen, en stamelend zei: 'Juffrouw Leni, Herr Korb heeft u iets heel belangrijks te vertellen.'

Nieuwsgierig stond ik op en vroeg: 'Waar is hij?'

'In de… kostuumkamer,' antwoordde het kamermeisje, dat niet goed wist hoe ze dat vertrek moest benoemen. Omdat ik zelf die kamer ook niet kende, liep ik met het dienstmeisje mee tot de rand van een vertrek, waar zij op de deur klopte.

'Binnen,' zei een hoge stem.

Ik liep het vertrek in en ik kon me er niet van weerhouden in lachen uit te barsten bij wat ik zag.

'Wat denk je ervan, *Schätzl*?' vroeg de hoge stem. 'In *De kinderen van Thule* moet ik een waternimf spelen, dat is een zwijgende rol.'

Midden in een grote kamer, waarin stapels kleren lagen, keek oom Nathi mij aan, staande op een voetstuk. Ik bekeek hem verbijsterd. Ik kon mijn ogen niet geloven! De miljardair was gehuld in glimmende stof met kant, droeg een blonde pruik, engelenvleugels, een meerminstaart, stond te zwaaien met een kartonnen zwaard, alsof hij poseerde voor een of ander Scandinavisch fresco.

'Nou?' vroeg hij, met zijn normale stem. Ik was met stomheid geslagen, ik kon geen woord uitbrengen. Zijn zware gestalte, zo veranderd, onder de schmink, met gestifte lippen, zijn wenkbrauwen gezwart, zag eruit als een Romeinse keizer die op het punt stond aan een orgie te gaan deelnemen. En daarop zag ik zijn ogen, bloeddoorlopen; ze leken zwaarder onder invloed dan ooit. Oom Nathi haalde onder zijn pak een stuk stof uit, en ontvouwde een soort doorzichtig jurkje.

'Hier,' zei hij terwijl hij het mij voorhield, 'dat is voor jou.'

Vol afkeer deinsde ik terug. 'Nee!'

Oom Nathi fronste zijn wenkbrauwen en bromde: 'Hoezo nee?' en klom van zijn voetstuk af. Nog nooit had ik bij hem zo'n waanzinnige, wrede blik gezien! Ik werd bang en ik deinsde achteruit als een bedreigd beest. Maar Nathi pakte me en kneep me stevig in mijn armen. Ik werd bleek, zijn ogen rolden in hun kassen.

'Dit is voor jou, zeg ik je toch!'

Ik voelde al snel tranen opkomen, evenals paniek. Maar Korb drukte me tegen zich aan en duwde zijn grote geschminkte neus tegen de mijne.

'*Schätzl, Schätzl!*' zei hij hijgend. Uit zijn mondhoeken stroomde gelig schuim. '*Schätzl,*' zei hij, terwijl hij weer zijn hoge stem aansloeg. 'Je moet me gehoorzamen.'

Het was compleet belachelijk – zijn houding, zijn stem, de schmink, dit vertrek – maar nog nooit was ik zo bang geweest! Zelfs op Halgadøm had ik me nog ergens aan kunnen vastklampen, aan Hans, aan de andere gevangenen. Maar hier was niets! Ik lag in de armen van een gek, die mij tegen zich aan schroefde. Dit was vast geen onderdeel van mijn inwijding! Dit zou Otto nooit hebben goedgevonden! Niet dit!

'Oom Nathi, toe! Laat me gaan!'

Maar de miljardair luisterde niet naar me, zijn handen begonnen mijn lijf te betasten.

'Om te beginnen ga ik dit allemaal uittrekken!' zei hij, terwijl hij zijn vingers onder mijn jurk en mijn blouse stak. Ik kon me verweren zoveel als ik wilde, hij klemde mij in zijn armen.

'Oom Nathi! Houd op!' zei ik huilend, terwijl zijn vingers mijn lijf en buik betastten. Toen hij bij mijn broekje was begon ik te brullen. 'Nee!'

Nathi gaf geen krimp en fluisterde: 'Houd je mond, *Schätzl*! Je maakt mijn arbeidsters nog wakker, en die zijn al zo moe.'

Gek! Hij is volslagen gek, schreeuwde mijn bewustzijn, maar ik kon geen woord meer uitbrengen. De oude man werd akelig plakkerig. Zijn handen probeerden nu tussen mijn benen te komen, dikke tranen rolden over mijn wangen. En toen voelde ik zijn vinger. Een vreselijke pijn, een afschuwelijk gevoel. Iets onbekends en heel ernstigs. De meest gluiperige, de meest afschuwelijke schande. Ik zette me schrap en uit alle macht, met alle kracht die in mij was, stootte ik mijn knie tussen zijn benen. Nathi klapte dubbel en zakte op de grond.

'Blijf toch hier, blijf toch hier, *Schätzl*,' riep hij nog, buiten adem.

Maar ik was al bij de deur, zo in paniek dat het me niet eens lukte hem open te krijgen. Daarop kwam hij overeind en hinkte mijn kant op. Als bij een wonder ging de deur open! Mijn gebrul klonk door de lege gangen en mengde zich met het lawaai van mijn vlucht. Met aarzelende pas volgde Nathi mij.

'Leni! *Schätzl!* Je moet die jurk passen!'

De pijn verhinderde me adem te halen, ik kreeg een steek in mijn zij, mijn buik brandde, verscheurd door een zuur, maar ik moest rennen. Alles was een gewelddadige aaneenschakeling.

Ik loop dood, dacht ik gruwend, tegen een boekenkast aan gedrukt. Een triomfantelijk lichtje glom in de ogen van de oude gek, die maar '*Schätzl!*' bleef brullen en zich op mij wierp. Daarop stortte de boekenkast in, waardoor wij beiden onder de boeken begraven werden, en ik weet niet wie van ons twee het eerst het bewustzijn verloor.

Toen ik wakker werd was het ochtend. Alles leek weer in orde, ik lag in de slaapzaal, in mijn eigen bed. Mijn eerste indruk was een gevoel van bijna verblindende witheid. Alles om me heen was schoon en glad. Ik zocht op de tast mijn nachtkastje maar vond het niet.

Ze hebben mijn bed verplaatst, dacht ik in mijn halfslaap. Ik lag in een bed met spijlen, onder lakens die lichter waren dan normaal. Mijn kamer leek me ook groter, luchtiger. Maar alles was zo vaag! Ik draaide me om en voelde mijn bloed stollen. Ze hadden de gordijnen tussen de bedden weggehaald, en ze sliepen naast mij, roerloos! De Svens. En toch leken deze jongens anders: ze waren dikker.

Dit zijn de Svens niet, besefte ik al snel, met een vreemd gevoel van onbehagen, maar meisjes... onbekende meisjes!

Plotseling kwam alles weer boven: oom Nathi, de kostuums, toen de handen van de oude man op mijn lijf, in mijn lijf, en ten slotte de vlucht en het instorten van de boekenkast. Ik herinnerde me alles en ik dacht: ze hebben me tenminste niet hun geheugenpillen laten slikken.

Maar wie weet? Wellicht zouden die herinneringen binnenkort op hetzelfde niveau komen als mijn dromen? Om vervolgens te vervagen? En toch sliep ik niet meer, helemaal niet! De nieuwsgierigheid joeg mijn geest wakker. Ik duwde mezelf overeind in mijn kussens om mijn 'metgezellinnen' te bekijken. Ik moest even slikken. Het geluid van mijn keel klonk vreemd in die medische omgeving. Languit, roerloos, met hun armen op de dekens, sliepen daar elf blonde jonge vrouwen van een jaar of twintig. Daarop zag ik aan het voeteneind van elk bed een naam, een grafiek en een datum, alles in Gotische letters. Ik ontcijferde dat van mijn buurvrouw –

HEIDI GREVE, 10/03/1939 – en ongelovig boog ik me voorover om die van de anderen te lezen. De namen hadden allemaal een Scandinavische klank, de data lagen dicht bij elkaar, tussen de maand januari en maart 1939.

'Maar waar ben ik?'

Ik draaide mijn hoofd om en besefte dat deze kamer voorzien was van een grote glazen wand. Ik voelde kriebels in mijn buik, want ik herkende tegenover mij de grote witte schelp.

Mijn hemel, besefte ik met afschuw, ik ben op Halgadøm!

Op hetzelfde ogenblik kwamen er vijf gestalten voor de ramen langs: die van de Svens en van oom Otto. Geen van hen leek evenwel aandacht aan mijn blikken te schenken die hen volgden, want ik zat met mijn voorhoofd tegen het raam aan. Geconcentreerd zwaaiden zij met hun armen en liepen naar de opera. Maar ik, waar was ik precies? In een soort ziekenhuis? In een ziekenboeg? Op de plek waar Doktor Schwöll zich dagelijks opsloot om zijn geheugenpillen te maken? En Otto, wist hij dat ik hier was?

Daarop viel voor mij de zekerheid als een slagbijl: 'Ik moet weg!' zei ik hardop, zonder door te denken. Ik duwde mijn dekens van me af; ze gleden op de tegels. Automatisch bracht ik mijn hand naar mijn hoofd, en pijn meldde zich op mijn voorhoofd. Ik besefte dat ik een verband om mijn hoofd had.

Wat was er gebeurd?

Toen voelde ik plotseling de pijn weer. Alsof ik net wakker was. Al mijn ledematen begonnen te steken, ik kronkelde op mijn matras, en stelde vast dat mijn benen, mijn billen, mijn lijf onder de bloeduitstortingen zaten. De val van de boeken moest zo gewelddadig zijn geweest dat bloeduitstortingen zich als bloedvlekken over mijn lijf hadden verspreid.

Ik lijk wel een luipaard, dacht ik met walging, bij het zien van mijn bevlekte, bleke huid. En toch, ondanks die wonden en de aanwezigheid van die andere vrouwen, werd ik geobsedeerd door slechts één gedachte: weg. Vluchten uit deze lugubere zaal, waar ik me omgeven waande door lijken. Wie kon me verzekeren dat ik niet ook gevangen was genomen? Helaas, er rinkelde een bel door het gebouw van een bijna onverdraaglijke scherpte. Op hetzelfde ogenblik deden de elf vrouwen hun ogen open. Ik sprong op, maar viel meteen ook weer op mijn bed en deed alsof ik sliep. Maar door mijn halfgesloten oogleden zag ik alles. Alles!

Een voor een stonden de elf vrouwen op, en ik zag hun gestalten! Ze zijn naakt, dacht ik, geestelijk in de war. Naakt en... zwanger! Allemaal! In het neonlicht straalden die elf ronde buiken van gezondheid, als carnavalsbalonnen. Ik deed alsof ik sliep, werd verscheurd tussen mijn afkeer en mijn fascinatie voor die soepelheid, die vreemde lichamelijke lenigheid, ondanks hun bijna dode ogen. Als tegelijkertijd waren de vrouwen begonnen met een lichte gymnastiek voor de benen, ze gingen op de rand van hun matras zitten om in de leegte te fietsen. Niet één zei iets; hooguit slaakten ze zuchtjes, die wel een beetje leken op het gepiep van zeekoeten, als ze op hun eieren zitten. Ik was zo geboeid door dit schouwspel dat ik zonder het te beseffen overeind was gekomen. Nee, Leni! Nee!

Maar het was al te laat om mijn onvoorzichtigheid te beseffen, want ze wendden zich naar mij toe. Dat was een gruwelijk gezicht! Die ogen, mijn god! Die ogen! Een afgrondelijke leegte, eindeloos ontleed. Ik kreeg de indruk bekeken te worden door dieren, een meute wolvinnen te hebben verrast, die bezig waren met een huwelijksdans! Ik dwong mezelf rustig te blijven, maar ze leken niet in de verste verte agressief. Heel even bleven ze roerloos, niet in staat te bewegen; toen kwamen ze, terwijl ze hun ronde buik vasthielden, op me af. Instinctief trok ik me terug achter de spijlen van mijn bed, maar de wolvinnen stonden al om me heen!

'Goede... goedemorgen!' stamelde ik, en ik voelde het bloed in mijn aderen stollen.

Stilte.

Uit hun houding sprak geen vriendelijkheid maar ook geen haat, alleen maar veel nieuwsgierigheid. De paniek greep mij als een orkaan: weg! Ik wil weg!

Ik probeerde mijn afkeer te onderdrukken, kroop heel voorzichtig terug en zette mijn benen op de vloer. Bij dat gebaar traden de vrouwen zwijgend terug, maar ze openden de kring niet. Toen ik eenmaal voor mijn bed stond, trokken ze nog verder terug en fronsten de wenkbrauwen. Ze leken het niet te begrijpen. Ze stonden naakt op de grond, op die glanzend witte tegels.

Rustig blijven, Leni, niks laten blijken!

Toen ik begon te lopen, werd hun ademhaling sneller, maar ze lieten me door. Ze hebben het begrepen, dacht ik hoopvol, terwijl ik naar de deur van het vertrek zocht. Ze laten me gaan!

Terwijl ik mijn best deed niet te gaan rennen en ze ook niet te laten schrikken, liep ik langzaam naar de uitgang. Maar toen ik mijn hand op de deurkruk legde, schrok ik. Nog nooit had ik zo'n scherpe, zo'n ongezonde kreet gehoord. Een gekerm, wreder dan dat van een beest dat wordt opengesneden. Hoe kon zoiets uit een mensenmond komen! Uit de mond van die vrouw – die groter was dan de anderen – en die op mij af kwam, als een automaat. Daarop deden de anderen haar mechanisch na, slaakten op hun beurt die afschuwelijke zuigelingenkreet. Ondanks een ogenblik van volstrekte paniek lukte het me de deur open te doen, en rende ik de lange gang in. De aanstaande moeders gingen er des te harder door tekeer, maar allemaal bleven ze op de drempel van hun zaal staan, alsof het ze verboden was eruit te komen.

Achteruitlopend ging ik de gang in van het ziekenhuis, en ik besefte tot mijn afkeer dat ze geen van allen nog een tong hadden.

Er kwam geen eind aan die kliniek! De gangen gingen in elkaar over in een duizelingwekkende afwisseling van laboratoria en slaapzalen. Ik liep op de tast, onbewust van het gevaar, met de vage indruk dat ik verdwaalde in een passagiersschip. Ondanks de waanzin van dit avontuur kon ik me er niet van weerhouden door elke ruit te kijken en elke deur halfopen te doen. Door die open deuren of door die ruiten zag ik andere zwangere vrouwen, andere ronde buiken, en ik duimde dat ik onzichtbaar bleef.

Kennelijk kan het ze niets schelen, besefte ik als ik hun blauwe, dode ogen bekeek. Of ze nu verpleegsters zijn, patiënten of zwanger, al die vrouwen bekijken de wereld om zich heen met de uitdrukkingsloosheid van een pop.

Alsof ze blind zijn.

Maar ik, ik zag alles! En dat schouwspel was afschrikwekkend, een nachtmerrie!

Is dit een kraamkliniek of... iets anders? vroeg ik me af bij de zoveelste zaal, aan het begin van weer een gang. Tegen de buitenmuur hingen zwarte doodshoofdpetten, aan haken. Maar hierbinnen gebeurde van alles. De zaal was gedompeld in duisternis, afgesloten met zwarte gordijnen, maar het lukte me toch door een spleet in de stof te kijken en bedden te onderscheiden. Bedden en gestalten. Schaduwen van lichamen, die glommen in het duister, alsof ze schuimden van hitte. Een onbekende hete walm steeg op hetzelfde ogenblik tussen mijn benen omhoog, doortrok mijn hele lijf. Plotseling begonnen mijn tepels te verstijven, zonder dat ik begreep waarom. Het zien van die schaduwen, die gesmoorde kreten slaakten, vervulde mij met een schaamteloos genoegen, alsof ik naar iets verbodens stond te kijken.

Otto? Otto, dacht ik op smekende toon, en ik liep weg van het vertrek zoals je vlucht voor de duivel. Wat moet ik begrijpen? Toch was alles zonneklaar geworden, maar ik durfde het niet onder woorden te brengen in mijn hoofd. Die soldaten, die vrouwen.

En die baby's, dacht ik terwijl ik voor een grote glazen muur belandde. Tegenover mij, aan de andere kant van die glazen wand, stonden twintig wiegen. En achter in de zaal maakte een verpleegster zuigflessen klaar, met het geduld van een ambtenares. Zouden de toekomstige kinderen van mijn zaalgenoten binnenkort in die wiegen liggen? Was dat de regel, de occulte logica van Halgadøm? Want ik was nu in het heilige der heiligen van Halgadøm, dat had ik wel door. Meer nog dan de bouwput, meer nog dan die wrede slaapplaats van de gevangenen, was dit de plek waar alles zich waarlijk afspeelde. Alles was zich aan het onthullen, duidelijk aan het worden. Alles, zelfs het ergste.

Vooral het ergste. En het ergste werd onthuld toen ik bij de laatste zaal kwam. Ik moest mijn spieren spannen om dat tiental bedden zonder lakens, zonder iets, te blijven bekijken. Alleen maar vrouwen. Vrouwen op matrassen, naakt of bedekt, bekleed met zulke dunne kleren dat je hun ledematen en soms hun botten kon zien.

Lijken, dacht ik verschrikt. Levende lijken! Want ze haalden adem. Deze ongelukkigen, bedolven onder infuus, buizen, metalen apparaten, waren in leven, als bundels leed. Nog nooit had ik zoveel wanhoop gezien! Sommigen hadden de ogen dicht, anderen staarden naar het plafond, bij weer anderen waren de benen gespreid in stalen rekken, die hadden een buis in hun geslacht, en al die vrouwen waren doortrokken van het wrede bewustzijn dat ze nooit levend uit dit laboratorium zouden komen. Nooit meer.

Ik gruwde ervan, mijn maag keerde zich om, mijn hoofd gonsde, maar ik kon mijn ogen niet van die gruwel losmaken! Waren dat dan de lijken waarop het toekomstige ras moest groeien? De prijs voor de heerschappij van de onbekende hogere wezens? Was dat de zin van dit smerige schouwspel? Bij een van de vrouwen was het lichaam helemaal blauw, alsof er geen bloed meer doorheen stroomde. Haar buurvrouw was gemarkeerd door grote littekens die nog niet geheeld waren, die de lakens kleurden en vocht op de vloer deden druipen. Tegenover haar lagen drie jonge vrouwen wanhopig te kijken. Ze wilden bewegen maar konden niet, want ze hadden geen armen en benen meer. Mijn blikken gingen van de een naar de ander, met ongelooflijk afgrijzen. Daarop zag ik dat de vrouwen niet alleen waren in het laboratorium. Twee gestalten in witte jas liepen van het ene bed naar het andere, bekeken statistieken, wisselden flessen.

Natuurlijk, begreep ik zonder enige verrassing, toen ik Doktor Schwöll en zijn zoon Knut herkende. Meteen dook ik ineen, want zij konden mij wél zien. Dit is het dus, dacht ik, ineengedoken in de gang. Bevruchte vrouwen, die baarden en vervolgens tot proefkonijn dienden. Dat betekent dat...

'Doktor Schwöll!'

Doodsbenauwd drukte ik me tegen de muur.

'Doktor Schwöll, ik smeek u!'

Die stem!

De deur van het laboratorium ging open en de gestalte van Dieter Schwöll liep door de gang naar de tegenoverliggende zaal. Vechtend tegen mijn angst hees ik me tot aan de glazen wand van dat vertrek.

Dat is hem, dacht ik, walgend.

Languit op een bed, doodsbleek en schuimend: Nathaniël Korb. Net als mijn benen zat zijn gezicht onder de bloeduitstortingen, de sporen van de boeken en de planken. Maar hij leek er veel erger aan toe dan ik, want zijn linkerarm lag aan een catheter waar een rode vloeistof uit stroomde, helderder dan bloed. Een en al oor probeerde ik te begrijpen wat ze zeiden.

Schwöll bleef bij de ingang van het vertrek staan en de miljardair keek hem smekend aan.

'Dieter, ik smeek je,' kreunde hij terwijl hij zich zo bewoog dat hij bijna zijn infuus lostrok. 'Ik zal het nooit meer doen, dat beloof ik.'

Daarop zag ik een gestalte achter in het vertrek, zittend in een stoel. De man stond op en boog zich over de patiënt heen.

Oom Otto...

Ondanks alles gaf het zien van de 'regent' mij moed.

'Nathaniël,' zei hij, 'we kunnen je niet meer vertrouwen, na wat je de kleine hebt aangedaan.'

Bij het horen van die woorden werd ik weer bestormd door beelden: de kostuumzaal, de lucht van oom Nathi, zijn handen. Zijn handen, nu triest en bibberend, geklemd in lakens, alsof hij ze wilde verscheuren.

Hij ligt te lijden, dacht ik terwijl ik dat verwoeste lijf bekeek. Oom Nathi leed verschrikkelijk en toch had hij nog kracht om zich te verdedigen. Fluisterend zei hij: 'Maar ik heb Leni niets gedaan, vraag het haar zelf maar.'

Klootzak, dacht ik, terwijl ik in mijn wangen beet. Trouwens, Otto geloofde hem ook niet. Hij pakte de spijlen van het bed en streelde het chroom.

'Dat kan niet meer, Nathaniël. Je wordt onhoudbaar, Leni behoort tot de uitverkorenen.'

Een flits van trots doorvoer mij.

'Maar, maar dit is mijn huis!' schreeuwde Korb, met vurige blik. 'Zonder mijn geld zouden jullie nergens zijn. Duitsertjes van geen enkel belang, net zoals toen jullie me kwamen opzoeken, twintig jaar geleden.'

Otto en Doktor Schwöll keken vermoeid bij het geleuter van de oude man. Beiden overlegden. Daarop knikte Otto, en de dokter drukte op een cilinder bij de katheter. Meteen werd oom Nathi weer rustig.

'Dank je,' fluisterde hij opgelucht.

Maar bij zijn bed stonden de beide heren stil, stijf als beulen.

'Je bent te ver gegaan, Nathaniël,' fluisterde oom Otto.

'Je wordt een obstakel,' vervolgde Schwöll, die weer op het ventiel drukte.

De miljardair begon rood te worden. Hij verdedigde zich.

'Maar, maar…'

Zijn genoegen ging over in helse pijn. Zijn mond ging open zonder geluid. Zijn ogen puilden uit, zijn aderen zwollen, hij boog zich voorover, maar de pijn was te sterk, verhinderde hem te schreeuwen.

'We zijn er bijna,' zei Dieter Schwöll ijskoud.

En ik, ondanks de gruwel van dit tafereel, kon een golf van genoegen niet onderdrukken. Otto wreekte mij en bij het zien daarvan verhardde ik. De oude man kronkelde even op zijn bed, probeerde nog met zijn benen te trappen. Daarop verstijfden zijn ledematen, de een na de ander, en bleef hij stil liggen.

'Ziezo,' zei Otto, met wat mij een tikje nostalgie leek.

'Het is afgelopen,' voegde de arts eraan toe.

'De dingen gaan nu steeds sneller,' vervolgde Otto.

Hij liep op Schwöll af, en zei, bijna zachtjes, terwijl hij doordringende blikken op de deur wierp: 'Dieter, het moet duidelijk zijn. Voor iedereen is Korb naar Europa vertrokken om zijn opera met zijn musici bij te werken, zijn we het daarover eens?'

De arts dacht even na en vroeg toen: 'Maar… de kleine?'

Otto kwam uit de plooi.

'Jij verzorgt haar en stuurt haar naar Yule als ze is opgeknapt.'

'Ik zal haar zo gaan bezoeken,' besloot de arts.

Toen ik dat hoorde kwam ik snel overeind, verscheurd tussen twee verlangens. Moest ik vluchten of het vertrek in lopen om Otto te laten zien dat ik alles had gezien, ijskoud, zonder hartstocht, als een volwassene? Bliksemsnel koos ik voor geheimhouding. Als Otto en Dieter Schwöll zo virtuoos waren met raadsels, zou ik bewijzen dat ik ook wel geheimen kon bewaren. En daarom ging ik in stilte terug naar mijn kamer. Glimlachend ontvingen de elf vrouwen mij, alsof ik een klein zusje was.

Twee dagen later verliet ik de kraamkliniek. Toen een motorboot, gestuurd door een jonge SS'er, mij op de oevers van Yule afzette, kwam er een gestalte op mij af gerend.

Hans, dacht ik met een mengeling van vreugde en schaamte. Wat moet ik hem vertellen? Ik moet stilzwijgen bewaren.

'Waar zat je?' vroeg hij.

Hij had zijn herinnering nog niet terug en wist niets van Halgadøm.

'Ik was op reis.'

Maar ik kon slecht liegen, want hij had me met een boot zien aankomen, vanaf het eiland waarop gewerkt werd. Hans richtte zijn blik op de horizon, waar de zon steeds bescheidener werd, nam vervolgens zachtjes mijn hand en zei op gekwetste toon: 'Je vertrouwt me niet meer, hè?'

Wat moest ik zeggen? Ik was zo blij dat ik hem terugzag! En ik brandde van verlangen hem alles te vertellen, alles toe te geven: mijn reis naar Frankrijk, de mummie, Halgadøm, de opera, de ziekenboeg, de gevangenen, de bevallingen, oom Nathi, de medische experimenten van Doktor Schwöll. Maar ik kon hem niets vertellen. Helemaal niets! Want wat zou er anders gebeurd zijn? Zou Hans naar de ziekenboeg van Halgadøm gebracht zijn, om zich door zijn broer de tong te laten afsnijden? Het was een absurd dilemma, maar voor zijn eigen bestwil, voor zijn veiligheid moest ik het stilzwijgen bewaren! Mijn vriendje behield die mengeling van ergernis en pijn.

'Goed,' knarsetandde hij, terwijl hij achteruitliep. 'In dat geval geloof ik dat wij elkaar niet veel meer te vertellen hebben.'

Toen schoot hij een vergiftigde pijl af door te zeggen: 'Je bent aan de kant van de Svens gaan staan.'

2006

Ik word warm van het lopen. De zon staat nog te stralen, maar ze is kouder dan een poolmaan. Al een paar minuten zie ik heel goed de beide grote torens van Mirabel.

Het is niet bepaald het kasteel van Dracula, denk ik, terwijl ik pijn in mijn benen krijg. Mijn mobieltje geeft 16.30 uur aan.

Als ik niks eet, val ik nog een keer flauw!

Terwijl ik dat nobele landschap bekijk, doe ik mijn best de details ervan tot me door te laten dringen die de jeugd moeten hebben uitgemaakt van de kleine Gilles Ballaran, toen nog slechts de zoon van de oppassers van Mirabel. Die boerderijen op de hellingen, als wachtposten. Die paden over de toppen, die van heuvel tot heuvel voeren, net als in Toscane. Ik stel me het geblaf van de honden voor, als de avond valt, die elkaar welterusten wensen door tegen de maan te janken. Het kasteel is nog maar vijfhonderd meter verderop. Een beetje verder, links van de weg, begint de helling die naar het landgoed opstijgt. Twee platanen en een bord: KASTEEL MIRABEL, PRIVÉTERREIN.

'Ik denk dat ik er ben.'

Het geluid van mijn eigen stem brengt me in verwarring. Was het wel een goed idee om hier te komen? Ik weet zoveel over deze locatie! Zoveel raadsels, zoveel legendes, en ik kan werkelijkheid niet van verbeelding onderscheiden. Die nazistische opgravingen. De mummie in zijn grot. Dat symbolische huwelijk van de twee kinderen: hij, zoon van oppassers, zij, kasteelvrouwe. Die archeologische ontdekkingen in de jaren vijftig. En dan dat kadaver, aan de rand van het bos gehangen, in 1987! Met omlopend hoofd blijf ik halverwege staan, om op adem te komen. Het uitzicht is fantastisch. Voordat de kleine Gilles Ballaran die trieste commissaris Chauvier werd, heeft hij deze streek moeten kennen in haar gouden eeuw. Vandaag nog lijkt ze bewaard gebleven. De boerderijen zijn nog steeds oud. Slechts hier en daar verraden enkele vierkante huizen de moderne wereld.

Huizen voor tuinkabouters, zou Clemens zeggen.

Als ik aan hem denk, trek ik meteen mijn mobieltje tevoorschijn en bel ik hem weer.

'Die vervloekte voicemail!' zeg ik tierend, terwijl ik woedend op de grond stamp. Toch laat ik maar een boodschap voor hem achter.

'Clemens, hartendief, je moet me absoluut bellen. Ik weet niet wat jij je in het hoofd haalt, maar ik moet met je praten. En het heeft niets te maken met de klus.'

Omdat ik verder geen woorden kan vinden, laat ik het daarbij. Ik kan me maar beter concentreren op wat me vandaag bezighoudt. Daar sta ik voor een groot, hoog smeedijzeren hek, de ingang van het park. De sfeer is die van een begraafplaats.

Maar waar ben ik nou bang voor?

Met aarzelende vinger druk ik op de bel. Ik wacht. Geen reactie. Ik spits mijn oren: niets. Ik druk nog eens, maar ik hoor alleen de echo van de bel, vanaf het kasteel, alsof die weerklinkt in een kelder.

'Dat huis staat leeg, meer niet,' zeg ik hardop.

Tegelijkertijd zie ik een bres in de muur, twintig meter van het hek. Een scheut adrenaline stroomt door me heen, maar die onderdruk ik stevig, en ik wurm me tussen de stenen door.

Mirabel. Het kasteel staat daar, voor me. Het park, de verwaarloosde buxussen, de kale en vergroeide bomen, het verwilderde gazon, bedekt met rotte bladeren, het biedt een vlammend schouwspel: dat van een plantaardige apocalyps. Ik onderdruk mijn angst en loop om het huis heen. Er staat geen luik open, er is geen geluid te horen. Om mezelf eraan te herinneren dat ik niet droom, laat ik mijn hand langs de muur glijden, die verkruimelt bij aanraking van mijn vingers. Linh heeft me dit volmaakt beschreven. Het kasteel van Claude Jos is gebouwd rondom een binnenplaats, die ik zie door een hek, dat ongetwijfeld al in geen jaren meer open is geweest. In het halfduister van de binnenplaats zie ik een vervallen put en meubels op een stapel liggen. Automatisch roep ik: 'Hallo?', wat wreed vals klinkt en weerkaatst tegen de bakstenen wanden voordat het zich verliest in het halfduister. Dan kom ik bij het fameuze terras. Voor mij, onder in het dal, lijkt het bos een beest dat zich in de holte van een talud heeft verborgen. Een sombere, bijna onrustbarende massa, waar een kleine weg naartoe loopt, door de velden.

'Het katharenbos.'

Weer is mijn reactie instinctief, alsof ik gehoorzaam aan een bevel: Ik moet erheen! Elk beeld uit de roman van Leni Rahn komt weer bij me boven, alsof ik het opnieuw beleef. De nachtelijke wandeling van de drie kinderen, de ontdekking van de mummie, de tenten van de archeologen en dan dat schijnhuwelijk, zo roerend. Gehypnotiseerd door wat ik me nog van die lezing herinner, loop ik voort in mijn stadskledij, en mijn schoenen zakken weg in plassen en modder.

Anaïs, trutje, waar ga je heen?

Als ik bij de rand van het katharenbos kom, is het kasteel nog slechts een grijze vlek in de donkere nacht. Vrees steekt haar snuit op. Alles wordt onrustbarend: de lucht van mos en dood blad, deze poolkou, verzadigd van vocht, dat kreupelhout, in een bijna volslagen duister.

Brr.

Langzaam wennen mijn ogen aan het donker. Ik zie nog stukjes hemel door de takken, maar alles krijgt dezelfde kleur. Met een prop in mijn keel, zonder terug te willen, lukt het me eindelijk een weg te onderscheiden, die tussen de stammen en de varens door slingert. Wat moet ik hier toch? Naarmate het duister valt, dringt de waanzin van dit avontuur tot me door. Ik verman me, om er niet aan te denken. Ik concentreer me op de weg, op mijn voetstappen, ik moet uitkijken niet te struikelen.

'Ik lijk wel getikt!'

Mijn stem wordt niet weerkaatst. Als in een gesloten vertrek. Daarentegen lijkt het minste geluid van het bos, een krakende tak, een vogel die zich uitschudt, een uil die roept, zo versterkt dat het oorverdovend en schrikbarend wordt! Dit is het uur waarop dingen tot leven komen. Plotseling doet een geluid van bladeren en gebroken takken me van angst opspringen. Het komt van links. Ik verstijf. Niets meer. Ongetwijfeld een beest. Ik vervolg mijn weg, maar nu langzaam. Een beest! Dat idee is niet bepaald geruststellend. Ik kijk op en het lukt me niet eens meer om takken te onderscheiden. De toppen van de bomen lijken te versmelten met de nacht. En het geluid van mijn stappen wordt steeds gedempter.

Niet bang zijn!

Maar alleen al het idee mijn arm uit te steken om op de tast een weg te banen tussen de bladeren en de struiken bezorgt me de angststuipen. Alsof de planten kleverige handen zijn. Dan krijg ik plotseling een idee, en dwangmatig doorzoek ik mijn zak. Met trillende hand pak ik mijn mobieltje en ik houd dat voor me uit, als een dolk of een talisman. Ondanks het zwakke schijnsel verblindt het lichtje mij. Geheel van streek begrijp ik het opeens.

'Nee toch, dit kan niet niet waar zijn!'

Rondom me zijn geen bomen, geen takken, geen struiken en geen varens meer. Helemaal niets meer! Alleen maar rotswanden, bedekt met salpeter.

'De grot.'

Het lichtje van mijn mobieltje kan niet eens het plafond beschijnen. De grond ligt vol met metalen gereedschap, met gebroken glas. Ik geloof zelfs dat ik een oude spuit zie liggen. De tranen springen in mijn ogen en ik kreun van angst als ik de piep hoor.

'Wie is daar?'

Mijn stem gaat verloren in de grot. Heel even verstijf ik, ik wankel op mijn benen, alsof ik verwacht te worden besprongen. En het gepiep begint weer. Mijn hart klopt mijn borst uit. Flitsen komen voor mijn ogen.

'Nee toch! Dat kan niet! Dat kan niet!'

En ik besef opeens dat het stemmetje afkomstig is van mijn eigen gekreun. Maar het is nog erger! Alles raakt verward in mijn hoofd, alsof ik mijn evenwicht verlies.

'Dit is een nachtmerrie!'

Ik wankel zo, dat ik mijn mobieltje laat vallen, dat over de grond rolt en uitgaat. Als een verblinde krab betast ik de grond, en mijn rechterhand stuit op iets.

Daar heb ik het!

Zonder mijn gebaren te kunnen beheersen, sta ik op en druk op het knopje van de telefoon. De kreet die ik dan slaak is verschrikkelijk! Heel even, een seconde, geloof ik dat mijn ruggenwervels een voor een worden losgedrukt. Ik sta voor de sarcofaag. De sarcofaag van de mummie! En in dat graf ligt zij. Ze verroert zich niet en lacht me toe.

Op dat moment moet Vidkun Venner aan Anaïs denken. Heeft hij er wel goed aan gedaan haar daar achter te laten? Een onaangenaam gevoel plaagt zijn geest sinds hij terug is in Parijs, als een brandlucht die niet weg wil. Zodra hij klaar is met zijn afspraak zal hij haar bellen. De Viking komt nooit op de Champs-Elysées. Drukke menigten, schitterende winkels. De nieuwsgierigen, de families, de boefjes, de opstoppingen, de terrassen van slechte cafés, de handelaars in subcultuur, die lawaaierige, vulgaire en valse fauna, hij kan het allemaal niet goed hebben.

'Daar is het,' zegt hij tegen Fritz, die tegen het trottoir aan parkeert. De Mercedes zet hem af voor een klein herenhuis, niet ongelijk aan het zijne in La Chapelle. Maar hier lijkt dat mooie, sierlijke rococogebouwtje triest verpletterd tussen een multiplexbioscoop en een boetiek met voetbalspullen.

Een teken des tijds, bedenkt de Viking terwijl hij onder een poort door loopt. Met twee treden tegelijk beklimt hij een rood tapijt, hij duwt een draaideur open, en wisselt van tijdperk. De hal van de club is bedekt met oude lambrisering. Een stoffige luchter beheerst deze hoge zaal, met marmeren tegels op de vloer. Achter een balie, als in een operettepaleis, staat een broodmagere jongeman in een zwart pak Vidkun aan te kijken.

'Meneer?'

'Ik heb een afspraak met Alexandre Bertier.'

De conciërge ontdooit.

'Ach ja,' zegt de jongeman, die een oude man lijkt na te doen om hier niet uit de toon te vallen. Hij heeft nog niet op een bel gedrukt of er verschijnt een jongedame die mooi zou zijn als ze niet dat strenge en ouderwetse pakje droeg.

'Isabelle, is meneer Bertier er al?'

De jonge vrouw knikt.

'Hij zit in de rookkamer.'

'Zijn genodigde is er,' zegt hij, wijzend op Venner.

'Ik zal hem gaan halen,' antwoordt Isabelle. 'Wilt u zo vriendelijk zijn uw jas af te geven bij de vestiaire? Meneer Bertier komt er zo aan.'

De conciërge wijst hem op een oude garderobe, die vol hangt met loden jassen, regenjassen en vilthoeden. Maar Isabelle is alweer terug in de hal, gevolgd door een kromme gedaante.

'Bent u meneer Venner?'

'Jazeker,' antwoordt de Viking, en hij buigt.

Hij heeft moeite de beroemde presentator van *Point-Virgule* te herkennen. Toch behoort dat tot de zeldzame programma's die hij ooit op Franse televisie heeft gevolgd.

'Ik weet het, ik ben moeilijk thuis te brengen,' merkt het mannetje op, met Engelse chic, gehuld in een driedelig tweedpak, met een monocle aan een gouden ketting die uit zijn vestzak hangt.

Hij geeft Venner een hand en grapt: 'Voor de televisie heb ik zeer bijzondere grimeurs, die mij er bijna menselijk doen uitzien.'

Venner kan het niet laten Bertier te bekijken: die rimpels, die zware, vochtige ogen, dat gezicht dat wel een oude pudding lijkt.

'Maar komt u toch mee,' zegt de oude presentator, en hij pakt hem bij de arm. 'We gaan naar de badzaal, momenteel is daar niemand.'

Een badzaal, denkt Venner, die achter Bertier aan loopt. Beiden beklimmen een luxueuze marmeren trap, aan de voet waarvan een Marokkaantje met een rood schort voor de schoenen poetst van een vijftigjarige in een smaakvol ruitjespak. Op de eerste verdieping duwt hij een houten deur open en laat zijn genodigde voorgaan. Venner is onder de indruk. De badzaal!

Geglazuurde tegels, een roosvenster in het plafond, glimmende kranen, en een enorme badkuip, die kennelijk al in geen tientallen jaren water heeft gezien. En midden in dat vertrek drie tafels, een canapé en twee paar stoelen, waardoor er een intieme salon ontstaat.

'Voordat dit herenhuis club werd, behoorde het toe aan een beroemde courtisane uit het tweede keizerrijk.'

Bertier streelt de rand van de grote kuip met klauwpoten.

'Napoleon III zou hier de geneugten van deze badkuip zijn komen smaken.'

Venner is in de wolken. Een huismeester heeft net twee koppen koffie op tafel gezet, tussen Vidkun en Bertier.

'Waarmee kan ik u van dienst zijn?' vraagt de oude presentator, die de onderste knopen van zijn vest losmaakt om in de canapé te kunnen wegzakken. 'Toen u mijn secretariaat bij France 2 belde, maakte u zo'n indruk dat zij meteen uw boodschap hebben doorgegeven.'

Veelzeggend knipoogje.

'U hebt geluk, ik ben meestal niet zo makkelijk te vangen.'

Venner maakt de knoop van zijn das los, schraapt zijn keel, alsof hij op het punt staat een toespraak te gaan houden.

'Ik ben bezig met een onderzoek naar Marjolaine Papillon.'

Bertier geeft geen krimp, maar Vidkun ziet dat zijn vingers zich spannen.

'Ja, en?'

'Hoe lang al hebt u dat jaarlijkse interview met de romanschrijfster?'

Bertier fronst zijn wenkbrauwen.

'Vanaf begin jaren zestig, geloof ik.'

'En hoe hebt u die exclusiviteit kunnen verkrijgen?'

De trieste houding van een gevallen ster.

'Destijds waren er niet veel uitzendingen en nog veel minder zenders. Dankzij mij is Marjolaine wereldberoemd geworden. Ik heb haar slechts gevraagd haar ontdekker trouw te blijven, meer niet.'

Venner bevochtigt zijn lippen met de koffie.

'En sinds die tijd bent u altijd de afspraak getrouw gebleven?'

'Altijd!'

Dat antwoord kwam bliksemsnel. De houding van Bertier verhardt. Venner ziet een glanzende weerschijn aan de wortel van die grijze haren. Er lijkt zich zelfs een stroompje te vormen tot aan zijn grote bril met zwart montuur. Maar Venner is nog niet klaar.

'Vorige herfst bent u dat interview gaan houden naar aanleiding van haar laatste boek, *De maagd van Auschwitz*, op haar landgoed in Zuid-Frankrijk?'

Bertier wordt nog roder.

'Beslist. Het was trouwens prachtig weer, dat zie je ook op de beelden.'

Hij slaat nu een vertrouwelijke toon aan.

'U weet ongetwijfeld dat ik al tien jaar geleden ben opgehouden met mijn uitzending *Point-Virgule*, en dat de interviews met Marjolaine het laatste televisiegenoegen zijn dat ik mij jaarlijks permitteer.'

Venner antwoordt niet maar knippert met zijn ogen.

'Tegenwoordig maak ik gebruik van mijn bezoek bij de romanschrijfster om er een paar weken te blijven logeren. Ik kan u helaas niets vertellen over haar huis, dat staat in mijn contract met haar uitgever, maar het is een sprookjesachtige plek!'

Sprookjesachtig, denkt Venner ironisch, maar hij geeft geen krimp. Vidkun drinkt zijn koffie op (Walgelijk! En dat voor een club die chic wil zijn!) en buigt zich voorover, met zijn kin op zijn gesloten handen.

'Ze heeft een landgoed in de Ariège, nietwaar?'

Bertier laat daarop zijn minzaamheid varen.

'Ik heb u gezegd dat ik dat geheim moet houden.'

'Haar huis heet La Coufigne, aan de Chemin de la Grande Carlesse, bij Belcastel?'

Bertier springt overeind.

'Luister eens, meneer, ik weet niet wie u bent, of wat u wilt. Maar dit gesprek is afgelopen! Trouwens, het heeft nooit plaatsgehad!'

Venner onderdrukt een triomfantelijk gekir en stelt voor: 'Wij hebben elkaar zelfs nooit ontmoet, nietwaar?'

Bertier grijpt de deurkruk stijf vast.

'Inderdaad!'

Vidkun loopt op hem af. De ander drukt zich tegen de deur aan. Zijn tweedkostuum verandert in een spons.

'Waar bent u zo bang voor?' vraagt Venner doordringend.

'Vraagt u mij niets meer. Het ziet ernaar uit dat u veel meer weet dan ik. Ik… ik heb het recht niet te praten.'

'Wie weerhoudt u daarvan? F.L.K.? Papillon zelf?'

'Tot nu toe word ik beschermd. Maar dat kan veranderen.'

Venner pakt de presentator bij zijn schouders en schudt hem door elkaar.

'Waar hebt u het over?'

'Gaat alles goed, meneer Bertier?'

Ze draaien zich om. De Marokkaanse schoenpoetser staat voor hen. Bertier, wiens knieën knikken, leunt tegen de muur om niet in elkaar te zakken.

'Wilt u meneer Venner... uitlaten?' stamelt hij.

'Goed, meneer Bertier.'

'En haal voor mij een whiskey... een dubbele.'

'Wij zien elkaar nog,' bromt Vidkun, die met twee treden tegelijk de groenmarmeren trap af loopt.

'Word toch wakker!'

Ik doe mijn ogen open maar zie niets. Hoe lang ben ik buiten westen geweest? Een paar minuten? Een paar uur? Mijn hoofd zit in een mistige klem en ik kan de draad van mijn geheugen niet oppakken.

'Ik dacht echt dat u dood was. U was zo zwaar!'

Ik probeer overeind te komen, te bewegen, maar elke beweging lijkt bovenmenselijk, alsof ik gevangenzit in mijn eigen lijf. En als ik mijn mond open wil doen, plakken mijn lippen tegen elkaar. Alleen mijn reukvermogen lijkt nog te functioneren, want een zware kamferlucht dringt mijn neus binnen. Ik hoor een zuigend geluid en besef dan dat ze bezig is mijn slapen met zalf in te smeren.

'Wat moest u daarbeneden ook?'

Ik voel nu een fris gevoel op het voorhoofd. Iets zachts, een beetje slijmerig maar niet onaangenaam.

'Dit is alles wat ik heb kunnen vinden bij wijze van spons, het spijt me.'

De lucht van oud vaatwerk vermengt zich met die van de kamfer. Daarop trekt de mist op en probeer ik weer overeind te komen.

'Tut tut tut! Niet bewegen,' zegt mijn gastvrouw, die streng haar hand tegen mijn lijf houdt en me dwingt weer te gaan liggen. Ik lig in een salon. Een groot vertrek, half in het duister gehuld. Een geur van opsluiting en oude potpourri's hangt in de lucht, verzadigd met vocht.

Daarop hervind ik mijn bewustzijn... en mijn vrees! Hoe ben ik hier terechtgekomen? En wie is die geïmproviseerde verpleegster met haar schorre stem, die naar zweet en alcohol stinkt? Ze buigt zich net over mij heen, en het lukt me die zigeunerin te onderscheiden, gewikkeld in tapijten en gordijnen. Een deel van haar gestalte is bedekt met vlekjes, alsof ze een voedselvergiftiging heeft opgelopen. Haar neus, haar wangen, de wallen onder haar ogen hebben een wildkleur. Haar adem ruikt naar een wijnkelder en haar handen beven terwijl ze een kompres op mijn voorhoofd legt.

'Ziezo!'

Met een knoop in mijn buik kan ik moeizaam uitbrengen: 'Wie... wie bent u?'

De vrouw schokschoudert. 'En wie bent u dan wel?'

Ik kan een zekere van walging doortrokken achterdocht niet van me afschudden, omdat ik niet weet met wie ik te maken heb: is dit de kraakster van een leeg huis? Een kluizenares uit het bos? Een geschifte holbewoonster?

'Ik... ik was verdwaald.'

'Maar om in de grot terecht te komen bent u over de muur van het landgoed geklommen,' antwoordt de zwerfster. Haar blik is onderzoekend maar geamuseerd. Ze drukt haar peuk uit in de asbak en haalt een echte sigaret uit een echt pakje.

'Daar kom je niet zomaar overheen en die grotten zijn heel moeilijk te vinden.'

En dan komt het beeld van de mummie mij voor de geest: haar verslindende blikken, die wrede lach! Ik huiver.

'Ik weet het, het is een raar idee in die kist te gaan liggen slapen, maar dat doe ik nu eenmaal graag. Dat deed ik al toen ik nog kind was. Daar komt tenminste niemand mij storen.'

En dan word ik getroffen door wat voor de hand ligt: maar natuurlijk! Zij is het!

'Er komt trouwens niemand meer hier. Nooit meer. In Paulin noemen ze mij "de zottin". En sinds de dood van mijn grootvader denkt een deel van het dorp vast dat Mirabel leegstaat.'

Aurore Jos? De knappe Aurore, het evenbeeld van haar grootmoeder Anne-Marie, de charmante studente. De vertrouweling van commissaris Chauvier. Ik sta versteld van zoveel mazzel! Ik sta oog in oog met haar, in het kasteel Mirabel. Maar hoe heeft ze zo kunnen aftakelen?

Aurore kijkt op.

'Ze zeggen dat ik gek ben, maar dat zeggen ze omdat ik niet meer buiten kom. Toch voel ik me hier uitstekend! Ik ben hier thuis!'

Met een woest gebaar veegt ze dwangmatig de spullen van een laag tafeltje, die met een dof geluid op het parket vallen. Ik doe alsof ik ontspannen ben, want Aurore Jos lijkt me niet helemaal te vertrouwen.

'Ze dachten dat ze me konden pakken, me eruit konden smijten. Maar niks daarvan!'

Plotseling herkrijgt ze haar menselijke vorm. Heel even heb ik de schoonheid van een vrouw gezien die nog geen veertig is en die betoverend had kunnen zijn. Ik raak er alleen maar meer van op mijn hoede. Aurore glimlacht, pakt me bij de hand en vraagt op smekende toon: 'U blijft toch wat drinken?'

De grote keuken waar vroeger 'mama Chauvier' de pollepel zwaaide is nog slechts een smerige puinhoop, een chaos van pannen, gebroken glazen, gebutste borden, dof geworden bestek met daarop het wapen van de Mazas. Overal liggen gebruikte batterijen; op de hoek van de tafel, zelfs op het gasstel. Een stuk of tien geopende zakken staan tegen de muur, er stroomt vocht over de oude tegels alsof het slijm is. Aurore trekt een grote kast open, waarin tientallen flessen wijn schuilgaan.

'Ik haal eens per week wat uit de kelder. En dan moet je ze snel opdrinken.'

Ze stopt een kurkentrekker in een fles en knipoogt naar me.

'Mijn grootvader had een verzameling prachtige grands cru's, die hij bijna nooit dronk. Aan het eind van zijn leven hadden de doktoren hem alcohol verboden. En ik, ik kende de echte wijn nog niet.'

Het idee van een glas alcoholhoudende drank trekt me niet echt, maar een vluchtige blik op de leidingen ontneemt me de zin iets anders te nemen. De kurk maakt een ploppend geluid, terwijl ik het etiket ontcijfer: ROMANÉE-CONTI. Dat moest papa eens weten!

Aurore zet de fles aan de mond en houdt haar hoofd achterover. Met een geluid als een leeglopende gootsteen slikt de 'zottin' de helft van de fles door en zet haar met zo'n klap op de tafel dat ze bijna breekt.

'Ah! Die is goed hoor, daar kun je van op aan.'

Aurore kijkt wat glazig. Ze bereikt nu een oever waar ze in haar eigen wereld is.

'Het spijt me,' zegt ze, terwijl ze mij de fles voorhoudt, 'maar in de loop der jaren heb ik alle glazen gebroken.' Ik beteugel mijn walging en zet de fles aan mijn mond. Nee, nu niet denken aan de mond van die vrouw!

Hm, fluistert een stemmetje in mijn gedachten, hoeveel jaren heeft zij volgens jou al niet haar tanden gepoetst?

Compulsief neem ik drie slokken van die nectar, en ik stik er zowat in.

Ik heb nog nooit zoiets verschrikkelijks geproefd! Dit is nog slechts azijn, een smerige, brij-achtige azijn, een soort verdunde modder. Hoestend zet ik de fles weer neer.

Aurore schaterlacht.

'Ja, als je er niet aan gewend bent verrast het een beetje. Maar zo gaat dat, met grands cru's!'

Grands cru's, kun je nagaan! Ik moet bijna kotsen! De walging stijgt en stijgt. Zonder na te denken spring ik op en werp me op de gootsteen. Ik draai de kraan open en ik zuig het water op alsof je op adem komt, jammer dan als het smaakt naar oude leidingen, naar verroeste buizen. Als ik me omdraai, besef ik dat Aurore de fles net leeg heeft gedronken en dat ze alweer een andere opentrekt. Een Château Petrus.

'Nog een drupje?'

'Nee, dank u,' zeg ik, terwijl ik met protesterende maag weer naar mijn stoel wankel.

Oké, ik moet me nu concentreren, bedenk ik, terwijl Aurore een derde fles opentrekt.

'Was uw grootvader oenoloog?'

Aurore is nu volslagen beschonken. Ze begint te schaterlachen, struikelt over een fles die door het vertrek rolt.

'Welnee. Hij was... hij was...'

Haar hele gedaante wordt van trekkingen doorvaren, haar neus rimpelt, de zatlap zoekt haar woorden. Op haar beurt trekt ze een stoel naderbij en laat zich van plakkerige nostalgie op het riet zakken.

'Hij hield van alles wat mooi was. Maar voor hem was ik niet mooi genoeg.'

Bij die woorden legt ze haar hoofd op haar armen. Aarzelend leg ik een hand op haar schouder, maar ze schiet overeind en laat alle tederheid varen.

'Hij heeft me in de steek gelaten, snap je? Hij is vertrokken, ver weg!'

'Maar hij is toch dood?'

'Natuurlijk is hij dood. Hij ligt al tien jaar te rotten op de begraafplaats van Paulin! Hier, kijk maar!'

Ze steekt haar armen uit over de tafel en veegt een stapel schillen weg. Daaronder ligt een groot, glimmend album op het wasdoek.

'Toen hij doodging, heb ik alle artikelen over hem uitgeknipt, uit de krant.'

De dronkenlap slaat de bladzijden een voor een om en ik concentreer me op die veelzeggende koppen: DOOD VAN EEN HELD, HET EINDE VAN EEN

GROOT MAN, PAULIN VERLIEST ZIJN GROTE MAN, WIE KAN CLAUDE JOS VERVAN-
GEN? Al die artikelen zijn geïllustreerd door één enkel portret van Jos, een
foto die in de laatste jaren van zijn leven is genomen. Een rustige oude
man, goedlachs, vriendelijk, met wie je graag een glas gaillac zou hebben
gedronken terwijl je naar de zon zat te kijken, daar achter de Pyreneeën.
'Mooi was hij, hè?' vraagt Aurore, terwijl ze de bladzijden streelt.
Maar ik verstijf, want ik zie...
'Wacht even!'
Aurores elleboog ligt op een langer artikel, waar een andere foto bij
staat.
'O ja, die, ik heb geaarzeld die te bewaren, ik was woest. Ik begrijp nog
steeds niet hoe ze die foto hebben kunnen nemen. En toch had ik de journalisten verboden op de begrafenis te komen.'
Ik moet me inhouden om niet te gaan juichen. Het is een foto van de begrafenis. Ze beslaat ruim een halve pagina, is in kleur, en zeer scherp. Iedereen staat erop! Ik graaf mijn vingers in mijn dijen om rustig te blijven.
Maar dit is meer dan ik had durven hopen! Op de eerste rij, naast de dood-
gravers, staat Aurore, in de rouw. Ze ziet er daar nog uit als een meisje.
Haar verdriet van gewonde engel, tijdloos, verleent deze krantenfoto een
romantisch karakter. Achter haar staan vier gestalten. Vier mannen met
grijze haren, in donkere pakken, met zonnebrillen op. Ik verstijf. Alle vier
hebben hun rechterhand in hun jas, alsof ze iets willen verbergen. Dan
herinner ik me dat Jos slechts enkele dagen vóór de vier zelfmoorden van
de Svens is overleden.
Ze waren dus al geamputeerd, denk ik met afgrijzen.
'De volgende is nog mooier,' zegt Aurore terwijl ze haar hand op het artikel legt.
Ik vergeet dat ik discreet moet blijven en duw haar weg als een insect.
'Wacht even!'
Aurore neemt de houding aan van een beschaamd kind en bromt: 'Oké,
goed hoor, goed.'
Ik kijk weer naar de foto, want één gezicht verbaast me. De ogen daar-
van, omkaderd door twee gestalten, in het gevolg van Aurore, zijn vreemd
gehecht aan die jonge vrouw in de rouw, alsof hij haar begeerde. En daar-
op herken ik...
'Nee toch! Dat kan niet! Wie is die meneer daar op die foto?'
Aurore neemt een uitdrukking aan van diepe wanhoop.
'Ik had je toch gezegd dat je de volgende foto moest bekijken.'
Maar ik heb nu zo langzamerhand door hoe je moet omspringen met de

kleindochter van Otto Rahn. Met een gezag dat ik niet geloofde te bezitten bulder ik: 'Wie is die vent?'

Enigszins bevreesd trekt Aurore haar hoofd tussen haar schouders.

'Een… een vriend.'

'Hoezo, een vriend? Waar heb je die leren kennen?'

'Hij is me komen opzoeken.'

'Wanneer?'

'Na jouw dood.'

Ik krijg een elektrische schok. Ze houdt me voor Jos!

'Toen je doodging heb ik alles moeten organiseren. Je had niks geregeld voor je begrafenis… Linh heeft me geholpen.'

Dat is hem dus! De klootzak, denk ik.

Aurore gaat verder met haar droom: 'Hij vertelde me dat hij met jou gewerkt had, op het gemeentehuis. Hij heeft me geholpen de papieren te rangschikken. Ik had gerekend op de ooms Sven, maar die kwamen pas op de dag van de begrafenis opdagen en gingen daarna meteen weer weg.'

Pijnlijke blik.

'Ze leken zo verdrietig.'

Ik doe mijn best alles in mijn geheugen te prenten, terwijl die idiote mij met haar waanzin bestookt midden in een chaotische keuken. Op het vuur staat een soeppan te trillen met kokende inhoud, waardoor het vertrek wordt doordrongen van een knoflooklucht. Maar Aurore kijkt me aan alsof ze daar voorbij ziet.

'Zonder Linh zou ik het nooit hebben gehaald, grootvader! Linh heeft me getroost, hij is zoveel steun voor me geweest.'

Ze krijgt een uitdrukking van aan de dijk gezette geliefde.

'Ik vertrouwde hem. Ik heb hem alles verteld. De enige man met wie ik ooit echt heb willen praten.'

Ik sta verstomd. Zou Linh zo de draak met ons hebben willen steken?

'En wat is er van hem geworden?'

Aurore heeft moeite met ademhalen. De tranen springen haar in de ogen. Ze heeft moeite met spreken.

'Weg. Op een ochtend werd ik wakker, en hij lag niet meer naast me in bed. Twee maanden na jouw begrafenis. De hele nacht hadden we papieren gerangschikt. Ik dacht hij nog in je kantoor was. Maar toen ik erheen ging, was er niemand meer. De kluis stond open.'

'De vuilak.'

Aurore heeft me gehoord en pakt me bij de handen.

'Nee! Grootvader! Ik smeek je, je moet het hem niet kwalijk nemen!'

Haar ogen druipen van liefde.

'Linh heeft me zo gelukkig gemaakt, dat kan ik je niet uitleggen.'

Weer legt ze hoofd op haar armen.

'Al tien jaar,' zegt Aurore snikkend, 'denk ik elke avond aan hem. Ik weet zeker dat hij me niet vergeten is. Hij is daar ergens. Hij zal ook terugkomen!'

Linh heeft Aurore op allerverschrikkelijkste wijze misbruikt en haar hart gebroken, haar gek gemaakt! Aurore verroert zich niet meer, en met de blik op oneindig, op tafel gezakt, het voorhoofd tegen een lege fles, besef ik in een flits aan wie ze me doet denken: Angela Brillo! Die oude vrouw die ik met Venner in Berlijn heb gezien. De eerste die het heeft gehad over Claude Jos. Een van die talloze slachtoffers in deze smerige affaire. Ons eerste spoor. Maar die gelijkenis lijkt me absurd, want Aurore is jonger. Ze had zelfs knap kunnen zijn, die kleindochter van Jos, die me nu weer aankijkt. Wanhopiger dan ooit.

'Grootvader, ik smeek je, neem het hem niet kwalijk. Linh en ik, wij gaan ooit met elkaar trouwen.'

1940

1940 begon in een grafsfeer. We vierden noch de winterzonnewende noch de terugkeer van het gele licht. De dagen werden langer zonder ons ritueel. Elke dag leek op de vorige: leeg, raadselachtig, onontcijferbaar. Ieder leidde er zijn leven, ging zijn weg. De Svens waren nog steeds niet toegetreden tot de rangen van de Ahnenerbe in Europa, maar ze kwamen ook niet meer van Halgadøm af. Ik zag ze uit de verte, als ze bliksembezoeken aflegden om schone kleren te komen halen in de slaapzaal.

Ook Otto leefde in afzondering. Hij begroef zich in zijn dossiers, zat hele dagen te schrijven op zijn kamer. Ik kwam hem al evenmin tegen als Dieter en Knut Schwöll, die geheel schenen op te gaan in hun taak van waanzinnige geleerden. En wat Hans betreft, die had definitief zijn kamp gekozen: hij week niet meer van de zijde van zijn moeder en hij hielp haar dagelijks bij haar huishoudelijke taken of in de uren dat ze schilderde.

En ik? Wat deed ik daar in dat alles? Nadat ik de feitelijke, geheime betekenis van die versmeltende wereld probeerde te begrijpen, had ik eindelijk al mijn eigen vragen aan de kant geschoven, zoals je een kamer sluit waarvan de rommel je tegenstaat, zonder een poging te doen hem op te ruimen. Al die wreedheden die zich in dat deel van mijn geheugen bevonden, een donker en verpestend deel, hermetisch afgesloten. De gevangenen, de silo's, de baby's, de gefolterden werden evenzovele beelden die ik in de afgrond van de vergetelheid had geworpen. Ik moest moreel overleven. En daarom zakte ik dag na dag verder weg in een hypnose, gebaseerd op dezelfde gebaren, dezelfde daden en dezelfde gedachten. Mijn routine leek op de Håkon zelf, die verzandden in de logica van een mierenhoop, waar iedereen zo zijn vaste taak had. Die routine werd echter begin april bruut verstoord, toen er vier vliegtuigen aan de horizon opdoken.

Het was 's ochtends. Zoals zo vaak zat ik op een rots bij de oever, en ik zag die vier toestellen langzaam op zee neerdalen, tot grote verbazing van de zeldzame zeekoeten die de winter over waren gebleven.

Wie is dat? vroeg ik me af, terwijl ik besefte dat ik de enige getuige van het tafereel was. De vier toestellen kwamen nu langzaam en lomp over het water aanglijden. Ze stevenden op de ponton af.

Duitsland, Oostenrijk, Rusland en Engeland, dacht ik terwijl ik de beschildering van de rompen ontcijferde. Maar dat verklaarde nog niet de aanwezigheid van die delegatie. Al helemaal niet omdat die landen onderling vijanden waren! Een voor een werden de vliegtuigen vastgelegd, stapten de passagiers uit en ontdekte ik vier onbekenden. Ze bleven verbijsterd en ongelovig op de ponton naar onze eilanden staan kijken.

Als ze hadden gedacht dat ze door een fanfare zouden worden ontvangen, zijn ze nu teleurgesteld, dacht ik, terwijl ik die vier verloren gestalten bekeek, die zochten naar een menselijke aanwezigheid in deze woestenij van rots en wier. Toen verloor ik mijn evenwicht en gleed van mijn rots af. De Oostenrijker zag me.

'Jij daar, kom eens hier!'

Na een korte aarzeling naderde ik en ik deed alsof ik van niets wist.

'Sneller!' beval de man, wiens beige hemd getooid was met een armband en een hakenkruis. Toen ik voor hem stond bekeek hij me zonder de minste beminnelijkheid, met zijn azuurblauwe ogen die verloren leken te gaan onder zijn donkere, borstelige wenkbrauwen.

'Is er dan niemand hier?' zei hij chagrijnig.

Een beetje verlegen stamelde ik: 'Weet ik niet.'

De man liep rood aan en kwam op me af.

'Rudolf, toe,' zei een van de drie anderen, en hij duwde de soldaat beleefd aan de kant. Mijn geïmproviseerde beschermer was een leeftijdloze man, met zware donkere wenkbrauwen, in schril contrast met zijn enorme witte snor, die een masker vormde. Hij vroeg me op zachte toon, met een sterk Slavisch accent: 'Hoe heet jij?'

Ik aarzelde alvorens te antwoorden: 'Leni.'

De oude man keerde zich tevreden om; achter hem leken de drie andere heren op hun qui-vive.

'Is zij het?' vroeg een grote, kale, geschminkte man met een Engels accent, gehuld in een paarse cape.

'Dat moet wel,' antwoordde de vierde persoon, een lange met een snor die er Pruisisch uitzag ondanks zijn kinderlijke ogen.

Ik was steeds minder gerustgesteld door die vier heren, die mij met ongezonde toewijding bekeken, en ik stamelde: 'Maar… wie zijn jullie?'

'Leni, mag ik je voorstellen aan onze… opdrachtgevers,' zei iemand achter mijn rug. Allen richtten zich op. Otto kwam eraan gedraafd. Bij de vier heren was alle menselijkheid verdwenen. Ze keken Otto met ingehouden woede aan. Het doel van hun bezoek was vast niet al te vriendschappelijk.

'Wat is me dat voor ontvangst!' zei de militair met de zware wenkbrauwen beledigd.

'U was toch op de hoogte van ons bezoek!' vulde de Slaviër met de snor aan.

Otto keek ze vreemd ironisch aan, bijna met respect; daarna wendde hij zich weer tot mij.

'Je ziet hoe ze zijn, hartje. Daarom houd ik zo van onze archipel. Wij zijn zo ver van de wereld, zo ver van alle agressie.'

Terwijl hij dat zei, draaide hij zich naar de open zee en ademde diep de zeelucht in. Ik was net zo verbijsterd over zijn tirade als over de situatie zelf. De vier mannen stonden te trappelen, kookten van woede.

'Ik zal u aan de kleine voorstellen.' Hij wendde zich tot mij en zei op serene toon: 'Hartje, dit is Rudolf Hess, een van de oudste vrienden van de Führer.'

'Dé oudste,' corrigeerde de soldaat met de zwarte wenkbrauwen, terwijl hij boog.

Daarop wees Otto op de grote Pruis met de snor.

'Ik stel je voor aan de vader van de geopolitiek, een grootmeester van de Vereniging van Thule: Herr Doktor Karl Haushofer.'

De genoemde knikte kort. Ik was volkomen verloren!

'Alle volkeren zijn hier vandaag,' zei Otto grinnikend. Hij liep naar de oude Rus met de grijze snor en klopte hem overdreven vriendschappelijk op de schouders.

'Nog altijd in vorm, meester Gurdjieff?'

De genoemde Gurdjieff trok een bek maar deed zijn best vriendelijk te blijven.

'Nog altijd, nog altijd,' antwoordde hij met zijn vette accent.

Toen bleef nog de Engelsman met de purperen cape over. Otto liep op hem af en omhelsde hem verbazend innig. Daarop nam de paarse cape beide wangen van Otto in zijn handen en kuste hem het voorhoofd.

'Otto, Otto,' zei hij zachtjes.

'Leni,' vervolgde Otto, die oprecht ontroerd leek door deze uitwisseling, 'ik stel je voor aan de grootmeester van de Ordo Templis Orientis, de

Astrum Argentinum en de Golden Dawn: sir Aleister Crowley.'

De Engelsman tilde me op met gestrekte armen.

'*I'am so glad to meet you at last!*' zei Crowley terwijl hij me door elkaar schudde.

Na me te hebben neergezet, voegde de Brit eraan toe, zich wendend tot de andere bezoekers: 'Ik geloof dat wij even het een en ander duidelijk moeten maken.'

'Heb je ze gewaarschuwd?' vroeg Otto hem, terwijl hij op Hess, Haushofer en Gurdjieff wees. Met een mysterieuze uitdrukking glimlachte de Engelsman tegen zijn metgezellen.

'Ik zou er de voorkeur aan geven dat je dat zelf doet,' zei hij, 'dat is nou precies de reden van ons bezoek.'

De drie anderen begrepen er duidelijk niets van en stonden te koken.

'Maar waar hebben jullie het toch met zijn tweeën over?' brulde Hess, terwijl hij automatisch zijn hand naar zijn ceintuur bracht.

Op zijn beurt bromde Haushofer: 'Crowley, wat is dit voor grap? Verberg je iets voor ons?'

Wie zijn die mannen? dacht ik, getuige van deze titanenstrijd.

'Laten we zeggen dat Otto en ik u wat... kleine wijzigingen moeten aankondigen,' vervolgde Crowley.

De drie anderen schoten uit hun slof: 'Wijzigingen?'

'Heren, heren, heren,' zei Otto, zwaaiend met zijn armen. 'Dit is niet het moment om boos te worden. U hebt nog zoveel te zien.'

'En te leren,' voegde Crowley eraan toe, met zijn Cockneyaccent.

Hess scheen woest.

'Maar hebben jullie ons verraden? Hebben jullie met zijn tweeën achter onze rug om gecomplotteerd? Beseffen jullie dan helemaal niets?'

Ik voelde dat ze op het punt stonden elkaar in de haren te vliegen, als een meute hyena's. Maar ze bleven hun vragen uitbraken. 'Waar is Nathaniël Korb?' blafte Hess.

'Wat gebeurt hier?' bromde Gurdjieff.

Ik weet meer dan jullie, dacht ik met vreemde trots, zonder iets te laten blijken.

Met duistere blik vroeg Haushofer: 'Ik heb zelfs horen vertellen dat jij naar Zuidwest-Frankrijk geweest bent, naar die ouwe idioot van een Mazas.'

Weer probeerde Otto ze te sussen: 'Heren, het eenvoudigste zou zijn als ik u meenam op een "tochtje" naar de overkant.'

Daarop wees hij op Halgadøm, terwijl een SS'er in een vissersboot de wal naderde.

'Na u,' sprak Otto.

Een voor een stapten de vier heren in het bootje.

Op het moment dat de kabels werden losgegooid, hoorde ik Crowley Otto met luide stem vragen: 'Ligt hij daar?'

'In de koelruimte. Dieter Schwöll werkt er momenteel aan.'

'Maar over wie hebben jullie het?' vroeg Hess, die maar niet kalm wilde worden.

Daarop tekende Crowley met zijn wijsvinger tussen zijn twee wenkbrauwen een hakenkruis.

'Een van hen,' zei hij.

Hess was van zijn stuk gebracht, maar mompelde met vage blik: 'Godslastering.'

Terwijl de beide anderen zonder er al te veel geloof aan te hechten naar Halgadøm keken, verdween de boot in de mist.

'Dit is je reinste godslastering!' brulde Hess terwijl de boot aanlegde.

Ik was sinds die ochtend niet meer van mijn plaats geweken. Vijf uur waren verstreken, vijf uur die ik had gevuld met het nalopen van het spoor van de gebeurtenissen, terwijl ik mijn best had gedaan die vier personen daar een plaats in te geven, een rol toe te kennen. Ik zag ze van de veerdam komen, doodmoe en verbijsterd. Gurdjieff was twintig jaar ouder geworden, leunde bij Haushofer op de schouder, die net zo verpletterd leek. Wat Hess betrof, die bleef woest. Het woord 'godslastering' kwam als een litanie uit zijn mond. Alleen Crowley was sereen. Hij omklemde Otto met een bijna tweeslachtige vertedering en bekeek als een demiurg de archipel.

'Hoe hebben jullie dit durven doen?' tierde Hess, die maar niet wilde zwijgen, tegen Otto en Crowley. 'Alles ging zo goed. De kleintjes kwamen rustig ter wereld, was dat niet voldoende?'

Bij het horen van 'kleintjes' ging ik rechtop zitten om beter te horen, en Gurdjieff zag dat.

De Rus nam het woord, wees op mij en drong aan: 'Vooral gezien het feit dat de prototypes zeer geslaagd zijn, hoefde de procedure slechts gevolgd te worden. Ze is toch volmaakt, die kleine, of niet dan?'

Waar had hij het over? Ik was geen prototype, ik was een ingewijde! Ik wist er minstens net zoveel van als die ruigharige ouwe vent, die naar bok stonk! Hij wendde zich al tot Otto, die mij paniekerig had aangekeken, alsof hij bang was dat ik iets zou zeggen. Was ik soms ook geboren in een kliniek, uit de buik van een van die arische vrouwen met afgesneden tong? Dat kon toch niet!

'We zijn al vijfentwintig jaar bezig het procedé te verfijnen,' pleitte Haushofer, die net zo goed de kluts kwijt was, 'stapje voor stapje, met het beste wat er is op het gebied van medisch en biologisch onderzoek. Vijfentwintig jaar!'

Hij wendde zich tot Otto en Crowley voordat hij vervolgde: 'Wat is er in jullie hoofden gebeurd, bij jullie twee? Hoe hebben jullie die archeologische onderzoekingen durven aanmoedigen? Want ik kan me zo voorstellen dat het daar niet bij blijft. Wat willen jullie voortzetten? Nog andere mummies opgraven, nietwaar?'

Een onschuldig lachje van de beide beschuldigden.

'En wij verbieden dat, in naam van het Rijk!' brulde Rudolf Hess.

Hautain wendde Otto zich tot mij.

'De Ahnenerbe is uitsluitend afhankelijk van de SS. Niet van de nazipartij.'

De oude Rus antwoordde met schorre maar rustige stem: 'Maar zonder ons zouden de SS en jullie zielige Ahnenerbe niet bestaan.'

Hij liep op Otto af.

'Jullie zijn onze kinderen,' zei Gurdjieff nog. 'Allemaal!' Daarop wendde hij zich weer tot mij. 'En niet alleen dit charmante kleine dametje, dat zo... geslaagd is.'

Ik stond op het punt uit te varen maar Gurdjieff stapte aan land en ging naast me zitten op de rots, begerig zuchtend.

'Dus jij schijnt hem gezien te hebben? Jij hebt die mummie gezien?'

'Gurdjieff!' riep Otto. 'Laat die kleine met rust!'

De oude sloeg zijn arm om mijn schouders.

'Maar ze zou misschien het een en ander willen begrijpen, nietwaar? Zou je dat niet willen weten?' vroeg hij, terwijl hij me met zijn thaumaturgische ogen doorboorde.

Ik durfde zonder woorden ja te zeggen met mijn hoofd, maar Otto wierp zich op me en trok me naar zich toe. De oude Rus verroerde geen vin.

'Je bent het slachtoffer van je eigen spelletje, Otto,' blies Haushofer. 'Wij zullen jullie dat project nooit laten afmaken.'

'Denk dan toch eens na, goeie god!' voer Otto uit. 'We betreden een nieuw tijdperk, dat van het Rijk, dat van het hogere ras!' Hij drukte zijn hand tegen mijn hals en voegde eraan toe: 'Dat van de nieuwe uitverkorenen.'

De anderen leken weer bezorgd.

'Je bent compleet gek geworden!' mopperde Hess. 'Als ik bedenk dat wij jullie al die jaren hebben vertrouwd. Jou en...'

Hij wendde zich tot Crowley, die zijn mond hield.

'Ik heb altijd al geweten dat we voor jullie op moesten passen,' vervolgde Hess. 'Een Engelsman blijft een Engelsman.'

Crowley liet zich niet zo gauw beledigen, een houding die Otto moed gaf.

Daarop nam Gurdjieff weer het woord.

'En zelfs al bereiken jullie je doel, wie zegt jullie dat die kinderen iets extra's hebben?'

'De mummies, Gurdjieff! De mummies,' antwoordde Crowley, bijna in trance. 'Snappen jullie dan niet wat voor macht die hebben als ze eenmaal samengebracht worden?'

'De oorlog is begonnen,' bracht Hess tussenbeide. 'Jullie zijn toch wel op de hoogte, Rahn? Zelfs hier in deze ivoren toren?'

Otto bekeek hem vermoeid, maar antwoordde niet. Gurdjieff vervolgde: 'Jullie weten ook dat Noorwegen de neutraliteit kan laten varen, en dat wij slechts Churchill het groene licht hoeven te geven om zijn bommenwerpers op jullie los te laten.'

De Rus wendde zich daarop tot Halgadøm en zei met trieste stem: 'En dat zal dan het eind zijn van je mooie droom, Otto. Het eind van het "hogere ras", van de "nieuwe goden", de "uitverkorenen".'

'Deze crisis kan het leven kosten aan miljoenen onschuldigen!' vervolgde Haushofer. 'Want als het Rijk alleen verder zal moeten, met die Jan Klaassen van een Himmler en die twee bandieten als copiloten' – hij knikte naar Otto en Crowley – 'dan wordt het een bloederige bende.'

'O, dat wordt het zeker, wees daar maar van overtuigd,' antwoordde Crowley rustig.

Hess ijsbeerde over de ponton.

'De SS'ers vormen slechts een militie en in de verste verte geen goddelijke kaste. Absurd!'

'Dat zullen we nog weleens zien,' zei Otto zachtjes.

Haushofer voegde eraan toe: 'En dan hebben jullie slechts één mummie; om het goed te doen moet je de acht andere ook hebben...'

'... die onvindbaar zijn,' vulde Gurdjieff aan.

'Dat zullen we ook nog weleens zien,' zei Crowley, terwijl hij Otto vaderlijk op de schouders klopte. Daarop viel een stilte. Als acteurs die hun tekst vergeten zijn, leken ze niet meer in staat elkaar van commentaar te voorzien. Dit was een zeldzaam ogenblik van genade, waarbij iedereen naar elders keek, probeerde een hoekje rust, leegte, lucht te vinden. Op zoek naar zuiverheid, naar onschuld.

Een colonne soldaten liep over het klif en rukte ons uit de verstarring.

Met haat in zijn stem zei Hess op minachtende toon: 'SS'ers, belachelijke marionetten!'

Hij schopte in de lucht en klom op de drijver van zijn vliegtuig, waarbij hij bromde: 'Belachelijk gewoon.'

Een voor een, met enige tegenzin, alsof ze een beetje dronken waren, volgden de anderen hem.

'En dit is nog maar het begin!' dreigde Gurdjieff Otto.

Rahn bekeek de oude Rus, die met moeite de ladder van zijn vliegboot beklom en antwoordde: 'Ik weet wie het zegt.'

Toen de vier toestellen weg waren gevlogen, stortte ik me op oom Otto en liet ik alle vragen op hem los die me dwarszaten. De mummies? Halgadøm? Oom Nathi? Die onbekende übermenschen?

Maar met een kort gebaar wuifde hij ze weg en hij antwoordde, waarbij hij zich opsloot in zichzelf: 'Dat weet je allemaal binnenkort. Ik heb tijd nodig. Het is nog maar een kwestie van dagen.'

Ik werd boos: 'Maar dat zeg je me al maanden!'

Daarop kreeg ik zo'n harde oorvijg van hem dat ik achterover op de rotsen viel. Otto bleef staan. Hij bekeek mij liggend op de stenen. En ondanks zijn geweld straalden zijn ogen van affectie.

'Je bent het kostbaarste wat ik in de wereld heb. Maar we hebben geen tijd te verliezen. Als ik je vraag vertrouwen in mij te stellen, dan moet je me geloven.'

Daarop draaide hij zich om en liep agressief naar zijn vertrekken.

De dagen daarop sloot Otto zich op in zijn kantoor. Ik kon hem door het raam zien, gebogen over zijn papieren, die hij zwart maakte als een kapitein die tegen de storm vecht.

Wat zit hij toch te schrijven? vroeg ik me af, bij die zo bekende, maar ook zo vreemde gestalte. Hij was gejaagd, net zoals het hele leven op het eiland, dat een vulkaan werd op punt van uitbarsten. De rustige loomheid van de Håkon was weg, hoe kunstmatig die ook was. De kille stijfheid van de soldaten, die onmenselijke kalmte ook. Voortaan leken de inwoners van de archipel elektrisch geladen. De SS'ers zelf renden alle kanten op, op bevel van hun superieuren. Er was iets veranderd. Alsof er iets ging gebeuren. Ons mooie evenwicht was volledig weg. Dat was het einde van het paradijs.

Het einde van de gouden eeuw, dacht ik, toen op een ochtend werd besloten Halgadøm te evacueren.

De hele nacht hadden de soldaten hun spullen klaargezet, en bij het krieken van de dag werden de boten te water gelaten. Groot genoeg voor tientallen mensen! Een uur later zag ik er al een paar terugkomen. Daarin zaten de Svens met Dieter en Knut Schwöll.

'Blijf daar niet zo staan!' schreeuwde de dokter me toe.

Maar hij nam niet de moeite me te dwingen en ik verliet de oever niet, geboeid door het schouwspel. De volgende boten waren vol baby's, die lagen te brullen onder de grijze hemel, waardoor zelfs de orka's op de vlucht sloegen. Ze lagen omwikkeld in de armen van verpleegsters, waren verblind door de zeereis, het daglicht en de windvlagen.

'Daarheen allemaal!' riep een van de Svens aan de rand van het water. Hij wees een deur van het paleis van oom Nathi aan, die naar de kelder voerde. In een enorme ganzenmars, slingerend als een zeeslang, gingen allen in het souterrain. Het hield niet op! Dag en nacht leek die deur open te moeten blijven, want de konvooien bleven aankomen, steeds even verbijsterd, steeds luidruchtiger. En toen ze uiteindelijk Halgadøm leeg hadden en aan de evacuatie van Ostara begonnen, het eiland met de kassen, begon het me te dagen.

Natuurlijk, dacht ik met walgende zekerheid, de gevangenen worden aan hun lot overgelaten!

En opeens leek dat denkbeeld me onverdraaglijk. Dat konden ze niet doen, die gevangenen zomaar aan hun lot overlaten! Zelfs de onmenselijkste tiran zou zulke lafheid niet hebben verdragen!

'Nee!' brulde ik terwijl ik naar de oever rende. 'Dat kan niet, die kunnen jullie niet achterlaten!'

Daarop rende ik naar Otto toe en bonsde op zijn deur: 'Jullie moeten ze gaan halen! Jullie moeten ze op zijn minst vrijlaten.'

Maar Otto deed zijn deur niet open en ik hoorde slechts deze woorden: 'Leni, toe! Laat me.'

Otto! De aanbeden Otto! De verguisde Otto! Mijn vader, mijn meester! Hij sprak niet meer. Hij negeerde me, verwierp me. Ik was eenzamer dan ooit, verloren in die nachtmerrie die ik had gedacht de baas te kunnen! Daarop begon ik de hemel af te staren, die plotseling versomberde: hij zag zwart van de Engelse bommenwerpers. De eerste dag vlogen de toestellen slechts over ons heen. Maar ze deden dat zo laag dat ze de ramen van alle gebouwen deden trillen. Geen enkele SS'er zou het hebben gewaagd op ze te schieten, zelfs niet een wapen te tonen, want dat zou een aanval en een bloedbad uitlokken. De volgende ochtend kwamen de Svens me uit de slaapzaal halen, om ons in te schepen om naar het kantoor van Doktor Schwöll te gaan.

'Vlug vlug! Het is heel belangrijk!'

Ze waren niet meer zo hard en ze ademden een aanstekelijke bezorgdheid uit. Wisten ze meer dan ik? De arts verwachtte ons in zijn salon, samen met zijn oudste zoon.

'Kom binnen,' zei Dieter.

Er hing een vreemde geur in het vertrek, en de arts leek slecht op zijn gemak.

'Met welke beginnen wij?' vroeg Knut, terwijl hij een soort lancetmes pakte.

'Dames eerst,' piepte de Sven met het litteken, en hij wees op mij. Voordat ik nog iets kon begrijpen, had de arts me al te pakken, alsof hij bang was dat ik me zou verzetten. Daarop stroopte zijn zoon mijn hemd op.

Ik schreeuwde: 'Wat moet dit?'

Te laat! Een elektrisch gevoel, een prikkende warmte, in mijn onderrug. Heel kort maar brandend. En vervolgens de geur van verbrand vlees. Getatoeëerd! Ze hadden me getatoeëerd! Als een beest! Maar het ging allemaal te snel om me te kunnen verzetten. Net als ik werden de Svens op hun beurt getatoeëerd, ter hoogte van de onderrug.

'We zouden jullie niet graag willen kwijtraken. Met die "stamboom" kunnen we jullie altijd volgen,' zei de arts, terwijl hij door het raam van de salon naar de hemel keek. Daarop schudde het hele huis door een aardbeving, en in een reflex greep ik de hand van een Sven. Hij was net zo verrast als ik en liet me begaan, verstevigde zelfs zijn omhelzing bij de tweede klap.

'Ik moet erheen! En snel!' brulde Doktor Schwöll, en hij gooide zijn spullen in zijn dokterstas. Hij greep me bij de arm en duwde me voor zich uit.

'Vooruit, Leni! Mee!'

We verlieten het huis. Buiten was het kabaal niet te harden. Rook, stof en zand verhinderden ons iets te zien. Het leek wel alsof alles verwoest werd. Toch moesten we rennen en de weg vinden in die mist van stof en pleisterwerk. En die zwarte hemel! Zwart van de vliegtuigen!

'Ze vliegen naar Narvik,' brulde Doktor Schwöll, 'maar onderweg maken ze er gebruik van om wat bommen te lossen. Voor hen zijn wij slechts een "aperitiefje".'

Door het gordijn van roet zag ik de twee vuurhaarden die in de verten lagen te stralen: Ostara en Halgadøm. De beide eilanden waren nog slechts branden boven water. Het bloed stolde in mijn aderen: op Halgadøm zag ik brandende gestalten die zich in zee wierpen, als vlammentongen.

'De gevangenen!' schreeuwde ik. Maar mijn kreet ging verloren in de chaos, want op hetzelfde ogenblik viel er een bom vlak voor ons, waardoor de kazerne in stof werd veranderd. Ik dacht dat ik stierf van angst.

'Otto!'

Staande voor de kelderdeur brulde een soldaat: *'Schnell! Schnell bitte!'*

Het ging allemaal veel te snel!

'Maar Otto?' bracht ik hijgend uit. 'Is hij niet in de kazerne gebleven?'

Niemand antwoordde me. Iedereen had het te druk naar het muurtje te rennen en wierp af en toe verschrikte blikken op de hemel. Links van ons was de kazerne nog slechts één grote vuurzee.

'Hij moet in de kelder zitten,' zei ik, om mezelf gerust te stellen. Ik had pijn in mijn buik, in mijn hoofd klopte een helse muziek. De Svens, Doktor Schwöll, zijn vrouw, Knut en Hans, bijna iedereen zigzagde tussen het puin door en probeerde de oplaaiende vlammen te ontlopen. En toen we eindelijk heelhuids bij de deur waren, duwde de dienstdoende SS'er ons het trappenhuis in en herhaalde zijn *'Schnell'* op zenuwachtige toon. Nog een keer draaide ik me om, om mijn smeltende paradijs te zien en vast te stellen dat de kazerne met een geweldig kabaal instortte!

'Schnell, Fräulein Leni!' smeekte de SS'er nog eens, en hij deed de deur achter mij dicht, waardoor we in het duister stonden. Meteen gaf de soldaat ons fakkels, waarna hij ons voorging op de trap.

'Kom! Kom!'

'Waar zijn we?' vroeg ik.

'In veiligheid,' antwoordde de arts met ongeruste stem, terwijl hij zich vasthield aan de leuning van die wenteltrap. En inderdaad, we hoorden bijna niets meer. Een zachte frisheid leek naar ons op te stijgen, vermengd met de lucht van algen.

'En Otto?' vroeg ik nog, terwijl ik naar de deur keek. Niemand gaf antwoord. Omdat ik geen andere keus had ging ik naar beneden. De trap ging heel diep en kwam uit in een grote onderaardse zaal, waar een flottielje van acht enorme onderzeeërs ons als potvissen lag op te wachten. Ik kreeg weer hoop.

Daar moest Otto in zitten.

Om ons heen was een twintigtal soldaten druk in de weer, want de onderzeeërs zaten vol mensen die alleen nog op ons moesten wachten voordat ze konden vluchten.

'Dit zijn de laatsten,' zei de soldaat die ons op de trap was voorgegaan.
De andere soldaat klikte zijn hakken tegen elkaar.
'Dat is goed, dan kunnen we gaan.'
'En Otto, waar is die?' vroeg ik nog. 'Zit hij er al in?'
'Houd je mond en stap in!' beval Doktor Schwöll mij. We gingen aan boord van de onderzeeër en kwamen uit in een lange gang, waar in het midden vier soldaten de wacht hielden voor een grote ijzeren kist.
De mummie, dacht ik. Het onbekende hogere wezen.
Maar dat kon me niets schelen, ik wilde alleen weten waar Otto was. Ik liep door de gangen en ik riep maar: 'Oom Otto! Oom Otto!'
Niemand durfde me te pakken; iedereen ontweek mij. Toen kwam het schip in beweging, en ik werd hysterisch.
'Otto! Otto!' brulde ik, en ik voelde de tranen opkomen. Al mijn wrok jegens hem was weg en maakte plaats voor een wreed gevoel van ontwenning. Ik dacht dat ik voor de tweede keer wees werd.
'Otto,' zei ik nog kreunend, voordat ik tegen een metalen wand in elkaar zakte.

Heel lang lag ik alleen te huilen, opgekruld in die gang van de onderzeeër. Maar mijn tranen dienden nergens toe en ik had het begrepen: Otto was dood! Door de bombardementen aan flarden gereten! Bombardementen die hij ongetwijfeld had uitgelokt, zoals je de duivel tart. Het verdriet vrat aan mijn ingewanden. Na een aantal uren lukte het me toch op te staan en liep ik op goed geluk door de gangen van de onderzeeër. De pijn was weg. Ze had plaatsgemaakt voor een zoete verdoving, een wollige uitputting, een soort versuffing waarin niets meer logisch was. Het metalen schip spon geruststellend, met geklik van buizenwerk en gesmoorde echo's. Hoe lang waren we al onderweg? Ik zou het niet kunnen zeggen, ik liep op goed geluk door die eindeloze gangen, die naar olie en jodium roken, als een slaapwandelaarster.
En zo brachten mijn benen me bij een halfgeopende cabine. Bekende stemmen haalden me uit mijn verdoving. Ik leunde met mijn hoofd tegen de deurpost en zag Solveig en Dieter Schwöll, in diep gesprek verwikkeld. Ze waren zo geconcentreerd dat ze mij niet opmerkten.
'Weet je zeker dat we ertoe verplicht zijn?' vroeg de moeder van Hans.
'Onze missie is nog niet afgelopen, liefste. Het kind wordt binnenkort geboren. We moeten het in Polen gaan halen.'
'Maar ik ben meer dan tevreden met de mijne,' bracht Solveig in.
Dieters trekken verhardden.

'Ik dacht dat je zo graag nog een derde kind wilde,' pleitte de arts. 'Een derde jongen, die we Martin kunnen noemen, naar je vader.'

De grote vrouw leek ten prooi aan tegenstrijdige gevoelens.

'Ik weet het niet. Ik weet het niet meer,' zei ze op een vermoeide maar paniekerige toon. 'We weten niks van dat kind.'

Ze drukte zich tegen haar man aan en zei nog: 'En bovendien wilde ik er eentje van jou.'

Dieter maakte zich los.

'Je zult je er toch bij neer moeten leggen, schat. Het kind is nog niet geboren, maar zal binnenkort deel uitmaken van ons gezin. En de Svens zijn opgeleid om op hem te passen. Zo heeft Otto het gewild.'

'De Svens, Otto,' herhaalde Solveig met walging. 'Net als Leni, ze staan me allemaal tegen! Allemaal!'

Onwillekeurig kreunde ik. De beide volwassenen bleven stokstijf staan en zagen mijn ontdane gezicht.

'Kijk,' zei Dieter, die deed alsof hij in een goed humeur was, 'zo te zien gaat het wat beter met de kleine.'

'Nou, toe dan,' zei Solveig tegen haar man op triest spottende toon, 'geef haar haar cadeau, want je bent altijd een waakhond geweest van je "grote vriend Otto", degene die ons allemaal in de steek heeft gelaten.'

'Houd je mond!' zei de arts. 'Niet nu! Niet waar zij bij is!'

Maar Solveig nam een envelop van een plank en zwaaide ermee.

'Wat krijgen we nu?' vroeg ze, terwijl haar man de envelop af wilde pakken. 'Gehoorzaam jij Otto opeens niet meer slaafs, nu hij er niet meer is?'

Ze hield mij de envelop voor, zwaar en dik, waarop ik las: 'Voor Leni'.

Het handschrift van Otto, dacht ik.

'Dat had ik haar pas in Europa mogen geven, als we bij Heinrich waren,' bromde de dokter, die de envelop niet uit mijn handen durfde te grissen. Maar ik luisterde niet meer en ging geboeid op een stoel zitten.

Otto! Otto! Eindelijk zou ik het weten.

Met rappe vingers maakte ik de envelop open en trok er een stapeltje handgeschreven vellen uit.

Yule, mei 1940

Mijn Leni, gewond hartje van me. Al een paar dagen klop je bij mij op de deur. Zul je me vergeven dat ik je niet heb opengedaan als je deze brief hebt gelezen?

Eindelijk zal ik het begrijpen, dacht ik snikkend.

2006

'Zo had je dus dat manuscript van *Halgadøm* te pakken gekregen!'
Linh reageert op geen van mijn aanvallen. Hij kijkt naar de witte streep op de weg, die oplicht onder zijn koplampen, hij geeft gas in de bochten, slipt bijna over de weg, maar remt geen enkele keer. Het is 22.24 uur. Het laatste vliegtuig gaat over nog geen uur.

'Jij hebt dat arme kind verleid, je hebt haar allerlei beloftes gedaan en toen ben je ervandoor gegaan!'

'Nou en? Ik heb de hand kunnen leggen op wat nooit iemand heeft kunnen vinden.'

'Maar op een walgelijke manier!'

Linh onderdrukt een sinister lachje en kijkt naar mijn kleren, die onder het stof zitten.

'Gezien wat je me van haar hebt verteld, zal ik daar niet zo gauw weer komen opdagen. We hebben in Toulouse genoeg te stellen met daklozen.'

'Als ik geweten had dat jij zó was.'

Linh slaat met zijn vuist op het stuur.

'Met wat voor recht durf je over mij te oordelen?'

'Ik weet dat je misbruik hebt gemaakt van een vrouw, als een stuk speelgoed, om haar te bestelen.'

'Maar je weet helemaal niets van mijn jeugd, van mijn familie! Dat alles gaat alleen mij aan! Het is mijn leven.'

'En denk je soms ooit aan het hare? Denk je aan haar, als je 's avonds rustig naar huis gaat? Als je naar bed gaat, stel je je haar dan weleens voor, terwijl ze haar bourgogne staat uit te kotsen? Terwijl ze aan jou zit te denken, op jou zit te wachten, al tien jaar lang, sinds je haar hart gebroken hebt!'

Linh haalt diep adem.

'Dit gesprek heeft geen enkele zin,' fluistert hij. Lange stilte. Toen ik

Mirabel verliet, dacht ik de hel te verlaten. Toen ik de helling afdaalde, heb ik meteen Clemens gebeld, maar die liet nog steeds zijn antwoordapparaat opnemen. Hetzelfde bij Venner, en ik had niet eens de moed bij hem een bericht achter te laten.

Ik ga niet terug liften, zei ik bij mezelf, en hoe erg ik het ook vond, ik toetste het nummer van Linh in.

Daarop zei ik: 'Ik kom van Mirabel, ik heb Aurore Jos gezien', en hij zei onmiddellijk: 'Wacht onder aan de helling, tussen de twee platanen. Ik ben er over een half uur.'

Een half uur waarin mijn gedachten aan de kook kwamen! Maar meer nog dan de schandelijke houding van Linh, is het de gelijkenis tussen Aurore en Angela Brillo die me blijft dwarszitten.

Was dat haar moeder? Haar tante? Of gewoon een dubbelgangster?

De overeenkomst is te opvallend om puur toeval te kunnen zijn. Verder was het uitgerekend Angela Brillo die ons op het spoor van Claude Jos had gezet! Claude Jos, die volgens alle aanwijzingen Otto Rahn moest zijn, al is hij aan het eind van het verhaal dood.

En waar moeten we nu heen? Welke rivier moeten we op varen? vraag ik me af, stuitend op het koppig stilzwijgen van de Aziaat.

Ik schraap mijn keel en vraag: 'En je hebt nooit geprobeerd het traject van Chauvier te reconstrueren, de laatste weken? Van Toulouse naar Berlijn?'

Linh antwoordt niet. Hij geeft meer gas.

'Ben je nooit naar dat klooster geweest in het vijfde arrondissement? Heb je nooit de reis naar Berlijn gemaakt, om die chef-kok in Spandau te spreken?'

Linh schudt van nee.

'Ik heb je toch gezegd dat ik gevolgd werd. Dat ze me bedreigden, dat ze zelfs bij mijn moeder hebben ingebroken. Ik heb gewacht tot ze dood was om verder te gaan met mijn onderzoek.'

In die chronologie klopt iets niet.

'Maar in 1995, toen Jos overleed, leefde je moeder toen nog?'

Geen antwoord.

'Kennelijk heeft dat je niet verhinderd de kleine Aurore te verleiden?'

Ik bijt meteen op mijn lip – die toon was te ironisch – maar het is te laat: Linh slaat weer met zijn vuist op het dashboard.

'En jij, is het nooit in jouw hoofd opgekomen dat ik echt iets heb gevoeld voor dat meisje?'

Ik krijg er bijna de hik van.

'In dat geval, hoe heb je haar dan van de ene dag op de andere kunnen laten stikken?'

'Omdat het door Aurore kwam dat wij bedreigd werden,' zegt Linh op ijzige toon. 'Ik moest kiezen tussen Aurore en mijn moeder.'

'En je bent vertrokken met het manuscript. Hebben ze dan niet alles gedaan om dat terug te krijgen?'

'Ze zijn opgehouden met hun bedreigingen zodra ik van Mirabel weg was. En dat is nu precies wat zo vreemd is.'

'Met *Halgadøm* onder de arm?'

'Niemand leek op de hoogte van het bestaan van dat manuscript. Jos moet dat voor iedereen verborgen hebben gehouden. Zelfs voor de Svens. De kluis zat verborgen achter een losse steen in zijn kantoor. Ook Aurore wist niet dat haar grootvader die schuilplaats had. En de tekst zat in een verzegelde envelop zonder naam erop.'

Linh heeft moeite te ademen. Zijn stem verliest zich in de vloed van zijn herinnering: 'Ik ben midden in de nacht vertrokken, net als jij. De bedreigingen waren net begonnen, en mama was doodsbenauwd. Ik heb als een gek gereden, om aan de spijt en de twijfel te ontkomen. Een uur later was ik bij mijn moeder, om haar te troosten.'

Ondanks mezelf word ik getroffen door dat verhaal.

'En Aurore?'

'Ze kende alleen mijn voornaam. En ik geloof dat ze nooit echt geprobeerd heeft me terug te zien. Ze behoort tot die mensen die veertig jaar kunnen teren op een herinnering van twee maanden.'

Ten prooi aan een geweldige verwarring, fluistert Linh met een snik: 'Ik was haar Gilles, zij was mijn Anne-Marie.'

Ik weet niet wat ik hiervan denken moet, maar het duurt niet lang meer of we zijn bij de luchthaven. Ik doe mijn best om alles op een rijtje te zetten.

'Maar nu je moeder… dood is, waarom wil je nu niet nagaan welke loop de affaire-Chauvier genomen heeft?'

Linh parkeert zijn auto bij de vertrekhal.

'De mensen kennen me.'

Hij bekijkt zichzelf in de spiegel.

'Met mijn kop van Fu Manchu val ik gemakkelijk op, denk je niet?'

Ik durf niet te lachen om die opmerking. Hij geeft me er in elk geval de tijd niet voor en wendt zich tot mij.

'Jij bent degene die het spoor van Gilles gaat natrekken.'

'Pardon?'

'Jij trekt geen aandacht. In dat klooster zul je niks meer vinden, dat heb ik al nagetrokken, ze hebben alles vernietigd wat van Guizet was. Daarentegen...'

Hij tast in zijn binnenzak, waar hij een officieel, in vieren gevouwen papier uit haalt, dat hij me voorhoudt.

'De archieven van het leger?'

'Dit is een vrijgeleide om toegang te krijgen tot het dossier van Gilles Chauvier.'

'En waarom heb jij daar nooit gebruik van gemaakt?'

'Dat heb ik je al gezegd: ik sta op de zwarte lijst. Ze hebben mij in de smiezen. Jij kunt je uitgeven voor een studente die aan een these werkt over de "geschiedenis van de politie in het zuidwesten" of iets van dien aard.'

'Toch is het bizar...'

'Hoe dat zo?'

'Hoe weet ik of jij me niet aan het manipuleren bent?'

'Vergis je niet in je vijanden, Anaïs.'

Zodra ik land in Parijs bel ik Clemens, die nog altijd stommetje speelt. Ik zit er zelfs aan te denken zijn ouders te bellen, maar de Bodekians zijn het laatste toevluchtsoord waar mijn vriend zijn wonden van afgewezen minnaar zou gaan likken. Want zo ziet hij zichzelf, mijn arme schat! Terwijl ik steeds meer voor hem ga voelen. De afgelopen weken heb ik met hem een intimiteit bereikt die we geen van beiden eigenlijk kennen. Een onverwachte versmelting, soms halfzacht, soms stukje bij beetje, maar wonderbaarlijk. Daarom vrees ik dat de reactie van Clemens overeenkomstig dat nieuwe gevoel zal zijn. En terwijl ik met twee treden tegelijk de twaalf verdiepingen van de toren beklim – terugkeer op aarde: de lift is weer kapot – blijf ik maar hopen dat Clemens er is, bij mijn deur, net als toen ik terugkwam uit Duitsland. Maar helaas! Het appartement is nog leger dan een necropool. Het enige ontvangstcomité is het geërgerd miauwen van een kat die ik uit haar diepste dromen wek. Geen enkel bericht op het antwoordapparaat, alleen het rituele appel van de kolonel. Zoals wekelijks vraagt Marcel Chouday naar 'nieuws'. Volkomen ontmoedigd laat ik me op mijn bureaustoel zakken.

'Ik wil wat van Clemens horen!'

Ik voel me opeens zo verlaten. Alles kookt in me, wat kan ik doen? Mijn hoofd loopt om, mijn hart slaat op hol, als dat van een opgejaagd beest. En dan die behoefte om te praten, mijn hart uit te storten, en wel meteen! Ter plekke! Nu! Automatisch toets ik het nummer van Lea in. Krijg ook haar antwoordapparaat.

'Met mij... Het gaat niet goed met me... Kun je me terugbellen alsjeblieft?'

Het idee om alleen te zijn, niet te spreken, bezorgt me een maagzweer. Als ik eindelijk vaststel dat het bijna één uur in de ochtend is neem ik ten slotte de hoorn op om Venner te bellen.

Ik moet iemand spreken, maakt niet uit wie.

Maar de Viking is uitermate verrast.

'Anaïs? Heb je gezien hoe laat het is? Gaat alles goed?'

In een poging mijn gevoelens te onderdrukken leg ik hem uit dat ik net terug ben en dat ik graag verslag wil uitbrengen.

'Is dat niet een beetje laat?'

Maar hij is heel blij mij te kunnen vertellen over zijn ontmoeting met Alexandre Bertier, in de badzaal van zijn club.

'Ik weet niet waar hij bang voor is, maar hij leek in paniek bij het idee dat wij tot dat zogenaamde huis van Marjolaine Papillon hebben kunnen doordringen.'

'En ik ben nog veel verder gekomen.'

Mijn verhaal verbijstert Venner.

'Maar hoe heeft Linh iets dergelijks voor ons verborgen kunnen houden?'

'Dat is nou precies wat me dwarszit. Ik heb de indruk dat hij er meer van weet dan hij toegeeft. Hij rekent er zelfs op dat wij de risico's nemen.'

'Hoe bedoel je?'

Ik verklaar hem mijn plan: naar de militaire archieven gaan om het dossier van Chauvier te kunnen openen, dankzij de pas van de Aziaat.

'Dan ga ik met je mee.'

'Geen sprake van, ik ga er alleen heen!'

'Ik weet niet hoe u aan dat vrijgeleide bent gekomen, maar het is uitermate zeldzaam dat burgers toestemming krijgen onze archieven te raadplegen. Wat zei u ook alweer dat u was...?'

'Studente. Ik doe onderzoek naar de geschiedenis van de politie in Zuidwest-Frankrijk.'

De wacht lacht als een boer die kiespijn heeft, maakt met zijn lippen het geluid van een scheet en versnelt de pas. Hoewel ik goed kan lopen, heb ik moeite hem te volgen door die veelheid van gangen, even groot als in een ziekenhuis. Al vijf minuten brengen we door in de ingewanden van dat gebouw dat wel een octopus lijkt. Zodra hij een soldaat tegenkomt, slaat de wacht de hakken tegen elkaar en houdt de hand aan de slaap. De anderen reageren wel op dat saluut, maar zien er allemaal uit alsof ze hun lachen met moeite kunnen inhouden. Hoe mager hij ook is, die veertiger, zo droog als een alruinwortel, is zeer goed doordrongen van zijn eigen belang. Hij is mij zelf ook in de hal komen halen.

'Wat mij verbaast is het onderwerp van uw these,' vervolgt hij.

Oei, denk ik, bang mezelf te zullen verraden. Linh heeft me geen enkele aanwijzing gegeven, alleen een pasje voor de archieven van de landmacht.

Het ergste verwachtend vraag ik: 'Hoezo?'

De wacht staat stil en draait zich om.

'De politie is het leger niet. Vergist u zich niet in de dienst?'

Ik denk: oef!

'De persoon om wie ik mijn these bouw heeft twintig jaar gediend voordat hij bij de politie ging.'

Voor de eerste keer zie ik een spoor van een glimlach bij de wacht. Hij trekt zijn wenkbrauwen op, als om zijn instemming te laten blijken.

'Dat is de juiste mentaliteit.'

Eindelijk blijven we staan voor een deur, die er even normaal uitziet als de rest.

'Welkom in het paradijs,' grapt de wacht, zonder ook maar een lachrimpeltje. Dan opent hij de deur.

'O, jee!'

Ik denk meteen aan de Hollywoodfilms waar hele hangars tot onderkomen voor de archieven dienen, over kilometers van gelijke kasten.

'Het is nogal duizelingwekkend, dat weet ik,' geeft de wacht toe, op tevreden toon. Vanaf dat moment verandert zijn persoonlijkheid radicaal. Hij lijkt zich te ontspannen, neemt me bij de arm en fluistert op verrukte toon in mijn oor: 'Moet u kijken, ze zijn er allemaal.'

Ik zit een beetje in mijn maag met die plotselinge ommekeer, helemaal omdat hij bijna charmant wordt van al die hartstocht.

'Daar,' zegt hij, terwijl hij wijst op een gang van metaal, waar de kasten tot aan het plafond reiken, 'daar hebt u de J, en hier is de L. En daar helemaal…'

'Kapitein?'

De wacht verstijft. We draaien ons om en zien een militair muisje. De wacht wordt weer even strak als een automaat.

'Is er iets, sergeant Varax?'

'Kolonel Verdon wilde u spreken.'

Onmiddellijk doet de wacht een stap naar achteren en knikt naar mij.

'Sergeant Varax, wilt u deze dame onder uw hoede nemen, ze moet een dossier inzien.'

De sergeant is een diepvries.

'Mejuffrouw!' zegt de wacht, en hij slaat de hakken tegen elkaar. Dan loopt hij weg, op de pas van een tamboer-majoor.

Heel even blijven de sergeant en ik roerloos tegenover elkaar staan. Katten voordat ze elkaar in de haren vliegen.

Zou ik zo geworden zijn, als ik gedaan had wat mijn vader graag had gewild? vraag ik me af terwijl ik deze vrouw bekijk, die waarschijnlijk amper ouder is dan dertig, haar haren strak achterovergekamd, geen spoor van make-up, trots van uiterlijk en met de bril van een oude dame.

'De naam...'

'Pardon?'

'Welke naam zoekt u, juffrouw?'

'Eh... Chauvier, Gilles Chauvier.'

Ze haalt uit een van de laden een dik dossier waarop een grote C staat, slaat het open en begint een soort mis op te dragen.

'Eens kijken eh... Capelier... Carabin... Cassignard... Castillon... Causans... nee, ik zit te hoog...'

Gefascineerd kijkt ze naar die duizenden rekken. Duizelingwekkend!

'Cérose... Chapier... Chouday...'

Ik schrik.

'Chouday? Marcel Chouday?'

Na even aarzelen werpt Varax er een blik in om het te verifiëren en ten slotte knikt ze, waarbij ze de eerste regels van het dossier voorleest.

'Chouday, Marcel Marie Germain, geboren op Saumur op 18 augustus 1925. Zoon van kolonel Chouday, Honoré Louis Marc en van Beauvert, Ginette, leerling van...'

'Zou u... dat ook willen fotokopiëren?' vraag ik koortsachtig. 'Marcel Chouday heeft met commissaris Chauvier te maken gehad bij een grote inbraak in de buurt van Albi. Zijn dossier zou mij zeer van dienst zijn.'

Uiteindelijk is dit gewone, natuurlijke nieuwsgierigheid. Ik zou wel gek zijn niet te profiteren van de gelegenheid iets meer te weten te komen over mijn vader, over die man die mij vrijwel nooit iets van zichzelf verteld heeft, over mijn moordenaar...

Maar wil je dat wel weten, Anaïs? piept een stemmetje in mijn hoofd.

'Is er iets niet in orde?' vraagt Varax, die me ziet blozen.

Maar ik antwoord op besliste toon: 'Nee hoor... Er is niks aan de hand.' Ondanks mijn aarzeling knikt zij op een manier van 'dan is alles oké' en legt het dossier op het fotokopieerapparaat, dat zijn elektrische flitsen in de grote, stille zaal projecteert. Tegelijkertijd raadpleegt ze de rest van de lijst, bladzijde na bladzijde, en trekt ten slotte een roze map tevoorschijn, die ze mij trots voorhoudt.

'Chauvier, Gilles.'

Ik knik, maar mijn gedachten zijn elders.

Papa, denk ik met een pervers gevoel, al jouw militaire geheimpjes...

'Dat is één,' zegt Varax, terwijl ze mij de kopieën van het dossier Chouday aanreikt. 'Ik zal het andere voor u fotokopiëren en dan kunt dat allemaal thuis gaan bestuderen.'

Maar ik ben al in de nog warme pagina's gedoken. De grond zakt weg onder mijn voeten. Dit kan niet!

Ik zou de draad niet meer kunnen oppakken van de minuten die daarop verlopen, maar als ik uiteindelijk weer buiten het ministerie sta, denk ik dat ik uit een droom kom en een nachtmerrie heb betreden! Stortregen valt over de voorbijgangers, die gehuld gaan in regenjas. Februari is de ergste maand in Parijs. Maar plotseling heb ik daar allemaal niets meer mee te maken. Met nog trillende handen van wat ik net heb ontdekt, stop ik de dossiers Chouday en Chauvier in mijn handtas, waar ik mijn mobieltje uit haal.

Ik ben zo koortsachtig dat het eindeloos duurt voor ik het nummer van Lea op haar kantoor kan intoetsen.

'Met eh... met mij...'

'Schatje! En, hoe is je bezoek bij de militairen verlopen?'

Lea klinkt hartstikke vrolijk. Maar daar maak ik een eind aan.

'Het gaat niet goed. Helemaal niet!'

'Waar zit je?'

'Maakt niet uit... Ik heb zijn militair dossier gevonden.'

'Dat van Chauvier?'

'Nee... nou ja, ja. Maar ook dat van mijn vader. Luister...'

Dwangmatig sla ik het dossier open en probeer mijn rust terug te vinden om niet mijn woorden in te slikken.

'1945: neemt deel aan de bevrijding van de nazikampen in Duitsland en in Polen. 1946: adopteert officieel een wees van twee jaar, Judith.'

Lea staat paf.

'Judith… maar ik dacht dat dat de voornaam van je moeder was?'
'Ja, dat dacht ik ook…'

Yule, mei 1940

Mijn Leni, gewond hartje van me. Al een paar dagen klop je bij mij op de deur. Zul je me vergeven dat ik je niet heb opengedaan als je deze brief hebt gelezen?

Dat hoop ik, want het is me zeer aan het hart gegaan jouw feeënvingertjes op de oude berkenhouten deur te horen kloppen, om jouw gekerm op de drempel van mijn kamer te moeten horen. Het gekerm van een verlaten kind. Van een wees.

Maar je bent helemaal geen wees, mijn Leni. Jouw familie is er. Ik ben er. Zelfs al zie je me niet. Zelfs al zeggen ze je dat ik dood ben, verdwenen, heengegaan. Kun jij je voorstellen dat jouw oom Otto op zo'n banale manier zou kunnen sterven? Door een paar vliegtuigen? Door een paar bommen? Welnee toch! Jij weet net zo goed als ik dat ik daar te sterk voor ben, dat ik zo gemakkelijk niet tot zinken te brengen ben. Jij en ik zijn uitverkorenen, hartje, geen slachtoffers.

Maar lichamelijk ben ik niet meer aanwezig – en dat zal ongetwijfeld een paar weken zo niet een paar maanden duren – en dat komt omdat ik het duister heb verkozen om beter het licht te kunnen vinden. Dat is altijd de regel geweest, mijn regel. De duisternis is de bron van alles, van elke schoonheid. Onthoud dat goed, hartje, zoals je ook de sleutels uit deze brief zult moeten onthouden en mij zult moeten beloven er nooit over te zullen spreken. Ook niet tegenover de Svens, en zelfs niet tegenover Hans. Want het geheim moet bestaan, mijn schone engel. Wij verbergen geen leegte. Het geheim ligt ook aan de voet van alle zegeningen. En jij bent, in je ziel, in je lijf, in je bloed, het meisje van dat geheim. De dochter van dat geheim.

Mijn woorden zullen je vaag lijken, mijn Leni. Maar dat alles maakt deel uit van het geheim. Een geheim dat zijn bestaansreden, zijn oorzaken, zijn bewakers heeft.

De bewakers ken je inmiddels. Dat zijn die vier woeste mannen die vorige week per vliegtuig zijn aangekomen. Gurdjieff, Crowley, Hess, Haushofer. Ik zal je niet vertellen hoe ze elkaar hebben leren kennen, maar weet slechts dat deze vier gewetensvolle heren direct na de Eerste Wereldoorlog begrepen hebben dat de mensheid verloren was. Ieder heeft op zijn manier (en je hebt gezien dat ze nogal verschillen!) beseft dat de wereld zich ingraaft in een eeuwige loopgraaf, als ze niet zou worden geregenereerd.

Dus hoe moeten wij de beschaving doen herleven, als wij niet de mens zelf laten regenereren?

Dat is de reden waarom die vier mannen, afkomstig uit vier culturen, over dat project nadenken. Gurdjieff, Crowley, Hess en Haushofer kwamen al snel tot de conclusie dat wij de oude harmonie moesten herstellen, gebaseerd op een mensheid met twee versnellingen. Heren en slaven. Maar aangezien rassenvermenging voorgoed de zuiverheid van het oorspronkelijk ras heeft veranderd (als dat ooit bestaan heeft), wilden zij dat ras scheppen.

En zo is het 'project Halgadøm' ontstaan.

Door de fantasieën van de miljardair Nathaniël Korb te bespelen, hebben zij dat kunstmatige eiland opgeworpen, dat een gigantisch project verbergt.

Maar iedere krijgsheer heeft een lijfwacht nodig, elk nieuw ras een gewapende arm. Daarom zochten die vier mannen (dit was nog begin jaren twintig) tegelijkertijd in Germaanse paramilitaire kringen. Het verlangen naar wraak en het gevoel van onrecht leefden er zo sterk dat de jonge rekruten kwalitatief hoogstaand moesten zijn. Zo ontmoetten zij twee studievrienden, twee Münchenaren die wat verloren waren in de ruïnes van hun verwoeste vaderland: Heinrich Himmler en ik.

Het vervolg ken je, of je vermoedt het.

Ik werd tot 'regent' van de Håkon benoemd, en wat Himmler betreft, hij zocht een fonds voor de vier wijzen, een Oostenrijkse verlichte die de volmaakte 'Golem' zou zijn om voor het voetlicht te treden. Adolf Hitler zou zodoende de eerste marionet worden die de absolute macht zou krijgen. Maar een visionaire marionet, een mediamieke marionet. Van hem straalde zo'n fascinerende macht uit dat de vier wijzen zelf bang werden voor de perfectie van hun schepping. Maar was het niet al te laat?

Zij wilden hun 'experiment' beperken tot uitsluitend Duitsland. Helaas hadden ze daarbij niet gerekend op de veroveringsdromen van Hitler, van Himmler... en die van mij.

Want, zoals je ongetwijfeld hebt begrepen, mijn Leni, het conflict dat momenteel de wereld in vuur en vlam zet gaat veel verder dan eenvoudige gebiedsuitbreiding.

Dit is een historische, metafysische, archeologische oorlog! Een oorlog van een glorieus verleden tegen een smerig heden en een trieste toekomst. Een oorlog van nostalgie tegen moderniteit.

Om de schittering van die gouden eeuw terug te vinden, moesten wij de laatste resten, de ultieme fossielen ervan opgraven.

En jij, kleine Leni, wonderbaarlijk hart van mijn leven, jij hebt een van die fossielen mogen aanschouwen. Ja, ik heb het over de mummie, over dat gebalsemde lijk dat ontdekt is in de grotten van Mirabel.

Opdat je me goed begrijpt, moet ik je nu het ultieme geheim onthullen: dat kleine gezelschap van vier wijzen reikt met zijn wortels veel verder dan slechts de twintigste eeuw. In alle tijden hebben bewuste mensen getracht de menselijke hartstochten te kanaliseren, te temperen, of juist aan te wakkeren. Deze onthulling zal je absurd lijken, zonder twijfel ondenkbaar, Leni, maar toch is ze authentiek. Sinds de dageraad der tijden hebben enkele geesten in het geheim het lot van de mensheid gestuurd. Wijzen, negen in getal, evenveel als die beroemde mummies.

Eeuwen en wellicht millennia lang hebben die wijzen geprobeerd de mens wat minder slecht te maken, wat minder wreed. Hun kennis was gebaseerd op een gemeenschappelijke ervaring, want die negen wijzen waren altijd nog dezelfde mannen.

Jazeker, mijn Leni, je hebt het goed gelezen: dezelfde mannen. Zij waren afkomstig uit de verste mysteriën van de Oudheid en bezaten het geheim van onsterfelijkheid, in de vorm van een elixer. Een elixer dat een naam draagt die jij heel goed kent: Vril.

Elk jaar namen die negen wijzen een druppel van dat levenselixer. Elk jaar overwonnen zij de menselijke fataliteit.

Je zult je nu afvragen waarom ze dan uiteindelijk gestorven zijn.

Dat is een vraag waarop geen enkele ingewijde ooit het antwoord heeft kunnen vinden, mijn Leni.

Er wordt slechts verteld dat de negen wijzen halverwege de negentiende eeuw gezamenlijk ophielden met Vril. Zij verordonneerden daarop dat ieder van hen zich zou gaan verbergen op een voor de menselijke mysteriën symbolische plek (zoals katharenland) om daar de dood af te wachten.

De wereld was te zeer veranderd. Ongetwijfeld konden zij niet meer juist inschatten en gaven zij er de voorkeur aan de teugels te laten aan veronderstelde erfgenamen.

Alle negen verdwenen ze dus, maar hun legende bestond al. Spoedig begon de mythe van de negen onbekende hogere wezens de ronde te doen in esoterische kringen die aan het eind van die eeuw opbloeiden. Uit die kringen zijn Gurdjieff, Crowley, Hess en Haushofer afkomstig.

Een hardnekkige legende hing rond hun graven: ieder onbekend hoger wezen zou in zijn bloed, zijn spieren, in zijn weefsel, in zijn botten, een negende van het recept van Vril hebben bewaard. Wie in staat zou zijn om ze te verenigen zou dus eeuwig leven hebben.

Ziezo, Leni, nu weet je alles. En begrijp je ook de rest.

De vier wijzen hebben geprobeerd de mogelijkheid van het bestaan van Vril te verbergen, maar Himmler en ik wilden het terugvinden. Onze nieuwe mensheid, ons uitverkoren ras, moet onsterfelijk zijn. Jij moet onsterfelijk worden, mijn Leni!

Weliswaar heeft Crowley het project altijd gesteund, maar de drie andere wijzen waren het niet met hem eens en zijn allemaal resoluut de terugweg ingeslagen.

Dat verklaart jouw aanwezigheid vandaag in die onderzeeër, die een brandende archipel ontvlucht.

Moge jij het begrijpen, hartje, moge jij je lot accepteren. En houd goed voor ogen dat ik niet dood ben. Ik ben alleen verborgen, elders, onder de wereld, op zoek naar Vril. Dat Vril is voor jou bestemd, vlees van mijn vlees. Dat Vril dat ik je als offer zal brengen, binnenkort, heel snel. Opdat jij en ik hand in hand de eeuwigheid zullen betreden.

Jouw Otto

2006

'Anaïs, rustig!'

Mijn vader zit voor mij, een beetje gebogen. Zijn oude granaatrode kamerjas is helemaal glimmend geworden. De randen zijn geel van slijtage en het eeuwige zijden pochet steekt in het borstzakje. Hetzelfde... precies hetzelfde! Alleen zijn haren zijn grijzer geworden. Zijn kruin is getooid door een smetteloze tonsuur. Ik zit te hijgen, open mijn mond en slaag er niet in te spreken. De woorden blijven in mijn keel steken en versterven voordat ze eruit zijn.

'Rustig aan, Nanis,' herhaalt de kolonel, emotieloos.

Ik heb me niet verroerd, ik sta versteend in de deuropening. De dag loopt ten einde. De klok van de school heeft net het einde van de les geluid. Maar vandaag zijn mijn vader en ik elders. We zijn van dat tafereel gescheiden door een onzichtbaar scherm. Uit zijn ogen straalt een droge vertedering, en tegelijkertijd brandt daar een fakkel. We staan daar tegenover elkaar, op de drempel, als in een slechte klucht.

'Kom binnen,' zegt hij ten slotte, en hij doet een stap naar achteren zonder mij uit het oog te verliezen.

Met wankele pas loop ik het huis in, mijn huis. Het is absurd, maar ik ril. Zoveel jaren zijn verstreken. De geur van het huis, die mengeling van opsluiting, geroosterd brood, nu ook vermengd met een restgeur van oude apotheek.

'Wil je thee?' vraagt mijn vader, en hij slaat de deur dicht.

Net als in mijn jeugd wordt dat geluid gevolgd door het klikken van grendels, die de kolonel een voor een dichtschuift, met de energie van een cipier. Plotseling word ik bang. Als hij me nou eens gevangen gaat houden? Me voorgoed in de kelder opsluit onder het huis, bij de kachel van de centrale verwarming, waar ik moest gaan slapen als ik mij 'slecht gedragen' had? Mijn hart slaat op hol en ik strompel naar de deur toe.

'Ik kan niet blijven.'

Mijn vader recht zijn rug en kijkt me diep in de ogen.

'Nanis, blijf rustig!'

De paniek stroomt door al mijn botten, maar deze aansporing kalmeert me. Alsof de confrontatie hiermee was afgelopen. Dan krijg ik een vreselijk gevoel: Marcel Chouday is mijn vader en nu ligt het voor de hand dat ik hem gehoorzaam. Langzaam hervindt mijn hart zijn natuurlijk ritme en mijn ademhaling menselijke snelheid.

Maar dat is allemaal afgelopen, zeg ik tegen mezelf terwijl ik achter de kolonel aan naar de keuken loop. Nu ben ik het die heeft besloten deze man te lijf te gaan die het bestaan heeft mij dood te verklaren! Die mij heeft willen begraven. Die ochtend heeft de ontdekking in de archieven van het leger alles in een stroomversnelling gebracht. Lea hoefde me dit keer niet te stimuleren. Ik heb de eerste de beste trein naar Issoudun genomen, niet in staat me een verklaring voor te stellen. Het moeilijkste zal worden te accepteren dat mijn vader iemand anders is dan die heldhaftige tiran uit mijn jeugd. Want niets is triester dan die oude man te moeten aanzien.

'Dat is zeven jaar geleden, niet?' vraagt hij.

De kolonel zit op een van die oude oranje formicakrukken. Hoeveel uur heb ik daar niet op gezeten, gebogen over het wasdoek, om mijn lessen na te kijken, gedichten van Paul Déroulède uit mijn hoofd te leren, te worstelen met wiskundeproblemen.

'Zelfs iets langer.'

Zonder op te staan wijst hij op een kruk tegenover hem. De keuken is niet veranderd. De ingrediënten zijn allemaal op hun plek. Nooit zou de kolonel de minste verandering toestaan; als goed militair deed hij zelf het huishouden. Hij giet de hete thee in een oude Bretonse kom, waarop met zwarte letters de naam ANAÏS staat. Ondanks mezelf glimlach ik.

'Heb je die bewaard?'

Nostalgisch schokschoudert mijn vader.

'Net als de rest. Ik denk dagelijks aan je, ik knip al je artikelen uit. Ik lijst ze in, ik...'

'Ja ja, je conserveert ze, dat weet ik, dat heb je met mij ook gedaan.'

'Hoe bedoel je?'

Ik voel een brok in mijn keel komen en ik moet me vermannen om niet waar hij bij is in tranen uit te barsten.

'Ik ben langs de begraafplaats geweest, papa.'

Mijn vader verbleekt.

'Ik heb mijn graf gezien.'

'Luister, schatje. Dat... dat heb ik niet voor jou gedaan... dat was voor je moeder.'

'Voor mijn moeder? Heb jij mij voor mijn moeder voor dood laten doorgaan? Voor een lijk? Je hebt je eigen dochter vermoord, papa!'

De oude man stoot zijn kom om over het wasdoek. Het wordt kletsnat van de thee maar ik flap er in een vreugdeloze lach uit: 'Raak!'

Papa haast zich met een theedoek en een spons, zonder me aan te durven raken. Dan voel ik me plotseling wreed worden. Hij is opeens zo meelijwekkend, opgesloten in zijn spinnenweb, gevangene van zijn eigen leugen.

'Schat, ik kan je alles uitleggen.'

'O jazeker, jij gaat me alles uitleggen!' zeg ik, terwijl ik een blad papier uit mijn tas pak om het papa voor te houden.

De kolonel staat als aan de grond genageld, met grote ogen.

'Wat is dat?'

'Lees maar!'

Hij pakt de fotokopie, haalt zijn bril uit zijn kamerjas. Zijn kreet gaat me door merg en been.

'O, nee! Dit kan niet waar zijn... Je bent toch niet gaan kijken...'

Ik had niet gedacht dat dit tafereel zo zeer zou doen! Mijn wraak krijgt een smaak van geronnen bloed. Voor mijn ogen zakt mijn vader in elkaar.

'Nee... nee... nee...'

Eerst zijn schouders, dan zijn lijf, ten slotte zijn nek, hij krimpt helemaal in elkaar. Geluidloos valt de kruk om, de oude man belandt met zijn kont op de tegels. Dit had ik nou ook weer niet gewild. Maar het ergste is zijn stem. Die hoge toon, bijna onhoorbaar, als die van een geslagen kind.

'Nee! Nee! Nee! Dat had je niet zo te weten moeten komen...'

'Wie is die Judith?' vraag ik, terwijl ik mijn best doe niet emotioneel te worden. 'Heeft die enig verband met die van het graf... van ons graf? Is dat mijn moeder?'

'Nanis, ik zal het je uitleggen. Maar daarvoor moet ik zo ver terug, zo ver!'

Roerloos leun ik achterover, ik kijk naar mijn vader en schenk mezelf nog een kom thee in.

'Het is allemaal zo lang geleden,' zegt de kolonel, terwijl hij weer gaat zitten. Hij veegt zichzelf schoon met een theedoek en begint dan aan zijn biecht.

'Zoals zo vele jongemannen stortte ik me helemaal in de oorlog in 1939, want een nederlaag konden we ons niet voorstellen. Mijn hele jeugd had ik generaals horen opgeven over de Maginotlinie, over het feit dat wij on-overwinnelijk waren. We hadden echt gedacht dat de oorlog van 1914-1918 de laatste was.'

Buiten wordt het donker. Er valt wat motregen. De ruiten van het huis rammelen.

'Weet je, bij de Choudays waren we allemaal militair. Mijn broers en ik zijn op Saumur grootgebracht, door je grootvader, die officier was bij het zwarte kader. Onze jeugd heeft zich afgespeeld tussen school, kerk en huishouden.'

Mijn vader zit nerveus op zijn lip te bijten, alsof hij zijn woorden zoekt. Zijn langzame, kronkelige zinnen komen uit het diepst van zijn herinne-ring. Heel even kijkt hij door het raam naar de regen. Dan vervolgt hij: 'We hadden een heel hoge dunk van Frankrijk, we hadden de val van het land ervaren als een persoonlijke aanval, als een verkrachting.'

Ik knik, zonder te weten waar hij naartoe wil.

'Dat alles om je te zeggen dat toen de oorlog eenmaal uitbrak, we beslis-singen moesten nemen.'

'Zoals?'

'Mijn broers en ik, wij waren jongemannen, bijna volwassen. Mijn va-der had ons opgevoed met respect voor de militaire orde. En wij konden niet twijfelen aan de goede bedoelingen van een man die het vaderland vijfentwintig jaar daarvoor had gered.'

Nou begrijp ik wat hij wil zeggen!

'Dus jullie waren pétainisten.'

Een vermoeide blik van mijn vader.

'Zoals heel Frankrijk, Nanis, en dat was helemaal niet schandelijk. Het land was verpletterd, stukgereten, bloedeloos geworden. Het leger was nog slechts een aanfluiting, de generaals waren marionetten. Pétain leek ons op dat moment een soort redder.'

Ik voel woede opwellen.

'Ik weet dat jij mij nu veroordeelt, Nanis, maar dat komt omdat je me bekijkt door de ogen van de geschiedenis. We weten nu hoe die oorlog is afgelopen, maar wij leefden toen in het heden.'

Die verontschuldiging is voor mij niet afdoende, maar ik beduid hem door te gaan en schenk nog eens thee in.

'Jouw grootvader kende de maarschalk. Ze hadden elkaar in de jaren twintig leren kennen en er was sprake van wederzijdse achting. En daar-om heeft hij hem voorgesteld om... voor hem te komen werken.'

Dat had ik niet verwacht. Hoe had ik dat kunnen bedenken? Ik krijg bijna medelijden met hem.

'Ja, Nanis. In de herfst van 1940 zijn we naar Vichy getrokken. De regering had ons een mooi huis ter beschikking gesteld, een paar kilometer van het kuuroord. Mijn moeder – jouw grootmoeder – had het er heel erg naar haar zin. Elke dag gingen mijn broers, mijn vader en ik met de fiets naar Vichy. Papa zette ons af bij het lyceum en reed dan door naar het Hôtel du Parc, waar de maarschalk zat.'

'Maar wat deed hij daar dan voor zijn vak?'

De kolonel wrijft zachtjes over zijn schedel, alsof hij zijn kale kop nog wat wil oppoetsen.

'De maarschalk had vertrouwen in hem, hij luisterde naar mijn vader en respecteerde zijn mening.'

'Zijn "mening"?'

'Pétain was een heel oude man, Nanis. Een oude man die omgeven werd door mensen met lange slagtanden, die alleen maar carrière in de politiek wilden maken. Mijn vader was bijna zestig en zijn enige ambitie was een rustige oude dag. Daarom was hij voor een oude soldaat het vertrouwen waard.'

Ik sta steeds meer paf. Niets in het militair dossier van papa wijst op het feit dat zijn eigen vader kader in Vichy was geweest.

'In feite...'

Marcel Chouday lijkt moeite te hebben om zijn gedachten te formuleren. Hij vouwt zijn handen als in gebed. De verslagenheid van zo-even is weg. Hij heeft zijn rust teruggevonden, die ergerlijke sereniteit, waar ik al zo wanhopig van werd toen ik nog kind was. Hij is zo sterk!

'In feite waren wij gelukkig.'

'Gelukkig?'

Papa knikt naar zijn trieste keuken, alsof hij die wil vergelijken met die uit zijn jeugd.

'We leefden in een ivoren toren, in een soort droom, te midden van heel intelligente mensen die dachten dat we Frankrijk aan het herbouwen waren.'

Mijn vader versombert.

'Helaas begonnen de problemen toen het erom ging het voorbeeld te geven.'

'Wat voor voorbeeld?'

'Wij waren zoons van een raadsman van de maarschalk. Van een geheim raadsman weliswaar, wiens naam nooit verscheen, zodat hij zelfs tegenwoordig nog in geen enkele geschiedenis van Vichy te vinden is.'

Godzijdank, denk ik.

'Kortom, als kinderen van een afgevaardigde van de regering moesten wij een voorbeeld zijn voor onze tijdgenoten. Daarom gaf papa ons overal voor op.'

'Waarvoor dan?'

'Jongerenactiviteiten, nationalistische clubs, al die nationale padvinderij moest deel uitmaken van onze opleiding. "Kinderen, vader maarschalk let op jullie, jullie zijn het Frankrijk van de toekomst."'

'En vonden jullie dat leuk?'

'Helemaal niet! Wij werden uit een prinsenleven gerukt en moesten in tenten gaan slapen of kampvuren aansteken die uiteindelijk uitliepen op veldslagen tegen het verzet.'

Ik kan mijn oren niet geloven.

'En je moeder?'

Weer een straaltje tederheid in het neonlicht van de keuken.

'Ach, mijn moeder had zich er allang bij neergelegd. Ze was de vrouw van een militair. Ze onderging het, haar man maakte deel uit van het machtsgeheim. In haar ogen was het normaal dat wij gehoorzaamden; tenslotte waren we daarvoor opgeleid.'

Hij aarzelt weer. Met zijn tong gaat hij langs zijn gespleten lippen, alsof hij daar de smaak van bloed proeft.

'En toen, op een dag, riep vader ons met zijn vijven bij elkaar in de grote woonkamer. Het was nog heel vroeg. Wij moesten naar het lyceum en we hadden onze dikke fluwelen cape al om. Ik herinner het me nog: ik had een fietspomp in de hand. Het was april 1943. Het was ijskoud dat voorjaar, in de Auvergne.

"Kinderen," zei papa, en hij sprak zachtjes om moeder niet wakker te maken. "Kinderen, ik heb groot nieuws voor jullie."

We stonden opgewonden en ongerust naar hem te luisteren, want hij leek nerveuzer dan normaal.

"Zoals jullie weten, houdt de maarschalk veel van jullie, en hij wil jullie een kans geven."

"Een kans?" vroegen wij in koor.

Papa probeerde vrolijk te blijven kijken, maar het was duidelijk dat hij zich ongemakkelijk voelde. Hij keek naar de deur van de slaapkamer, alsof hij hoopte daar de regelmatige ademhaling van mama te horen. "Ja," fluisterde papa, "een kans. Jullie gaan allemaal in dienst treden bij de redder van Verdun."

Mijn beide oudste broers, die al van het lyceum waren en in Vichy werkten, bij de administratie, zouden uitgezonden worden naar Duitsland. Mijn twee jongere broers zouden bij het jeugdwerk gaan, meer naar het zuiden.

"En jij, kleine Marcel, alsjeblieft…"

Hij reikte mij een baret aan, met daarop een broche die een schild voorstelde.'

'De militie?'

De kolonel knikt. Ik laat mijn blik gaan over de stapels vaatwerk, over het oude affiche van het zwarte kader, over die radio uit een ander tijdperk, die bij de blikken ragout staat te prijken.

'De militie.'

Op hetzelfde moment hoor ik een soort gebrul. Ik schrik, want ik denk dat ik een sirene hoor, maar dat is het mobieltje in mijn tas. Ik grijp het, en ik herken Clemens' nummer! Mijn arme liefde duikt op als ik er het minste op voorbereid ben!

'Eindelijk!' zeg ik met kloppend hart.

'Ik ben nog niet klaar, Anaïs.'

Mijn vader kijkt me geërgerd aan. Wat moet ik doen?

Het is vandaag of nooit, houd ik mezelf voor, en ik doe een onmenselijke poging niet te antwoorden. Clemens… mijn liefde, neem me niet kwalijk. Papa is al te ver om niet alles aan me te bekennen.

Ik frons mijn wenkbrauwen en stop mijn telefoon zo diep mogelijk in mijn tas.

Mijn vader vervolgt: 'De militie was drie maanden eerder opgezet door Vichy, onder verantwoordelijkheid van een oud-legionair: Joseph Darnand. Ik was net achttien en ik moest deel gaan uitmaken van dat spierballenleger, dat alleen maar smerige karweitjes als missie kreeg.'

'Waarom heb je geaccepteerd? Zonder te protesteren?'

'Hoe moest ik weigeren? Ik dacht zelfs dat ik van geluk mocht spreken. Mijn oudere broers gingen naar Duitsland, mijn jongere broers moesten dijken gaan opwerpen in de Cantal, en ik bleef in Vichy… Althans, dat dacht ik.'

De kolonel staat op en loopt naar de gootsteen, die hij laat vollopen met koud water, en zonder iets te zeggen steekt hij zijn kop erin. Dan droogt hij zich onaangedaan af met een oude theedoek en gaat weer zitten. De knoop in mijn buik wordt steeds vaster aangetrokken.

'In 1943 verhardde de politiek van Vichy jegens de Joden. Wij moesten zonder enige reserve met Duitsland samenwerken, en daarom werd mijn divisie naar Parijs gestuurd, om de Franse politie bij te staan.'

De ogen van de oude man worden rood omrand. Buiten is het inmiddels pikdonker. De regen is verhevigd en tikt nu tegen de oude ruiten alsof hij ze kapot wil hebben. Ik probeer mijn geest te verdoven, om alle beelden van de oorlog die me voor de geest komen weg te drukken. Dan besef ik dat ik zit te huilen.

'We werkten met lijsten. Elke avond, vaak met de Gestapo samen, gingen we mensen opzoeken die nog verborgen zaten in kelders, op zolders van gebouwen in Parijs.'

Ja, schatje, het is je vader die hier spreekt!

'En... hoe lang ging dat door?'

'Een paar maanden, tot aan de zomer.'

De kolonel is weer rustig geworden, want hij concentreert zich om de chronologie van de feiten juist weer te geven.

'Tot, om precies te zijn... 13 augustus 1943.'

Hij sluit zijn ogen.

'Wat is er op die dag dan gebeurd?'

Papa slikt eens, hij ziet eruit als een dove die een teken zoekt, een schaduw van een geluid, een verstervende echo in de leegte van zijn kop.

'Onze divisie moest een volkswijk uitkammen, bij de Hallen, want het vermoeden bestond dat daar een Joodse familie verborgen zat in een groenteopslag.'

Lieve god, denk ik, en ik leg mijn handen plat op tafel. Dat doe ik met zoveel geweld dat het meubel gaat trillen als bij een explosie. Mijn vader reageert niet eens.

'We vertrokken bij het krieken van de dag. We hadden ze meteen gevonden, want ze hadden ons het juiste adres gegeven. De verklikkers waren berucht om hun doeltreffendheid. Daar zaten ze, verborgen in een schuurtje achter stapels kisten. Toen we de deur opendeden, bleven ze roerloos zitten, als hertenkalveren die worden verrast door koplampen. Een ranzige lucht greep ons naar de keel, en ik vroeg me af hoe lang ze hier al verborgen zaten. Weken? Maanden? Zeven van onze kameraden sleepten de familie naar de vrachtwagen, die in de rue du Louvre stond geparkeerd. Ik bleef achter met Guillaume, het divisiehoofd, om de schuilplaats te doorzoeken. Die mensen hadden geleefd op stromatrassen, zonder lakens, zonder dekens, zonder ooit schone kleren aan te trekken. Ze hadden zich gevoed met resten groenten, blikjes vlees, vaak rauw.

"Het is oké, we kunnen gaan," zei ik, verward door de atmosfeer. Ik dacht dat ik een flinke vent werd door dit "vak" uit te oefenen, maar sinds ik in Parijs zat was mijn enthousiasme voor de maarschalk aan het tanen. Ik was er nog oprecht van overtuigd dat de Joden vijanden van het volk waren, die de oorlog hadden veroorzaakt, maar al die slachtpartijen, al die onschuldigen die naar Drancy werden gestuurd, en vervolgens naar god weet waar…

We stonden op het punt naar buiten te gaan, toen Guillaume me bij de arm pakte en een vinger tegen zijn lippen hield.

"Wacht…" fluisterde hij. Daarop wees hij op een grote doos, die schuilging onder stapels vuil en die hij met een trap opende. Ze was nog geen vijftien. Ze keek naar ons, niet eens verbijsterd, met trieste zekerheid van wat haar te wachten stond. Toen Guillaume zijn ceintuur losmaakte reageerde ze niet eens. Langzaam trok ze haar versleten nachthemd op en toonde een volmaakt lijf, ondanks de viezigheid en haar magerte. Daarna ging ze plat op de grond liggen.

"Ze maakt me het werk wel gemakkelijk, die hoer!" grapte Guillaume, en hij trapte met zijn hak op haar kaak.

Weer reageerde ze niet. Een straaltje bloed liep uit haar mond, ze sloot haar ogen. Guilllaume nam zijn gemak ervan. Hij kon zich er niet van weerhouden tegen me te praten, commentaar op alles te geven, alsof ik iets van hem moest leren.

"Goed kijken, ventje! Dit vindt ze lekker."

En inderdaad, ik kon mijn ogen niet losmaken van dat zo zuivere meisje. En heel even brandde die blik door die haat van onmacht, die oerhaat van beesten voor een ontketende natuur. Verdriet, medelijden, woede, alles ging door me heen, als een orkaan.'

Papa is er kapot van. De keuken lijkt me veel te warm, alsof we allebei in die schuilplaats in de Hallen zaten.

Mijn vader vervolgt: 'Toen Guilllaume klaar was stond hij op en wees op het meisje, dat roerloos op de aangestampte lemen vloer lag.

"Toe maar, ventje, ze is van jou."

Ik moest mijn afkeer onderdrukken en ik schudde van nee. Guillaume haalde zijn schouders op en trok zijn revolver. Het meisje kreeg een opgeluchte uitdrukking: daar zat ze op te wachten.

En toen, ik weet niet of het uit lafheid was of uit heldendom, gaf ik Guillaume een vuistslag in zijn smoel en pakte hem zijn blaffer af.

"Ben je nou helemaal gek?" bromde hij, niet echt boos.

"We moesten er zes ophalen en we zullen er zes ophalen!" zei ik beslist, en ik trok het meisje overeind.

"Zo, wat een dienstklopper… Je kunt wel zien dat je de zoon van een militair bent!" liet Guillaume zich ontvallen, onder de indruk.

Maar ik liep al voor hem uit en ik ondersteunde het meisje.

Toen ze mij bij de vrachtwagen zagen komen, floten de kameraden bewonderend.

"Hé, moet je kijken, de kleine Chouday is voorzien!"

Het enige wat ik deed was het zeil optillen en het meisje, dat halfnaakt was, een duw geven naar haar familie toe. Toen sloeg ik de leren flap weer terug en ik zag nog even haar blik.

De haat was er des te erger door geworden. Ze had gerekend op de dood en die had ik haar ontnomen. Ze spuwde me in het gezicht.

Ik sprong achteruit en ik heb staan kotsen voor de voeten van mijn kameraden, die begonnen te schaterlachen onder de sterren.

"Nou, ventje! Dat krijg je ervan als je de held wilt uithangen!"

Diezelfde nacht nog ben ik gevlucht uit Parijs, om me te melden bij het verzet.'

Ik ben er kapot van. Ik word overeind gehouden door een soort plakkerige gewichtloosheid, waar ik me in handhaaf om niet te zinken. Waarom heeft hij me dit allemaal verteld? Wat heeft het te maken met mijn ontdekking in de archieven? Wat voor beerput heb ik opengetrokken? Want mijn vader heeft nu echt de vaart erin.

Met bleke ogen, gericht op het verleden, zit hij roerloos op zijn keukenkruk en vervolgt met gesmoorde stem: 'Ik was net zo'n goede verzetsstrijder als ik een "eerlijk" militielid was geweest. Tenslotte was het precies hetzelfde vak.'

Papa ziet mijn geschrokken gezicht maar vervolgt met een halve glimlach: 'Die omslag had niets kunstmatigs. Ik was zelfs wanhopig oprecht. Als we optrokken, de Rijn op de nazi's veroverden, die beetje bij beetje naar Duitsland terugtrokken, zag ik in mijn herinnering altijd die vrouw. Die ogen brandend van onmacht en wanhoop.'

Op de binnenplaats van een belendend huis, gevangen in de regen, jankt een kat hartverscheurend, maar huize Chouday staat buiten de tijd.

'Net als de Engelsen, de Amerikanen en het Russische leger, hebben wij deelgenomen aan de bevrijding van een paar kampen.'

'Van concentratiekampen?'

Mijn vader perst zijn lippen op elkaar. Zijn stem begint te trillen. Zijn adamsappel lijkt wel een duikertje in een slappe strot. Zijn wang trilt van emotie.

'Toen begreep ik – begrepen wij – waar al die families naartoe waren gestuurd die ik bij vol bewustzijn elke avond naar Drancy bracht.'

De kolonel slaat zijn vingers in elkaar alsof hij ze wil breken.

'We belandden in een van die verlaten gebieden van Polen. Dat land was verscheurd door de gevechten. Overal zag je karkassen van kanonnen, van pantserwagens, aan de rand van de weg. Maar echte kadavers lagen er ook voor ons, achter het prikkeldraad, aan de voet van de wachttorens. Soms leefden ze nog, half tussen gruwel en dood. Die botten, die bleke huid, die ogen...'

Papa zucht eens, ik houd me vast aan mijn stoel.

'Vooral die ogen... levensgrote ogen, zo diep als de hel... net zo lichtend als Gods stilte. Toen mijn compagnie in het kamp kwam, helemaal achter in het gebied, waren de Duitsers al twee weken weg. Maar de gevangenen zaten er nog. Ze waren te zwak, ze konden nergens heen. Het merendeel was wees, het waren de enige overlevenden van families die waren uitgeroeid bij aankomst in het kamp, de andere gevangenen waren hun enige familie, net zo verloren, net zo wanhopig, net zo zwak als zij.'

Mijn vader verstijft even met vage blik. Ik ben er ondersteboven van, ik weet niet wat ik denken moet. Eerst was hij collaborateur, toen verzetsstrijder. Hij keek de gruwel van zijn eigen overtuiging, van zijn eigen daden onder ogen. Maar is dat een excuus voor dat alles?

'We hebben het een en ander georganiseerd, voor de eerste hulp. Maar dat was verloren moeite. Het was net alsof ze te lang hadden moeten wachten; het merendeel van die mannen, die vrouwen en die kinderen die het hadden uitgehouden tot onze komst stierf in onze armen. En dan heb ik het nog niet eens over de epidemieën!

De massagraven lagen nog open, er kwam een slachthuislucht af, de zon en de dooi kookten het geheel langzaam gaar. Onze opdracht was die enorme gaten te bestrooien met ongebluste kalk en ze dan dicht te gooien. Soms moest je tussen die lijken, om ze... te verleggen.'

Ik probeer mij mijn vader voor te stellen, struikelend over een hoop lijken, in militair uniform. Hij die altijd zo stijfjes en zo schoon was. Maar was dat niet een vorm van boetedoening? Een manier om voor zijn daden te betalen?

'We zijn daar ruim een maand gebleven. Dagelijks organiseerden wij de repatriëring van degenen die genazen. Dat wil zeggen, die enkeling die langer dan een uur op zijn benen kon blijven staan. Maar het merendeel stierf in de ziekenboeg, uitgeput, niet in staat een woord te zeggen.'

Mijn vader staat op en loopt naar het raam.

'Mag ik even?' vraagt hij, terwijl hij een hand op de spanjolet legt.

Ik knik en de kolonel gooit het raam wijd open. Een windvlaag blaast de keuken binnen, laat het vliegenpapier dat aan het plafond hangt heen en weer zwaaien. De geur van vocht en zware nacht neemt bezit van het vertrek. De regen is bijna verdubbeld in kracht. Daarop kijk ik naar mijn vader, die ruim een halve eeuw met zijn geheim op zijn ziel heeft gelopen. Nog eentje die alles heeft bewaard en verdrongen, denk ik, net als Vidkun, Chauvier, Rahn, Linh. Is iedereen dan veroordeeld tot zijn eigen stukje mysterie? Waar we min of meer rustig voor kunnen uitkomen, het ene wat wreder dan het andere? In vergelijking hiermee voel ik me banaal.

Maar hij is nog niet klaar.

'Aan het einde van de week moesten we weg. Onze opdracht was naar Berlijn te gaan; daar was de oorlog zojuist afgelopen. Het was begin mei 1945. En toen was ze er weer.'

'Ze?'

Marcel Chouday legt zijn handen plat op tafel, maar kan zich er niet van weerhouden met de rand van de kom met ANAïs erop te gaan zitten spelen.

'Ik herkende haar niet meteen. Ze hoorde bij de laatste gedeporteerden die we nog moesten verzorgen. Toen ze verscheen in de deur van de ziekenboeg kreeg ik een vreemd gevoel van déjà vu. Niets bij deze oude vrouw deed me denken aan die jonge vrouw van de Hallen. Die Guillaume had verkracht.'

De kolonel klemt de kom tussen zijn handen, en breekt haar in tweeën.

'Maar ik herkende haar ogen. Ze keek nog net zo. Ze lagen diep in hun kassen, als kraters, maar ze waren nog even fel, even explosief als die eerste nacht.'

'En... herkende zij jou?'

'Onmiddellijk. Toen ze me zag begon ze te beven. Haar mond ging open, alsof ze geen adem meer kon halen. In de zaal bekeek de rest – de soldaten en de verpleegsters – ons.

"Wie is dat?" vroeg een dokter.

Op hetzelfde ogenblik zakte ze op de grond, buiten bewustzijn. Mijn kameraden bekeken mij wantrouwend.

"Het lijkt wel alsof ze je heeft herkend," merkte een van mijn kameraden op.

Ik keek naar het plafond, maar ik liet niemand bij haar in de buurt.

"Ik zorg voor haar!" schreeuwde ik, en ik tilde dat lijf op, zo licht als een takkenbos, om het op een bed te leggen. Ik heb de hele nacht bij haar zitten waken. De volgende ochtend deed ze eindelijk een oog open. Ik meende er een zekere zachtheid in te lezen. Ik wilde haar te eten geven toen ze begon te gebaren, ze wees op een kleine barak, aan de overkant van de zogenaamde straat.

"Wat is daarmee?" vroeg ik haar.

Maar ze bleef alleen maar wijzen. En toen ze me zag opstaan en naar de uitgang lopen, knikte ze, alsof ze me wilde aanmoedigen. Ik stak de weg over, om de deur van de barak te openen. Het was een opslagplaats, een soort rommelhok. Ik wilde weer weggaan toen ik een kreetje hoorde, een soort dierlijk gepiep. Het geluid kwam achter een kistje vandaan. Dit lijkt de Hallen wel, dacht ik. Ik schreeuwde: "Is hier iemand?" Het gepiep werd harder, en toen heb ik het kistje opgetild.'

Papa lijkt nu iets meer kleur te krijgen, alsof een licht van hoop zijn verhaal beschijnt.

'Ik heb nog nooit zo'n magere, uitgeteerde baby gezien. Ze lag op vieze lappen, midden tussen het vuil, en leek vreselijk verzwakt, ondanks de kracht van die grote zwarte ogen. Ik nam haar in mijn armen en ging ermee terug naar de ziekenboeg. Toen de anderen me zagen komen, met die zuigeling in de arm, proestten sommigen het uit: "O-o, een jonge vader!"

Maar het merendeel was verbijsterd dat een baby het kampleven had overleefd.

"Dat komt omdat ze hier geboren is," hoorde ik daarop een heel schorre stem, met een sterk Hongaars accent, achter ons zeggen. Dat was de eerste keer dat ze wat zei. Ze was op haar bed gaan zitten en stak de armen naar het kind uit. Toen de baby haar zag ging ze van begeerte piepen. Ik heb meteen het kind tegen de borst van haar moeder gelegd, en de anderen beduid weg te gaan, want ze waren er allemaal omheen komen staan om dat eenvoudige tafereel te bekijken.

"Wanneer is dat geboren?" vroeg ik.

"Negen maanden later. Hier."

Met een ontvelde hand, waarin je de omtrek van elke vingerkootje kon zien onder die doorschijnende huid, streelde ze het voorhoofd van haar kind. En toen ontblootte ze de rest van een borst, waaraan de baby gretig begon te zuigen.'

De kolonel zit nu aan zijn stoel gekluisterd. Het duurt een hele poos voordat hij verdergaat met zijn verhaal. Zijn stem is toonloos, bijna buitenmenselijk.

'De volgende nacht is ze gestorven, tegen twee uur in de ochtend. De baby was er heel slecht aan toe, maar de verplegers hebben er een erezaak van gemaakt haar te redden. Toen haar moeder stierf, gaf ze mij een hand, alsof ze me vergaf. Ze gaf me een teken naderbij te komen en mompelde bijna onhoorbaar in mijn oor: "Judith."

Ik ben er nooit achter gekomen of dat nu haar naam was of die van haar dochter. Waarschijnlijk allebei.'

'Een paar maanden later heb ik Judith officieel geadopteerd. Maar vanaf de dood van haar moeder behoorde ze tot mijn leven. Ik wilde dat zij het leven zou hebben dat haar moeder zozeer verdiend had.'

Papa zwijgt, volledig van slag.

Ik weet niet wat ik moet denken, en ik zeg met aarzelende stem: 'Maar... wie is nu mijn moeder?'

De harde kolonel smelt.

'Judith.'

Ongelovig en perplex verstrengel ik mijn vingers.

'Ik begrijp het niet. Is ze mijn moeder of mijn zus?'

'Allebei.'

'Ik begrijp het nog steeds niet.'

'Het was zo eenvoudig, zo voor de hand liggend,' zegt mijn vader zachtjes. 'Ik heb Judith opgevoed als mijn eigen dochter, ik heb haar afgeschermd van elke haat. Om haar zijn we hier gaan wonen, in Issoudun, in dit kalme en rustige garnizoensstadje.'

Hij zucht.

'Ze heeft nooit iets geweten van haar moeder of van haar ware oorsprong. Ze heeft altijd gemeend dat ik haar geadopteerd had in een weeshuis van gedeporteerde ouders, toen ik terug was uit Berlijn.'

Hij gaat weer staan en trekt het raam dicht, want nu ontstaan er door de wind plassen water op de tegelvloer van de keuken. Ik weet niet meer wat ik moet denken. Mijn vader is dus gewoon een held! Een kampioen zelfopoffering! En toch zit me iets vreselijk dwars.

'Maar ben jij nou mijn vader... of mijn grootvader?'

'Allebei,' zegt de oude man, met een triestheid die hem niet meer wil loslaten. 'Judith is mijn eerste leven geweest, jij was het tweede. Ik heb haar opgevoed als mijn dochter. Ik heb haar beschermd tegen de buitenwereld. Ik heb haar beschermd tegen de haat, tegen de ondeugd, tegen de vuiligheid.'

'Zoals je ook met mij hebt gedaan: geen school, geen vrienden, geen uitjes.'

'Maar de wereld is een hel, schatje! Een hel waarin Judith was geboren en die ik haar niet gunde.'

Langzaam, bijna met moeite, glimlacht hij.

'Judith hield van mij. Ik was haar redder, haar vader, haar meester. Ik had haar opgevoed, maar verder hadden wij vrijwel niets gemeen. Niets dat kon verhinderen dat we...'

Hij maakt zijn zin niet af.

'Ze is een paar uur na jouw geboorte overleden.'

De kolonel kijkt naar me zoals je naar een pasgeborene kijkt.

'Zij heeft je voornaam gekozen. Ik heb nooit geweten waarom.'

Mijn vader is doodop. Hij liep al tientallen jaren met dat geheim in zich. Nu is hij leeg, aan het eind van zijn krachten.

'En mijn graf?' zeg ik zachtjes.

'Mijn leven is niet anders geweest dan één grote opeenvolging van rouw. En ik dacht dat ik jou nooit terug zou zien.'

Ik bekijk hem ongelovig, zonder nog te weten of ik hem nu moet haten, uitkotsen of in mijn armen sluiten.

'Heb je honger?' vraagt de kolonel, op neutrale toon. 'Het is al tien uur geweest.'

Ik antwoord niet, maar ik voel me bezwijken onder een golf van uitputting. Slapen, denk ik, alsof dromen me kunnen beschermen. Dan sta ik op, ik loop achteruit naar de deur en stamel: 'Is mijn kamer nog steeds boven?'

De kolonel knikt, terwijl hij drie eieren in een koude pan legt. Ik verlaat de kamer. De trap, de oude krakende treden, de gang, het schilderij tegen de muur, de militaire gravures. De deur van mijn kamer in het gangetje aan de overloop. Het bed, de meubels, de boekenkast. Zelfs de lakens liggen er nog, met een teddybeer bij het kussen. Ik buig me voorover en ruik een sloop dat sterk naar lavendel geurt.

Dat moet hij elke week verschonen.

Ik laat mijn vertedering de vrije loop. Ik kan me nog zoveel geweld aandoen, maar nu ik mijn vader heb teruggezien, nu hij me alles heeft toegegeven, begrijp ik zijn houding van de afgelopen jaren en kan ik hem dat allemaal kwalijk nemen? Mijn ziel heeft hem al vergeven. Ik val in slaap zonder me zelfs uit te kleden.

'De telefoon is een paar keer overgegaan... vannacht,' zegt papa op zachte en rustige toon. Het lijkt wel alsof hij niet van zijn plaats is geweest. Ik tref hem in dezelfde positie als gisteravond: staande voor het fornuis, bezig roerei te maken.

'Heb je nog steeds geen honger?' vraagt hij zonder me aan te kijken.

Ondanks mijn gebrek aan eetlust heb ik echt goed geslapen, beter dan ik in jaren geslapen heb! Een diepe, ondoordringbare slaap. Slib, maar zacht, kalmerend slib. In feite voel ik me heel erg licht, alsof alles opgehelderd was. Mijn vader is geen moordenaar en ook geen held, maar gewoon een man, wanhopig menselijk, in staat tot het ergste en tot het beste. Een eenzame man, die allang alleen nog maar met doden omgaat. Dat is zijn leven, maar dat zal nooit het mijne zijn. Ik ben hem niets meer schuldig: we hebben de rekening vereffend. Nog een beetje daas in mijn verkreukelde kleren, kijk ik op de keukenklok hoe laat het is: even voor elven in de ochtend. Ik ga op dezelfde kruk als gisteravond zitten. Buiten is het weer opgeklaard. Een lage, achterbakse winterzon strooit haar bleke licht uit over de daken van de stad. De huizen glimmen van het vocht. Je kunt raden dat het ruikt naar natte grond. Maar hierbinnen dringt de lucht van heet bakvet mijn neus binnen. Mijn vader heeft zojuist een dampend bord voor me neergezet.

'Ik heb niet zo'n honger,' zeg ik zonder overtuiging, voordat ik zijn eieren met spek verslind. De kolonel gaat voor mij zitten, aan de andere kant van de tafel.

'Heb je goed geslapen?'

'Als een roos!'

'Goed zo,' zegt hij op trieste toon. 'Ik ben hier niet weg geweest. Ik heb opgeruimd.'

Dan besef ik dat de keuken sprankelend schoon is en naar chloor ruikt. Elk voorwerp staat op de millimeter nauwkeurig op zijn plek. Maar de kolonel is uitgeput, grauw, lijkt op een slagveld na een nederlaag.

'Je telefoon is overgegaan.'

'Dat heb je me al verteld.'

Hij wijst daarop op mijn handtas, die ik gisterenavond bij het naar bed gaan op tafel heb laten staan.

'Ik wilde hem uitzetten, maar ik weet niet hoe die dingetjes werken.'

Mijn echte leven duikt op. Ik pak mijn mobieltje en ik versomber: batterij leeg, oplader ligt thuis. Hoe dan ook, over een paar uur moet ik terug zijn. Ik eet mijn eieren op, mijn blik op oneindig. De conversatie van de vorige dag lijkt plotseling heel ver weg. Een verlegen zonnestraaltje valt door het keukenraam en op mijn tas.

De kolonel kucht eens, zegt dan met onzekere stem: 'Zeg eens, Nanis, vannacht, toen ik in je tas naar je telefoontje zocht, heb ik die documenten uit het legerarchief gevonden.'

Ik zeg niets.

'Wat zocht je precies? Deed je onderzoek naar mij?'

'Welnee. Het is voor mijn werk waarmee ik bezig ben.'

'Aha.'

Stilte.

'Daarom heb je dus een kopie van het dossier Gilles Chauvier.'

Verrast trek ik een wenkbrauw op.

'Hoezo, ken jij die?'

Papa maakt een ontwijkend gebaar.

'Vaag. Ik heb hem in Berlijn ontmoet na de oorlog.'

Ik schuif mijn bord aan de kant. Wie had dat kunnen bedenken! De kolonel hervindt iets van zijn elan. Hij fronst de wenkbrauwen.

'Hij was bewaker in Spandau en ik was als jong officier aangesteld in de mess van het militair hoofdkwartier. We zagen elkaar soms op militaire recepties. Hij was een onopvallend type. We wisten weinig van hem. Hij had een vet zuidwestelijk accent, en boerenmanieren. Maar hij had ook iets triests over zich.'

Net als jij, denk ik, als ik zijn grijze ogen zie.

'En meer weet je niet?'

Papa schudt van nee.

'Ik zeg je, ik heb hem misschien vijf of zes keer gezien, de zeldzame avonden dat ik een babysitter voor je moeder kon vinden.'

Ik brom wat, maar de kolonel haalt het blad uit de tas en ontvouwt het terwijl hij zijn bril opzet. 'Ik wist zelfs niet eens dat hij smeris geworden was. En bovendien wist ik ook niet dat ze hem opgehangen hadden aangetroffen. Dat is een rare dood.'

Met een vermoeide maar vertrouwelijke glimlach fluister ik: 'Ik leid zelf ook zo'n vreemd leven sinds een paar maanden.'

Mijn vader durft er niet op in te gaan. Hij durft niet eens iets over mijn leven te vragen. Hij pakt mijn lege bord en staat op om het in de vaatwasser te stoppen.

'Heb je gezien waar hij is doodgegaan?' vraagt hij mij. 'In de buurt van het huis van Ravel. Als kleine meid was jij gek op het Pianoconcert in G.'

Dat is een detail waar ik nooit aan had gedacht: de plek waar Chauvier was overleden. Ik pak de fotokopie en sper mijn ogen open.

'Maar natuurlijk! Ja!'

Ik sta op en vraag mijn vader: 'Staat de telefoon nog altijd in de woonkamer?'

Nog voordat hij de tijd krijgt me te antwoorden ben ik naar de kamer gegaan, te midden van mijn eigen artikelen, voor de enige foto van mijn moeder. De kolonel durft niet achter me aan te komen. Hij hoort me hooguit heel hard praten in zijn prehistorische combinatie.

'Vidkun? Met Anaïs! Volgens mij heb ik iets gevonden... Ja ja, een spoor wat betreft Chauvier, Marjolaine Papillon, de hele rest! Hét spoor misschien wel. Nee, meer kan ik je momenteel niet zeggen, we moeten elkaar zien. Ik ben in de provincie, maar ik kom meteen thuis. Mijn mobieltje is leeg, we spreken rechtstreeks af bij F.L.K., om drie uur vanmiddag.'

'Meisje toch,' mompelt de kolonel tussen zijn tanden, terwijl hij voorzichtig in de deur van de woonkamer komt staan. Papa ontdekt die andere Anaïs, die artikelen schrijft, alleen leeft, ver van hem. Ik praat steeds harder, alsof de telefoon op het punt staat de geest te geven.

'Nee, waarschuw vooral niemand! Alles hangt af van de reactie van F.L.K.'

Als een wervelwind hang ik op en ik stort me op mijn tas. Ik heb mijn jas al aan en doe de voordeur open. Op het laatste moment draai ik me om en druk een zoen op de wang van mijn vader.

'Dag, papa,' zeg ik, alsof ik naar school ga.

Binnen een paar uur zijn mijn wortels vergroeid met de geschiedenis. Ik word een personage uit een sprookje, dat uit de verbeeldingswereld is ontsnapt om echt te worden. Kortom, ik herleef. Of liever gezegd: ik leef, eindelijk. En wel voor de eerste keer! Die wervelstorm van tegenstrijdige en opwindende gedachten sleept me mee terwijl ik met twee treden tegelijk metrostation Mabillon beklim. Ik voel me klaar om weer in mijn onderzoek te duiken, zonder verdere scrupules. Ik wil dit project afmaken, alsof het het symbool was van mijn nieuwe leven. Mijn doop! Ik voel me sterk, hernieuwd. Klaar om het leven, mijn gevoelens aan te pakken. Clemens, liefste van me, wat mis ik je! Graag zou ik je alles vertellen, alles toegeven. Die behoefte om je bondgenoot te maken.

Mijn voeten stampen op het beton. Het regent niet meer, maar de grond is nog nat. Het is nog geen dag. Parijs ligt te vegeteren onder een grijze stolp, de mensen zien er net zo uit als de gevels, de winkels proberen te lachen, maar ik voel me klaar om de wereld te gaan verslinden. Ik scherp mijn wapens. Zonder het te weten heeft mijn vader de vinger gelegd op een detail dat beslissend zou kunnen zijn. Is dit niet vooral het bewijs dat bij dit avontuur – en wellicht van meet af aan – het F.L.K. zelf is die hier aan de touwtjes zit te trekken, terwijl Venner, die zich uitgeeft voor grijze eminentie, slechts een pop is?

Rue Visconti, denk ik vrolijk, terwijl ik bij dat steegje in Saint-Germain-des-Prés aankom. Een gestalte loopt te ijsberen voor het gebouw van de uitgever: Venner.

'Anaïs! Wat is er aan de hand?' roept hij als hij me ziet. Hij lijkt bezorgd. Zonder te antwoorden wijs ik op de ingang van het gebouw en druk de zware metalen deur open.

'Vertel het me nou.'

Ik weiger de lift te nemen, ik storm de trap op, tot aan de vierde verdieping, waar de directie zetelt. De secretaresse ziet ons met verraste blik aankomen.

'Meneer Kramer is in bespr...'

Zonder te kloppen storm ik het bureau van de uitgever binnen.

'Opstaan! Het speelkwartier is afgelopen!'

F.L.K. schiet verbijsterd overeind met ogen als schoteltjes.

'Wat moeten jullie hier?'

De secretaresse stormt zijn bureau binnen.

'Meneer de directeur, ik heb niets kunnen doen!'

Maar de uitgever vangt mijn blik op en heeft moeite zich dat verlegen, aarzelende journalistje te herinneren, dat hij mocht verwennen met een fantastisch contract, een paar maanden geleden.

'Het is goed, Jacqueline, laat ons maar,' zegt hij tegen zijn assistente. Terwijl de secretaresse de deur dichtdoet, schudt de uitgever zijn hoofd om wakker te worden en wijst ons de twee stoelen die voor hem staan.

'Mijn dagen zijn heel lang, weet je?'

Vidkun gaat zitten, maar ik blijf geconcentreerd staan. Dit is het moment van het duel. F.L.K. slikt.

'Wat is er toch, Anaïs? Als ik jou zo zie lijkt het wel of ik een misdaad heb gepleegd.'

Daarop zie ik een oplader voor mobieltjes op zijn bureau.

'Mag ik even?' zeg ik, en ik hang mijn eigen apparaatje eraan.

F.L.K. lacht gegeneerd en zegt: 'Doe alsof je thuis bent!'

Ik ontdooi niet en steek mijn hand in mijn tas.

'Hoe heet jouw landgoed in de Yvelines?'

De uitgever lijkt stomverbaasd en vraagt: 'Ik zie niet wat dat...'

'Les Grands Chênes, klopt dat?'

'Je bent goed ingelicht.'

'In Montfort-l'Amaury?'

'Jazeker, meneer de commissaris!'

'Verklaar me dit dan eens.'

Ik houd hem de fotokopie uit de militaire archieven voor. De uitgever krimpt ineen.

'Ik... ik... ik kan jullie alles uitleggen.'

'Wat heb je ons uit te leggen?' stuift Vidkun op.

Ik wend me tot de Viking. 'Hij kan ons uitleggen waarom Gilles Chauvier in januari 1988 verbrand en opgehangen is teruggevonden op het landgoed Les Grands Chênes te Montfort-l'Amaury.'

F.L.K. is gevloerd. Zijn blik is zeer gespannen, alsof hij een vijand ziet achter de meubels, de ramen, het dubbele plafond.

'Ik wist dat ik niet moest beginnen aan dat boek... en nu weet ik het zeker,' kreunt hij, terwijl hij het hoofd in de handen neemt.

'Waarom heb je voor ons verborgen gehouden dat dit onderzoek ons op het spoor van Marjolaine Papillon zou brengen, die toevallig jouw sterauteur is?'

De uitgever slaat met zijn vuist op zijn bureau.

'Omdat ik er niks van wist, verdomme! Het is puur toeval!'

'In dat geval, door welk puur toeval is Gilles Chauvier zich bij jou komen ophangen?'

F.L.K. rijdt zijn stoel naar het raam. Zijn toon versombert.

'In december 1987 werd ik gebeld door een politieagent uit Toulouse.'

'Chauvier?'

'Nee, zijn adjunct.'

Linh, denk ik, natuurlijk.

'Hij wilde contact opnemen met Marjolaine Papillon vanwege een zaak in katharenland, waarover hij me verder niks kon zeggen. In die tijd woonde Marjolaine in het zuidwesten, maar een deel van het jaar zat ze in Berlijn.'

'In Spandau?'

F.L.K. mompelt: 'Ja,' en vervolgt: 'Aanvankelijk wilde ik haar adres niet geven, want jullie weten beter dan wie dan ook dat mijn contract met Marjolaine een clausule bevat die mij verplicht tot absolute geheimhouding betreffende haar privéleven.'

'Maar toch heb je dat adres gegeven.'

'Ja, het was politie! En ik heb haar adres in Duitsland gegeven, dat viel niet in het kader van ons uitgeefcontract.'

'En je hebt Marjolaine gewaarschuwd?'

'Marjolaine heeft nooit telefoon gehad. Ik heb haar een telegram gestuurd, maar een paar weken lang heb ik niets gehoord.'

Hij draait zich om, nog bleker.

'En toen kwamen ze.'

'Wie?'

'Ik zat hier, in dit kantoor. Het was aan het eind van de dag.'

F.L.K. zegt op wat zachtere toon: 'Ik dacht dat ik in een Amerikaanse film verzeild was. Zo'n maffiaverhaal. Ze waren met zijn vieren, in een zwart pak, met zonnebrillen.'

Bij die beschrijving zet ik me schrap, maar Venner pakt mij bij de arm en fluistert: 'Laat hem uitpraten!'

'Ze kwamen alle vier naar het bureau. Geen een heeft zijn zonnebril afgezet. Een van hen, die een litteken in zijn nek had, deed een stap achteruit, en zei met een bijna mechanische stem dat hij werkte voor Marjolaine Papillon, en dat hij haar belangen verdedigde. Natuurlijk vroeg ik waar ze was, maar ze antwoordden dat ze boos op me was, en dat ik haar vertrouwen had geschonden.

Ik kon me verdedigen wat ik wilde, ze vertrokken zoals ze waren gekomen, zonder een woord te zeggen.'

F.L.K. slikt, staat op en schenkt zichzelf een groot glas gin in.

'Willen jullie ook wat?'

Vidkun en ik schudden van nee.

'En waarom heb jij ons dat verhaal nooit verteld?'

'Omdat het niet afgelopen is.'

F.L.K. smakt met zijn lippen en trekt ze strak, alsof ze gebarsten waren. Hij zoekt naar woorden, heeft moeite om de draad van zijn verhaal weer op te pakken.

'Ik was als verlamd. Verlamd en machteloos. Ik had vooral de indruk dat die vier kerels niet wilden weggaan, dat ze me bespioneerden. Ik durfde het er niet met mijn vrouw over te hebben en al helemaal niet met mijn medewerkers. Ik durfde zelfs geen contact op te nemen met Marjolaine, terwijl iedereen hier me vroeg of haar nieuwe roman er al was. Ik moest liegen, ik vertelde dat ze eraan werkte en dat ik zelf de tekst aan het redigeren was.'

Hij schenkt zichzelf nog een bel gin in. De alcohol maakt een geluid als een leeglopende gootsteen als hij hem doorslikt.

'En toen besloten we een weekend door te brengen in ons huis in Montfort-l'Amaury.'

Ik sper mijn ogen open.

'We vertrokken vrijdagavond, aan het eind van de middag.'

Weer een glas gin.

'En midden in de nacht werd ik wakker van stemgeluid.'

'Stemgeluid?'

'Het kwam uit de tuin. Mijn landgoed ligt midden in een eikenbos. Het was hartje winter, net als vandaag. Ik stond op, ik dacht dat ik licht zag tussen de bomen, niet ver van mijn ramen.'

'En toen?'

'Ik heb mijn vrouw niet wakker gemaakt, ik ben naar buiten gegaan. Het was koud, maar toch rook ik een brandlucht. Toen zag ik de gloeiende kolen.'

F.L.K. blikt in een denkbeeldige verte.

'Het lijk was niet losgekomen van de tak, zelfs niet van het touw. Ze hebben het bij de voeten moeten aansteken, om vervolgens het vuur te doven voordat het te hoog zou oplaaien. Zelfs het gezicht was nog herkenbaar, maar vreselijk misvormd door de pijn en door de dampen van het eigen lijf dat hing te branden.'

'Chauvier.'

F.L.K. knippert met zijn ogen.

'Maar... maar waarom bij jou?'

De uitgever beduidt dat hij nog niet klaar is.

'Ik zag zelfs een blauw licht.'

'Blauw?'

'Drie politiewagens stopten en ik herkende meteen de agenten van Montfort-l'Amaury. Maar ik vond ze vreemd, net gemuilkorfde honden. Ze schonken geen aandacht aan mij, ze liepen op het lijk af en met vuurvaste handschoenen hadden ze het losgemaakt nog voordat ze het in een brandvrije deken hadden gewikkeld.'

'En hebben ze je niks verteld?'

'Ze hebben me geen vraag gesteld, geen opmerking gemaakt. Maar toen ze het lijk in een ambulance wilden stoppen, traden er vier gestalten uit de schaduw.'

Vidkun spert zijn ogen woest open. Ik begin hier duidelijkheid te zien.

'De man met het litteken liep naar de kolonel van de gendarmerie, gaf hem een hand en bedankte hem hartelijk. En vervolgens, als een soort automaten, vertrokken de gendarmen, zonder de zwaailichten aan te doen.'

'En dat was het?'

'Ik was net zo verrast als jullie! Die man met het litteken kwam op me af en vroeg me of ik begrepen had waartoe ze in staat waren. En zelfs zonder antwoord af te wachten, zijn ze weer vertrokken.'

'En het lijk?'

'De volgende week kreeg ik bericht van de prefectuur, waarin werd aangekondigd dat ene Gilles Chauvier bij mij de tuin was binnengedrongen om zelfmoord te plegen. Het papier was getekend door verscheidene personen, onder wie...'

'... Claude Jos,' zeg ik als vanzelfsprekend.

F.L.K. heft zijn glas op, als om me te feliciteren met mijn scherpzinnigheid. Ik kan er nog steeds niet bij: F.L.K. zat er middenin, van meet af aan, en die oetlul...

'En die vier kerels zijn verdwenen?''

'Dat zou te gemakkelijk zijn geweest! Een paar dagen na die zogenaamde zelfmoord kreeg ik per post de nieuwste roman van Marjolaine, *Onweer boven Mauthausen*. Aan de laatste pagina's zat een professioneel visitekaartje met een paar woorden: "Zij" zouden voortaan als tussenpersoon optreden tussen Marjolaine en mij.'

'Maar wie waren zij dan?'

'Ik had nog nooit van die maatschappij gehoord. Ze hebben een kantoor ergens in Zuid-Amerika.'

Venner schrikt op.

'Hoe heet die maatschappij?' fluistert hij bleek.

'Scoledo en zonen, in San Carlos de Humahuaca, Argentinië.'

Grote druppels zweet verschijnen op het voorhoofd van de Viking, die ze afveegt. Daarna kijkt hij me woest aan, alsof hij mij wil bezweren er niet tussen te komen en F.L.K. alles te laten zeggen wat hij op zijn hart heeft.

'Sindsdien,' vervolgt de uitgever, 'loopt alles via hen. Ik krijg begin van elk jaar de roman van Marjolaine, per aangetekende post, en die is in Argentinië op de post gedaan.'

'Hoe lang is dat al zo?'

'Binnenkort achttien jaar. De auteursrechten worden overgemaakt aan Scoledo en zonen, via een Paraguayaanse bank.'

Dit begint me tegen de borst te stuiten, en ik zeg: 'En wie verzekert jou dat ze niet in handen is van die kerels, die leven van het geld, en haar dwingen eens per jaar een boek te schrijven?'

F.L.K. doet weer bedremmeld, een beetje laf.

'Toen ik begreep waar jullie met jullie onderzoek op uit zouden komen, heb ik meteen Scoledo en zonen gewaarschuwd om mij buiten schot te houden.'

Ik brul: 'Je hebt ons dus verklikt?'

'Helemaal niet, maar ik moest aan mijn zaak denken. Marjolaine is voor mij de kip met de gouden eieren, en jullie onderzoek kan mij duur komen te staan!'

'Wat hebben ze je geantwoord?'

'Dat alles goed ging. Dat er geen enkel probleem was. Dat alles ging zoals zij wensten.'

Vidkun springt op en herhaalt: '"Zoals zij wensten"?'

'Denk je dat die Argentijnen een soort geheim genootschap vormen?' vraag ik Venner, die steeds verder versombert.

De uitgever kijkt naar het plafond.

'Maken jullie soms ook al deel uit van dat stelletje idioten dat gelooft dat 11 september een samenzwering is van de Amerikaanse regering? Die Argentijnen zijn niet meer dan advocaten en notarissen, die de hand hebben weten te leggen op het fonds Papillon en die dat vet exploiteren. Want ik kan jullie wel zeggen dat de percentages met driehonderd procent zijn gestegen!'

Eén ding zit me dwars.

'Dus Marjolaine Papillon woont in Argentinië?'

'Dat weet ik niet.'

'Maar waar houdt zij dan haar interview met die oude Bertier, elk jaar?'

Vidkun kijkt vermoeid.

'Die interviews zijn al jaren geleden opgenomen, is het niet?' vraagt hij F.L.K.

De uitgever knippert met zijn ogen, alsof hij niets hoeft toe te voegen. Venner vervolgt: 'Net zoals haar romans, die allang geschreven zijn. Marjolaine Papillon stelt zich tevreden met ze druppelsgewijs los te laten, jaar na jaar.'

'Dat was mijn idee,' geeft F.L.K. toe. 'Marjolaine heeft een hekel aan die interviews. Ik wist dat haar laden vol lagen en ik heb Bertier zover gekregen die serie op te nemen, in het diepste geheim, begin jaren tachtig. Er zijn er nog acht.'

Vidkun slaat zijn armen over elkaar.

'En die vier gozers zijn ook Bertier komen intimideren, zodat hij zijn bek zou houden?'

F.L.K. knikt en kreunt: 'Hij heeft tenminste geen lijk in zijn tuin gehad.'

Het is bijna nacht. Door het raam zie ik dat alle werknemers naar huis zijn.

Denk na, trut, denk na, zeg ik tegen mezelf, terwijl ik probeer mijn hoofd koel te houden. Maar plotseling, zonder enige waarschuwing, overvalt de vermoeidheid me, ik wankel weer, ik heb geen enkel idee van de dag van het jaar of van de eeuw waarin ik me bevind. Om te weten hoe laat het is zoek ik automatisch naar mijn mobieltje en besef dan dat het nog steeds aan de voet van het bureau in een oplader steekt. Het groene lichtje geeft aan dat het is opgeladen.

Clemens: snel bellen! Maar ik stuit weer op zijn voicemail.

'Verdomme!'

Vidkun en F.L.K. zitten roerloos tegenover me.

Ouwe lullen! Ik ben omgeven met ouwe lullen! Ik bel mijn eigen antwoordapparaat om de boodschappen van Clemens af te luisteren. Zijn eerste telefoontje is hysterisch: 'Anaïs, schat, volgens mij heb ik het gevonden! Het is te gek! Bel me snel terug. Het spijt me dat ik je niet eerder heb gebeld, maar ik was verzonken in mijn boeken.'

De tweede boodschap maakt me ongerust.

'Anaïs, verdomme, wat ben je aan het doen! Bel me zo snel mogelijk terug... Het wordt ingewikkeld!'

Die toon is van paniek. Ik voel me benauwd worden. De derde boodschap, midden in de vorige nacht achtergelaten, terwijl ik lag te slapen in mijn kinderkamer, is gruwelijk! Bijna onhoorbaar fluistert Clemens, alsof hij ergens verborgen zat: 'Anaïs, ze zijn er, ze gaan me...'

Dan hoor ik kreten. Kreten in het Duits. En hij hangt op. Ik bel hem meteen terug: nog steeds zijn voicemail.

Ik pak Venner bij de arm.

'We gaan,' zeg ik, terwijl ik met de grootste zorg Clemens' sleutels pak.

'O, nee! Clemens? Clemens?!'

Het appartement van Clemens ligt ondersteboven. De meubels zijn opengesneden, de bank is kapot, het bed is omgekieperd, lampen liggen kapot op de vloer. Alles duidt op een vechtpartij.

Ik doe mijn best om niet helemaal in paniek te raken en stamel: 'Cle... Clemens?'

'Hier is niemand,' zegt Venner vermoeid. Hij leunt tegen de muur om op adem te komen. 'Ze hebben hem meegenomen.'

'Maar wie?' zeg ik, terwijl ik woedend een trap geef tegen een kapotte Habitat-lamp. 'Toch niet de Svens?'

Ik voel me wankelen tussen al die rommel. Tranen komen boven. Het wordt me allemaal te veel: nerveuze uitputting, ontmoediging, slaapgebrek.

'Zijn de Svens dan uit de doden opgestaan? Om Clemens te kidnappen en hem met geweld mee te nemen naar de hel van Halgadøm, denk je dat?'

Elk cynisme is overbodig, want ik ben nog verslagener dan Venner. Clemens was voor mij een intieme verzetshaard, een geheim wapen dat ze me hebben afgepakt, zoals je een orgaan amputeert. Een vitaal orgaan, terwijl ik meteen naar bloedsporen zoek.

'Hier vinden we niks,' constateert Venner op neutrale toon. Ik neem de Viking op, zonder te weten of hij nou grapjes maakt of het echt opgeeft.

'Je denkt toch zeker niet dat we het hierbij laten?'

'Zoals je wilt, maar ik moet je ook wat laten zien.'

Ik luister niet naar hem. Ik wil niet naar hem luisteren! Ik bekijk de vloer, de muren, de rommel, die hele treurige chaos. Mijn liefste! Mijn liefste! Waar zit je?

'Er moet een aanwijzing, een spoor zijn!'

Dan stuit ik op een stapel boeken, bij Clemens' bed.

'Kijk, dat zijn de romans van Marjolaine Papillon.'

'Je had hem toch gevraagd ze te lezen?'

Er liggen er vijf, in wankel evenwicht op zijn nachtkastje. Ik hurk neer om ze door te bladeren en stel vast dat ze uit heel uiteenlopende periodes dateren: 1957, 1984, 1976, 1969. Ik besef dan dat de boeken die in de kamer liggen ook van Papillon zijn. Allemaal. Het is gewoon een gigantische literaire begraafplaats!

'Maar waarom heeft hij die vijf apart gelegd?'

'Het lijkt wel alsof er bladzijden uit gescheurd zijn!'

Het boek lijkt een half dozijn bladeren dunner geworden. Venner fronst zijn wenkbrauwen en ik zie een lichtje in zijn ogen terwijl hij op goed geluk een ander opraapt.

'Dat geldt ook voor deze,' vervolgt hij, terwijl hij zijn wijsvinger bevochtigt om de bladzijden te tellen van *De verloofde van het Rijk*, alsof het stapels bankbiljetten waren. Pagina 67 tot 88 ontbreken. Elk van die delen is verminkt.

Alles wordt vaag.

'Wie heeft dat gedaan? Clemens of zijn ontvoerders?'

Bij dat woord krijg ik een elektrische schok: Clemens is verdwenen en ik zit een beetje een literair spoor te zoeken! Ik zie maar één oplossing en zeg: 'Ik bel de politie!'

'Waar is dat goed voor? Je weet wat er gebeurt zodra de politie met deze zaak te maken krijgt: dan wordt ze in de doofpot gestopt. Dan word jij uiteindelijk opgehangen en verbrand.'

'Maar we kunnen toch niet niks doen, verdomme nog aan toe! En bovendien is dat verleden tijd! Claude Jos is dood!'

Venner glimlacht onheilspellend, met een mengeling van angst en ironie.

'Ik geloof dat ik zelfs daaraan begin te twijfelen.'

Uiteindelijk waarschuwen we de politie niet. Althans nog niet...

We gaan naar Venners bibliotheek. De chloorlucht, de hakenkruisen, de Hitlerportretten, alles laat me nu siberisch. We hebben geen minuut meer te verliezen!

'Denk jij dat Claude Jos Clemens ontvoerd heeft?'

'En waarom niet?'

'Denk je dus dat hij nog in leven kan zijn?'

'Heb jij zijn lijk gezien? Zijn overlijdensakte?'

'Maar Jos is geboren in 1904. Dan zou hij nu 101 moeten zijn!'

'Nou en? Sommige overlevenden van Verdun zijn 106, 107, 108.'

'Hij zou Aurore nooit in de steek hebben gelaten.'

'Voor hem is Aurore slechts een detail. Hij is best in staat zich voor dood te laten doorgaan. Niets duidt erop dat hij zijn kamp niet heeft opgebroken om zich ook ergens in Scandinavië te gaan verbergen, net als de Svens.'

'Zou hij ook op Halgadøm zitten?'

'Als dat eiland bestaat, waarom niet?'

Ik voel me bijna verkracht, alsof ze door Clemens te pakken mij hebben beroofd van wat voor mij het allerbelangrijkste is, het intiemste, meest oprechte. Clemens is mijn innerlijke wereld geworden, mijn veste. En hij moest eerst verdwijnen voordat ik dat besef! Want ik mis hem, en niet zo'n beetje ook, een peilloos, bijna lichamelijk gemis, dat me de onthullingen van mijn vader doet vergeten. Papa is het verleden, bijna een vreemdeling, terwijl Clemens mij is, mijn leven, een deel van mezelf, misschien wel mijn toekomst. Categorisch schuif ik het idee aan de kant dat ook hem iets ernstigs kan zijn overkomen.

Dit is een ontvoering... Geen moord.

Maar alleen dat woord al doet mijn bloed stollen. Wie verzekert me dat na Clemens wij niet de volgende zijn die op de lijst staan?

'Maar Linh dan?' vraag ik.

Venner maakt een ontwijkend gebaar.

'Die is ook gemanipuleerd.'

'Welnee. Die heeft uit eigen initiatief gehandeld, die was tot alles bereid om zijn vriend Chauvier te wreken! Heb je gezien wat hij gedaan heeft met Aurore Jos?'

'Ja, maar dat is haar verhaal. Vind je het niet vreemd, zo gemakkelijk als hij dat manuscript van Halgadøm heeft ontdekt? En het gemak waarmee hij jou heeft teruggevonden, uitgerekend jou, om jou diezelfde tekst in handen te duwen?'

'Ja, als je zo doorgaat is iedereen verdacht.'

Een berustende pruillip van de Viking.

'Er is hiërarchie in de manipulatie, net als in een geheim genootschap. Iedereen manipuleert op zijn niveau, en denkt aan de touwtjes te trekken, terwijl daarboven...'

'Maar,' zeg ik dan met een brok in de keel, 'jij en ik dan?'

Nu slaat Vidkun een spottende toon aan: 'Ja, dat is de grote vraag. Wij kunnen net zo goed bij dit onderzoek de handelende partij zijn als het slachtoffer.'

Ik word er duizelig van. De afgrond wordt angstaanjagend. Ik voel hoe Clemens me ontglipt, hoe hij verdwijnt in dit eindeloze labyrint. Met verslagen blik bevochtigt Venner zijn lippen met zijn thee en zuigt de lauwe vloeistof luidruchtig naar binnen.

'Vergeet niet, Anaïs, dat dit alles een spel is van tekens, als een soort rebus. Onze reis naar Duitsland en die veelheid van toevalligheden hebben ons bewezen dat mijn eigen identiteit met deze affaire samenhangt. Nog afgezien van die zogenaamde roman van Leni Rahn. Als daar de waarheid in staat – wat ik betwijfel – dan hebben mijn adoptiefouders, de Schwölls, een rol van de eerste orde gespeeld in het avontuur van Halgadøm.'

'Maar jij stond niet in de roman.'

'En dat kind dan dat de Schwölls moesten adopteren? Dat kan alleen ik zijn geweest.'

'Zolang wij die laatste hoofdstukken van de roman niet hebben komen we er niet achter.'

'Als die hoofdstukken bestaan,' antwoordt Venner terwijl hij opstaat. 'Want niets bewijst ons dat Leni haar roman ooit heeft afgemaakt.'

Zijn vingers, vet van het gebak dat hij zat te eten, veegt hij af aan een wit servet. Hij trekt een dossier uit zijn bureau.

'Maar die laatste hoofdstukken,' vervolgt hij terwijl hij er op goed geluk een blad uit haalt, 'zijn wij die niet bezig te schrijven?'

Daarop houdt hij mij een vel voor, en ik roep uit: 'Maar... hoe ben je daaraan gekomen?'

'Ik heb er honderden van. Eens per maand, vanaf 1977.'

Ongelovig lees en herlees ik de kop op dat stuk papier: 'SCOLEDO EN ZONEN, SAN CARLOS DE HUMAHUACA.'

'Dat is de naam van het Argentijnse bedrijf dat mijn fortuin beheert sinds de dood van mijn moeder.'

'En San Carlos de Humahuaca is dat bergdorp waarin ik mijn jeugd heb doorgebracht, opgevoed door de Schwölls.'

Geheel verdoofd door de logica van alles, blader ik een voor een de brieven van Scoledo en zonen door.

'Maar waarom heb je dat daarnet bij die uitgever dan niet gezegd?'

'Omdat ik het eind van het verhaal van F.L.K. wilde afwachten. Om mezelf ervan te overtuigen dat hij het echt wist. Ik heb verder nooit enig contact gehad met Scoledo en zonen. Zoals je weet, ben ik zelfs nooit teruggeweest in Latijns-Amerika. En ik heb me – met opzet – nooit beziggehouden met de precieze oorsprong van dat fortuin, waar ik binnenkort al dertig jaar van leef.'

Hij strekt zijn hoofd naar achteren.

'En toch is dat de missing link in deze hele affaire.'

Ik sta versteld en wind me op: 'Dat betekent dat van meet af aan alles onze kant op wees? Dat wij nooit de schrijvers van dat boek zijn geweest, maar het onderwerp? Dat het Marjolaine zou moeten zijn geweest die ons voorschot heeft betaald, dat zij het is die Clemens heeft, en niet Jos op Halgadøm?'

'Ik weet er net zoveel van als jij, Anaïs. En ik smeek je het te geloven.'

'Maar waarom jij?'

'Het heeft allemaal te maken met het geheim van mijn geboorte. Ze proberen me iets duidelijk te maken. Ik heb het je van meet af aan gezegd: die handen, dat is een code, een rebus, een initiatiereis.'

Ik vind zijn oppervlakkigheid kwetsend.

'Een reis die al die doden zou rechtvaardigen? Al die ontvoeringen, al jarenlang? Tot aan Clemens toe? Dat alles om uit te komen bij...'

'Bij mij.'

Vidkun neemt zijn hoofd in zijn handen, alsof hij zijn hersens af wil koelen.

'Van meet af aan probeer ik die hypothese aan de kant te schuiven, maar ze lijkt me nu echt onontkoombaar. Jij weet niet waartoe die lui in staat zijn. Ze hebben F.L.K. om hun vinger gewonden, chanteren hem. Ze hebben hem op het spoor van die vier zelfmoorden gezet. Ze hebben mij die ontvelde handen gestuurd. Ze hebben gegokt op ons beider speurzin om ons te betrekken bij dat spoorzoeken, waarbij zij aan de touwtjes hebben getrokken, al maanden lang.'

'Maar wie dan?'

Venner wordt steeds ongeduldiger.

'Claude Jos, Otto Rahn, weet ik veel?'

Venner straalt innerlijke wanhoop uit, die van Atlas die op een ochtend ontdekt dat hij de wereld op zijn nek heeft.

Ik houd aan: 'Maar waarom jij?'

'Dat zeg ik je toch, dat begrijp ik absoluut niet.'

Hij slaat met zijn vuist tegen de muur.

'En ik wil het ook niet weten!'

Ik ben verbijsterd door zijn gewelddadige aanval, maar inzicht is belangrijker dan angst.

'Natuurlijk wil jij dat wél weten. Dat is zelfs het doel van jouw hele leven. Een onbewust doel waarop alles heeft aangestuurd.'

Ik wijs op het extravagante interieur om ons heen.

'Die schilderijen, die vlaggen, die boeken, de obsessie met het nazisme, het Derde Rijk, de veteranen: alles heeft er langzaam maar zeker toe geleid.'

Venner moet een paniekerige beweging onderdrukken. Hij voelt zich opgejaagd, kijkt links en rechts, alsof hij dit vertrek, de inrichting, de waanzin ervan opeens ontdekt.

'Nee! Dat heb ik allemaal alleen opgebouwd! Die obsessie is door niemand geleid. Integendeel, ik ben thuis weggelopen, ik heb mijn verleden ontkend. Mijn hartstocht voor het nazisme is de obsessie van een geschiedschrijver, niet die van een erfgenaam.'

Geconfronteerd met Venners verwarring wordt mijn vreemde kalmte slechts versterkt.

'Jij kunt je verleden niet ontlopen,' zeg ik, terwijl ik denk aan mijn eigen dag, die begon in de keuken van mijn vader. 'En al helemaal niet je ouders.'

'Maar hoe kom ik dat te weten?' stamelt Vidkun. 'Hoe kom ik dat te weten?'

Zijn gebaren zijn schokkerig. Hij zit om zich heen te loeren naar een aanwijzing, een teken van hoop, iets. En dan versteent zijn hoge gestalte voor een boekenkast. Dwangmatig zoekt hij in zijn zak, om er een stuk papier uit te halen.

'Ik weet het!'

Terwijl hij op een plank af stormt, kom ik overeind.

'Wat weet je?'

Maar Venner antwoordt niet. Hij pakt een paar boeken van de mahoniehouten planken en vergelijkt ze met de aantekeningen die hij uit zijn fluwelen broek heeft opgediept. Daarop slaakt Vidkun tevreden piepjes, waarbij hij telkens een aantal bladzijden lostrekt. Geschrokken van dit plotselinge fanatisme kom ik naderbij, en Venner pakt me bij de arm.

'Kijk dan!'

Ik herken de romans van Marjolaine Papillon, in een mooie gebonden uitgave. Maar ik begrijp het nog steeds niet. De Viking toont me de uitgescheurde pagina's.

'Dit zijn de pagina's die ontbraken uit de delen van Clemens.'

Ik pak er een, dan een tweede, dan een derde, en ik kan een luide kreet niet onderdrukken.

'Je hebt gelijk: hier staat het in!'

413

Voor mijn ogen worden de soms verdraaide namen van Otto, van Leni, van Schwöll, vermengd met intriges die schijnbaar geen enkel verband met elkaar hebben. Venner wordt fanatiek.

'Marjolaine heeft het eind van haar roman verborgen in haar hele oeuvre! En dat doet ze al sinds' – hij bladert door het oudste deel – '1952!'

'Haar eerste uitgegeven roman dus!'

En plotseling komt alles in een stroomversnelling. We proberen rustig te blijven, de pagina's te rangschikken, de draad van de ideeën op te pakken die ons als pijlen belagen.

Als we teruglopen naar het bureau om daar dat twintigtal uitgescheurde pagina's neer te leggen, trilt mijn mobieltje.

Dat is vast een sms. Ik zoek koortsachtig het mobieltje onder in mijn tas. Ik fluister: 'Lieve god, laat het Clemens zijn!'

Maar Venner reageert niet eens. Hij telt het aantal bladzijden.

Hij schrikt op van mijn geschreeuw: 'Het is Clemens!'

Vidkun kijkt me met brandende ogen aan.

'Waar zit hij?'

Ik sta paf.

'Onder het bureau.'

'Wat zeg je?'

'Dat is de tekst van zijn sms, "onder het bureau", meer niet.'

Ongelovig kijken we elkaar aan. En dan, langzaam, alsof we bang zijn om het onbenoembare te ontdekken, kijken we naar de vloer. Voor ons staat het mahoniehouten meubel. Het oude bureau van Herman Goering.

Toch zien we niets. Dan: 'Wat is dat?'

Ik buk en ontdek onder het bureau een rechthoekig koffertje. We kijken elkaar aan, alsof we van de explosievendienst zijn. Heel voorzichtig pakt Vidkun het ding. Het is een schoenendoos, een heel simpele, van beige karton. Er staat niets op.

'Hoe is dat hier beland?' vraagt Venner bleek, terwijl hij de doos op het bureau zet. Binnenin verschuift iets. Heel even versteent alles... maar als Vidkun de doos opendoet, verscheurt mijn eigen kreet mijn trommelvliezen.

'Het is het mobieltje van Clemens,' zeg ik na een lange stilte. In mijn hoofd hoor ik een duivelse muziek, alsof elk atoom van mijn bloed beladen is met buskruit. Vijf vingers zitten om het mobieltje geklemd, als de poten van een dode spin. Maar in tegenstelling tot die van de Svens is deze hand niet gemummificeerd en ook niet gedroogd. Resten bloed zitten hier en daar aan de doos, opgezogen door het karton.

Afgesneden, denk ik. Door het contact met de lucht is het bot grijs geworden en het vlees verfletst. Vidkun en ik staan als aan de grond genageld. Alle twee staren we naar die doos, zonder dat we hardop durven te vragen: 'Van wie is die hand?'

Is dat de hand van Clemens? Maar die ken ik, de handen van Clemens. Die heb ik vastgehad. Die hebben mijn lijf betast. Die zijn geweest waar niemand is geweest.

'Gaat het?' fluistert Vidkun verlegen.

Ik raap al mijn moed bij elkaar en buig me over de doos. Venner kijkt naar me zonder iets te zeggen. Ik houd mijn adem in.

'Wat een gruwel!'

Ik zit met mijn neus op een paar centimeter van de rand. Ik besnuffel haar. Er komt geen geur van dat ding. Geen enkele rottingslucht, geen verpestende stank.

'Die moet kortgeleden afgesneden zijn,' zeg ik op ongelooflijk kille toon, met de gestrengheid van een patholoog-anatoom.

Welja, trutje, jij bent arts, jij doet autopsie. Natuurlijk, joh!

Die haren op de vingerkootjes. Die hele nagels, terwijl Clemens ze altijd zat af te kluiven.

'Hij is niet van Clemens,' zeg ik op dezelfde categorische toon, terwijl ik mijn hoofd naar links en rechts draai.

'Maar dat mobieltje dan?'

'Dat weet ik niet.'

Dan klinkt er een lichte vibratie in de doos.

'Ik... ik geloof dat het nog een boodschap is,' zeg ik terwijl ik naar de hand en het telefoontje kijk, dat overgaat. Ik schrik op. Wat is dit smerig! Dit is zo smerig! Dit ben ik niet aan het doen! En toch, een voor een, maak ik elke vinger los, om die telefoon te pakken. Maar ze zitten aan het apparaatje geplakt, vast door de dood van het weefsel. Dat heet toch rigor mortis, of niet?

'Wat wil je dat ik doe?'

Ik antwoord niet. Ik klem mijn kaken op elkaar, alsof ik de combinatie van een kluis probeer te vinden. Terwijl ik inadem als een zwangere vrouw, lukt het me uiteindelijk de telefoon uit die 'klauw' te krijgen. Het voorwerp blijft trillen.

'Het is een sms.'

'Alweer?'

Ik druk op de knop en stamel: 'Een... sms van... Linh.'

'Die uit Toulouse? Maar waarom?'

Ik lees de sms en Vidkun ziet me verbleken.

'Wat staat er?' dringt Venner aan, terwijl hij me bang aankijkt.

'Eén enkel woord: "zwembad".'

Vidkun kijkt naar de vloer en ik zie hem beven.

'Achteruit, Anaïs.'

Vidkun heeft net het mechaniek in werking gezet. De vloer splijt langzaam en schuivende panelen verdwijnen onder de boekenkasten. Ik verwacht het ergste: het zien van een lijk verbaast me dan ook niet.

Dit is logisch, dit is allemaal volstrekt logisch, bedenk ik, alsof een déjà vu, een soort sleetse vermoeidheid mijn bewustzijn begint te bezwaren, mijn spieren begint te omklemmen. Linh drijft als een dode karper met zijn gezicht naar de bodem.

'Hij is volslagen bloedeloos,' zegt de Viking half hardop. De weerspiegeling van het water, door spotjes onder water op de planken en schilderijen met hakenkruizen geworpen, verlenen de ruimte een oranje weerschijn. Ik kijk naar de pols van de Aziaat... eraf gehakt.

Nee, denk ik met schuldige opluchting, het was dus niet de hand van Clemens.

'Help me eens.'

Venner heeft een soort telescopische grijper uit de kast gepakt, die hij uitvouwt als een hengel.

'Ja?'

Ik pak de metalen stang halverwege en probeer de haak bij het lijk te krijgen. Maar we zijn zo onhandig dat de haak over de huid glijdt en de kleren kapotscheurt zonder ze te pakken! Het lukt ons niet het lijk naar de rand van het zwembad te krijgen! Na vijf minuten geïmproviseerde gymnastiek beginnen Vidkun en ik nerveus en bijna hysterisch te lachen. Het groteske van de situatie valt ons met agressief geweld op het dak, en de enige uitweg is een bevrijdende en bijna verstikkende lachbui. Venner leunt tegen het bureau, alsof hij last heeft van zijn longen. Wat mij betreft, ik geloof niet dat ik ooit zo heb gelachen. Ik raak er kortademig van, ik moet knielen om mijn buik vast te houden. Mijn ribben doen zeer, mijn darmen trekken samen. Mijn hoofd is een vormeloze brij, waarin alles vervaagt in een soort dierlijke mist, neutraal en plat. En dan, onmerkbaar, gebeurt er wat gebeuren moet. Mijn lach verandert, mijn ogen lopen vol tranen, mijn hele lijf begint te trillen, alsof ik uit een koelcel kom.

'Wacht even, sla deze om,' zegt Venner, die op me af is gekomen om een deken te pakken en die over mijn schouders te gooien. Maar ik blijf aan de rand van het water zitten, als een beeld, mijn blik aan het lijk gekleefd, niet in staat te spreken.

Nee toch, hè, denk ik, ik verroer geen vin meer, nooit meer. Ik wil net zo stil en net zo dood zijn als dat lijk!

Heel even bekijkt Vidkun mij; dan pakt hij de haak weer en met een snelle ruk lukt het hem het lijk te draaien. Ik reageer nog altijd niet. En toch is wat ik zie smerig: die gezwollen kop, die uitpuilende, bloeddoorlopen ogen en die wijdopen mond. Met enige walging lukt het Venner de haak onder de kin van de Aziaat te krijgen. Langzaam trekt hij hem naar de rand van het zwembad en sleept hem op de tegels. Het lijk maakt een geluid van een oude spons en stroomt leeg. Daarop frons ik de wenkbrauwen en wijs naar zijn lippen.

'Er zit iets in zijn mond.'

Venner aarzelt en knielt dan bij het lijk. Het contact met die dode huid, kleverig als een rietstengel, staat hem tegen, toch steekt hij zijn vingers in Linhs mond en haalt er een propje uit. Ik moet slikken als ik dat zie, probeer afstandelijk te blijven, wat steeds kunstmatiger wordt. Langzaam, alsof hij bang is het kapot te scheuren, ontvouwt Venner het blaadje.

'Het is een foto, o nee toch!'

Ik huiver, want ik ken Venner, zijn blik liegt niet. Hij heeft iets gezien. Iets vreselijks. Iets wat mij dreigt te treffen, midden in mijn hart. Bijna spijtig houdt hij me de polaroid voor. En dan zie ik het ook. Ik recht mijn rug en behoud mijn kalmte, terwijl mijn tenen krommen.

'Het lijkt wel een film,' zeg ik, zonder mijn ogen van de foto te halen. Clemens zit vastgebonden en met een prop in zijn mond op een stoel.

'Clemens! Liefste! Waar ben ik aan begonnen?'

Ik houd de foto vast alsof mijn leven ervan afhangt, maar Venner buigt zich over me heen.

'Draai eens om!'

Langzaam draai ik de foto tussen mijn vingers en ik herken Clemens' handschrift.

'Dat is een boodschap!' zegt Venner, op een toon van valse hoop, alsof hij me wil troosten.

En die is bijna onleesbaar, de inkt is in het water gaan vervloeien. Toch lukt het me te ontcijferen wat er staat.

'Binnen 48 uur maken ze me af. Schiet op.'

Op hetzelfde ogenblik komt Fritz over de metalen trap naar beneden gestormd.

'*Mein Herr! Mein Herr!*'

'Vooruit!' schreeuwt een stem achter hem.

Een gestalte volgt de huismeester, met een wapen op zijn nek.

'*Aber... aber...*'

'Naar beneden!'

Ik begrijp er niets meer van, alles gaat veel te snel! Wat Vidkun betreft, die doet zijn best kalm te blijven, maar hij is lijkwit. Hij ziet de beide mannen naar beneden komen, en zegt op quasiautoritaire toon: 'Wie bent u?'

'Herken je mijn stem niet, Martin?'

De onbekende staat halverwege stil, en geeft Fritz een duw die hem onder aan de trap doet belanden. De huismeester krimpt ineen van pijn, maar Vidkun blijft verlamd, zijn blikken gericht op de schaduw, waarin de onbekende een sigaret opsteekt. De rook doortrekt de zaal met bleke dampen.

Maar dan kom ik bij mijn positieven. Mijn schrik wijkt voor blinde woede en ik brul: 'Wie ben jij? En waar is Clemens?'

'Je vriend leeft nog,' zegt de onbekende zachtjes. 'Ik heb hem een uur geleden nog gezien.'

Ik haal opgelucht adem maar ik vervolg: 'En wie ben jij?'

Een zacht, vaag lachje.

'Dat moet je niet aan mij vragen. Vraag dat Martin maar, of liever gezegd, "Vidkun".'

Bij dat woord zakt Venner aan zijn bureau ineen.

'Ik had het kunnen weten,' kreunt hij.

Daarop treedt de ander in het licht. Mijn adem stokt.

'Nee toch! Dit kan niet!'

Die oude, elegante man lijkt als twee druppels water op de foto's van Doktor Schwöll! Dezelfde blauwe ogen, dezelfde afgemeten stijfheid, dezelfde achterovergekamde haren. Terwijl zijn gezicht steeds minder streng staat, daalt hij de trap af en spreidt hij zijn armen.

'Martin, het is zo lang geleden.'

Venner verroert geen vin. Hij lijkt versteend, maar zijn ogen rollen in hun kassen.

'Anaïs,' stamelt hij, 'ik stel je voor aan mijn broer, Hans Schwöll.'

Bij het horen van die woorden sta ik paf. Zou hij het brein zijn achter al die slachtpartijen? Hans? Hans Schwöll? Hansi? De enige vriend van Leni? Meteen komen mij de meest uitgesproken passages uit de roman van Marjolaine voor de geest: de tocht naar Halgadøm, de sanctie van de Svens, het geheugenverlies van dat joch. Die jonge, romantische puber zou deze droge, beleefde oude man zijn, die mij de hand kust.

'Sinds enkele jaren kennen de mensen mij onder de naam Adolfo Scoledo. Ik ben Martins notaris.'

Hij komt weer overeind en kijkt Vidkun aan.

'Je zult je wel afvragen waarom ik van naam ben veranderd, Martin?'

'Na papa's ontvoering was het niet slim meer om Schwöll te heten, is dat de reden?'

Venner houdt een onaangedaan masker op. Nog steeds geleund tegen zijn bureau, houdt hij zijn broer opvallend op afstand. Toch heeft Hans zijn wapen weer in zijn zak gestoken en is op de leren stoel gaan zitten. Al te veel nonchalance staat me tegen, want ik kook.

'En waar zit Clemens?'

Zelfs zonder te antwoorden staat Hans Schwöll op en loopt naar het zwembad. De oude man knielt bij het lijk van Linh en laat zijn handen door het water gaan.

'We moesten ons gedeisd houden,' vervolgt hij. 'Geen Duitse naam meer, geen herinnering meer aan het Rijk.'

Ik sta op het punt te brullen: 'Zeg waar hij is!' Maar de notaris gunt me de tijd niet. Hij stroopt zijn rechtermouw op en steekt zijn arm in het water.

'De Schwölls zijn de Scoledo's geworden, de Mengeles de Mangelado's, de Bormanns hebben het patroniem Barmonito gekozen.'

Half over het water gebogen, lijkt hij de rand van het bad zorgvuldig af te zoeken.

'Kortom, een kwestie van overleven.'

Heel even is al zijn subtiliteit weg en is hij weer zo scherp als een poema. Ik zou hem wel willen openrijten, dat ouwe zwijn!

'Neem jij een loopje met mij?' zeg ik, terwijl ik opsta en op hem af loop. 'Ik heb je gevraagd waar Clemens zat.'

Venner beduidt me rustig te blijven. Ik aarzel. Heeft Clemens een mes op zijn keel? Wacht Hans tot ik het onherstelbare bega om hem af te maken? Ik slik mijn woede in en deins terug. Dan blijft Hans stil zitten; onder het water heeft zijn hand iets vast.

'Maar na de ontvoering van Eichmann,' vervolgt hij, 'en die van papa, heeft de Argentijnse overheid ons verzocht wat discreter te doen.'

Zuchtje.

'Het land had destijds grote contracten met de Sovjet-Unie, en de Russen hielden Hess niet gevangen om vervolgens bij de Argentijnen andere nazi's vrij rond te laten lopen.'

De notaris komt langzaam overeind en haalt zijn arm uit het zwembad. In zijn hand beweegt een grote, slijmerige vis! Vidkun en ik sperren onze ogen open, want dat beest is zo levend als wat! Het is zelfs moddervet, zo vreemd dat het lijkt op het resultaat van een of ander genetisch experiment. Druipend nat maar vrolijk verduidelijkt Hans Schwöll met grove spot: 'Zoveel komedie hebben zelfs de Amerikanen nog nooit gespeeld. De CIA is altijd goed bij ons ontvangen, want wij wisten zoveel over de Russen en Oost-Europa.'

Hans tilt zijn arm op en slaat hem dan tegen de rand van het zwembad. Gadverdamme, wat smerig! De kop van de vis spat voor onze voeten uiteen. Resten vlees blijven aan de stenen zitten, de ogen hangen triest uit hun kassen.

'Maar we zijn hier niet om jullie een les in geopolitiek te geven.'

'Hoezo "we"?' stamelt Venner, die plotseling door het vertrek kijkt alsof er achter elk meubel spionnen kunnen zitten. Toch is er niemand, behalve het lijk van Linh en die ongelukkige Fritz, die langzaam bijkomt van zijn val en over zijn hoofd wrijft. Zonder de vis los te laten, gaat de notaris tussen Vidkun en mij zitten. Hij legt het dode dier op het mahoniehouten bureau. Dan haalt hij een zakmes uit zijn zak.

'Hang nou niet de domme gans uit, Martin.'

Hij steekt het lemmer in de buik van de vis en haalt er de ingewanden uit. Een moeraslucht doortrekt de atmosfeer. De vis slaat in een zenuwreflex nog een keer met zijn staart. Dan meen ik een metalen veertje uit het lijf te zien komen.

Trut, je bent aan het hallucineren!

'Jij hebt je nooit afgevraagd waar al dat geld van je vandaan kwam, hè, broertje?'

Terwijl hij dat zegt, fronst de notaris zijn wenkbrauwen.

'Ik leef weliswaar in San Carlos onder comfortabele omstandigheden, maar die zijn niet te vergelijken met jouw fortuin.'

Nu komen de onthullingen, denk ik, terwijl ik me tegen de rugleuning van mijn stoel druk. Ik kan me er ook niet van weerhouden elk detail van het vertrek in me op te nemen, in de hoop er de schaduw van Clemens te zien. Absurd!

Venner klemt zijn kaken op elkaar.

'Waar wil je naartoe?'

De notaris maakt de vis schoon.

Een idioot! Het zijn allemaal idioten!

'Jij bent kind gebleven, Martin. Niet in staat de werkelijkheid van de wereld onder ogen te zien. Jij leeft opgesloten in je ivoren toren, in je manieën, je souvenirs, je herinneringen.'

Venner is verlamd door de toon die zijn broer aanslaat, die nu zijn blik met kannibalistische affectie in de zijne boort.

'Jij bent puur, Martin, zo onschuldig.'

Hij zwijgt even, luistert naar het geklots van het zwembad. Fritz komt als een ontwrichte pop overeind, maar durft niets te doen. Hij probeert Vidkuns blik te vangen, die echter gevestigd blijft op de oude man met de vis.

'Dat is ook de reden waarom ze jou hebben gekozen, Martin. Het is de reden dat wij ons zoveel opofferingen hebben getroost, al die jaren: om die onschuld en die zuiverheid te kunnen bewaren.'

Venner wordt hoogrood en springt overeind. Maar hij kan geen woord zeggen. Zijn mond gaat open maar er komt geen geluid uit, het lijkt wel alsof hij een epileptische aanval heeft. Overwonnen gaat hij weer zitten.

'Zie je wel,' zegt de oude Hans zonder enige kwaadaardigheid grinnikend, 'jij bent volmaakt, precies zoals wij je wilden.'

Ik probeer het te volgen, maar alles vervloeit. Venner wordt beklemd door de stem van zijn broer, door die zalvende toon, die beleefdheid van oude boef, en ik zit te brullen: 'Waarom ben jij hier? Waar zit Clemens?'

Daarop wendt Hans zich tot mij. Hij is klaar met het legen van de vis en begint de schubben eraf te krabben.

'Wist jij, Anaïs, dat Vidkun een van de grootste fortuinen van Argentinië vertegenwoordigt?'

Venner is volslagen van de kaart, hij zit erbij alsof hij niet meer luistert.

'Ik heb u een vraag gesteld, meneer Schwöll. Waar zit Clemens?'

'Bij de val van het Rijk,' vervolgt Hans dromerig, 'heeft Argentinië erin toegestemd visa af te geven aan duizenden van ons, met als enige voorwaarde dat wij een deel van ons fortuin in een fonds zouden storten. Die rijkdommen waren over het algemeen afkomstig uit oorlogsbuit. En vervolgens werd jaarlijks een deel van onze onroerendgoedbelasting ook in dat fonds gestort. En dat heeft vrucht gedragen.'

'Het nazigoud,' zeg ik half hardop. Ik wend me tot Vidkun. Hij blijft strak naar het Hitlerportret kijken.

'Wij waren allemaal op de hoogte van het kapitaal,' vervolgt Hans. 'Niemand mocht er aankomen, sommigen van ons noemden het de "renaissance".'

Eenmaal op gang gekomen, zegt Hans, nu wat zachter, bijna fluisterend: 'Die som werd geblokkeerd tot medio jaren zeventig. En pas bij de dood van mijn moeder, Solveig Schwöll, in 1977, ontdekten we haar testament: Martin was de enige erfgenaam van dat kapitaal.'

Hierop wordt Venner weer wakker.

'Dat had je allang moeten weten, want jij was notaris.'

Bij het horen van die woorden verhardt Hans, en voor het eerst zie ik bij hem een spoor van echt gevoel. Hij laat de vis los en veegt zijn handen schoon aan een zijden zakdoek.

'Destijds was ik nog geen notaris. Ik woonde in Buenos Aires, en ik werkte in de financiën, ik had een familie en ik had vrienden. Maar ze hebben me gedwongen naar huis te gaan, ze hebben me voor dood laten doorgaan, ze hebben mij verplicht jouw fortuin te beheren. Uitsluitend het jouwe.'

'Waar heb je het over?'

De blik die hij nu op Vidkun werpt is even wit als die van een haai.

'Begrijp je dat dan niet? Ook ik had een nieuw leven. Mijn nieuwe naam had me in staat gesteld alles opnieuw te beginnen. Mijn vrouw en mijn kinderen wisten niets van mijn ware identiteit, zij dachten dat ik een van die Argentijnen was wier Duitse oorsprong uit de negentiende eeuw stamde. Ik had alle schepen achter me verbrand.'

Hij vervolgt: 'Maar dat paste niet in hun plannen. Hun eigen plannen. En daarom, op een ochtend, stonden ze me op te wachten bij de ingang van mijn kantoor. En een maand later werd ik wakker, in San Carlos, in een ander huis. Ze stonden bij mijn bed, keurig netjes, zoals altijd.'

Machinaal begint Hans Schwöll weer de vis te bewerken.

'Ze vertelden me dat ik dood was, dat mijn familie zelfs mijn lijk had gekregen, zodat ze om me konden rouwen, dat ik begraven was op de begraafplaats La Recoleta in Buenos Aires. Wat mijn moeder betreft, met wie ik zelf al tien jaar eerder het contact had verbroken, die was net dood, waardoor Knut, mijn broer, zelfmoord pleegde, omdat hij gek was geworden na de ontvoering van papa.'

Vidkun wordt verpletterd door die vloed van informatie.

'Knut… Heeft Knut zelfmoord gepleegd? Echt waar?'

Hans knikt.

'Ze vonden dat ik notaris moest worden en ik mocht de streek niet meer verlaten. Ze waren daar heel duidelijk over. Bij de minste ongehoorzaamheid zouden ze mijn familie en mijn kinderen aanpakken. Dus ik heb mijn rol gespeeld. Ik ben echter geworden dan echt. Een echte Schwöll!'

Hij lijkt tegen een zekere verbittering te vechten.

'Mijn hele jeugd heb ik gestreden tegen het noodlot van ons bloed, maar het heeft me uiteindelijk toch ingehaald, op het moment waarop ik dacht dat ik gered was. En dat alles... voor jou, Martin.'

Vidkun is van zijn stuk gebracht.

'Maar... maar waarom?'

'Omdat ze dat altijd hebben gewild! Omdat dat van meet af aan vastlag.' Woedend vraag ik: 'Maar wie dan?'

'Halgadøm,' antwoordt de notaris emotieloos. 'Al bijna dertig jaar werk ik voor ze. Dat wil zeggen voor jou, broertje.'

De Viking zit er ongemakkelijk bij.

'Maar met welk doel?'

Kalm haalt Hans zijn schouders op.

'Dat kan ik je niet vertellen. Trouwens, ik geloof dat ik het vergeten ben of dat het me niet kan schelen. Het is nu zo ver weg en ik ben zo oud.'

Ik probeer alles op een rij te zetten zonder te zwichten voor paniek.

'Maar Halgadøm, wat is dat?'

Weer een glimlach van Hans, die zijn linkerhand op de vis legt.

'Tegenwoordig is Halgadøm de naam van een Scandinavisch diepvriesbedrijf, dat in de buurt van Svolvaer in Noorwegen is gevestigd.'

Ik sta op het punt tegengas te geven, maar Hans beduidt mij te zwijgen.

'Voor diepgevroren vis,' vervolgt hij. Onder onze verschrikte blikken heeft hij de vis nu helemaal opengelegd, en hij trekt het vel er als een handschoen vanaf.

'En daarom ben ik hier,' zegt hij, terwijl hij de slijmerige binnenkant van het vel gladstrijkt om het... leesbaarder te maken. Tot onze grote schrik ontcijferen we het woord 'HALGADØM', getatoeëerd in het dier.

'Maar... wat is dat?' stamelt Venner, terwijl Hans nu zoekt in het vlees van het grote beest om er een etuitje uit te halen dat lijkt op een sigarenkoker.

'Missie vervuld,' zegt de notaris vermoeid.

'Hier, Martin,' zegt Hans, en hij houdt Vidkun het glibberige etui voor.

Vidkun pakt het bevend aan en ik lees er een gegraveerde datum op: '12 JUNI 1944.'

'Dit is het etui van zijn doop,' voegt Hans er op vertrouwelijke toon aan toe.

'Van zijn doop?'

Vidkun zit met een soort heilige angst het ding te betasten, terwijl Hans terugzinkt in zijn verleden: 'Ik kan het me nog heel goed herinneren, het was stralend mooi weer, volmaakt weer voor de ceremonie.' Zijn toon wordt nostalgisch als hij vervolgt: 'We zaten allemaal in de grote eetzaal van de kliniek van Lamorlaye, bij wijze van altaar hadden we een grote tafel bedekt met een hakenkruisvlag. En de vrouwen hadden bloemen neergezet. Al die bloemen! Zo mooi, onder het *Führerbild*... en dan die zwarte vlaggen aan de muur, die fakkels, die soldaten, die vaandels met het devies DUITSLAND, ONTWAAKT!'

Heel even bekijkt Hans Vidkun met een oprechte vertedering, alsof hij zich plotseling herinnert dat hij hem op schoot heeft gehad.

'Mag ik even?' zegt hij, terwijl hij voorzichtig het etui uit de handen van de Viking pakt. Voor onze verbijsterde blikken schroeft hij er een eind af en haalt er een opgerold perkament uit.

'Luister maar,' zegt hij, en hij schraapt zijn keel.

Vervolgens leest hij ons voor, hij leest ons die onverdraaglijke tekst voor. En bij elke zin zie ik Vidkun iets meer de kleur krijgen van die schoongemaakte vis.

Martin is tweeënhalf, zit op de kleine troon van verguld hout, aan de voet van het altaar met het hakenkruis. Dieter Schwöll staat bij het kind en leest de geloofsbekentenis voor:

'Wij geloven in de missie van ons bloed
Dat eeuwig jeugdig ontspringt uit Duitse grond.
Wij geloven in het volk, dat het ras draagt
En in de Führer die God ons heeft gezonden.'

De eerste peetvader, Sven-Gunnar Rahn, legt zijn hand op het voorhoofd van het kind.

'Die Duitser is en zich Duits voelt moet trouw zijn!'

De tweede peetvader, Sven-Olaf Rahn, legt zijn hand op het voorhoofd van het kind.

'De bron van alle leven is Halgadøm. Van Halgadøm komt jouw kennis, jouw opdracht, het doel van jouw bestaan en van elke onthulling.'

De derde peetvader, Sven-Ingmar Rahn, zegt daarop: 'Dat jouw moeder jou haar liefde getuigt, dat ze je straft door je voedsel te onthouden, als jij de wetten van Halgadøm overtreedt.'

De vierde peetvader, Sven-Odin Rahn, zegt ten slotte: 'Jij bent kind en altijd zul je je de SS en je familie waardig tonen. Halgadøm waardig.'

Daarop neemt Reichsführer SS Heinrich Himmler het kind in de armen en besluit: 'Bij afwezigheid van Otto Rahn, verhinderd in het zuidwesten van Frankrijk, en volgens de wens van jouw ouders, zoals de SS mij heeft opgedragen, geef ik je de namen Martin, Albert, Thor, Hermann. Het is uw taak, ouders en peetouders, in dit kind een waar en dapper Duits hart te kweken, volgens de wil van Halgadøm. Want slechts door hem, Martin Schwöll, de waarlijk uitverkorene, het kind van het wonder, zal ons Rijk herboren worden. Binnenkort, over een halve eeuw, wellicht eerder, wellicht later, zal Martin Schwöll de Führer zijn van het Vierde Rijk!

Als Hans klaar is met de lezing van de doopakte, stopt hij het stukje perkament in het etui en reikt mij een envelopje aan.

'Voor jou heb ik ook een verrassing,' zegt hij.

Met trillende handen maak ik het open en ik haal er twee vliegtickets uit. 'Parijs–Oslo/Oslo–Bodø? Twee enkeltjes?' vraag ik ongelovig. Dan kijk ik de notaris met een woedende blik aan. 'En Clemens?'

De oude man kijkt een beetje verward.

'Die hebt u net gemist. Ze zijn vanochtend vertrokken.'

Dit is om te huilen! Alles brandt, een wreed, smerig gevoel van onherroepelijkheid.

'Maar wie dan? Wie zit hierachter? Leni? Otto Rahn? Wie?'

Zonder een poging te doen zijn vrees te verbergen voegt de notaris eraan toe: 'Ik ben slechts de boodschapper, weet u.'

Als ik daarop verpletterd lijk vervolgt hij: 'Kijkt u eens onder in de envelop, uw vriend Clemens heeft voor u een boodschap achtergelaten.'

Ik zie dan iets onder in het papier vastzitten. Ik draai de envelop om. Mijn kreet doet de notaris opspringen.

Met een dof geluid valt de vinger in mijn schoot.

Verbijsterd, met open mond, lukt het me toch nog de boodschap te lezen die met een elastiekje om die vinger zit.

'Schiet alsjeblieft op, ik smeek jullie!'

Clemens' handschrift! Hij maakt altijd rondjes boven de i.

'Hij heeft gelijk,' fluistert de notaris, terwijl hij de resten van de vis in het bad gooit. 'Ik geloof dat jullie heel erg moeten opschieten.'

Derde deel

Vidkun

'"Morgen", in alle talen het meest leugenachtige woord.'

— Raymond Abellio, *La Fosse de Babel*

2006

De cabine is vrijwel leeg. Ondanks mezelf verdenk ik elke gestalte. Paranoia is geen kledingstuk dat je afgooit als het vies is. En bovendien, wie weet? Misschien zitten zij ook in het vliegtuig. Als je het zo wilt bekijken, is iedereen verdacht! De stewardess, de piloot, de steward en zelfs dat echtpaar, drie rijen voor ons: Scandinaviërs met een donkere bril die foto's zitten te bekijken op hun digitale camera. Ze lachen ongegeneerd en herhalen de namen van de Parijse monumenten, met een verschrikkelijk accent.

'Toureefèl... Peegal... Notreedaam...'

Wat ben ik jaloers op ze! Ze weten niets van de wereld, ze willen niets weten, leiden een leven van een ansichtkaart dat rechtstreeks op de dood aan voert, naar een mooi gemeenschappelijk grafje op een Lapse begraafplaats, waar ze zullen worden begraven in beleefde en doodkalme vergetelheid.

Wat een droom, denk ik, terwijl ik probeer mijn handen rustig te houden, die al sinds een paar uur almaar trillen. Ik heb het ook wel voor mijn kiezen gekregen! Mijn vader die ook mijn grootvader zou zijn, mijn moeder die ook mijn stiefzus is. Linh met een geamputeerde hand en verzopen in een zwembad, Clemens ontvoerd en gemarteld door spookachtige ontvoerders, Venner Führer van het Vierde Rijk, en ik, die met de kop vooruit de storm trotseer. Ik kan nu wel alles gaan rationaliseren, maar er zijn grenzen! Helemaal aangezien ik de indruk krijg dat ik er alleen voor sta: Vidkun heeft geen woord gezegd sinds we uit Parijs vertrokken zijn.

Venner zit in zijn stoel met de uitdrukking van een wassen pop. Zijn glazige ogen lijken die van een dode zeelt, hij ziet geel, hij gebaart langzaam en af en toe heeft hij een zenuwtic. Ik hoop niet dat hij instort voor het eind van de reis! Want ik geloof dat mijn eigen lijf het ook niet zo lang meer zal houden.

Ik ben zo uitgeput, bedenk ik, terwijl ik mijn benen strek om de juiste positie te vinden. Maar comfort is er niet bij. Het vliegtuig is al in beweging. Commandant Dagestad heet de passagiers welkom. De stewardess komt met fluitjes champagne en jus.

'Roept u mij als u iets nodig hebt. En probeert u vooral ook te slapen.'

'Dat gaat niet,' zeg ik, terwijl ik uit het diplomatenkoffertje van Venner de hoofdstukken haal die Clemens heeft aangegeven. 'Ik moet lezen. Heel veel.'

De verloofde van het Rijk
(uittreksels uit hoofdstukken XII en XIII)

'Duitsland,' zei Elfried zachtjes, 'mijn vaderland, eindelijk.'

Werner stond naast haar, ook gefascineerd door het schouwspel. Hij had haar horen mompelen maar verbeterde haar: 'Niet Duitsland, Elfried, het Rijk!'

'De haven van Hamburg,' zei ze nog bij zichzelf, terwijl ze voet zette op de kade. Eindelijk kon ze die vervloekte onderzeeër verlaten! Haar ouders en haar broers bekeken deze nieuwe wereld met ongelovige blik. Elfried zag de hakenkruisen. Overal! Aan armen, op gevels van gebouwen, op alle militaire gebouwen. Terwijl de reizigers onder de indruk en daas op de kade van de haven bleven staan, kwam er een colonne SS'ers in looppas voorbij.

'*Heil Hitler!*'

'Hopelijk hebt u een goede reis gehad. Als u zo vriendelijk wilt zijn mij te volgen, hij wacht op u aan de andere kant van de haven,' tetterde een jonge militair, met de kin naar voren, op een theatrale toon maar zonder enige oprechtheid.

Wie wacht daar op ons? vroeg Elfried zich af. Het troepje zette zich in beweging. Elfried was gefascineerd. Ondanks zichzelf bleef ze op elk detail van dit schouwspel letten. De SS'ers namen haar een eindje mee, naar een houten barak, die ongetwijfeld het onderkomen moest zijn van een havenbeambte. Op enkele meters van dat schuurtje stond een enorme Mercedes met open kap. Het chroom en de zwarte carrosserie glommen in de ochtendzon. Aan het stuur zat een militaire chauffeur, stil als een standbeeld.

'*Bitte!*' zei de SS'er, en hij wees ze op de deur van de schuur, die nog dichtzat. Ze traden nader. Elfried zag even hoe ongerust haar vader was. In tegenstelling tot hem leken de vier broers vol vertrouwen, alsof zij het begrepen en zich verheugden. De SS'er wilde zijn hand op de deurkruk leggen, toen de deur plotseling openging. Een wind van paniek doorvoer de troep. De broers versteenden in hun laarzen. Moeder kon een niet zozeer verschrikt als wel eerbiedig 'Mein Gott' niet onderdrukken, terwijl haar man zijn arm in de lucht gooide en 'Heil Hitler!' piepte.

De gestalte bleef verborgen in de halfschaduw van de deuropening. Elfried besefte plotseling: dat uniform, die stijfheid, die gemiddelde lengte, niet groot en niet klein...

'Oom Oktavian!' riep ze verrukt uit. Maar de man kwam uit de schaduw en ze verstijfde.

'Heil Hitler!' antwoordde hij, terwijl hij zijn voorarm met een nietszeggende blik uitstak. Daarop liep hij op hen af. De hele troep stond er met stijve arm, behalve Elfried, die zich niet kon bewegen. En precies op haar liep hij af, nonchalant, met spot in zijn mondhoek.

'Jij bent vast Elfried,' zei hij met een sterk Beiers accent, waarin alle r'en rolden. 'Oktavian heeft me zoveel over jou verteld!'

Het meisje lukte het niet de vlam in die bijna schuine ogen te onderscheiden, die schuilgingen achter een dikke bril. Zijn snorretje leek een potloodstreep en volgde de vorm van zijn lippen als hij glimlachte. Want hij glimlachte. Een zielloze, mechanische maar toch natuurlijke glimlach. Elfried bleef stokstijf staan. De anderen hadden zich min of meer naar haar omgedraaid, zichtbaar ongelovig. Zelfs Bruno bekeek haar met vrees. Maar Elfried kon niet uitmaken of hij bang was voor haar of om haar.

'Wij gaan grote dingen doen, kleine Elfried,' vervolgde de man, terwijl hij het glas van zijn bril schoonwreef aan de mouw van zijn zwarte uniform. 'Oktavian heeft altijd grandioze plannen voor jou gekoesterd.'

Heel even bleef hij roerloos staan, alsof hij probeerde haar te lezen; toen hief hij het hoofd op naar zijn metgezellen.

'Maar jullie allemaal zullen binnenkort het lot van de leider ondergaan, dat weten jullie trouwens heel goed.'

Met driftige pas liep hij op Elfrieds vader toe.

'Einde van de beleefdheden!' zei hij, terwijl hij hem een hand gaf. 'Ik ben blij u te zien, dokter. Het is zo lang geleden.'

'Bijna tien jaar, Herr Reichsführer,' zei de arts nederig.

De Reichsführer liep naar de moeder toe en kuste haar de hand. De vrouw van de arts bloosde en knipperde met haar ogen. De broers bleven roerloos op de achtergrond staan.

'Maar komt u toch binnen,' besloot Heinrich Himmler, en hij wees naar de deur van zijn hut, waarbij hij eraan toevoegde: 'We zullen eens precies zien waar u tewerkgesteld wordt.'

Binnen was het onverdraaglijk heet. Het rook naar hout, oude vis, rotte alg. De barak was piepklein en de soldaten moesten buiten blijven, als wachtposten op de kade. Himmler ging zitten aan een werktafeltje.

'Vandaag begint jullie leven,' zei hij zonder op te kijken, terwijl hij voor zich de getikte vellen met het logo van de SS uitspreidde. 'Tot nu toe hebt u alleen maar gewacht.'

Zijn vale gestalte richtte zich tot hen. 'Nu is het tijd voor actie!'

Het hoofd van de SS'er zakte weg in zijn rieten stoel, wipte op de achterpoten, met een glimlach op de lippen.

'Eerst de vierling.'

Bij dat woord rechtten de vier jongens hun rug.

'Heren, u zult de elite van onze orde worden. Want u weet natuurlijk wel dat de SS een vrijwel religieuze orde is?'

Voor niets ter wereld zou de vierling de woorden van hun hoogste leider hebben durven tegenspreken. Ze knikten alleen met een eerbiedige uitdrukking en wachtten op wat komen ging.

'En daarom,' vervolgde Himmler, 'stuur ik u naar de burchten van de zwarte orde, waar u uw opleiding zult afronden. Heden nog vertrekken jullie naar Krössinsee, in Oost-Pruisen. Ik hoop dat jullie van sport houden.'

De vierling wist niet hoe ze daarop moesten reageren.

Na enig stilzwijgen beet Himmler ze toe: 'En wel onmiddellijk!'

Paniek bij de vier jongens, die een daverend 'Heil Hitler!' uitriepen en en bloc de hut verlieten. Het geluid van hun passen ging verloren in het geluid van stemmen, en vervolgens deden piepende banden het beton van de kade kreunen. Door het raam van het schuurtje zag Elfried de militaire vrachtwagen wegrijden die haar broers naar hun lot afvoerde.

Ze hebben niet eens afscheid genomen, dacht ze met vreemde nostalgie, alsof haar jeugd haar voorgoed de rug toekeerde.

Maar Himmler klapte al in zijn handen.

'Ziezo, de soldaten zijn weg!'

Hij leek in zijn nopjes met de doeltreffendheid van zijn organisatie en stak zijn neus weer in de dossiers.

'Dan nu de dokter,' neuriede hij.

De arts moest een rilling onderdrukken. Over het gezicht van zijn vrouw ging een voorbijgaande flits, blijk van een diepe twijfel. Maar ook zij rechtte haar rug.

'Ik denk dat u uw jeugddromen de vrije loop zult kunnen laten gaan, *Herr Doktor*,' sprak Himmler, terwijl hij de arts een blad voorhield dat volstond met typografische tekens. Deze zette daarop zijn bril op en zijn gezicht nam meteen een extatische uitdrukking aan.

'Ik wist wel dat u dat zou bevallen,' voegde de Reichsführer eraan toe, terwijl de moeder haar best deed over de schouder van haar echtgenoot mee te lezen. 'Dit is het eerste centrum voor experimentele geneeskunde van het Rijk. U zult er...' Himmler aarzelde even voordat hij verderging '... al het materiaal aantreffen waarvan een geleerde van uw kaliber kan dromen.'

'*Danke, Herr Reichsführer,*' zei de arts diep ontroerd.

Nadat hij vervolgens zijn arm had gestrekt en '*Heil Hitler!*' had geroepen, verliet de arts met zijn vrouw het vertrek. Ook zij vonden het niet nodig Elfried te groeten, hun eigen dochter! Ze keek ze na door het raam van de schuur. Een grote wagen stond op de achtergrond klaar. Toen die vertrok, draaide de arts zich nog om naar de hut, alsof hij zijn dochter voor de laatste keer zocht.

'En nu ben jij er alleen nog, Elfried.'

Himmler bleef op zijn stoel zitten.

'Je zult al wel begrepen hebben,' zei hij terwijl hij op het raam wees, 'dat ik jou niet aan het dienaarschap over wil geven.'

Ze begreep het niet. Hij beduidde haar voor hem te gaan zitten. Ze waren met zijn tweeën, Himmler en zij, een onderonsje! In die hut die naar ranzige vis en zeewater rook.

'Jouw broers worden perfecte knechten, jouw vader gaat de waanzinnige geleerde uithangen, maar jij, Elfried, jij gaat het leven van de echte heldin smaken.'

Wat ging hij hier aankondigen? Blijkbaar zag ze er ongerust uit, want hij zette een uitermate vriendelijk gezicht op en deed weer zijn bril af, om die nerveus aan zijn uniform schoon te vegen.

'Oktavian beschouwt jou als zijn dochter,' zei hij, terwijl hij opstond en naar haar toe liep. Himmler ging achter de kruk staan en legde zijn beide handen op haar schouders. 'En Oktavian is voor mij als een broer.'

Himmlers vingers streelden Elfrieds haren. Maar ze vond dat niet gênant, want het was een vaderlijk gebaar. Op hetzelfde ogenblik hoorde ze buiten een heldere schaterlach, en de deur zwaaide wijd open.

'Is ze er?' vroeg een vrouw.

Elfried zag een gestalte komen aanlopen in het tegenlicht, die zich in de armen van de Reichsführer stortte.

'Ja, schatje, Elfried is er.'

Himmler zette het meisje weer neer, dat de indringster verbaasd aankeek.

'Maar ze is ouder dan ik...'

'Je hebt toch altijd gedroomd van een grote zus? Elfried komt een paar maanden bij ons wonen.'

Daarop stak het meisje Elfried haar hand toe en tetterde vrolijk: 'Daag! Welkom bij de Himmlers... Ik heet Helga.'

Maar op het moment dat Elfried wilde antwoorden, verduidelijkte Helga op verlekkerde toon: 'Nou je deel uitmaakt van de familie, mag je natuurlijk wel Mausi zeggen.'

'Mausi, dat ouwe kreng! Zij was ook van de partij!'

Ik kan me er niet van weerhouden de gelezen bladzijden te verfrommelen. Dat geluid haalt Vidkun even uit zijn slaap, maar hij draait zich om en mompelt wat onbeduidende woorden. Daarop pak ik niet zonder enige angstige vermoedens het volgende hoofdstuk, een hoofdstuk waarvoor Clemens zijn kop riskeert!

We zijn al zes uur verder, houd ik mij voor, met een brok in mijn keel.

Dochter van de SS
(uittreksel uit hoofdstuk IX)

Toen de Reichsführer SS Heinrich Himmler me had aangeboden enige tijd door te brengen in zijn gezin, had ik niet het vermoeden dat hij me zou adopteren. Maar na een jaar besefte ik dat ik waarlijk deel uitmaakte van zijn familie. In werkelijkheid zagen we elkaar niet zo heel veel. Hij was altijd op reis. Wij – dat wil zeggen Mausi, haar moeder en ik – zaten meestal vast in München, in dat kleinburgerlijke, nauwe huis, vol glazen dieren.

'De grootste hartstocht van papa!' had Mausi me bekend, toen ze me de eerste dag het huis had laten zien. Alles was zo nieuw en zo vreemd voor mij! Dat nette leven, kalm en beschermd. Ik was zo ver van mijn jeugd, van mijn eilanden, van mijn duizenden vogels. Al snel lukte het me om mijn waanzinnigste herinneringen te vergeten, of ze althans te verzachten. Ik had geen nieuws van mijn familie en liet me door deze provinciale routine in slaap wiegen. De Himmlers hadden me op de buurtschool ingeschreven, maar ik kreeg de indruk dat ik een speciale behandeling kreeg. Natuurlijk was ik niet op de hoogte van het lesprogramma, maar voor elk proefwerk kreeg ik de beste cijfers, wat ik ook deed. Soms merkte ik wel dat de leraren om me heen bezorgd keken, want zij schenen elke mogelijkheid van conflict met mijn 'nieuwe vader' te mijden als de pest. Maar ik heb het al gezegd, wij zagen de Reichsführer niet zo heel vaak. Als hij soms 's avonds laat thuiskwam, werd de wijk afgesloten door de Waffen-SS en ging hij meteen uitgeput naar zijn kamer.

Mausi en ik – wij deelden een kamer – hoorden hem het houten trapje op klimmen, en zijn dochter mompelde dan vrolijk: 'Morgen hebben we feest!'

Vroeg in de ochtend werden we gewekt door de heerlijke geur van gebraden vlees en stond ons een grandioos ontbijt op te wachten.

'Grüss Gott!' zei het goede familiehoofd als wij nog half slaperig op de drempel van de eetkamer verschenen. 'Ik hoop dat jullie honger hebben, kinderen!'

Op de tafel was een festijn voorbereid: ham, salami, jam, allerlei soorten brood, en kip, veel kip. Himmler was gek op kip, zelfs bij het ontbijt. Waar hij ook heen ging, hij liet er altijd op voorhand een klaarmaken.

'En, Sophie, kun je een beetje wennen aan het Beierse leven?' vroeg hij mij dan vaak, als ik mijn neus nog in mijn warme chocola had.

Dan veegde ik mijn mond af en antwoordde oprecht: 'Het is zo rustig.'

Evenzogoed – en dat vreesde ik al vanaf dat ik hier kwam – duurde dat *dolce vita* slechts een poosje. En zo gebeurde het op een ochtend, in het voorjaar van 1942 (ik woonde toen al bijna twee jaar bij de Himmlers) dat de Reichsführer SS ons naar de eetkamer riep. De geur was hetzelfde: rond, knapperig. Maar het hoofd van de SS leek bezorgd.

'Kinderen,' zei hij, 'kinderen, ons leven gaat nu veranderen.'

Op hetzelfde ogenblik verscheen Frau Himmler in de deuropening. Achter haar twee soldaten met koffers in de hand. Ik herkende de mijne en de koffer die Mausi gebruikte voor de weekends op de Berghof.

Met zijn Aziatische ogen keek Himmler ons vertederd aan.

'Neem een goed ontbijt, want we hebben een lange weg voor ons.'

'Waar gaan we heen?' vroeg Mausi opgewonden.

De Reichsführer aarzelde even en antwoordde toen raadselachtig: 'Op reis.'

'Op reis?' vraag ik hardop.

'Wat zeg je?'

Ik heb vast zitten schreeuwen, want Venner is uit zijn slaap opgeschrokken. Heel even kijkt hij ongelovig om zich heen. Dan begrijpt hij het.

'Aha! Je bent begonnen,' zegt hij met vermoeide berusting, alsof hij die lezing al sinds ons vertrek voor zich uit schoof.

'We hebben geen keus, denk ik.'

Ik reik Vidkun het eerste hoofdstuk aan en haal het derde uit de envelop.

Op de school van de übermensch
(hoofdstuk XXXI)

Een voor een stappen ze uit de auto. In de zomer is het warm in Polen, maar de lucht lijkt verzadigd van dauw. We vormen maar een klein groepje: Mausi, haar vader, een stuk of vijf soldaten en Dagmar. De auto's staan tegen elkaar aan geparkeerd, dampend bij een vervallen muur. Het is een boerderij, midden in een wanhopig vlak land. Zo ver het oog reikt: velden.

De Reichsführer zet zijn handen in zijn zij en mompelt: 'Hier is het dus.'

Heel even geniet hij van de stilte. Niemand durft meer geluid te maken of zelfs maar te bewegen. Alles ademt rust, is ervan doortrokken. Dagmar, die vochtige vingers in haar hand voelt glijden, schrikt, maar Mausi drukt zich tegen haar aan en klemt haar vingers in de hare. Als Dagmar ziet hoe berouwvol en smekend ze kijkt, begrijpt ze dat de kleine bang is.

'Wat gebeurt er toch, Dagmar?' fluistert ze.

Met de tred van een vos begeeft Himmler zich naar de deur van de boerderij. Dan ziet hij op de aangestampte grond iets liggen wat hij opraapt. Het is de schedel van een konijn, droog en glad. Heel even bekijkt hij hem. Dan laat hij hem zachtjes op de grond vallen en met zijn hak verplettert hij hem als een noot.

'Daar gaat hij dan,' fluistert hij tussen zijn tanden.

De soldaten kunnen de deur met weinig moeite openbreken. Hun gebeuk weerklinkt door het huis. Geluid van brekend glas, van laarzen, van omgetrokken meubels. Dan een wrede kreet: die van een vrouw, al snel gemengd met het gehuil van een kind. Een baby. Himmler lijkt tevreden.

'*Nein! Neieieinnn!*' wordt er in huis gebruld. Mausi drukt zich tegen Dagmar aan. Een doodsbang diertje. Maar de soldaten komen alweer naar buiten. Ze duwen een jonge blonde vrouw in nachthemd voor zich uit, de haren in de war. Ze verweert zich, krabt links en rechts, wil bijten, ogen uitsteken, zonder dat ze een wiegje loslaat, dat ze in haar armen klemt.

'Nee, nee... medelijden!' mompelt de moeder in het Duits, met een vet Pools accent. Dan ziet ze Himmler en stort in.

'Hallo hallo!' zegt de Reichsführer grinnikend. Vanaf dat ogenblik zegt niemand meer iets. De soldaten trekken zich terug, zoals picadors het veld ruimen als de torero aankomt. De Poolse lijkt te stuiptrekken, maar ze kan niet verder lopen, staat daar op de aangestampte vloer van die binnenhof. Nog nooit heeft Dagmar zoveel walging op iemands gezicht gezien! De Reichsführer doet een stap naar voren.

'*Nein,*' zegt zij weer met gesmoorde stem, alsof het haar niet meer lukt te articuleren. Achter haar scharen de soldaten zich aaneen, klaar haar te pakken als ze wil vluchten. Maar ze staat daar voor hen, als een hinde die na de klopjacht is klemgedreven. Himmler doet nog een militaire pas naar voren en rukt het wiegje uit haar armen. De moeder slaakt nu geen kreet meer. Ze laat hem begaan, als een lappenpop, zakt op de grond, met een open mond in de stilte, in een stomme kreet. Tranen stromen over haar wangen. De soldaten blijven roerloos staan. Dagmar hoort naast zich een gepiep: Mausi, de armen stijf over elkaar, huilt in stilte, als een gewonde vogel. Ze sluit de ogen, en articuleert dan zachtjes: 'Mama... mama...'

Dagmar, bevangen door medelijden, aarzelt haar in de armen te nemen, maar de fascinatie wint het. Ze moet het tafereel op zijn beloop laten. Ook de kleine moet zich harden; tenslotte is ze de dochter van de Reichsführer SS. Een geluid van vleugels doet ineens iedereen opspringen: een vlucht vogels stijgt op uit een boom en zweeft even boven hen.

Op hetzelfde ogenblik draait Himmler zich om naar het meisje terwijl hij het hoofd van de baby streelt, dat tegen zijn uniform aan ligt.

'Mausi!' zegt hij hard. Het meisje begint helemaal te trillen, maar dwingt zich de ogen open te houden.

'*Mausi, bitte!*' zegt haar vader met een toonloze stem. Het meisje schudt van nee, waarop Himmler met een beweging van zijn kin Dagmar een teken geeft haar naar hem te brengen. Dagmar denkt niet eens na en gehoorzaamt. Het handje van Mausi is ijskoud en trilt in het hare. Dagmar voelt die piepjonge pols tegen haar vingers kloppen, maar het meisje stribbelt niet tegen. Dagmar trekt haar naar zich toe en duwt haar voor zich uit. Mausi kijkt pas op als ze stilstaat, ineengekrompen tegenover haar vader.

Maar Himmler is niet streng meer. Hij streelt Mausi met de rug van zijn hand en toont haar de baby.

'Heb je gezien hoe mooi hij is?'

Zijn dochter snikt, alsof ze een groot verdriet heeft, en doet haar best flink te zijn.

'Ja, papa,' zegt ze met een laatste snik.

De Reichsführer lijkt in de wolken. Heel even bekijkt hij zijn dochter teder, dan wendt hij zich tot de soldaten en knikt weer. Daarop pakken drie SS'ers de moeder en slepen haar tot aan de voeten van hun chef. Gevangen in hun onderarmen, lijkt ze op een oude jutezak. Mausi krijgt meteen weer kleur. Himmler steekt zijn hand uit naar een van de soldaten, die er zonder blikken of blozen een revolver in drukt. Dagmar schrikt. Maar de Reichsführer is kalm. Volledig sereen. Zonder de baby los te laten, legt hij de revolver in de hand van zijn dochter. Mausi deinst terug en laat het ding op de grond vallen.

'Papa, ik smeek je,' brult ze, terwijl ze overeind komt, zonder er echter vandoor te gaan.

'Schatje, jij moet het doen,' zegt de Reichsführer, op een aanhankelijke maar overtuigde toon.

Mausi's blikken gaan van de revolver naar de Poolse, niet in staat zich het tafereel voor te stellen. Himmler wendt zich tot Dagmar zonder dat hij uitleg hoeft te geven. Meteen bukt ze om de Mauser op te rapen, en voorzichtig neemt ze Mausi weer in haar armen. Beiden knielen boven de boerin, wier blik die van Dagmar kruist. Ze heeft begrepen wat er gaat gebeuren.

Doe het snel, smeken haar zwarte ogen.

Dagmar legt de revolver in de hand van het meisje, dat als een pop tegen haar aan hangt. Ze is ijskoud. Dagmar helpt haar het wapen te richten zonder haar arm los te laten.

'Goed, goed zo,' fluistert Himmler, terwijl hij vriendschappelijk een hand op Dagmars schouder legt.

Daarna verloopt alles op logische wijze, als ware het een choreografie. De baby ligt in de armen van de Reichsführer rustig adem te halen. Dagmars vinger drukt tegen die van Mausi. De knal weerklinkt in de hof. De beide meisjes worden achterovergeworpen, terwijl het slachtoffer ineenzakt op de aangestampte grond. Een nieuwe vogelvlucht trekt door de hemel, vliegt voor de zon langs. Dagmar weet op dat moment niet of ze nu trots moet zijn of misselijk. De baby, uit zijn slaap gerukt, begint te brullen. Himmler drukt hem tegen zich aan en kust zijn voorhoofd. Het lijk van de boerin vertoont een laatste stuip. Mausi, die onder het bloed zit, bezwijmt in de armen van Dagmar.

'Wat verschrikkelijk!'

'Mausi,' zeg ik verschrikt tegen Vidkun. 'Jouw geliefde vriendin Mausi. Zij heeft jouw moeder vermoord...'

'Laat me dat hoofdstuk uitlezen!' bromt Vidkun zonder op te kijken. Met grote ogen zit hij over de afgescheurde pagina's gebogen. Ik sta nog steeds versteld van dat wrede tafereel. Die moeder. Die baby.

Die baby!

'Maar... hoe kom je te weten wat de roman is en wat...'

'Alsjeblieft, Anaïs, houd nou even je mond!'

Mauthausen mon amour
(hoofdstuk XIII en XIV)

Ladislas was niet veranderd.

'Putzi, hartje, mijn uitverkorene!'

Ik dacht dat hij dood was, dat hij onder de ruïnes lag, en daar staat hij, voor mij, zonniger dan ooit! Uit de doden opgestaan. Ladislas is magerder geworden, alsof hij fijnzinniger is, en op een bepaalde manier ook mooier. Nadat hij naar de deur van de auto was gelopen, had hij op de kist gewezen, die op de bank stond.

'Is dat de baby?' vroeg hij.

Ik knipperde met mijn ogen. Daarop nam hij heel voorzichtig het wiegje. Het ogenblik was bijna volmaakt. Het decor was er niet meer, ik voelde me verrukkelijk gevangen in een of ander schilderij van Vlaamse primitieven, waar elk personage een symbolische plaats inneemt. Iedereen keek naar het kind, alsof dit een kersttafereel was. Het stalletje uit een of ander antifonaal handschrift. Ladislas kwam overeind en liep als een pop naar de familie van de dominee. De moeder keek naar het kind met een mengeling van schrik en respect. Toen Ladislas het haar aanreikte, deed ze een stap achteruit, alsof ze bang was zich te branden. Maar haar man greep haar bij haar schouder, en uiteindelijk nam ze de zuigeling tegen haar borst.

'*Gut,*' zei Ladislas, terwijl hij naar mij keek. Nog één keer legde hij zijn wijsvinger op de schedel van het kind, en hij tekende er een hakenkruis op. Vervolgens nam hij de dominee met vreemde hartelijkheid bij de hand, alsof hij een lintje ging opspelden.

'Nu is het uw beurt, eerwaarde.'

De dominee leek gegeneerd, alsof hij meende niet opgewassen te zijn tegen deze taak. Maar het kind slaakte een kreet, een vreselijk gebrul, alsof de fontanel werd doorboord. Iedereen leek wakker te schrikken uit een slaapwandeling. De stem van de zuigeling bracht op gewelddadige wijze het decor weer terug. De rest keek naar mij, zonder vriendschap of wrok. Slechts een soort vermoeide en ontwrichte beleefdheid.

Maar waar ben ik? vroeg ik me ten slotte af, terwijl ik voor het eerst naar de omgeving keek. Rondom mij stonden slechts gewone woonhuizen, met tuintjes eromheen. Soldaten en burgers liepen druk heen en weer, voor het merendeel naar de overkant van de open plek, naar de schoorstenen. Die verrezen verderop, achter een tweede rij bomen, nog dikker en hoger. Het lukte me niet het gebouw te zien dat eronder stond, want alles ging schuil achter lommer. Dat was echter slechts een detail, want het gebrul van het kind verpletterde ons, alsof hier een godheid lag te lijden. De baby bleef maar huilen. De vrouw van de dominee probeerde hem te kalmeren door hem zachtjes in haar armen te wiegen, maar hij ging er alleen maar harder door huilen. Met zijn mollige handje leek hij naar de hoge schoorstenen te wijzen die van verre boven de open plek uit rezen. Zijn gezicht leek een en al walging. Een instinctieve schrik zoals ik nog nooit had gezien.

'Dit is je kamer, hartje!'

Ladislas intimideerde mij met een vreemde kracht. De emotie hem terug te zien verlamde me en het lukte me niet me uit die lethargie los te rukken. Beschaamd deed ik alsof ik het vertrek bekeek, ik liep naar het raam, dat volop beschenen werd door de zomerzon. Het keek uit op de esplanade waar we waren aangekomen. Door het raam zag ik de vierling. Ze zagen eruit als een stel willekeurige SS-officiers.

'Ze zijn veranderd, hè?' merkte Ladislas op, terwijl hij bij het raam kwam staan.

'Ze hebben me niet eens gedag gezegd,' mompelde ik, alsof ik moeite had woorden te vinden.

Ladislas streelde mijn hals.

'Ze zijn net als jij, mijn Putzi: ze zijn groot geworden.'

Ik draaide me om, Ladislas glimlachte. Zonder mij uit het oog te verliezen, liep hij nog verder achteruit en ging op het bed zitten. Zijn blik was niet meer dezelfde. Hij deed me denken aan die soldaat die ik was tegengekomen in de haven van Hamburg. Ook Ladislas beschouwde mij nu als vrouw. Tenslotte was ik bijna zestien.

'Ik weet dat je allemaal vragen hebt,' zei hij, terwijl hij achteroverleunde om op zijn ellebogen te steunen. Een tweeslachtige houding. 'Nu hebben we de tijd, ik luister.'

Ik kreeg het onaangename gevoel dat zijn ogen iets anders in mij zochten.

'Kom!' zei hij zachtjes, terwijl hij op het bed naast zich klopte.

Ik voelde me steeds minder op mijn gemak. Ladislas' voorhoofd glom. De hitte was onverdraaglijk. De lucht leek beladen met de geur van dode bloemen, van rottend gras. Ik deed het raam open, maar een nog veel sterkere lucht sloeg me in het gezicht. De lucht van rottend vlees. Ladislas zag mijn grimas en glimlachte onschuldig.

'Met de hitte komen de geuren boven. Doe het raam maar dicht en kom naast mij zitten.'

Mijn stiefvader had die obscene uitdrukking laten varen die hem zo-even volkomen misvormd had. Ongelovig sloot ik de spanjolet, en zonder te weten of ik me nu in de klauwen van de lynx stortte liep ik naar het bed toe. Ladislas nam me in zijn armen, zoals hij dat soms deed, heel lang geleden. Hij duwde me zelfs achterover en legde mijn hoofd in zijn schoot, terwijl hij met zijn duim figuurtjes op mijn voorhoofd tekende.

'Mijn Putzi, mijn Putzi, ik ben zo blij dat je er eindelijk bent. Sinds de dood van je moeder voel ik me zo alleen.'

Ladislas sloeg weer de toon van mijn jeugd aan, die van onze hartelijkste, liefste onderonsjes. Ik voelde me lekker. Ik nam het mezelf kwalijk dat ik in hem slechte bedoelingen had kunnen lezen. Ladislas was dezelfde. Ik vergat bijna zijn onthullingen, zijn brief, die gruwelijke beelden. We waren daar bij elkaar, voor elkaar. Lang bleven we zo stil zitten, luisterend naar de geluiden van het bos. Alleen het geluid van de grote natuur omhulde ons, en dan nog slechts gedempt. Ik voelde me plotseling zo lekker, in dat bos, dat huis, die kamer en dat bed: allemaal concentrische cirkels die mij aan het lot bonden, aan Ladislas' leven. En dan zijn hand! Die hand die mijn haren streelde, die mijn vlechten gladstreek, alsof ik een pop was. Ik liet me wegglijden in deze verrukking. Een rustige en gelukzalige verrukking. Een groot verjongingsbad, een uitzicht over mijn jeugd, zonder een spoor van nostalgie, want Ladislas was daar voor mij, tegen mij, voorgoed.

'Putzi, Putzi,' mompelde hij ten slotte.

Ik had liever gehad dat hij zijn mond had gehouden. Ik wilde verder niets meer begrijpen want ik wist dat zijn antwoorden op mijn vragen mij weg zouden rukken uit dit verrukkelijke ogenblik, ons weerzien.

'Putzi,' vervolgde hij niettemin, terwijl hij zijn duim op de brug van mijn neus legde, 'weet jij hoe ik uit Dantzig ben weggekomen? Hoe ik die bommen en die slachting heb overleefd?'

Ik knikte van nee en ik pakte zijn dij alsof het een kussen was. Bij dat intieme gebaar verstijfde Ladislas, om vervolgens weer te ontspannen. Een rilling had hem doorvaren.

'Ik moet het je toch vertellen,' zei hij met trillende stem, 'je moet het weten.'

Ik legde mijn wijsvinger op zijn lippen.

'Houd je mond!'

Zijn gezicht vertrok, het kreeg weer die zo volwassen en zo schuldige uitdrukking, die ik even eerder bij hem had gezien.

'Wil je het echt niet weten?' drong hij zonder overtuiging aan.

Maar zijn neus raakte de mijne al.

'Je schreef dat ik uitverkoren was,' zei ik, alsof die woorden als vanzelf uit mijn mond kwamen. Mijn stem werd ernstiger. Ik was niet meer baas over mijn handelen, en een gevoel van intens plezier doorvoer mijn lijf. Iets onbekends, iets heftigs, iets wat altijd al verborgen leek in Ladislas' blik, een verboden en voor de hand liggende vreugde, even berucht als natuurlijk.

'Je hebt gezegd dat ik uitverkoren was,' herhaalde ik, 'bewijs me dat eens!'

Ladislas' lippen leken even droog als zand. Was het niet daarom – en alleen daarom – dat hij mij had opgevoed, dat hij mij had opgeleid? Dat hij mij had geschapen? Het vertrek werd zo langzamerhand een stoomketel. Mijn gedachten raakten verward en ik kroop in het bed zoals een dier in een moeras wegzakt. Ladislas was nog slechts een lijf. Een lijf tegen het mijne. Ik trok zijn hemd uit, hij verscheurde mijn rok. Een ruwe kreet kwam uit mijn keel. Zijn ogen leken bloeddoorlopen, alsof hij zijn grenzen doorbrak, alsof ik hem op eigen terrein versloeg. Diep in mij klonk een kreet van victorie en van pijn. Op dat precieze ogenblik, ondanks zijn macht, ondanks zijn kunnen, ondanks zijn rol in de historie, was ik de meesteres. Ladislas was nog slechts een slaaf, net als de gevangenen. Op mijn manier wreekte ik al zijn slachtoffers! Terwijl ik Ladislas met mijn geweld, met mijn begeerte verpletterde, met die kracht van een jongvolwassene in wie nog het vuur van de jeugd brandt, liet ik hem boeten voor zijn fouten, confronteerde ik hem met zijn spoken. Ik werd zijn geweten, zijn laatste restje moraal en helderheid. Hij was geen soldaat meer, geen SS'er meer, alleen nog maar een man, een dier dat brandde van begeerte, wiens levensdoel zojuist was onthuld, en dat in pijn en vreugde werd gedompeld. Toen ik zijn geslacht in mijn kleine, blanke hand nam, slaakte hij een kreet, want ik kneep erin alsof ik een beest wilde wurgen. Wij keken elkaar diep in de ogen, in de mijne zocht hij het kind dat hij had achtergelaten onder de puinhopen van Dantzig, terwijl alles zo zorgvuldig geolied verliep. Toen hij het plan had opgevat op het juiste ogenblik weer terug te komen. Alleen dit, dit had hij niet voorzien... Hij had het niet eens kunnen bedenken, hij liet zich overweldigen door genot en woede. Ladislas was geen meester meer van zichzelf, niet meer van zijn gevoelens en niet meer van de mijne. Zijn handen betastten koortsachtig mijn lijf. Zijn handpalmen sloten zich over mijn nog jonge borsten, kleine borsten, maar hard van de begeerte. Hij raakte uitzinnig.

'Putzi, mijn hart, mijn liefste,' zei hij hijgend terwijl hij mijn borsten kuste. Ik had zijn geslacht nog steeds niet losgelaten, speelde er zachtjes mee. Heel even draaide ik mijn hoofd naar de muur, naar de overkant van het vertrek. Een grote spiegel gaf het tafereel weer. Een bespottelijk en toch zo puur visioen. Ladislas was een onderworpen beest, wiens lippen zich verloren in mijn buik, probeerden mijn schaamheuvel te kussen en vervolgens lager te gaan. Toen ik zijn hoofd tussen mijn benen had, zette ik mij schrap, verpletterd door genoegen. Vervolgens kneep ik steeds harder in zijn geslacht, alsof ik wilde dat het in mijn hand kapot zou scheuren.

Ladislas kwam omhoog naar mijn mond, met een natte wang. Zijn ogen waren helemaal weggedraaid. Hij pakte mijn hoofd tussen zijn handen, alsof hij het wilde laten kraken, en dwong het omlaag te gaan. Ik liet hem begaan in de wetenschap dat het hem slechts kwetsbaarder maakte.

'Ladislas, mijn Ladislas, mijn meester, mijn vader, mijn minnaar!' zong een stemmetje diep in mij. Ons beider genoegen stuitte op elkaar, als de strijders in een toernooi: de vreugde van de wraak, van het weerzien, van de vervulling, van de communie, van de bevestiging. Ik ging geheel verloren in een peilloos narcisme, waarin alles geregeld leek, waarin alles volgens duizelingwekkende vanzelfsprekendheid gerangschikt leek, zodat ik er zelfs Ladislas bijna door vergat. Hij was nog slechts een aanleiding. En toch had ik zijn geslacht in mijn mond. Zijn vingers trokken mijn haren uit naarmate ik hem dieper in mij nam. Het lukte hem niet meer te spreken, te ademen, zijn ogen open of dicht te houden. Zijn oogleden, met die fijne wimpers, sloegen alsof ze bezig waren te sterven. Hij brulde en de smaak was die van alg. Een lucht van zeewater, van branding. Mijn mond zat vol. En toen zijn kreet: '*Putzi! Putzi! Nein!*'

Maar het was al te laat. Hij had de bocht al genomen. We waren aan de overkant. Ladislas had mij volwassen gemaakt, op de meest sublieme, wrede manier. En ik, ik had zijn betovering verbroken. Zijn greep, die zo diep in mijn ziel lag, was verdampt, zoals de zwarte rook van de grote schoorstenen in de zware hemel vervloog.

'Dat zat er dik in,' zegt Vidkun tegen mij, die over mijn schouder heeft meegelezen.

Ik ben ondersteboven van het tafereel, helemaal vanwege de zinnelijkheid, de brute seksualiteit, zo onverwacht bij Leni – en bij Marjolaine! –

die bij mij een bijna onverdraaglijk verlangen hebben gewekt. En dat nog afgezien van de aanwezigheid van Vidkun, die tegen mij aan hangt om mee te lezen. Ondanks mijn maag voel ik een heel intense opwinding, die lijkt op plezier. Dan besef ik hoe vulgair dit alles is en kom overeind zoals een paard steigert.

Nog maar één hoofdstuk!

Het langste... Het laatste...

Zou dat de sleutel zijn?

Op weg naar Oradour
(hoofdstukken LXII, LXIII, LXIX)

Februari 1944 breken wij het kamp op. Het is ijskoud en de meeste gevangenen zullen wel van kou omkomen.

'Het zou makkelijker zijn om ze stuk voor stuk af te maken,' zegt oom Mark langs zijn neus weg, terwijl hij de laatste koffer in de auto stopt. Al weken kom ik niet meer in het kamp. Ik ben bezig in mijn oude schoolschriften verhalen en novellen te schrijven. Ik schep er zelfs oprecht genoegen in, het is een soort uitlaatklep in al mijn waanzin. Ik zie bijna niemand meer, sluit me hele dagen op in mijn kamer, aan mijn bureautje, gebogen over die schriften waarin ik mijn verbeelding de vrije loop laat, omdat ik nog slechts uit mijn herinnering hoef te putten om een legendarische sprookjeswereld te scheppen. De dag van het vertrek stop ik die schriften onder in een koffer en stap in de Mercedes. We rijden met twee wagens. De tweeling in één, oom Mark en de Sachers in de andere. De baby is gegroeid. Hij is nu bijna twee, praat je de oren van het hoofd, en zijn adoptiefouders hebben hem Martin genoemd. Bij het moment van vertrek gaat hij vreselijk tekeer, zo'n tegenzin heeft hij om in de auto te stappen. Is hij zich bewust van het feit dat hij weer eens uit zijn kinderwereld wordt gerukt? Zijn adoptiefmoeder neemt hem uiteindelijk in haar armen en door in zijn oor te neuriën brengt ze hem tot rust.

We kunnen weg.

Niemand in de beide auto's doet een mond open. We starten en niemand draait zich om om het kamp in het bos te zien verdwijnen. De weg is lang! We kijken allemaal met trieste blik naar die verlaten vlakten die we met grote snelheid kunnen doorkruisen, dankzij een enorme reserve aan benzine die we onder de bagage hebben verstopt.

Als we Duitse soldaten tegenkomen die de andere kant op vluchten, beduiden ze ons om te keren, met grote, panische gebaren.

'Jullie zijn gek! Je moet weg!'

Oom Mark en Doktor Sacher geven gas als ze die vluchtende legers zien. Toch lees ik bij mijn reisgezellen een heimelijke angst, goed verborgen onder hun vernis van ongevoeligheid. Maar het is slechts een voorbijgaande indruk. Want allemaal hervinden ze die uiterlijke onverschilligheid. We storten ons in de onrust. Terwijl de Wehrmacht en de Waffen-SS West-Europa opgeven om zich terug te trekken, rijden wij juist naar Frankrijk toe, dat overdekt is met ruïnes. Als aan de horizon een bergrug verschijnt, vertrekt mijn gezicht van vermoeidheid. Ik heb de Pyreneeën herkend.

De markies Renard is heel erg oud geworden. Zijn gezicht is ingevallen, zijn oogleden zakken dicht. De streek zelf lijkt te rouwen. Het stadje Paulin, bij het kasteel, is gedeeltelijk verwoest. Op het kasteel zelf is een van de torens van zijn dak beroofd. Het getimmerte gaapt triest in de avondschemering, als het karkas van een walvis.

We stappen dodelijk vermoeid door de reis uit de auto, als patiënten. De tweeling en de Sachers lijken verrast door de omgeving, ik lees een soort kille teleurstelling in hun ogen, alsof ze het oom Mark heel even kwalijk nemen dat hij ze heeft meegesleurd in dit debacle.

'Het is mij een eer u te mogen ontvangen,' mompelt de markies bedremmeld. 'Helaas heeft de oorlog ons net zomin als jullie gespaard.'

Terwijl hij dit zegt werpt hij bezorgde blikken om zich heen.

'Gelukkig zijn jullie op tijd gekomen,' voegt Renard eraan toe, terwijl hij liefdevol maar vermoeid zijn hand op Marks arm legt. 'De verzetsstrijders stromen allemaal samen in Rabastens, dertig kilometer hiervandaan. Mijn rentmeester, mijn kokkin, hun zoon, ze zitten er allemaal bij... Ballaran, mijn rentmeester, is zelfs het hoofd van het grootste netwerk uit de streek. En zijn zoon Gilbert treedt in zijn voetspoor. Daarom kan ik jullie niet meer in het kasteel onderbrengen.'

'Maar waar moeten we dan slapen?' vraagt Aase Sacher beledigd, die de kleine Martin in haar armen klemt, want de avondwind is opgestoken.

De markies zegt met een spijtige blik: 'Ik zal jullie in de grotten moeten installeren.'

'De grotten?' vraagt Aase, terwijl de tweeling probeert rustig te blijven. Maar ik lees bij hen dezelfde uitputting als bij de markies. Alleen Mark lijkt onbuigzaam, met die stramheid van Noach ten tijde van de Ark. Aan de rand van het bos gaat de zon onder.

Het bos is even ondoordringbaar als tropisch oerwoud. De bramen zijn over de paden gegroeid, omstrengelen de stammen alsof ze ze willen wurgen. Een modderlucht hangt in de atmosfeer, als de geur van een verzonken wereld. Al snel staan we voor de ingang van de grot.

'Papa!' fluistert een vrouwenstem. 'Ben jij het?'

'Ja, schatje!'

In een eik horen we bladeren ritselen en dan springt een gestalte voor ons, als een elf uit de bossen. Ze is gekleed als een jongen, haar haren zijn achterovergekamd en in een knoet gedraaid onder een boerenpet, ze heeft een groot vliegeniersjack aan, en ligt waarschijnlijk al lang op de loer, want ze is rood van de kou en het vocht van het bos. De lange blonde liaan bekijkt ons met achterdocht. Ik lach naar haar, maar ze blijft van marmer.

'Ik stel u voor aan mijn dochter Marianne,' zegt de markies.

'Goedemiddag,' zegt ze tegen mij, terwijl ze me een verfijnd handje toesteekt, ondanks haar uiterlijk van stroopster. Vervolgens wijst ze ons het zwarte hol tussen de varens, en we betreden de grot. Het is een enorm netwerk van prehistorische holen. Marianne en haar vader brengen ons naar een grote zaal, waar matrassen en paardendekens liggen.

'Dat is alles wat ik overheb,' verontschuldigt de markies zich, bij het zien van de afkeurende blik van Aase, die haar neus boven de oude stof houdt en overeind komt alsof ze een lijk ruikt.

'Het is uitstekend,' besluit Mark, terwijl hij in zijn handen klapt.

'Uitstekend?' protesteert Aase, en ze loopt op Mark af.

Haar ogen zijn zwart, ze lijkt op het punt een hysterische aanval te krijgen. Bij het licht van de fakkels doet haar waanzin denken aan die van een spook in een romantische opera.

'Al twintig jaar sleep je ons achter je aan!' schreeuwt ze tegen Mark, die onvermurwbaar blijft.

'Aase!' roept Doktor Sacher, die zijn greep op de gebeurtenissen lijkt te verliezen.

'En jij,' ze wendt zich tot haar echtgenoot, 'jij bent niet meer dan een zielige knecht!'

De arts staat sprakeloos. Niemand reageert. Maar Aase houdt haar mond niet. Jaren van vernedering komen nu los: 'Jij bent een slechte dokter en een slechte man en een slechte vader!'

'Mama!' roepen hun kinderen als uit één mond.

'Kijk ze nou toch,' valt ze uit, terwijl ze op haar kinderen wijst. 'Wat voor idee van het leven hebben we ze meegegeven? Omdat jij echt gelooft in al die verhalen over een hoger ras? Over een uitverkoren volk? Over...'

'Mama!' roept daarop een hoge, bijna vrouwelijke stem.

Aase verstijft. Iedereen draait zich om. Geleund tegen een wand staat de kleine Martin zijn moeder te bekijken. Zijn mond trilt en hij lijkt te bang ook maar te durven huilen. Bij het zien daarvan verliest de moeder elke agressiviteit en werpt zich in de armen van het jochie, dat amper nog op zijn benen kan staan.

'Mijn liefste, mijn baby,' zegt ze snotterend, terwijl ze de asblonde haren van het kleine kind streelt. 'Jij zult nooit zijn zoals zij.'

Martin antwoordt niet. Hij klemt zijn moeder tegen zich aan alsof hij met haar wilde versmelten, uit deze lugubere plek verdwijnen. Ik realiseer me dat het kind in twee jaar al meer geleefd heeft dan in een heel leven. Ten slotte keert de rust terug. Niemand probeert de ruzie op te rakelen. Aase blijft aan haar adoptiefkind gekleefd, in een hoek van de ruimte, terwijl de oude markies ons instructies geeft.

'U mag nooit de grot verlaten zonder dat ik u kom halen. Dagelijks zullen Marianne en ik u eten of' – een zure blik op Aase – 'schone dekens brengen.' De markies slikt nog even voordat hij eraan toevoegt, zonder de vrouw van de arts uit het oog te verliezen: 'En ik wil er wel op wijzen dat ik mijn leven waag door jullie hier zo te verbergen. Als het verzet zou weten dat ik een van de grootste leiders van de SS hier heb, dan zal de bescherming van mijn rentmeester geen enkel nut hebben.'

Vanaf dat moment leven we in een ivoren toren, volslagen van de wereld afgesneden. Marianne komt dagelijks eten brengen.

'Goedemorgen, allemaal!' zingt ze dan vrolijk. We zien haar aankomen in de verdoving van beesten die in hun winterslaap worden gestoord.

'Vooruit, opstaan, niet bij de pakken neerzitten!' voegt ze eraan toe, terwijl ze met haar grote mand zwaait om eten uit te delen. Maar niemand verroert een vin. Aase Sacher zit te rillen en vervloekt het universum vanonder haar dekens. Haar man brengt het merendeel van zijn tijd gebogen over een aantekenboekje door, dat hij volschrijft in een onleesbaar priegelschrift. Zelfs de tweeling lijkt volslagen apathisch. Alleen de kleine Martin schijnt de situatie op prijs te stellen. Als Marianne komt, werpt hij zich op haar laarzen, want ze heeft altijd wel een snoepje of een biscuitje voor hem. Maar het vreemdste is de houding van Mark. Ik heb opgemerkt dat Marianne hem elke ochtend met een soort vreesachtige eerbied bekijkt. Een duidelijke bewondering, bijna verzaligd. Elke dag is het wel een glimlach, een koketterie, een wat kinderlijke knuffel, die steeds zinnelijker wordt. Aanvankelijk doet het me weinig, tot het moment dat ik besef dat Mark niet ongevoelig is voor haar 'avances'. Hier sta ik toch paf van!

Op een ochtend – we zijn nu bijna drie maanden hier – komt Marianne de grot binnen gerend, doodsbenauwd, om ons te waarschuwen dat haar vader ruzie heeft met de rentmeester.

'Hij vermoedt dat wij nazi's in het park verbergen.'

Een golf van schrik in de grot!

'Maar hoe weet hij dat?' bromt Mark ongerust.

'Het komt door ons,' geeft meteen een van de tweeling toe.

'Jullie?'

'Ja we worden gek hier! Dus gaan we als de avond valt eropuit. We jagen op beesten en die maken we dan klaar.'

'En dat is het stomste wat jullie konden doen! Als het verzet jullie pakt, zullen ze jullie folteren en dan afmaken, allemaal.'

Bij die woorden begint Aase vreselijk te brullen. Iedereen wendt zich tot haar. Ze zit rechtop op haar dekens, met haar haren los, haar gezicht vies – hoeveel weken hebben we ons al niet gewassen? – en ze spert haar ogen open terwijl ze Mark aankijkt.

'Beesten! Wij zijn beesten! Fantastisch, dat duizendjarige rijk van jou!'

Haar stem is bijna niet te verdragen. Mark kijkt Doktor Sacher in de ogen. Deze bloost, aarzelt even, loopt dan op zijn vrouw af, en als in vertraging geeft hij haar een klinkende oorvijg.

Aase reageert niet eens, maar de kleine Martin werpt zich in de armen van zijn adoptiefmoeder en piept: 'Mama!'

Hij drukt zich tegen haar borst en kijkt de arts ongelovig aan.

'Mama! Geen pijn!' kreunt hij, terwijl hij het rood wordende gezicht van Aase streelt, die stil zit te huilen.

Worden wij dan op zo'n zotte, zo'n alledaagse manier gek? Zijn de meesters van de wereld simpele boeven geworden? We zijn als versteend, maar iedereen probeert bij zichzelf een oplossing te zoeken om uit deze rotsgevangenis te komen.

Helaas hoeven we daar niet lang meer op te wachten.

Op een ochtend ben ik bij de ingang van onze grot toevallig getuige van een gesprek tussen Mark en Marianne. Mark is opgestaan voor iedereen en is naar de ingang van de grot gelopen, alsof hij Marianne opwacht. Omdat ik nieuwsgierig werd ben ik vlak na hem opgestaan om hem stiekem te volgen.

'Jullie moeten weg.'

'Maar waarom?' antwoordt Mark zachtjes, terwijl hij figuurtjes tekent op het voorhoofd van Marianne, zoals hij dat zo vaak op het mijne heeft gedaan.

'Gilbert heeft alles ontdekt,' fluistert zij.

Mark verstijft.

'Gilbert? De zoon van de rentmeester? Maar ik dacht dat jij die had uitgeschakeld!'

Marianne wordt bleek.

'Gilbert is een jeugdvriend van me,' vervolgt ze. 'Hij is al zijn hele leven verliefd op mij en hij weet dat ik het een en ander voor hem verberg.'

Ze aarzelt, want ze heeft bij Mark een schaduw gezien die ze niet van hem kent, dat onmenselijke licht, dat echter zijn echte gezicht is. Ik ben te veel onder de indruk van het nieuws om me te verheugen over die teleurstelling.

'Wat weet hij precies?'

Marianne kijkt naar de grond.

'Alles.'

'Alles?'

Marks kreet weergalmt door de grotten en ik moet me inhouden om mijn blik niet af te wenden. In de grot kreunt Martin in zijn slaap. Mark masseert dwangmatig zijn wangen.

'Als jij "alles" zegt, wat betekent dat dan?'

'Alles, ik heb hem alles bekend.'

Mark is sprakeloos. De jonge vrouw lijkt wanhopig. Ze zoekt in

Marks ogen iets van begrip, van medeleven, maar hij is net zo gesloten als een blok marmer, omdat hij in zijn hoofd een nieuwe gedragslijn aan het uitwerken is.

'Maar hij heeft me beloofd niets te zullen zeggen!' voegt Marianne eraan toe, op smekende toon, en ze werpt zich aan Marks voeten.

Hij grinnikt hol.

'Natuurlijk, natuurlijk.'

'O, Mark, ik smeek het je, het is allemaal mijn schuld.'

Het meisje ligt op haar knieën voor Mark en ze omklemt zijn benen.

'Mark, Mark,' kreunt ze, 'je moet het me niet kwalijk nemen!'

Ze probeert koortsachtig de ceintuur van het uniform los te maken.

'Maar wat ga je…' fluistert Mark.

'Ik houd van je! Ik houd zoveel van je!' stamelt Marianne, terwijl Mark haar laat begaan.

Ik had op dat moment ver weg willen zijn! Honderden kilometers van dit tafereel, waar ik van walg. Ik zie bijna niets. Maar hun zuchten in het donker. Hun vermengde ademhaling. Het geluid van hun speeksel.

Daardoor is de stem van twee mannen des te schrikwekkender.

'Zo, ik zie dat hier sprake is van "heulen met de vijand".'

De straal van de zaklamp betrapt de beide minnenden op heterdaad. Marianne ligt nog op haar knieën, Mark heeft zijn ogen weggedraaid en staat met zijn rug tegen de wand van de grot. Ze lijken op heterdaad betrapt, als verliefden achter de school.

'Dat had ik nou niet verwacht,' vervolgt de rentmeester. Hij loopt op hen af, met een moorddadige blik. Ballaran grijpt Marianne bij haar haren om haar achterover te trekken. Ze piept zonder haar mond open te doen, haar ogen vol haat.

'Papa, toe,' hoor ik een andere, jongere stem.

'En om die hoer doe jij al jaren geen oog meer dicht?'

Gilbert treedt dodelijk verschrikt uit de schaduw. Hij bekijkt Marianne met volstrekte wanhoop. Mark wil iets doen, maar zonder de haren van Marianne los te laten, wier nek een onrustbarende hoek maakt, trekt de rentmeester een revolver.

'Rustig aan, mof!' zegt Ballaran triomfantelijk en ironisch. Ik sta nog in de halfschaduw, maar de anderen waarschuwen zou nergens toe dienen, want ze komen uit zichzelf, aangetrokken door het geschreeuw. Eerst zien we de tweeling, die het tafereel verschrikt ontdekt.

'De hele familie is er, nou nou!' zegt de rentmeester, voordat hij zich tot zijn zoon wendt. 'Neem ze voor je rekening, jongen.'

Gilbert wantrouwt de zaak. Hij wantrouwt net zo goed ons als zijn vader, die waar hij bij is degene laat lijden die hij altijd voor de vrouw van zijn leven heeft aangezien. Deze bijeenkomst zit hem meer dwars dan de wetenschap dat ze hem ontrouw is. Hij verroert geen vin.

'Ik zei dat jij ze voor je rekening moest nemen!' schreeuwt de rentmeester, terwijl hij nog harder aan de haren van de jonge vrouw trekt. Marianne slaakt een kreet van pijn. Gilbert bijt op zijn lippen tot het bloed eruit komt.

'Laat haar dan eerst los,' zegt hij zachtjes.

Zijn stem is zacht als die van een jongen. Langzaam, behoedzaam, trekt Gilbert zijn revolver en richt die op zijn vader.

'Ben jij gek geworden?' bromt de rentmeester ongelovig.

'Ik zei dat je haar moest loslaten!' zegt Gilbert op beslister toon.

De vader weet niet wat hij ervan denken moet. Dit scenario had hij niet bedacht! Maar nu draait alles om: het gaat nu om Marianne.

'Laat haar los, papa!' brult Gilbert daarop, en hij spant zijn revolver.

'Arm joch,' zegt de rentmeester, terwijl hij niet langer op Mark mikt maar de loop van zijn revolver op het voorhoofd van Marianne zet.

'Nee, nee,' piept ze.

Een golf van walging slaat door de grot. Niemand durft een vin te verroeren. Het tafereel wordt dramatisch. Gilbert bedreigt zijn vader, die Marianne onder vuur houdt.

'Papa, ik meen het.'

'Gilbert, godverdomme!'

De rentmeester, die nu paniek voelt, verliest zijn koelbloedigheid. De revolver trilt in zijn hand, slaat tegen het voorhoofd van de jonge vrouw, die schuimbekt van angst. Gilbert geeft niet toe. Met gestrekte arm mikt hij tussen de ogen van zijn vader, als bij een olifant. Wij zijn zo verstijfd dat de knal niemand van zijn plaats brengt. Getroffen, laat de vader het meisje los, en zakt over haar heen in elkaar. Zij is sowieso al flauwgevallen. Ons verblijf in de grotten heeft een wreed einde gekregen.

'Afgelopen, daar houdt alles op.'

Ik ben helemaal op. Deze hoofdstukken hebben me uitgeput. Vidkun heeft die wasachtige kleur van het begin van de reis weer terug. Mijn maag dreigt de geest te geven. Ik weet niet meer wat ik moet denken of geloven. Hier is geen enkele verwijzing naar Halgadøm. Maar alles is maar al te echt! Alsof ik de roman zelf heb beleefd!

Venner draait met zijn ogen.

'Is er verder niks?' blaft hij. 'Weet je het zeker?'

Onmacht van Venner, verscheurd door twijfel en paniek. Ik besef nu dat hij verder helemaal niets meer voor mij verbergt; net als ik heeft hij vandaag alles vernomen, uit die losgescheurde pagina's. Zijn jeugd, zijn eerste stappen... in het kamp, in die grot! Die grot waar ik nog maar twee dagen geleden geweest ben! Ik sta versteld, maar toch dring ik aan.

'En... jij herinnert je helemaal niets van... dat alles?'

Vidkun lijkt even uitgeput als ik. De lezing heeft hem zo ver teruggevoerd. Hij ziet eruit als een speleoloog die hele weken in compleet isolement heeft doorgebracht, onder in een grot.

'Niets... ik herinner me niets... Ik was te... te klein.'

'Maar wie verzekert ons dat dit niet allemaal verzonnen is?'

Venner slikt eens en brengt nerveus een glas water aan zijn lippen.

'Eerlijk gezegd denk ik dat niet. En verder is nu de twijfel gezaaid. In feite strookt alles met mijn oudste jeugdherinneringen. Details die niet gezegd zijn. De overdreven bescherming van mijn moeder. Vaak hadden mijn ouders het over een "grot", waar wij in zouden hebben geleefd. En verder is er die moord op Ballaran door zijn eigen zoon, daarom heeft Chauvier dat militair dossier van Jos laten verdwijnen. Dat had niets te maken met een liefdesgeschenk, hij moest het stilzwijgen van Otto Rahn kopen.'

Ik huiver.

'Een liefdesgeschenk,' zeg ik ironisch. Precies wat ik aan Clemens heb gegeven door hem mee te slepen in deze ellende. Hoe zou het momenteel met hem gaan? Wat gaat er in zijn hoofd om? Haat hij me om dit alles? Is hij nog wel in leven? Die laatste gedachte heeft de uitwerking van een elektrische schok.

Nee, trut, daar niet aan denken! Clemens leeft, hij wacht op je. Wat deze reis ook brengen moge.

Ik wend me tot de Viking, die zich opsluit, alsof hij wil tonen dat hij niet wordt getroffen door deze onthullingen, maar klaar is ze onder ogen te komen, als voor een duel, een uitermate ongelijk, gewelddadig duel, gebaseerd op vernedering en geheim, maar een duel dat hij altijd al voor zich uit schuift. Dat alles lees ik op zijn gezicht, waarvan de uitdrukking overgaat van verslagenheid in woede.

'Ik wil alles weten. En ik zal alles weten!' tiert hij. 'Zelfs al ontbreken er hoofdstukken. Zelfs al zijn ze nooit geschreven!'

'*Enjoy your stay in Norway,*' zegt de stewardess als we het vliegtuig uit stappen. Ik stamel een '*Thank you*' – mijn eerste woorden sinds uren – en voeg me bij Venner, die op me staat te wachten bij de bagageband. Onbewust durven we niet bij elkaar uit de buurt te lopen. Toch staan we slechts op een kleine luchthaven, en ik had nog nooit van Bodø gehoord. De andere passagiers pakken hun tassen met een vermoeid goed humeur. Vidkun en ik zien de onze een paar keer langskomen zonder ze te durven pakken, want hetzelfde idee komt bij ons op.

Als we nu eens teruggingen?

Geen van beiden spreekt die woorden uit. Maar onze band is zo sterk en zo intiem geworden. De twijfel is in een oogwenk geboren. Het zou zo gemakkelijk zijn alles te laten vallen. Vluchten, vertrekken, verdwijnen. Deze odyssee uitwissen.

'Welnee!' zeg ik, terwijl ik de vinger in mijn hand klem, rood van geronnen bloed. Daarop toon ik hem aan Vidkun, als een sinistere trofee. Langzaam knikt Venner, zoals de veroordeelde die zich omkeert naar het schavot nadat hem gratie is onthouden.

'Vooruit.' Hij pakt de tassen en legt ze op een karretje.

'Wie komt ons ophalen?' vraag ik zachtjes, terwijl wij het vliegveld verlaten en op een enorm parkeerterrein uitkomen. Het merendeel van de reizigers is al weg en we staan daar moederziel alleen.

'Hoe moet ik dat weten?'

De ijskoude lucht stijgt me naar de keel. De poolnacht! Het is bijna nacht. De klok geeft twee uur 's middags aan, maar de lucht is somber, als in avondschemering.

'Het blauwe licht,' fluister ik, denkend aan de beschrijving uit de roman van Leni Rahn.

'Vidkun Venner?'

Wij schrikken. De stem is uit het halfduister gekomen, verderop op het parkeerterrein. Maar we zien niets!

'Vidkun Venner?'

Er treedt een vrouwengestalte uit de mist.

'Vidkun Venner?'

'Dat ben ik.'

Ze is nog maar een paar meter bij ons vandaan, maar we kunnen nog steeds niet zien hoe ze eruitziet. Alsof ze elk licht afweert. Als ze verschijnt, ben ik uitermate verrast.

'Maar... maar...'

De vrouw is verbaasd.

'Vidkun Venner?' vraagt ze nog eens, terwijl ze haar hand naar de Viking uitsteekt. Venner geeft de onbekende een hand. In een mengeling van Noors, Engels en Duits vertelt ze hem dat de wagen op het parkeerterrein staat.

'It's quite a long way to the Grosse Schwester.'

'Grosse Schwester, dat betekent grote zus in het Duits,' fluistert Venner.

Maar ik luister niet. Ik kan me amper verroeren. Weer loopt alles in mijn hoofd door elkaar.

'Maar dat kan toch niet! Dat kan haar toch niet zijn!'

'Anaïs, is alles in orde?'

Ik wijs op de jonge vrouw die nu in een kleine Volvo op ons af komt. Op de carrosserie staat: HALGADØM.

'Zij... zij...'

Vidkun klemt zijn kaken op elkaar.

'Maar wat is er? Ken je haar?'

Ik slik eens en zeg dan met wankele stem: 'Dit is Aurore Jos, de kleindochter van Otto Rahn.'

We zijn nu al drie uur onderweg. Het licht is zo zwak en de mist zo dicht, dat we niets van het landschap zien. Alleen maar borden met vreemde namen: Harstad, Lodingen, Hennes, Fiskebol. Door de dikke mist zien we hier en daar fabrieksschoorstenen, omtrekken van huizen, metalen bouwsels, als evenzovele schimmen. Om de honderd meter werpen de lantaarns van de snelweg een knekelig licht op onze chauffeuse. Ik kijk naar haar en moet weer aan Aurore Jos denken, in haar keuken in Mirabel, struikelend over lege flessen.

'Ze is het niet, maar het is een bijna volmaakte dubbelgangster, jonger, minder... aangetast.'

'Wellicht een nicht,' stelt Venner voor.

Hij wil dit net gaan beargumenteren als de auto plotseling een slinger maakt.

'Hela!'

Zonder vaart te minderen neemt de Volvo op piepende banden een landweg. De lucht van algen doorstroomt al snel de cabine, een zeer geconcentreerde zeelucht, even scherp als die van dode vis. En plotseling is daar de zee. De grote, half doorzichtige, maar glinsterende uitgestrektheid, die stukje bij beetje uit de mist komt, verslindt de einder. Wolken maken zich los van de hemel als grijze vlekken op een zwarte sluier.

'*Achtung!*' schreeuwt de chauffeuse, die plotseling stilstaat. Ik vlieg bijna tegen de ruit aan en grijp me vast aan Venner. De auto rijdt nu dwars door de velden. Tien minuten later bereiken we een kreekje, dat schuilgaat achter struiken en lage bomen. Hier glinsteren de natte rotsen ondanks het halfduister en likt de zee lusteloos het zand met zacht geklots. Terwijl de wagen stilstaat voor een drijvende ponton bekijk ik dit landschap met een bijna schuldige verrukking, want ik ben hier helemaal niet op vakantie. En dan zie ik het. Leunend tegen een plank, zijn voet in evenwicht op de flens van een enorme buitenboordmotor, ziet een man ons uit de auto stappen. Meteen draait hij het contactsleuteltje om en begint de motor vrolijk te zoemen.

'Wèkom!' zegt hij met een tenorstem met een sterk Scandinavisch accent, die maar met moeite boven het geluid van de motor uit komt. Hij beduidt ons naar de rubberboot te lopen. Onze voeten zakken weg in het natte zand, en ondanks de uitputting word ik gegrepen door de kou en de jodiumgeur. De lucht van diesel slaat me in het gezicht en ik hoest terwijl ik de rook wegwuif. Onder in mijn zak houd ik Clemens' vinger vast.

We komen eraan, hartje, we komen eraan!

Venner probeert zijnerzijds te begrijpen waar we zijn. Maar er is niets om ons heen. Het kreekje wordt een klif en lost dan op in het duister en de mist. Terwijl de man naar de Volvo loopt om de chauffeuse te helpen de bagage naar de rubberboot te dragen, beginnen Vidkun en ik het toch te begrijpen. We staan zelfs te rillen en dat heeft niets uitstaande met de Noorse kou.

'Nee,' zeg ik zachtjes, terwijl ik van angst Vidkun aanklamp. 'Dit was niet Aurore Jos.'

Venner slaat beschermend een arm om mijn schouders, terwijl wij met enige wanhoop de man bekijken die ons de boot wijst en '*Please*' piept zonder te articuleren.

Hij heeft geen tong, denk ik met enige walging, en ik moet denken aan het lot dat de gevangenen van Halgadøm was beschoren. Hij kan dan wel stom zijn, de gelijkenis is volmaakt! Hij is klein, maar lenig en robuust, heeft een hoog voorhoofd, een doordringende blik en die uitdrukking van macht die bovenkomt als hij iets wil.

'Hij is het, het is precies hem,' zegt Venner gefascineerd, terwijl hij op de zeeman af loopt, die niet verrast lijkt door zijn reactie. 'Hij is het zoals hij in het begin was, in het begin van Halgadøm.' Ik stap in de boot en ga op een stijf kussen zitten, terwijl ik naar deze dubbelganger kijk. De jonge vrouw stapt op haar beurt in de boot, de zeeman gooit de trossen los, terwijl hij met een schop de ponton wegduwt. En terwijl we van de oever wegvaren, fluister ik, gehypnotiseerd: 'Otto Rahn.'

Daarop verschijnen de Håkon. De duisternis komt uit de mist, verdicht, dringt zich op: daar zijn de eilanden!

'Het klif,' zeg ik gefascineerd.

De kou is plotseling intenser. Ik duik ineen onder de grote militaire deken die de zeeman me heeft aangereikt en bekijk gretig het landschap. Alles is als in de roman, tot in de details. Het lijkt wel een hallucinatie! Sinds we van de kust zijn weggevaren, hebben we in de mist rondgedobberd. De jonge dubbelganger van Otto Rahn leek zich te oriënteren op de talloze rotsen die uit het water steken. Halverwege hebben de beide Noren met een simultaan gebaar een punt links van ons aangewezen, vrij ver, waar het water leek in te zakken, een dal in de oceaan. Ze zeiden niets, maar straalden een onuitspreekbare angst uit, alsof we bij de poorten van de hel waren.

'De maalstroom,' fluisterde Venner mij in het oor.

Daarop herinnerde ik me die oude Scandinavische legende over deze mythische draaikolk, waardoor zoveel trotse schepen naar de bodem van de zee zijn verdwenen. Maar als we de kliffen naderen, lijkt alles om me heen legendarisch. De hoge muren, zwart van de steen en wit van de guano, staan als geweldige valbijlen in zee. Zwermen vogels vormen een vreemde, bewegende, luchtige haardos, wapperend in de wind. En toch lijkt het alsof de hemel opklaart. De poolnacht is minder uitgesproken. Een soort bleek licht dompelt het landschap in een halfdromerige sfeer. Met een harde ruk wendt de zeeman zijn motorboot om een klip te vermijden. We slingeren bijna overboord, maar de loods recht het roer weer. Voor ons is de klip als een luchtspiegeling verdwenen! Maar ze duikt twintig meter verder weer op en veroorzaakt een diep gegrom.

'Wat is dat?' vraag ik, terwijl ik een plens water over mijn deken krijg, opgeworpen door de schroef die even buiten het water komt.

'Een orka,' antwoordt Venner.

Zijn blauwe ogen volgen de rugvin van het beest, dat recht voor ons uit zwemt. De zeeman slalomt tussen de klippen, vaart rakelings langs rotsen en stevent op een opening af tussen twee kliffen in. Dan varen we door een spleet en verdwijnt de hemel. Boven ons lijkt de muur van plan ons te verpletteren, strak als een wolkenkrabber, een ruige, zwarte wolkenkrabber, bedekt met korstmos en dode vogels. De doorgang is schrikbarend smal. Een soort kanaal, dat tussen de muur door slingert, als een rivier. Maar al snel verschijnt de hemel weer. De kliffen wijken en verdwijnen dan helemaal. Er liggen drie eilandjes voor ons.

Yule, Ostara, Halgadøm, denk ik, de heilige drie-eenheid van de Håkon. De geboorteplaats van Leni en de Svens. Het eerste laboratorium van Doktor Schwöll, de eerste kraamkliniek van de Lebensborn, de geheimste, occultste, raadselachtigste wortel van de zwarte orde. Hier is de SS ontstaan.

Hier, op deze kale rotsen, afgesloten van de wereld, duizend mijl van de tastbare wekelijkheid, in het decor van een noordse opera, heeft Otto Rahn de grootste samenzwering aller tijden uitgewerkt. En alles ligt daar vandaag, op dit moment, voor ons!

'Dit is dus Thule,' mompelt Venner.

De rubberboot vaart langs de twee lagere eilanden, Yule en Ostara, zonder er aan land te gaan. Ze zijn duidelijk verlaten. Alleen resten die nooit herbouwd zijn staan er nog.

'De kapotte kassen van Ostara. Op Yule de ruïnes van de SS-kazerne en het verbrande paleis van Nathaniël Korb,' zeg ik met het duidelijke gevoel dat ik een film beleef.

Al snel duikt Halgadøm op. Het uitzicht is fascinerend, ik word geheel in beslag genomen door het tafereel. Het is een vreemde platte kei, bepokt met rode en witte barakken, waar honderden mensen druk in de weer zijn, lopend van het ene gebouw naar het andere, de armen beladen met dossiers, glazen voorwerpen, metalen kistjes. Het lijkt wel een mierenhoop! De gestalten lopen alle kanten op, in een soort looppas. Iedereen gaat in het wit gekleed. De mannen dragen een jas alsof ze arts zijn, de vrouwen hebben een schort voor en een kapje op, als nonnen-verpleegsters. Op de achtergrond is de opera nog slechts een herinnering. Alleen de drie enorme silo's zijn ervan over, tegen elkaar aan. De middelste silo wordt bekroond door een kleine metalen antenne, als de naald van een spuit. Alle drie zijn omgeven door een rond gebouw, gelijkvloers, waar de activiteit van het eiland om schijnt te draaien. Alle personen die eruit komen kijken naar die drie witte kokers, zoals je een kathedraal bekijkt. De silo's zijn honderd meter hoog en op allemaal staan de acht letters van

Halgadøm. Het lijken wel drie enorme raketten, gericht op het oneindige. Is dit een diepvriesbedrijf voor vis? denk ik, verbijsterd door de ironie. Maar Venners gezichtsuitdrukking ontneemt me de lust tot spot. Hij is weer lijkbleek geworden. Want hij heeft hun gezichten gezien... Die ogen, die monden, die neus, allemaal gelijk, eindeloos herhaald. Als we de aanlegsteiger van Halgadøm bereiken, staan ons vier personen in een witte jas op te wachten, als in de houding. Twee mannen, twee vrouwen.

Twee Aurores, twee Otto's, denk ik, steeds minder op mijn gemak. Ik klem mijn hand om Clemens' vinger. Ze moeten met een man of vijftig zijn, stom, afwezig, met een vage glimlach op hun bleke lippen. De boot legt aan, deinend tegen de kade, de roerganger springt op de planken om het touw vast te maken. De jonge vrouw stapt er als eerste uit en beduidt de 'nieuwsgierigen' ons te gaan helpen. Dat alles zonder een woord te uiten. Oom Otto geeft Vidkun zijn arm, terwijl Aurore mij ondersteunt. Ze halen ons uit de motorboot, zoals je een tangbevalling doet. Maar we laten ze begaan.

Wat heeft het voor zin me te verzetten? denk ik, geconfronteerd met die klonen in wier ogen wij de 'afwijkingen' zijn. Hebben ze al weleens iemand gezien die niet op hen leek? Langzaam lopen ze achteruit om een soort erehaag te vormen.

'En nu?' vraag ik, terwijl ik me tot de Viking wend.

Maar Venner kijkt recht voor zich uit, het kan hem niets meer schelen. Ik pak zijn hand, maar die blijkt een slap en levenloos lichaamsdeel te zijn. Alleen zijn ogen drukken nog wat menselijkheid uit. Maar hij houdt ze gericht op die gestalte die uit de verte komt aanlopen, ondersteund door twee Otto's in witte jas.

'Eindelijk!' hoor ik een autoritaire, scherpe stem.

De stem van een oude vrouw.

'Mijn excuses voor deze kleine odyssee,' roept de vrouw uit als ze bij ons komt, nog altijd ondersteund door de beide Otto's, die voorkomen dat ze struikelt over de weg, bezaaid met keien. 'Maar ik beloof jullie dat jullie zoektocht hier ten einde komt.'

Ze wijst op de drie silo's achter ons. Klonen, niets dan klonen, denk ik, terwijl ik me heel ellendig begin te voelen. Want zij is er ook weer een: alleen ouder, meer getekend dan de andere Aurores. Die scherpe blik, dat hoge voorhoofd.

'Maar natuurlijk!' zeg ik dan tussen mijn tanden.

Vidkun en ik hebben haar al gezien, vorig jaar, in Duitsland. Dat menselijke lijk, ontmoet in een taveerne in de buitenwijken van Berlijn, op een decemberochtend. En ik dacht dat ze dood was! Als ze aarzelend een voet op de kade zet, beduidt de oude vrouw beide Otto's haar alleen te laten lopen.

Ik hoor mezelf stamelen: 'Angela Brillo?'

'Onder anderen, ja,' zegt ze grinnikend in accentloos Frans.

Dan wendt ze zich met een zekere elegantie tot Vidkun.

'Maar ik ben veel meer dan dat, nietwaar, Martin?'

Venner bekijkt haar met wrange blik.

De oude vrouw loopt op hem af. Ze steekt een rimpelige, vereelte hand naar de wang van de Viking uit.

'Martin, elfje van me. Al bijna zestig jaar wacht ik op dit ogenblik.'

Met een ruk heft ze haar hoofd op en ze kijkt dan naar de oceaan.

'Otto zou zo gelukkig en zo trots zijn geweest.'

Venner heeft moeite adem te halen. Ik durf geen vin te verroeren. Ik begrijp de vreemde berusting niet die zich van de Viking meester maakt.

'Alles moest op jou uitkomen, dat weet je toch wel?' vraagt de oude vrouw terwijl ze haar hand op de Viking legt, zoals een blinde probeert de omtrekken van een gezicht te lezen.

Vidkun knikt van ja zonder te antwoorden. De oude vrouw, wier nostalgie haar te veel wordt, bekijkt hem begerig.

'Wij hebben elkaar zo lang geleden ontmoet. Je was nog geen drie. Jouw kinderstem weerklonk in de grotten van Mirabel. Maar Otto zag alles van je door de vingers, want je was toen al de uitverkorene.'

Ik bal mijn vuisten en loop op de oude vrouw af.

'Leni? Marjolaine?'

Bij dat woord openen vijftig klonen beledigd de ogen, alsof ik een vloek heb geuit. Ze beginnen te fluisteren, maar met een kort gebaar legt de oude vrouw ze het zwijgen op. Heel even glimlacht ze naar Vidkun, vervolgens wenden beiden zich tot mij en schudden van nee.

'Nee, Anaïs,' zegt het oude mens, 'geen Leni en geen Marjolaine.'

Daarop doet Vidkun zijn mond open. Zijn blikken zien ver, heel ver in zijn verleden. En zijn bijna onstoffelijke stem is die van een spook: 'De dochter van de baron van Mazas, de verloofde van Gilles Chauvier, de rivale van Leni, de enige vrouw van Otto Rahn: Anne-Marie.'

Anne-Marie stuurt haar leger witte klonen weg. Zonder ook maar een zucht draait iedereen – bezorgd voorhoofd, druk uiterlijk – zich naar het enorme gebouw dat de drie silo's omgeeft. Vanuit de haven vormen de honderden verlichte vensters de ogen van een metalen monster. Gele en begerige ogen, die het halfduister van hun medische gestrengheid doorbreken.

'En nu we alleen zijn, onder familie, moeten jullie me helpen,' zegt Anne-Marie, en ze heft haar ellebogen op om zich door ons te laten ondersteunen.

Aarzelend steek ik een arm uit, en de oude vrouw merkt mijn onbehagen.

'Je hoeft niet meer bang te zijn, Anaïs. Integendeel, je zult alles begrijpen. En alles zal je zo natuurlijk lijken!'

'Maar... waar zit Clemens?'

'O, nou begin je toch niet weer, hè? Naar verluidt heb je in Parijs die arme Hans daar ook al de kop over gek gezeurd!'

Ik sta paf.

'Je moet niet zo'n haast hebben. Clemens maakt het heel goed. Alles op zijn tijd, ja? Nu ben ik het die de bevelen geeft. Geniet eerder van het uitzicht. Is het niet wonderlijk?'

Ik onderdruk mijn haat. Geduld, geduld... en de plek is inderdaad wonderbaarlijk. In de hemel vertoont het roerloos licht alle tinten van blauw, zwart, grijs, hier en daar omzoomd met paars en diep violet. De wierlucht is zo sterk als bij het stalletje van een zeefruitverkoper. Daarmee mengt zich de lucht van het korstmos, van de stuifnevel, van vogelpoep. Een vreemde olfactorische symfonie, die een zekere narcotische betovering heeft. De kreten van de vogels – meeuwen, papegaaiduikers, zeekoeten – doorbreken het doffe en trage gemompel van machines die naast de silo's staan te trillen. Verderop, in zee voor de kliffen, bij die trotse 'vogelmuren', zie ik een paar orka's voorbijzwemmen. Ze duiken uit de golven op, slaan met hun lenige staart in het water, spelen tussen de klippen. De beelden van Leni's roman komen me weer voor de geest: de wandelingen in het licht, de geheimen van haar jeugd, die legendarische sfeer, alsof die mythe voor ons hier en nu herboren werd. Helaas ontglipt de wonderlijke poëzie van die archipel mij steeds meer. Ik kan mijn ogen niet afhouden van die tachtigjarige die wij al twintig jaar dood en begraven waanden. Anne-Marie! De modelgrootmoeder, de lieveling van Aurore, de voorgoed verloren liefde van commissaris Chauvier, het slachtoffer van het gekonkel van Otto Rahn... is niemand anders dan het hoofd van dit bedrijf!

'Dus jij bent het.'

'Teleurgesteld?' antwoordt de oude vrouw agressief. 'Wie had je dan verwacht? Otto?'

Ik weet niet wat ik daarop moet zeggen.

'Mijn arme geliefde zou 102 zijn geweest!' vervolgt Anne-Marie. Ze projecteert haar nostalgie op de silo's, die ze beschouwt zoals je naar een album met oude foto's kijkt. 'Het was weliswaar zijn droom, maar Otto heeft nooit het eeuwige leven verworven.'

Haar stem breekt en ik voel hoe ze haar hand om mijn arm klemt. Maar ze komt met een ruk overeind, verjaagt die voorbijgaande zwakte en recht haar rug.

'Maar nee, ik ben het slechts! Ik, de "kleine Française", "de kleine provinciaalse"… "de kleine Anne-Marie".'

Reeënogen.

'Jullie hebben toch zeker wel begrepen dat het een avontuur is waarin de vrouwen een woordje meespreken, niet?'

De vreemde bekentenis brengt me van mijn stuk. Vidkun, die zich tot dan toe luisterend op de achtergrond heeft gehouden, kiest dit moment voor de aanval: 'Jij hebt ons het een en ander te verklaren, wat betekent dit allemaal?'

'Ja, Martin, ja,' onderbreekt de oude vrouw, terwijl ze haar ogen ten hemel slaat. 'Je bent toch echt een kind gebleven, hè?' zegt ze, terwijl ze haar neus tegen die van de Viking aan wrijft, waardoor ze hem haar adem van rauwe vis in het gezicht blaast. Venner slikt zijn walging weg en bewaart een olympische kalmte. Het enige wat hij doet is naar de grond kijken. Maar vlug geeft hij mij een knipoog. Moet ik begrijpen dat hij zijn wapens slijpt? Dat hij, om Anne-Marie te lijmen, doet alsof hij onderworpen is? Boven ons wordt een vogel verrast door de wind, en hij valt bijna op ons hoofd. Het puntje van zijn vleugel raakt mijn haren en ik slaak een kreet.

Anne-Marie grinnikt.

'Als hij je mee wandelen nam in het bos bij Issoudun, noemde je vader dan niet alle namen van de vogels, van de bomen en van de planten?'

Ik verstijf.

'Maar, maar, wat weet jij van…'

'Alles. Wij weten alles.'

Het oude mens behoudt haar gestrengheid. Daarachter verbergt zich echter een zekere zachtheid, alsof de oude Anne-Marie haar terechtwijst.

'Je begrijpt toch wel dat wij ook een beetje onderzoek hebben gedaan?'

Terwijl ik probeer op adem te komen kijk ik naar de silo's.

'Bent u het dan die mij heeft uitgekozen?'

Anne-Marie schudt van nee.

'Laten we zeggen dat toen we wisten hoe jij heette en wat je rol was, we inlichtingen hebben ingewonnen. Daarop zijn bepaalde details naar voren gekomen die ons perfect leken.'

'Details?'

'De oorsprong van je familie – je ware oorsprong – kon je slechts dichter naar Martin leiden.'

Ik sta versteld van het lef van dat oude mens. Venner bekijkt haar gretig.

'Maar dan,' zeg ik, 'weten jullie écht alles?'

'Net als Martin ben jij ontworteld, net als hij ontdek jij je oorsprong door een initiatiereis, net als hij maak jij deel uit van een hogere kaste. Hij behoort tot het herenras, jij behoort tot het uitverkoren volk, jullie moesten wel nader tot elkaar komen.'

Ik sta paf: ik ben een open boek voor haar!

Anne-Marie voegt er met een schaterlach aan toe: 'Trouwens, dat jullie er zijn, vandaag, hier en nu, is toch wel het bewijs dat..'

'Ik ben hier voor Clemens!'

Dat heb ik geschreeuwd. Er rolt een steen van de rand van het klif, en verdwijnt in de diepte.

'Tut tut tut!' tempert Anne-Marie. 'Je weet net zo goed als ik dat dat alles veel ingewikkelder ligt.'

Anne-Marie volgt de vlucht van een paar zeekoeten in de holte van het klif voor ons. Haar stem is zachter, alsof ze haar speeksel spaart alvorens een lang verhaal te beginnen.

'Zoals jullie hebben begrepen uit de romans van Leni, is Otto Rahn aan het eind van de oorlog teruggegaan naar Paulin. Het Rijk stortte in. De Führer had zich opgesloten in zijn bunker en in zijn mislukte dromen en werd volkomen waanzinnig. Hij gaf tegenstrijdige bevelen, verloor zich in zijn eigen gissingen, koesterde twijfels aangaande zijn generaals, verdacht iedereen van verraad en van samenzwering.'

Anne-Marie wendt zich tot Vidkun.

'Otto, Leni, de Svens, de familie Schwöll en jij, Martin, zijn vanuit Polen naar Frankrijk gegaan.'

Venner verroert geen vin. Zijn ogen schitteren steeds meer. Zijn gezicht wordt gespannen: zijn leven trekt aan zijn ogen voorbij. In een verre kreet vertrekken de zeekoeten naar zee.

'Destijds legden alle Duitsers het omgekeerde traject af. Ze wisten dat ze overwonnen waren en ze wilden liever slachting en verwoesting achterlaten, zoals ze deden in Oradour-sur-Glane. Leni vertelt dat heel goed in het boek dat jullie hebben gereconstrueerd: Otto en de zijnen reden tegen ze in, alsof ze zich in de armen van de vijand wilden werpen. Maar was dat niet de beste schuilplaats, het beste leger voor de gevaarlijkste wolf van het Derde Rijk?'

Anne-Marie richt zich stralend op en omklemt de onderarm van Venner terwijl ze mij aankijkt.

'Want er is één detail dat Leni niet vermeldt in haar roman, een gegeven dat de geschiedschrijvers niet kennen, want geen enkel officieel noch officieus archief vermeldt het: Otto was veel meer dan een eenvoudige grijze eminentie van het nazibewind. Hij was veel meer dan de simpele grondlegger van het Lebensbornprogramma.'

Anne-Marie is bij elk woord gespitst op onze reactie. Vidkun zit bij wijze van spreken op het puntje van zijn stoel.

'Sinds Hitler aan de macht is gekomen, was Otto de directeur van het hele programma van medische experimenten van het Rijk. Hij was verantwoordelijk voor de euthanasie, de onderzoeken, de experimenten, de keuze van de proefkonijnen... Kortom, van hem hingen geboorte en dood af!'

Bij dat denkbeeld frons ik mijn wenkbrauwen, en de oude vrouw lijkt deze reactie zeer op prijs te stellen.

'Ja ja, Anaïs, zowel Schwöll, Mengele, als de befaamde Doktor Hirt uit Straatsburg, waren leerlingen van mijn geliefde Otto. Hij was hiërarchisch hun superieur en hij hoefde niemand rekenschap af te leggen. Zelfs de Reichsführer SS, Himmler, liet hem met rust.'

Meegesleept door haar woorden, moet Anne-Marie een snik onderdrukken. Heel even kijkt ze naar zee, haar blikken verzonken in bewondering en liefde. Een liefde in de rouw.

Wat ze vervolgens zegt is de druppel die de emmer doet overlopen: 'Tenslotte was het Otto die met zoveel talent de organisatie van de vernietigingskampen overzag. In geen enkele memorie wordt hij vermeld, maar hij was aanwezig bij die beroemde conferentie van Wannsee, in de winter van 1942, toen de regels van de Endlösung werden opgesteld.'

'Daar zat hij dus ook achter!' brult Venner.

Anne-Marie gaat met haar hand over haar gezicht en behoudt die uitdrukking van trotse kalmte.

'Ja, lieve Martin, de nota's die Eichmann die avond indiende, voor de systematische uitroeiing van Joden, zigeuners en Slaven, werden opgesteld door Otto, de avond daarvoor, in de trein waarmee hij van Auschwitz naar Berlijn reed. Want Otto bleef door Europa trekken. Hij ging van kamp tot kamp, om de vooruitgang van zijn handlangers bij te houden, de nieuwe ontdekkingen van zijn artsen, hun meest recente resultaten. In elke ziekenboeg zetten de artsen boeiende experimenten op, die Otto bekrachtigde of afwees. Hij bleef nooit langer dan vierentwintig uur op dezelfde plek; zijn taak was zo omvangrijk! Daarom werd hij ook tijdelijk van Leni gescheiden, na de verwoesting van de Håkon door de Britse luchtmacht.'

Anne-Marie zwijgt even, om met een tevreden gebaar de eilanden aan te wijzen. Vidkun en ik wisselen een verbijsterde blik. Daarop vervolgt de oude vrouw, nu zachter: 'Otto had Leni twee jaar aan Himmler toevertrouwd en had daardoor de vrije hand voor zijn geheimste activiteiten. Wat de Svens betrof, die vervolgden hun traditionele opleiding tot SS-kader, maar zij mochten niet over de Håkon, over Halgadøm en zelfs niet over Otto spreken. Want Otto Rahn was een naam die alleen de hooggeplaatsten van het bewind kenden: Goebbels wantrouwde hem, Goering joeg hij angst aan, Bormann verachtte hem. De Führer zelf vreesde hem.'

Opnieuw een keelsnik van het oude mens, dat haar rug recht alsof ze een orkaan moest trotseren.

'Otto was de geheimste, de rijkste en de meest visionaire ziel van het nationaal socialisme.'

Een ziel die tot vandaag de dag voortleeft, denk ik, terwijl ik die zo rustige oude vrouw bekijk, ondanks de waanzin van haar woorden. Otto leeft nog in haar en door haar.

Ik vraag me met enige afschuw af wanneer Clemens zal verschijnen. En vooral in wat voor staat. Ik maak me op om te spreken, maar Venner, die mij almaar blijft aankijken, beduidt me mijn mond te houden. Eerst moet hij het weten, alles weten. Ook het ergste.

'Jullie zullen dus begrijpen,' vervolgt Anne-Marie, 'dat Otto in 1944, toen hij merkte dat de geallieerden de oorlog gingen winnen, behoefte voelde zich te verbergen.

"Maar dat is slechts de eerste etappe!" hield hij mijn vader constant voor, als wij ze gingen opzoeken in de diepte van de grotten van Mirabel. "Nu begint de echte strijd pas, een ondergrondse, lijfelijke, organische, genetische strijd! Die van bloed tegen bloed, van genen tegen genen."

Otto en de rest bleven daar lange weken verborgen zitten. Ik ging ze elke dag eten brengen. Ik moest heel erg oppassen, want het stikte van de verzetsstrijders in de streek, zeker sinds het vertrek van de meeste Duitse soldaten. Het "Mirabel-netwerk", opgezet door onze rentmeester Ballaran, was zelfs een van de meest doeltreffende.'

Een aristocratisch pruilmondje.

'Via Gilles was ik algauw op de hoogte van de vergaderingen die zijn vader 's avonds hield, in de bijgebouwen van het kasteel, met andere boeren uit de streek,' zei het oude mens vol minachting.

Hoe zou Chauvier hebben gereageerd als hij geweten had dat ze nog leefde? dacht ik.

'Wat mijn relatie met Gilles betreft, moeten jullie niet vergeten dat ik destijds in een vreemde mist leefde. Ik kon me niets herinneren van Otto en Leni, want die geheugenpillen van Doktor Schwöll werkten nog steeds. Zo herinnerde ik me ook niets van mijn "huwelijk" met Gilles, in de grotten van het kasteel. Wij waren slechts aan elkaar gehecht, als een beetje incestueuze broer en zus.'

Anne-Marie kijkt wat zuinigjes, ik meen iets van spijt te bemerken.

'Alles veranderde plotseling in 1944. Toen Otto met zijn zogenaamde familie zich kwam verbergen in onze grotten, bekende mijn vader me zijn geheimen: Otto was een van zijn vroegere leerlingen van de faculteit in Toulouse en die vluchtelingen waren slachtoffers van het nazisme die moesten wachten tot het bewind zou vallen om hun onschuld te kunnen laten bewijzen. "Als ze zich nu overgeven," zei papa tegen me, "lopen ze het risico door het verzet te worden vermoord." Ik begreep zijn redenatie en ik sneed het geheim dus ook niet aan waar Gilles bij was.'

Anne-Marie recht de rug. Haar gestalte van oude dame is plotseling doortrokken van een ongelooflijke jeugdigheid.

'Om onze vluchtelingen te laten overleven, moest ik dus Gilles op afstand houden. Tot mijn grote verrassing was dat een opluchting voor me. Het was net alsof ik werd verlost van een last die me sinds mijn jeugd dwarszat: ik was volwassen aan het worden. Toen ik die vreemde gasten zag, werd ik volwassen. Ik speelde eindelijk een rol. En dat staat los van de fascinatie die Otto voor mij koesterde.'

Weer een nostalgische glimlach.

'Toen mijn vader dat gevoel ontdekte, was hij er blij mee. "Otto is een opmerkelijke man," zei hij tegen me. "Als mij ooit iets overkomt, moet je je aan hem toevertrouwen, niet aan Gilles." Vanaf dat moment bracht ik uren door in de grot, kletsend met Otto. We hadden het over van alles en nog wat. Hij vroeg me wat er in de buitenwereld gebeurde of liet me vertellen van de bomen, van de natuur, van de vogels, hij moest al weken als kluizenaar leven!'

De oude dame spreekt wat zachter. Haar stem wordt wat schorder en daarna zinnelijk. Vidkun is verbijsterd.

'En toen Otto mij meenam de grotten in, om zachtjes met mij te spreken, merkte ik hoe Leni ons zat aan te kijken. Het was een mengeling van jaloezie en van ironie, van walging en van ergernis. Dagelijks leek ze zich vijandiger op te stellen jegens Otto. Een haat die naar buiten kwam toen hij haar de waarheid bekende.'

'De... de waarheid?' stamelt de Viking.

'Ja, kleine Martin, zijn waarheid,' zegt Anne-Marie. 'Zoals je weet, raakte alles in een stroomversnelling op de dag dat Gilles Ballaran zijn eigen vader vermoordde, nadat hij mij in de armen van Otto had aangetroffen.'

Onderdanig knikt Vidkun van ja.

'Vanaf dat moment moesten we snel zijn. We lieten Ballaran doorgaan voor slachtoffer van de laatste nazi's die zich in de streek hadden verschanst, we maakten Gilles duidelijk dat hij niemand zou kunnen aangeven, want hij was de moordenaar van zijn eigen vader, en Otto zag in dat zijn laatste kans was gelegen in verandering van identiteit. In wat struiken in het bos vond hij een uniform van een soldaat, dat daar door een vluchteling was verborgen. Niet ver vandaar lag een tas waarin de papieren van de Feldgrau zaten. Die spullen waren het eigendom geweest van ene Klaus Jode, een van die Elzassers "tegen wil en dank". Otto hoefde die papieren slechts te vervalsen om zijn naam over te nemen.'

Anne-Marie fronst haar wenkbrauwen, alsof alles zich voor haar ogen afspeelt. Vidkun behoudt die onverschilligheid die mij steeds meer begint te verontrusten. Alsof hij zich onderwerpt aan die bekentenis, alsof hij haar accepteert, overneemt.

'Wij moesten zorgen dat de rest in orde kwam,' vervolgt de oude vrouw met haar felle ogen, 'want iedereen moest zijn weg, zijn missie verder vervullen. Daarom verenigde Otto de hele troep in de grotten en verklaarde ons zijn plan: onder een andere identiteit zouden de Svens, de familie Schwöll en jij, Martin, naar Noord-Frankrijk gaan. Want jullie moesten absoluut in Lamorlaye zijn voor de zomerzonnewende en jouw doop. Vervolgens zou de Lebensbornkliniek worden geëvacueerd en zij zouden jullie veilig onderbrengen.'

'En Leni?' vraagt Vidkun zachtjes.

'Dat is precies wat zij ook zei, met haar onnozele stemmetje: "En ik dan, oom Otto?" Otto heeft haar toen verteld dat hij plannen voor haar had.'

'Plannen?'

'Dat zeiden de Svens nou ook, jaloers als ze waren.'

De oude vrouw doet een beetje raadselachtig.

'Al dat medisch onderzoek dat hij al jaren deed, al die experimenten, al die proefkonijnen, al die geleide geboortes dienden maar één doel.'

'Wat dan?' vraag ik, bijna in weerwil van mijzelf, want Anne-Marie zwijgt hier even, alsof ze erop zat te wachten dat ik iets zou zeggen.

'Dat weten jullie heel goed, want jullie hebben dat in Leni's roman gelezen. Het doel was het ras van de toekomst, de volmaakte mens, zoals de grootste geesten zich die hadden gedroomd! Maar dat ras moest wortels hebben, fundamenten, en zij waren die fundamenten, zijn kinderen.'

'Maar wie waren dan die fundamenten?'

'De Svens en Leni. "Jullie zijn de eerste kinderen," had Otto ze verteld, "mijn eerste kinderen. Jullie zijn voortgekomen uit mijn zaad, alle vijf. Uit vijf verschillende moeders! Van jullie moet de toekomstige mensheid afstammen. Jullie zijn de pioniers, de eerste uitverkorenen! Maar dat is nog maar het begin. Binnenkort zullen we geen behoefte meer hebben aan draagmoeders, binnenkort zal het zaad zichzelf vermenigvuldigen! En jij, Leni, zult naast mij staan, als eerste koningin van het volk!"'

Bij dat verhaal wordt Vidkun lijkbleek. Herinnert hij zich het tafereel?

'Ik werd erdoor geboeid,' vervolgt Anne-Marie. 'Ik dronk de woorden van Otto in, ik begreep zijn visioenen, ik onderschreef zijn dromen, want hij had het zo bij het rechte eind, het was zo rechtvaardig. Daarentegen had je de walging van Leni moeten zien. Ze kon geen woord meer zeggen, ze draaide zich om naar de muur van de grot en ze gaf over. "Je zult het begrijpen, je zult het heus begrijpen," zei Otto toen, zonder zijn visionaire uitdrukking te verliezen. Helaas begreep Leni het niet. Ze heeft het ook nooit begrepen.'

Anne-Maries gezicht krijgt bij die woorden een nijdige uitdrukking, waardoor ik me er niet beter op ga voelen. Haat en jaloezie zijn haar ware aard.

'Al maanden liet Leni zich gaan in haar walging voor Otto. Zelf wist hij wel dat hij haar, door haar de troon aan te bieden, nog een kans gaf. Maar die wees ze af.'

Een rampzalige uitdrukking verschijnt op het gezicht van het oude mens. 'De volgende ochtend was Leni weg uit de grot, en we hebben nooit meer over haar horen spreken.'

'Heeft dat lang geduurd?' vraagt Vidkun.

'Een paar jaar. Totdat haar foto verscheen in een literair tijdschrift, op de bladzijde van de "volksromans", met het volgende onderschrift: *Marjolaine Papillon, een nieuwe stem in de romankunst.*'

Logisch, denk ik.

'Een week na dat artikel kreeg Otto een brief. Leni had als laatste uitdaging aan haar vader en mentor haar jeugd te boek gesteld in romanvorm, onder de titel *De vervloekte archipel*, en dreigde dat ook te publiceren.'

Anne-Marie wordt snibbig.

'We hebben hem allemaal aangeraden haar uit de weg te ruimen.'

'Wie uit de weg te ruimen?'

'Leni.'

'En?'

Stilte. Anne-Marie verwerkt enige spijt.

'Dat wilde Otto niet. Ik denk dat hij een zekere vreemde aanhankelijkheid voor haar had behouden, als een nooit geheelde wond. Talloze malen, in de jaren die daarop volgden, stelden de Svens voor eindelijk eens af te rekenen met Leni. Maar telkens verbood Otto dat.'

Anne-Marie heeft nu een afkeurende grijns op haar gezicht.

'En toch werd Leni lastig. Want weliswaar heeft ze nooit *De vervloekte archipel* gepubliceerd, maar haar succesromans hadden allemaal te maken met de Tweede Wereldoorlog en voor wie ze wist te lezen, waren ze een perfect cryptogram van de avonturen van Otto Rahn.'

De oude vrouw zwaait met haar handen, zoals je een slechte herinnering verjaagt.

'Maar om terug te komen op 1944: toen Leni weg was, wierp Otto zich op mij! Strategisch gezien was zijn keuze logisch. Ik was Française, ik was geworteld in de streek, ik had een onberispelijke naam en ik was even oud als Leni. Zodoende kon Otto zijn intocht doen als verzetsstrijder.'

Anne-Marie wordt nu bloeddorstig.

'En als verloofde van de kleine van Mazas was Claude Jos de wreedste van alle zuiveraars. Hij maakte gebruik van zijn macht om iedereen uit de weg te ruimen die zijn ware identiteit had kunnen onthullen, ook degenen die hij had ontmoet bij zijn eerdere bezoeken aan Mirabel. Zo stierf "mama Chauvier" bij een voorzienig auto-ongeluk.'

Ik flap eruit: 'Hebben jullie haar vermoord?'

Anne-Marie schokschoudert.

'Dat was niet afdoende, Gilles was er ook nog.'

De oude vrouw lijkt haar jeugd terug te vinden.

'Ik speelde in op zijn gevoelens en de chantage rond de moord op zijn vader en exploiteerde die oude kinderlijke hartstocht om hem te dwingen Otto definitief wit te wassen. Die arme ziel kon me niets weigeren, het was zijn laatste liefdesdaad en hij gehoorzaamde. Jullie weten hoe het verderging: Claude Jos werd de meest invloedrijke man uit de streek, Gilles ontvluchtte zijn verleden en zocht een nieuwe familie: het leger, en daarna de politie. Toen wij van Gilles af waren, hadden we vrij baan om de tweede etappe te beginnen waar Otto het over had. Dankzij de compliciteit van mijn vader – die op de hoogte was van Otto's dromen vanaf de ontmoetingen aan de universiteit van Toulouse – werd het kasteel van Mirabel de plek waar revolutionaire genetische experimenten werden gedaan. De laboratoria werden geïnstalleerd onder het kasteel, in de grotten. Zodra Claude Jos terugkwam van zijn verplichtingen op het stadhuis, zijn dorpsfeesten, zijn vogelmarkten, zijn recepties, zijn parochiale borrels, werd hij weer Otto Rahn, en daalde af in de diepten van het kasteel, om zich bij de Svens te voegen, die de hele dag over reageerbuizen, kolven en petrischaaltjes gebogen zaten.'

'Waren de Svens er dan nog?'

'Ze waren vrij kort na de wapenstilstand in de streek teruggekomen. Otto liet ze doorgaan voor onschuldige Scandinaviërs, arme oorlogswezen die de familie Mazas onder haar vleugels nam. Maar omdat hij ook een maatschappelijk bestaan voor ze moest bedenken, zette Otto zijn bedrijf op van esoterisch toerisme, de katharenroute.'

Nostalgische glimlach.

'De vier jongens waren echte geleerden geworden. Ze droegen een witte jas, een steriel mondkapje en handschoenen en ze konden urenlang geconcentreerd stilzwijgen, om het zaad en de kiemen te manipuleren. Je zult begrijpen dat Otto en de Svens hun experimenten baseerden op de verslagen die uit de Duitse concentratiekampen kwamen, op aantekeningen die aan het eind van de oorlog achtergelaten waren door Doktor Schwöll, en op aantekeningen, die hij ze constant toestuurde vanuit Argentinië.'

'Maar… waar werkten jullie dan aan?' vraag ik, terwijl ik moeite heb om het te volgen.

Alsof ik haar heb beledigd, onderdrukt Anne-Marie haar woede.

'Houd je mond, juffertje! Ik ben nog niet klaar! Ik moet het nu eerst hebben over Aurore, mijn zogenaamde kleindochter.'

De oude vrouw trotseert mijn blik met verstikkende laatdunkendheid.

'Ik weet dat je haar vorige week in Mirabel hebt gezien. Ik weet ook dat ze sinds de dood van Otto als een kluizenares leeft, half wild, en geen contact met de buitenwereld wil. Maar Aurore is altijd overgevoelig geweest, daarom hebben wij haar ook opgegeven.'

Opnieuw stilte. Alsof het oude mens een aanloop neemt.

'Aurore was slechts een prototype. Een experiment dat helaas maar deels geslaagd was. Ze werd in 1967 ontworpen naar een genetisch model, maar ze heeft nooit beantwoord aan onze verwachtingen. Aangezien ze echter de eerste was, stond Otto erop haar in leven te houden. Hij had nog die oude Duitse sentimentaliteit behouden en hij hechtte aan het symbool van dat eerste kunstmatige schepsel, zij het half af. De couveuse was nog niet precies genoeg, de gegevens nog te willekeurig, alles wat tegenwoordig niet meer zou gebeuren, nu we informatica en internet hebben.'

Een spijtige uitdrukking op het gezicht van de oude tang.

'Ter verontschuldiging moet gezegd worden dat we onder miserabele omstandigheden moesten werken. Ondanks de enorme ruimte, waren de laboratoria wel natuurlijke grotten. Vochtige vertrekken, onderhevig aan terreinverschuivingen, aan seizoenswisselingen. "Maar ik weet wat de ideale plek zou zijn," droomde Otto bijna dagelijks, denkend aan zijn jeugd. Al bijna dertig jaar was hij bezig de archipel van de Håkon voor de kust van Noorwegen terug te kopen. Hij was tot aan de Tweede Wereldoorlog eigendom geweest van de miljardair Nathaniël Korb en had verder geen wettige eigenaar, aangezien Korb geen erfgenaam had achtergelaten. De Noorse overheid was echter niet van plan hem weer terug te nemen, en de eilanden werden aan hun lot overgelaten. Hoe vaak heb ik Otto niet financiële manipulaties zien opzetten, ragfijne plannen, om dat paradijs terug te kopen? "Die affaire maakt je nog eens gek," zei ik tegen hem als hij 's avonds maar in zijn bed lag te draaien, waardoor ik niet kon slapen. "Er moet toch een middel zijn!" Dat middel vond hij ten slotte. Het was heel eenvoudig. Tot halverwege de jaren tachtig had de Noorse overheid de bedrijven uit de streek in haar greep. Maar dat werd geleidelijk aan minder, en onder dekking van een klein bedrijf voor het diepvriezen van kabeljauw, gebaseerd in Svolvaer, verwierf Otto de Håkon voor een appel en een ei. De archipel, die bekend was om de rijke viswateren, werd zetel van een schijnmaatschappij die vis zou exporteren. En Otto gaf die een voor de hand liggende naam: Halgadøm. Dat was in 1986. Otto was toen tweeëntachtig, ik negenenvijftig, de Svens zestig; voor ons begon het leven opnieuw.'

Anne-Marie is buiten adem. Wij hangen aan haar lippen.

'We moesten heel voorzichtig zijn. Aangezien Claude Jos zijn politieke verantwoordelijkheden niet kon opgeven, moest ik voor spook spelen. "Schatje, het is doodsimpel: jij gaat gewoon dood!" had Otto gegrapt, terwijl hij van vreugde in zijn handen klapte. Twee maanden lang lag ik in bed, koortsachtig, schuimbekkend, en deed ik alsof ik een zwaar zieke was. Er kwam geen enkele arts aan mijn bed, maar de streek had het maar over één ding: "Mevrouw Jos is ernstig ziek."'

Anne-Marie wordt weer snibbig en fluistert op bijna komische toon: 'Binnen een paar weken werd ik door nierkanker weggerukt. Op de dag dat ik begraven werd, stapte ik in een vliegtuig van Scandinavian Airlines, eerst naar Oslo en vervolgens naar Bodø. Mijn missie was boeiend en gigantisch: op de Håkon realiseren wat we in Mirabel begonnen waren. "Van tovenaarsleerlingen worden we nu goden!" had Otto me gezegd, verborgen achter zijn zwarte bril, op het vliegveld Blagnac, voordat hij naar de begraafplaats ging. Onze ambachtelijke en nog wankele prototypes moesten worden veranderd in een aan de lopende band geproduceerde mensheid, tot wij dat perfecte wezen kregen, dat geen enkele belasting meer zou hebben, zoals Otto dat had gedroomd.'

Ik sta verstomd van het feit dat dat alles zo voor de hand lag. Klonen! Het is gewoon een smerig verhaal over klonen!

'Eindelijk werd de droom mogelijk, want wij hadden het ideale gereedschap, een fantastische inrichting, die Otto en Doktor Schwöll in de jaren dertig hadden opgezet, een systeem dat op wonderbaarlijke wijze gespaard was gebleven voor de bombardementen en dat niemand was gaan verkennen, omdat het werd aangezien voor gewone landbouwsilo's. We hadden de kuipen.'

'De kuipen?' vraag ik, terwijl mijn hoofd klopt als na een marathon.

Anne-Marie fronst haar wenkbrauwen, recht haar rug en wijst op de silo's. Vidkun en ik kijken verwilderd naar de drie witte silo's. Die enorme ivoren granaten staan daar op de rots en doen denken aan die lugubere knekelvelden uit de Eerste Wereldoorlog, voorgoed verloren onder de grijze hemelen van het oosten.

'Kom maar mee,' zegt Anne-Marie.

Een paadje slingert tot aan de voet van de silo's. Ze beklimt het met energieke pas, is haar wankele enkels vergeten.

Ze weet dat ze gewonnen heeft, denk ik, terwijl ik die oude vrouw over de keien zie huppelen, haar hoofd opgeheven naar de silo's. Clemens zit daar misschien. Is ook hij gekloneerd? Ik verjaag dat belachelijke idee en we volgen Anne-Marie op de voet. Haar onthullingen hebben me niet echt verrast. Alles sluit logisch aan bij de structuur zoals Leni die in haar roman heeft uiteengezet. Als we plotseling voor die ronde gebouwen staan, is het een gedrang van jewelste. Tientallen mensen met witte jassen lopen rond en duwen ons opzij. Die 'Otto's' en die 'Anne-Maries' van alle leeftijden zijn een oneindige herhaling van het echtpaar Jos. Het is een bizarre nachtmerrie, angstaanjagender dan een doolhof, want geen van hen lijkt in zijn maag te zitten met die overeenkomst. Alles is doodnormaal.

'Deze mannen en vrouwen incarneren de tweede fase van Halgadøm,' vervolgt Anne-Marie. 'Een overgangsfase, eentje van werk en beschouwing. Zij zijn de arbeiders van de korf, de kathedralenbouwers. Zij zullen de wereld openleggen voor de werkelijkheid van Halgadøm. Ze zijn mijn kinderen, mijn...'

Anne-Marie houdt even haar mond. Zij ziet een groep witte jassen voorbijkomen en wijst erop.

'Zij zijn mijn plaatsvervangers,' voegt ze eraan toe terwijl ze de arm strekt.

'*Heil Hitler!*' blaffen ze met overslaande stem als ze haar zien. En dan gaan ze weer verder.

De oude vrouw loopt vol tederheid op Vidkun af.

'Je zegt niet veel, Martin.'

Ze neemt hem bij de arm, doet alsof ze hem ondersteunt, alsof hij de oude man is. Venner krimpt ineen. Zijn hele wezen, lichaam en ziel, zijn huid, zijn organen lijken op het punt in elkaar te krimpen, zich op te rollen als een egel. Maar Anne-Marie streelt hem over de wang.

'Maak je niet ongerust. Alles gaat goed. Want dit alles is voor jou, heb je dat niet begrepen?'

Bij die woorden haalt ze een sleutel tevoorschijn en ze opent daarmee een geblindeerd deurtje.

'En nu, nu gaan jullie binnen in de kuipen!'

Ik heb ruim een minuut nodig om mijn ogen aan het kunstlicht te laten wennen. Het is geel, bijna groen, bijna lichtgevend, en is afkomstig uit enorme neonbuizen die langs de wanden lopen, als lichtende goten. We staan in een lange tunnel van doorzichtig plastic, die zich door de kuipen heen slingert. Het is een gang met lucht, zoals die in sommige aquariums. En wat ik ontdek aan de andere kant van de doorzichtige scheidswand doet me versteld staan. Ik moet slikken. Dit is waanzin! Zuivere waanzin! Mijn hand zoekt die van Venner, die ik stijf vastgrijp.

'Nee toch!' zegt de oude vrouw beledigd, terwijl ze onze handen met een agressieve stoot scheidt. 'Houd op met dat kinderachtige gedoe!'

Maar meteen is ze ook weer aardig.

'Kijk liever hoe mooi het is. Hoe mooi zij zijn.'

Ik probeer niet ten onder te gaan in een nachtmerrie, me te concentreren op de zuiver wetenschappelijke dimensie van wat ik zie. Maar is dit nog wel wetenschap? Ik doe mijn best het doen en laten van die geleerden aan de andere kant van het plastic scherm te volgen. Ze gaan schuil in witte duikerpakken en gebaren traag, als kosmonauten. Als in vertraging geven ze elkaar buisjes, flesjes, pennen door. Hun gezichten zijn onzichtbaar, want het scherm dat ervoor zit is een ongetinte spiegel, die slechts het binnenste van de kuip weerspiegelt, haar kermislicht en de cocons.

Ja, want cocons zijn het, denk ik, met een brok in mijn keel, in een poging ze te tellen, te zien hoeveel het er zijn, maar alleen dat idee al lijkt mij onmogelijk. Want ze zijn overal! Ze groeien op willekeurige wijze, zitten vast aan de wand van de kuip, zijn te bereiken met laddertjes. Andere hangen naast elkaar aan grote metalen staven, als in bijenkorven. Maar het merendeel ligt gewoon willekeurig door elkaar op de vloer.

Het is een enorme baarmoeder, denk ik, terwijl ik die geleerden zie, die met een zekere virtuositeit van de ene cocon naar de andere lopen, en rustig steun zoeken tegen die vreemde zachte wanden om de embryo's te betasten, te voelen hoever de vrucht is gevorderd, hun bedekte handen in het organisme te steken om daar monsters van slijm en ander vocht te nemen.

'Welkom in de wereld van de levenden,' fluistert Anne-Marie, en ze duwt ons naar de doorzichtige wand. We zijn volslagen verbijsterd. De mond van de Viking hangt open, hij is ongelovig, weigert dit tafereel tot zich door te laten dringen. Ik probeer mijn adem te beheersen, maar mijn oren zoemen en walging overspoelt me.

'Ik weet het,' geeft Anne-Marie op verveelde toon toe, 'de eerste keer is het indrukwekkend.'

Zelfs de vloer van de kuip beweegt. Alle geleerden dragen laarzen, die tot aan hun enkels wegzakken in een plakkerige massa, waar ze zich met moeite in kunnen verplaatsen.

'Maar wat is dat?' vraagt Vidkun terwijl hij naar de vloer wijst. Anne-Marie is in de wolken.

'Goeie vraag, kleintje! Dat is nu net het geniale van het plan. Het fantastische plan dat Otto en jouw adoptiefvader Dieter Schwöll hebben bedacht. Dat is wat Halgadøm voorheeft op alle instituten voor kloneren in de hele wereld, op alle spermabanken: wij zijn een levende structuur.'

'Levend?'

Ondanks de pijn meen ik het te hebben begrepen.

'Er is geen sprake van meerdere cocons,' zeg ik terwijl ik overeind kom, 'maar van één enkele.'

Anne-Marie bekijkt mij met een begin van achting.

'Klopt helemaal... Halgadøm is een levend wezen, een moleculaire structuur, die eigen kinderen voortbrengt zonder dat ze steeds weer opnieuw bevrucht hoeft te worden. Het is als een plant die eeuwig vruchten draagt.'

'Of zaden?'

Anne-Marie bekijkt mij nu even aarzelend en draait zich dan om, om op een ander deel van de kuip te wijzen.

'De zaden zijn hier.'

Dan constateer ik dat we in de tweede kuip terechtgekomen zijn. Het is een grote, roze, bewegende klier, doortrokken met adertjes, als een schil, en die komt uit de wand. Daar komt weer een oneindig aantal buizen uit die allemaal verbonden zijn met een centrale computer, waarvoor drie van die duikers kleine buisjes vol witte vloeistof pakken.

'Dit is het zaad van Halgadøm,' verklaart Anne-Marie met overslaande stem. 'Hier wordt sperma gewonnen dat in de hele wereld wordt verkocht, onder een eindeloos aantal handelsnamen.'

Ze fronst haar wenkbrauwen en volgt de nauwkeurige bewegingen van de officianten.

'Vanzelfsprekend zullen deze kinderen van een mindere essentie zijn, want ze worden bevrucht in vreemde baarmoeders, en niet in de schoot van Halgadøm, zoals echte mensen.'

Haar brute waanzin glijdt van cocon naar cocon, met een moorddadige vraatzucht.

'Maar de toekomstige mensheid zal ook behoefte hebben aan die slaven. Tot dat doel is dit zaad de wereld rond gaan trekken.'

Vidkun nadert de doorzichtige wand die ons scheidt van de kuip en legt zijn handen op het membraan. Zijn vingers laten heel even een spoor achter op die zachte wand en daarna wordt de gang weer glad. Zijn ogen rollen in hun kassen. Hij probeert alles in perspectief te krijgen, alles op te nemen, alles te beheersen. Maar er is een detail dat hem dwarszit. Een belangrijk element ontbreekt aan wat hij ziet als de logica van dit apocalyptische plan.

'Maar... maar...' stamelt hij, niet in staat zijn bezwaar onder woorden te brengen, terwijl hij de enorme baarmoeder bekijkt zonder te ontdekken wat hij daar meende te zullen vinden.

'Zit je iets dwars, Martin?'

'Waar zijn de mummies? De mummies van die hogere onbekende wezens?'

Bij die woorden bekijkt de oude vrouw de Viking zoals een schooljuffrouw een slechte leerling.

'O nee, hè! Jij niet alsjeblieft! Je gaat me toch niet zeggen dat jij die gekkigheid hebt geloofd!'

'Gekkigheid?' zeg ik met wat trage stem. 'Is wat wij hier om ons heen zien soms geen gekkigheid?'

Anne-Marie klemt haar kaken op elkaar. Haar hele wezen ademt doffe woede.

'De mummies zijn niet meer dan de fantasie van een romanschrijfster, een denkbeeldige samenleving, ontsproten uit het genie van die kleine snol van een Leni.'

'Maar,' brengt Venner in, 'haar romans zijn anders aardig nauwkeurig.'

'Ik heb nooit de literaire kwaliteiten van Marjolaine Papillon willen bestrijden,' bromt Anne-Marie, niet zonder jaloezie. 'Daardoor was ze nou juist zo gevaarlijk.'

De oude vrouw wordt voor onze ogen weer de verzuurde puber, jaloers en bokkig, de 'kleine Anne-Marie'.

'Met die mummies wilde Leni een symbool geven voor de slapende macht van het Rijk en de dreiging van Halgadøm. Meer niet.'

'Is dat alles?'

Anne-Marie maakt een wanhopig gebaar van ergernis. Ze haalt diep adem, om haar kalmte te hervinden.

'Dat is mode tegenwoordig. De mensen zien overal fantasie, buitenaardse wezens, samenzweringen, complotten, geheime genootschappen. Ze zijn in staat alles te slikken!'

'Maar "mode" is geen afdoende verklaring.'

'Het terrein was rijp,' zegt Anne-Marie, terwijl ze haar blik op de reageerbuizen vol witte vloeistof richt. 'We hoefden er slechts het zaad in te zaaien.'

Ik huiver.

'Al jarenlang bewaarde Leni in een la die roman waarin ze die fameuze legende van de mummies had bedacht. Ze heeft de enige kopie die ervan bestond laten rondgaan in een kring van ingewijden. Een kopie die ze telkens weer terughaalde, waardoor ze de legende van een vervloekt manuscript deed ontstaan!'

Ik begin iets te begrijpen en vul aan: 'En zo heeft David Guizet dus zijn artikel in *Bres* kunnen schrijven over die "mummies uit een andere wereld", voordat hij zich twintig jaar moest gaan opsluiten in een Parijs klooster.'

Anne-Marie knippert met haar ogen en vervolgt: 'Die man vormt zelfs de meest frontale aanval die Leni ooit op Otto heeft gedaan. Zij had Guizet een kopie van haar roman, verdraaide persberichten, plaatselijke geruchten en vervalste foto's gegeven. Maar dankzij het netwerk van Otto kregen wij lucht van de publicatie van dat nummer van *Bres* voordat het in de kiosk lag, en we slaagden erin het te laten verbieden. De volgende dag zijn de Svens naar Verrières-le-Buisson bij Parijs gegaan en hebben de hele familie van de journalist uitgeroeid.'

'En waarom hem dan niet?'

'Omdat zijn angst besmettelijk was en omdat die ondanks alles een bescherming werd. We hebben hem niet vermoord, we hebben hem... uitgeschakeld.'

Anne-Marie heeft die woorden volkomen neutraal uitgesproken, zonder haat en zonder genoegen.

Een echte SS'ster, realiseer ik me als ik de roerloosheid van dat ouwe wijf zie, voor wie gruwel slechts pragmatisme is.

'Na de neutralisatie van Guizet hebben we jarenlang rustig kunnen leven. Jaren van werk, onderzoek, experimenten, tot ik hier kwam, in 1986.'

Vóór haar zijn drie duikpakken bezig bij een cocon. Een ervan heeft een scalpel tevoorschijn gehaald en steekt dat voorzichtig in de slijmerige wand, alsof zijn arm erdoor wordt opgezogen. De handschoenen betasten de foetus.

'Ik ben een jaar op de Håkon geweest, vrijwel alleen, om alles te installeren. Otto kwam af en toe, maar moest erop letten niet de aandacht te vestigen op zijn reizen naar Noorwegen. Vervolgens, in het voorjaar van 1987, vond hij dat alles gereed was. "We kunnen beginnen," zei hij tegen me, en hij drukte me tegen zich aan, hier, in deze zelfde kuip. Maar destijds was ze nog leeg. De motoren hadden nog nooit gedraaid, de cocons waren nog niet ontloken.'

Bij die woorden knielt Anne-Marie om op het niveau van de duikers aan de andere kant van de doorzichtige wand te komen. Een voor een strelen de geleerden het voorhoofd van de vrucht, betasten de fontanel, volgen het spoor van de navelstreng die haar verbindt met de cocon.

'Op dat moment heeft Otto zijn eerste fout begaan, de enige, maar tevens de ernstigste.'

'Een fout?'

'Met het voortschrijden van de jaren voelde Otto nostalgie naar zijn jeugd, naar zijn eerste gevechten, naar het ontstaan van het Rijk. Hij was vastbesloten zijn grote project van Halgadøm uit te voeren en het leek hem dus vanzelfsprekend – "beleefd" noemde hij het – om persoonlijk de laatste grote nog levende nazi op de hoogte te gaan brengen van zijn plannen.'

'Rudolf Hess,' fluistert Venner.

Anne-Marie bevestigt dat met een knik.

'Zoals jullie weten zat Hess in Spandau gevangen sinds het proces van Neurenberg. Vanaf 1941 had hij gebroken met Otto, met Hitler en de SS, had geprobeerd asiel te krijgen in Engeland, maar de geallieerden hadden hem meteen gevangengezet. Al een halve eeuw teerde hij weg in de gevangenis, gaf er de voorkeur aan zich voor waanzinnige te laten doorgaan, liever dan zijn geheim toe te geven: de ware plannen van het Derde Rijk. De plannen van Otto Rahn.'

Anne-Marie gaat met haar hand over haar voorhoofd, alsof ze vreselijk hoofdpijn heeft.

'Tijdens zijn gevangenschap was Leni de enige met wie Hess vrij kon spreken over wat hij wist. Ze had de gewoonte aangenomen hem maandelijks te komen opzoeken. Niets heeft ooit die inbreuk op het reglement van Spandau kunnen verklaren, maar sommigen vermoeden dat zij speciale gunsten heeft kunnen verkrijgen bij de directeur van de gevangenis. Hoe het ook zij, eens per maand spraken Leni en Hess over het verleden, over Halgadøm, over Otto's dromen. Die dialogen hielden de oude man op de been, stelden hem in staat te formuleren wat hem dwarszat. Anders was hij echt weggezakt in de waanzin. Bij elke ontmoeting smeekte Hess de romanschrijfster Otto openlijk aan te geven, het niet meer te laten bij bedenksels, zoals David Guizet, of sleutelromans. Om de wereld dat grote project van een kunstmatige mensheid te onthullen, van synthetische ariërs, van een hoger ras. Maar Leni had dezelfde bezwaren als Otto. Ze kon zich er niet toe brengen degene te verraden die voor haar alles was geweest: mentor en vader.'

Anne-Marie trekt haar lippen op als een hyena en kijkt naar de bevalling die zich voor haar ogen afspeelt. Het schouwspel is verbijsterend, zes handen trekken de foetus naar buiten. De cocon lijkt echter weerstand te bieden, alsof de mond dicht wil om die baby weer op te slokken. Slijmerige draden komen uit het kind, uit de armen van de geleerden, lopen over de duikpakken. Ik moet een zekere neiging tot kotsen onderdrukken en Anne-Marie daalt weer af in haar herinnering.

'Ondanks de band die Leni met Hess verbond, vond Otto het dus "loyaal" om Hess te gaan waarschuwen dat Halgadøm eindelijk geheel klaar was. Ervan overtuigd dat hij zou worden vrijgelaten, wilde hij hem voorstellen zijn laatste dagen hier op Halgadøm met ons te slijten, opdat Rudolf Hess zijn doel terug zou vinden, zijn eerste ideaal. Helaas weigerde Hess.

Als oude koppige autist verwierp hij alles categorisch. Otto is hem echter drie keer achter elkaar op gaan zoeken, maar de ouwe gek luisterde naar hem met woeste blikken, alsof hem de hel werd voorgesteld. Hij begreep het niet meer, hij was te oud, te versleten. De gevangenis had uiteindelijk zijn bewustzijn geknakt, hij kon niet meer de eindeloze gevolgen van Halgadøm onder ogen komen. Het genie van dat plan oversteeg hem. Hij voerde aan dat hij in vijftig jaar te veel had geleden om nog iets te kunnen schragen wat mogelijk de wereld weer in een "delirium" kon onderdompelen dat vergelijkbaar was met wat het nazisme had ontketend. Hij maakte Otto zelfs uit voor moordenaar.'

De ogen van Anne-Marie worden roodomrand, een sluier van medeleven, oprecht en brandend.

'Mijn arme Otto kwam er zwaar aangedaan van terug. Hess had hem gekwetst, het was net alsof een van zijn ouders hem had verstoten. Hij was teleurgesteld. Hij raakte hem diep. Maar Hess ging verder dan minachting: de week daarop kwam Leni hem haar gebruikelijke bezoek brengen en de oude man vertelde haar van zijn onderhoud met Otto. Met veel meer overtuiging dan ooit smeekte hij haar haar oude eerbied voor Otto te laten varen, zijn projecten te gaan dwarsbomen. Leni, verpletterd door die onthulling, stemde daar schuchter in toe, zoals je je schuld terugkoopt, maar vertrok uit de gevangenis, verscheurd door tegenstrijdigheden. De hele nacht werd ze bestookt door herinneringen uit haar jeugd, door haar liefde voor Otto, door haar intense bewondering voor die meester van haar leven. De volgende ochtend, toen ze wakker werd, hadden de Duitsers nog maar oor voor één nieuwtje: Rudolf Hess had zich in zijn cel verhangen! Niemand weet of Hess zelfmoord pleegde om Leni te dwingen sneller te handelen of uit de weg werd geruimd omdat hij te veel had gesproken, maar Leni besloot haar roman te publiceren. De Svens waren echter sneller dan hun bloedzuster. Voordat ze contact had opgenomen met haar uitgever om de publicatie van een tekst te regelen die "persoonlijker, autobiografischer" was, braken zij midden in de nacht in in haar appartement. Vijftien uur later waren de Svens in Mirabel. Ze hadden bij zich de enige kopie van het fameuze manuscript, en ook de schrijfster.'

Een wraakzuchtig licht doorkruist de blikken van Anne-Marie, maar ik lees er ook een ingehouden frustratie in, een nooit uitgevoerde wraak.

'Ik was natuurlijk hier op de Håkon en ik wist niet precies hoe het weerzien van Leni met Otto was verlopen. Maar ik weet dat ze allebei diep getroffen waren. Ze hadden elkaar in geen jaren gezien. Zelfs de Svens mochten niet bij het onderhoud aanwezig zijn.'

Ze houdt even haar mond, verteerd door jaloezie.

'Otto en Leni, vader en dochter.'

Na weer een stilte vervolgt ze: 'Otto en Leni bleven een hele nacht opgesloten in het voormalige kantoor van mijn vader. De Svens hebben me verteld dat ze ruzie, kreten, gehuil hebben gehoord. Ze scholden elkaar uit en vervolgens vroegen ze elkaar vergiffenis. Meubels werden verschoven, glazen braken. Maar Otto had de Svens verboden in te grijpen. Gehoorzaam bleven ze dus in de buurt van het vertrek, wachtend op het einde van het duel. Maar het werd gelijkspel. Otto en Leni kwamen er uitgeput en leeg uit, ieder bleef bij zijn standpunt. Bij een laatste stuiptrekking, waar de Svens bij waren, zwaaide Otto woest met het manuscript van de archipel en brulde: "Voor de laatste keer, zeg me waar de andere hoofdstukken zijn!"

Maar Leni was onvermurwbaar, verklaarde dat die elders lagen verborgen, in haar hele oeuvre. Voor het grijpen, voor eenieder die tussen de regels door zou kunnen lezen. Toen, voor de eerste keer, werd Otto bang. En toch, wat had dat boek nou kunnen veranderen aan het lot van Halgadøm? Wie zou het hele leven van een schrijfster van treinlectuur zijn gaan ontcijferen? Maar voor Otto werd het een obsessie: hij moest die hoofdstukken hebben. Zo vereffende Otto eindelijk de rekening met degene die hem had verstoten.

Wilde Leni haar geheim bewaren? Dat gaf niets! Er zijn altijd doeltreffende methoden om informatie los te krijgen, al is dat ten koste van pijn.'

Anne-Marie loopt over van haat.

'Twee weken lang werd Leni door de Svens gefolterd, in de grotten van Mirabel, die weer in de wilde staat waren gelaten sinds mijn vertrek naar Halgadøm. De Svens wreekten zich zo voor al die jaren van vernedering, waarin Leni de favoriet was geweest. In de schemering, toen ze nog slechts een grote bloedvlek met wonden was, ging Otto naar haar toe. Leni, vastgemaakt aan de sarcofaag, zei niets. Beiden waren te moe om elkaar te haten, en de arme Otto ging dan weer terug naar zijn kantoor, om zijn zorgen te overdenken, met diep in zichzelf een enorme trots over de moed en de volhardendheid van zijn dochter. Helaas! Leni was al zestig en ze had geen onbeperkte weerstand meer. Wat moest gebeuren, gebeurde: haar hart begaf het. Zoals de Svens me zelf vertelden, trof de dood van Leni ze veel dieper dan ze hadden durven denken. Tenslotte was Leni toch hun zus. Zij was getuige geweest van hun ongeluk en hun pijn. Zij was sinds een halve eeuw voor hen een van de redenen geweest om te leven, en te vrezen. Toen hij het nieuws hoorde, wilde Otto niet uit zijn kamer komen. Hij wilde vooral zijn verwarring niet laten blijken aan Aurore, onze "kleindochter". En hij werd verteerd door verdriet. "Laat het lijk verdwijnen," vroeg hij de Svens, zonder zijn deur open te doen. "Er mag niets van overblijven! Zelfs geen stof."' De oude Anne-Marie kijkt berustend. 'Tweede foutje,' zegt ze op snijdende toon. 'In plaats van het lijk achter in het park te begraven, volgden ze dat oude SS-ritueel van crematie en verbrandden Leni's lijk midden in de nacht, aan de rand van het bos, zodat Otto het zou kunnen zien uit de ramen van het kasteel. Toen die ceremonie achter de rug was, gingen ze weer slapen. Ze wilden bij de dageraad terugkomen om zich te kunnen ontdoen van de verkoolde resten. Maar ze hadden vergeten dat het de dag was van de opening van de jacht.' Hijgend onderbreekt het oude mens zichzelf om op adem te komen. Vidkun en ik, die aan haar lippen hangen, vergeten bijna de omgeving, en die wrede 'bevalling' die zich voor onze ogen afspeelt. 'We moesten altijd op die verrekte jagers passen!' bromt Anne-Marie, haar ogen op de foetus gericht. 'Jullie weten het net zo goed als ik. Op dat moment in de geschiedenis is Gilles Ballaran, nou ja, Gilles Chauvier, teruggekeerd naar de plek van zijn jeugd. Ik herinner me nog de woede van Otto aan de telefoon, toen hij me het nieuws bracht: "De Svens zijn imbecielen. Ze hebben het lijk niet losgemaakt en nu heb ik de politie over de vloer! En wat voor politie: Gilles! Jouw Gilles!" Otto moest snel zijn. De Svens kwamen naar de Håkon en Otto gebruikte zijn contacten bij de prefectuur om het dossier te laten seponeren als "zelfmoord". Mijn arme geliefde moest echter nog zorgen dat hij van degene die hem had herkend als zijn oudste rivaal afkwam. Want aangezien Gilles niets meer te verliezen had, stond hij erop de zaak uit te diepen. Eens te meer wist Otto op bewonderenswaardige wijze de gebeurtenissen te sturen. Tot drie keer toe kwamen de Svens terug naar Frankrijk, om de doodsengelen uit te hangen: na de dood van Leni maakten zij Guizet en Chauvier van kant, ze vonden terug wat nog niet uitgegeven was van Marjolaine Papillon, bedreigden haar uitgever en droegen Hans Schwöll op voor een jaarlijkse publicatie te zorgen.' Anne-Marie houdt haar mond, ze is leeg. Voor ons is het kind geboren. Het slaakt een schelle kreet, gesmoord door de wand van de gang. 'En toen?' zegt Venner zachtjes, zonder echter zijn blikken af te wenden van de baby die de duikers op een stuk linnen leggen. Anne-Marie wordt nu vreemd, bijna ontvleesd.

'En vervolgens is het spoorzoeken begonnen.'

Ik weet dat de opperste onthulling nu moet plaatsgrijpen.

'Welk spoorzoeken?'

Anne-Marie spreekt zoals je een gebed reciteert, zonder met de ogen te knipperen, stijf als een slaapwandelaarster.

'Volgens het geheime testament van Otto moesten die schepselen hem volgen in het graf. Daarom hebben de Svens zelfmoord gepleegd, enkele dagen na de dood van mijn man.'

Ze bloost maar vervolgt: 'Er stond echter nog een clausule in het testament: hun dood moest een boodschap zijn.'

'Een boodschap?' zegt Venner, steeds minder op zijn gemak, want het oude mens is op hem af gekomen en praat vlak bij zijn oor.

'Alles was een boodschap, zoals de verschijning van Angela Brillo, mijn dubbelgangster, een boodschap was, die het als eerste over Claude Jos heeft gehad, net zoals jullie reis naar Duitsland, naar Lamorlaye, naar Paulin een boodschap was, jullie ontmoeting met Linh, jullie komst hier, op zoek naar jouw arme vriendje... Clemens, zo heet hij toch?'

Ik huiver en Anne-Marie wijst met geweld op het kind achter ons, dat ligt te brullen in de armen van de duikers. Ik bekijk die enorme, donkere mond in dat roze lijf met die geplooide oogjes.

'Maar een boodschap voor wie?' fluistert Venner, die het duidelijk begrepen heeft.

'Voor jou natuurlijk, Martin, jij, de ontbrekende schakel, de nieuwe meester, de nieuwe...'

Anne-Marie aarzelt even. Op dat moment houdt het kind zijn mond, alsof hij het ook heeft begrepen. Het spert de ogen wijdopen en ik ontdek daar turkooizen oogjes. Anne-Marie vervolgt met zachte stem: 'Jij, onze nieuwe Führer.'

De woorden uit de doopakte komen me voor de geest.

'Want slechts door hem, Martin Schwöll, de waarlijk uitverkorene, het kind van het wonder, zal ons Rijk herboren worden. Binnenkort, over een halve eeuw, wellicht eerder, wellicht later, zal Martin Schwöll de Führer zijn van het Vierde Rijk!'

Die plechtige woorden, door Himmler zelf uitgesproken! Door het hoofd van de hele SS! Met eerbied en zwaarwichtigheid.

'Führer van het Vierde Rijk?' zegt Venner zachtjes, bijna verbaasd zijn stem met zoveel rust een zo verbijsterend perspectief te horen verwoorden.

'Ja, Martin, dat ben jij.'

Anne-Marie bekijkt hem met brandende liefde, zoals een moeder een zoon terugvindt die ze in de oorlog verloren waande.

Ik schud hevig mijn hoofd van links naar rechts.

'Nee! Nee! Nee!'

Mijn hoofd wordt een stoomketel! Ik zou nu wakker willen worden, daar ter plekke, in mijn bed in Parijs, met mijn kat op het dekbed. Ik zou willen gaan lunchen met Lea, luisteren naar haar jeremiades over het opkomend fascisme, een vettige tajine willen eten. Ik zou een van mijn talloze vleiende stukjes willen redigeren, over een boek dat ik niet leuk vind en niet heb gelezen. Ik zou de lucht van de metro willen ruiken, van de luchtvervuiling, van McDonald's, eindelijk die lekkere lucht van vet en asfalt in Saint-Michel kunnen opsnuiven. Ik zou graag de gedeprimeerde uitdrukking van de Parijse middenstanders willen zien, het smoel van mijn postbode, van mijn bakkersvrouw. Ik zou eindelijk die clochard willen zien die op de hoek van mijn straat zit, met zijn bordje IK HEB HONGER. Ik zou *Star Academy* willen kijken, terwijl ik gevulde tomaten eet van Picard. Ik zou zelfs wel in Issoudun willen zijn, als klein meisje, onder de knoet van die brave tiran die mij ondanks alles beschermde en van me hield. Ik zou mijn moeder willen zien, haar alles willen bekennen, zodat ze me in haar armen zou kunnen nemen, zodat ze me zou kunnen zeggen dat alles binnenkort voorgoed beter zou gaan. Elders zijn, in godsnaam! Elders! Maar ik ben hier, in die plastic darm, in dat genetisch aquarium, dat zich tussen kleverige cocons door slingert, waarvan elk een embryo bevat. En binnenkort een man of een vrouw. Voor Anne-Marie besta ik niet meer. Zij heeft alleen nog maar oog voor haar 'schepping'.

'Jij hebt gehandeld zoals Otto dat gewild had, Martin, zoals hij het had gedroomd,' vervolgt ze, terwijl ze voorzichtig Vidkuns hand pakt om zijn vingers te strelen.

'Onze eerste missie was jou die handen sturen.'

Venner knikt, zijn blik op de vloer gericht.

'Vervolgens was er dat boek en dat onderzoek. Wij hebben F.L.K. niet gedwongen aan het project mee te doen, maar we hebben hem de juiste stimulans weten te geven, de trein op de rails weten te zetten, en alles heeft gewerkt.'

'Ja, dat mag je wel zeggen,' mompel ik tussen mijn tanden, met het gevoel dat ik heel goed zou kunnen flauwvallen.

De oude vrouw recht haar rug weer en werpt haar hoofd in haar nek.

'Mijn god! Mijn god! Ik kan er nog niet bij dat alles vervuld is. Dat je eindelijk klaar bent met je reis.'

Venner krimpt ineen. Hij probeert alles op een rijtje te zetten, afstand te nemen van de locatie, van de omgeving, van de aanwezigheid van die duikers.

'Maar… waar ben ik geboren? Hier? In een van die cocons?'

Anne-Marie lijkt verpletterd door uitputting.

'Je bent wel koppig, hè? De doopakte is anders precies genoeg. Jij bent geboren in Polen, in Kodzklów, op 18 oktober 1942.'

'En ik heet dus niet Martin Schwöll?'

'Laten we zeggen dat je een jaar lang Aloïs Sosinka hebt geheten, net als Hannah, je moeder.'

'Die Jodin was.'

'Vanzelfsprekend!'

'Hoezo "vanzelfsprekend"?'

Anne-Marie vouwt haar handen als in gebed en legt die tegen haar lippen, alsof ze probeert rustig te blijven.

'Omdat jij het sterkste en zuiverste bloed moest incarneren. De synthese tussen het uitverkoren volk en het herenras. Een paring, een bevruchting, en daar kwam jij uit!'

'Maar wie was mijn moeder dan?'

'Hannah Sosinka? Een Jodinnetje uit een Poolse sjtetl, zorgvuldig geselecteerd. Otto, Himmler en Schwöll hebben haar uitgezocht uit een bestand van duizend vrouwen,' vervolgt Anne-Marie. 'Zij verenigde alle kwaliteiten van het uitverkoren volk, terwijl ze arische trekken had.'

Vidkun krijgt een ijskoud licht in zijn ogen.

'En mijn vader?'

'Je hebt toch je doopakte gelezen: "vader onbekend".'

Venner voelt zijn hoofd ontploffen. Het lukt hem niet zijn gedachten op een rij te houden.

'En je hebt het net over een paring! Over bevruchting!'

Het oude mens wendt zich even tot mij, knipoogt me samenzweerderig toe, zoals je dat doet bij een studentengrap.

'En waarom denk je dat alle naar Latijns-Amerika gevluchte voormalige nazi's ermee hebben ingestemd belasting te betalen in jouw naam? Waarom zou Himmler je persoonlijk zijn komen halen, om je toe te vertrouwen aan de grootste geleerde van het Rijk? Waarom zou Otto ruim een halve eeuw lang hebben gelet op je groei, je jeugd, je leven?'

Dwangmatig schudt Vidkun het hoofd, niet in staat te antwoorden.

'Omdat jij de erfgenaam bent, domkop! De enige erfgenaam.'

Venners mond gaat open maar hij zegt niets. Ik heb het begrepen.

'Natuurlijk wist Eva Braun er niets van. Al jaren wilde ze kinderen krijgen, maar al haar pogingen liepen op niets uit.'

Ik bekijk Venner, zoek een zekere gelijkenis bij hem. En als hij nu dat snorretje zou hebben, en die wat kromme neus? En dan herken ik de ogen. Ja, denk ik, ze hebben dezelfde ogen. Die elektrische, azuurblauwe blik, snijdend en toch zo menselijk. Hitlers ogen.

'Nou, Martin,' besluit Anne-Marie met vreemde eenvoud. 'Nu weet je alles. Je kent je moeder, je vader, je echte familie.'

Vidkun weet niet meer hoe hij het heeft. Zijn gezicht drukt niets meer uit. Het lijkt me slechts dat hij verstijft, zoals een soldaat op wacht. Wat gaat er in zijn hoofd om? Gaat hij nu instorten? Gaat hij zich op Anne-Marie storten? Gaat hij ploffen van vreugde, van haat of van waanzin? Maar nee. Niets. Hitlers zoon staat langzaam te wiegen, in wrede onverschilligheid.

'Dat is het dus,' zegt hij ten slotte half hardop. 'Zo simpel is het.'

Anne-Marie bekijkt hem met een flauwe glimlach, ook zij is gespitst op elke reactie van hem.

'Hoe denk je dat je aan die hartstocht voor het Derde Rijk bent gekomen, je fascinatie voor het hakenkruis, je obsessie met alles wat er over is van nazi-Duitsland?'

Ze streelt zijn wang met de rug van haar hand.

'Dat zit in je bloed, engeltje! Dat is jouw ziel, jouw identiteit!'

Vidkun deinst terug, dan verandert hij van mening, en hervindt de stijfheid van een beeld.

'Zo simpel... zo simpel...' herhaalt hij als een mantra.

Anne-Marie wendt zich tot mij alsof ze een getuige zoekt.

'Ik neem aan dat deze reactie normaal is.'

Met mijn blik ga ik van die versteende zestiger naar de hysterische, bezeten tachtigjarige. Ik ben verpletterd. Aan de andere kant van het doorzichtige membraan hebben de duikers het kind allang meegenomen. Maar ik zie dat er opnieuw een roze schaduw midden in de cocon is verschenen.

Wie is nu het gekst van ons drieën? denk ik, terwijl ik voel dat mijn gezond verstand op het punt van uitvliegen staat! Niettemin probeer ik nog een schijn van helderheid te bewaren en ik ga voor Anne-Marie staan.

'En wat is het doel van dit alles?'

'Van wat alles?'

'Waartoe gaat Vidkun ons dienen?'

Anne-Marie lijkt gechoqueerd.

'Maar wij gaan hém dienen. Hij is de nieuwe Führer, de uitverkorene. Voortaan staan wij onder zijn bevel.'

We richten onze blik op Venner, die er verwilderd bij staat.

'Wat verwachten jullie precies van hem?'

Anne-Marie hervindt weer haar snijdende blik en wijst op de cocons. In dat fosforescerende licht lijkt elk ervan te ademen, te vibreren, zoals een hart klopt, zoals een orgaan trilt.

'Ik heb je toch gezegd dat hij van het zuiverste bloed was.'

'Nou en?'

'Wij hebben dat bloed nodig.'

De oude vrouw draait zich om en wijst mij nu op de grote computer waar het zaad van Halgadøm uitkomt.

'We hebben geen enkel probleem met de kinderen die in die cocons geboren zijn. Daarentegen is het sperma dat wij over de wereld verspreiden nog niet... volmaakt.'

'Niet volmaakt?'

'Dat sperma, dat gemaakt wordt op basis van het zaad van duizenden SS-officieren, in tien jaar gewonnen in de kraamklinieken van de Lebensborn, is mettertijd wat verfletst en geeft slechte resultaten.'

Ik weet niet waar Anne-Marie naartoe wil.

'Zeventig procent van de kinderen die voortkomen uit een bevruchting met het zaad van Halgadøm worden met gebreken geboren.'

Ik begin het te begrijpen.

'En daarom ontvoeren jullie kinderen.'

Anne-Marie knikt.

'We willen het begrijpen, dat is legitiem.'

Met enige achterdocht vraag ik: 'En wat doen jullie met hen?'

'We testen ze.'

De opmerking komt er in weerwil van mezelf uit: 'Als jullie ze niet meteen afmaken.'

'We zijn geen criminelen!' vaart ze uit. 'We doen dat voor het welzijn van de mens, voor de verheffing van zijn ziel. We proberen hem te reinigen, hem beter te maken, geschikter om in vrede en rede te regeren. Dat was de droom van Otto! Een volmaakte wereld, zonder ziekte, zonder lichamelijke gebreken. Een wereld waarin alle mensen gelukkig zouden zijn, in harmonie. Vrij, gelijk... en broeders! Wij zijn de echte socialisten!'

'Een volmaakte wereld,' fluistert Vidkun, die wakker lijkt te worden en ons toelacht. Zijn glimlach doet me verstenen: die is sereen, vredig. Een aanhankelijke glimlach, familiaal.

'Volstrekt!' antwoordt Anne-Marie opgelucht, en ze vlijt zich tegen Venner aan alsof hij haar voortaan zou moeten beschermen. 'Daarom hebben we jou... geschapen, Martin. Jij bent de eerste man van de nieuwe mensheid, de Adam van het nieuwe tijdperk!'

Dit hele tafereel, dit zo overduidelijke verraad stuit me tegen de borst. Vidkun accepteert zijn lot; hij is er zelfs blij mee! Van woede, van haat kan ik wel kotsen! Maar mijn drift wordt plotseling bekoeld door een nieuw tafereel. Vier witte gedaanten duiken op aan de rand van de plastic gang. Ik schrik: de artsen ondersteunen een hinkende gestalte, die uitgeput wankelt.

'Anaïs,' kreunt een stem uit het graf.

Mijn hart ploft zowat.

'Clemens!'

Clemens, met gezwollen gezicht, overdekt met blauwe plekken en korsten, zijn ogen omwald, geel, zijn haar in de war, plakkend van zweet en van viezigheid, een lijkenkleur, kan amper op zijn benen staan. Hij is nog slechts een levend lijk.

'Mijn liefste! Mijn liefste!' zeg ik terwijl ik op hem afstorm. De bewakers met de witte jas maken een gebaar ter verdediging.

'Het is goed, laat maar,' zegt Anne-Marie.

Ik blijf een paar meter voor hem staan, bang hem te zullen breken, hem te zullen afmaken als ik hem te onstuimig aanpak. Ik geef hem mijn hand, voorzichtig, heel voorzichtig! Met mijn vingers streel ik zijn jukbeenderen, zijn wangen, zijn wenkbrauwen, zijn voorhoofd. Een kaart die ik zo goed ken, die ik probeer terug te vinden achter die wonden, die bloeduitstortingen. Mijn maag draait zich om, maar ik moet sterk zijn. Vandaag meer dan ooit! En toch zinder ik van woede.

'Wat voor... wat voor noodzaak was er om hem dit aan te doen?'

Ik dring mijn tranen terug en fluister tegen Clemens: 'Ik ben er nu, alles gaat goed.'

Verwilderd tilt hij zijn verbonden hand op, met een rood en vies verband, en houdt die onder mijn neus als een tragische trofee. Hij probeert te glimlachen, maar het is slechts een grimas. Zijn lip is op verscheidene plaatsen gesprongen en hij heeft moeite met articuleren: 'A... Anaïs.'

'Ja, mijn liefste, ja! Ik ben er. Wees maar niet bang meer.'

Onder in mijn jaszak voel ik de afgesneden vinger. Dan neem ik Clemens in mijn armen en bijna verlegen omhelzen we elkaar. Hij wil wat zeggen.

'Nee... stil, mijn liefste... stil.'

Anne-Marie heeft ons staan bekijken en slaat haar ogen ten hemel. Dan stampt zij met haar hak op de grond om Vidkun te wekken.

'Kinderen, ik ben bang dat het verhaal voor jullie hier ophoudt.'

Ik krijg geen tijd om een kik te uiten of ik ben op mijn beurt geboeid. Twee witte jassen houden me stijf vast, draaien mijn armen om zodat ik bijna op de knieën val. Clemens onderdrukt een klagend gekreun. Ik word kortademig van de pijn.

'Maar... maar...'

'Het spijt me, Anaïs,' vervolgt Anne-Marie, terwijl ze zich langzaam over mij heen buigt, 'maar na wat jullie hebben gezien begrijpen jullie toch wel dat...'

Ze maakt haar zin niet af, maar bekijkt me met een uitdrukking van zeer oprechte spijt. Mijn adem wordt afgesneden. Mijn blik wordt vaag van zweet en tranen. De woorden van Anne-Marie komen tot mij door een steeds dichtere mist.

'Het spijt me des te meer omdat Martin echt aan jullie gehecht leek.'

Ze wendt zich daarop tot Vidkun.

'Nietwaar, Martin?'

De Viking is geen millimeter verplaatst. Zijn nietszeggende blik wordt evenzogoed op mij gericht. Het wrede gevoel dat hij naar een lijk kijkt!

'Ja,' zegt hij met toonloze stem, 'het is echt jammer.'

Na een bovenmenselijke inspanning lukt het mij te stamelen: 'Maar... maar je gaat ons toch niet zo in de steek laten... jij toch niet... niet zo-maar... jij niet...'

Mijn zin wordt afgebroken door een kreet van pijn. Anne-Marie heeft een teken gegeven aan mijn folteraars, die hun greep hebben verstevigd. Mijn arm is bijna uit de kom. En toch, ondanks mijn lijden, meen ik een spoor van menselijkheid in Venners ogen te zien, alsof hij mij stiekem probeert moed te geven. Maar dat is vast maar verbeelding, want de Viking loopt nu met mechanische pas op Anne-Marie af en slaat een arm om haar schouder.

'Wat gaan we met ze doen?' vraagt hij met de nuchterheid van een SS'er.

Anne-Marie haalt haar schouders op.

'Wat we ook doen met de mongooltjes: ze voor de orka's gooien.'

Clemens onderdrukt een gebrul en ik stort in.

'Maar dat kan niet! Dat kan toch niet!'

'Natuurlijk kan dat wel,' zegt het oude mens, terwijl ze zich half naar mij toe buigt, zoals je een kind in een wieg bekijkt. 'Jullie denken toch zeker niet dat ik een halve eeuw werk in de waagschaal ga stellen voor een mokkel met haar schandknaap.'

Clemens en ik zijn verdoofd. Maar Anne-Marie geeft de witte jassen al een nonchalant teken, die ons achteruit slepen.

'Nee!' brult Clemens, alsof hij hiermee zijn laatste krachten verbruikt. Zijn kreet doet mij wankelen van verdriet, maar ik probeer me niet eens meer te verweren.

Daarop klinkt de stem van Venner als een valbijl: 'Stop!'

'Pardon?' vraagt Anne-Marie beledigd, en ze wendt zich ongelovig tot de Viking. Maar de beulen, getroffen door voorvaderlijk respect, genetische eerbied, hebben gehoorzaamd.

'Zij hebben het gehoord en jij hebt het ook gehoord,' zegt Venner tegen het oude mens. 'Ik heb "stop" gezegd.'

Anne-Marie kijkt Vidkun met groeiende angst aan. In zijn ogen heeft ze iets nieuws gezien. Iets wat ze niet van hem kende, een sluimerend licht dat er al was bij zijn aankomst op Halgadøm, alsof hij het verborgen had. Ik heb dat licht herkend: dat is het licht van onze avond op de Berghof, van onze nacht in Berlijn, het licht van de Viking! Een golf van hoop doorvaart mij, maar ik probeer me in te houden.

'Ik heb het hier toch voor het zeggen voortaan, of niet soms?' vervolgt Venner met zachte rust. De oude vrouw weet niet hoe ze het heeft. Geheel verloren staat ze te hijgen. Plotseling valt haar leeftijd als een last op haar neer. Maar bovenal lukt het haar niet om de blik van die witte jassen te vangen. Allen staren Vidkun aan, alsof ze in hem een lang geleden vertrokken familielid herkennen, ze lachen tegen hem, ze bieden hem hun diensten aan.

'Laat ze los,' zegt Venner zachtjes.

'Maar, Martin, jij…'

Anne-Marie krijgt de tijd niet haar zin af te maken. Terwijl de beulen onze pijnlijke ledematen loslaten, neemt Venner haar in zijn armen, als een oude maîtresse.

'Mijn liefde,' fluistert hij, 'mijn hartje.'

De oude vrouw is verbijsterd, maar ze durft zich niet te verweren. Trouwens, dat zou ze ook niet kunnen, want de Viking klemt haar armen in een dwangbuis van spieren.

'Mijn liefste,' vervolgt hij met zachte ironie, 'jouw weg komt hier ten einde.'

'Maar, Martin,' stamelt de oude vrouw, steeds roder. Haar gezicht vertrekt. Haar ogen rollen in hun kassen. Anne-Marie stikt. De Viking is bezig haar te breken als een riet. Niemand verroert een vin. Clemens heeft mij bij de hand gevat, zoals hij dat gedaan zou hebben in een bioscoopzaal. Ik voel geen voldoening en ook geen medelijden. Net als die vier witte jassen wachten wij tot de nieuwe meester klaar is met zijn werk. En als het lijf van Anne-Marie na een laatste gekraak langzaam op de vloer zakt, wendt Vidkun zich tot mij en glimlacht me teder toe.

Halgadøm verdwijnt in de mist. De omtrek van de drie silo's is nog maar een bleke schaduw in het blauwe licht. Door het kielzog van de rubberboot lijkt dit tafereel op een afscheid van de wereld.

'Wat heeft hij tegen je gezegd toen we vertrokken?' vraagt Clemens, met zijn hoofd op mijn nog pijnlijke schouder.

Ik pak zijn verbonden hand tussen mijn vingers en antwoord op een ontwijkende toon: 'Dat doet er niet toe. Het is nu afgelopen.'

'Dat is zo.'

Wat hij tegen mij gezegd heeft? Dat weet ik niet, ik heb het niet begrepen. Hij zal me zijn keuze wel hebben verklaard. Ik druk mijn lippen op Clemens' voorhoofd en krijg de indruk dat ik de schedel van een oude man kus. De arme donder! Die zal wel een tijdje nodig hebben om te herstellen. Toch lijkt hij me er niet heel erg aan toe. Zeker, zijn gelaatsuitdrukking is minder roze en krachtig dan die van onze loods die tussen de klippen door vaart, maar hij ziet er nog steeds goed uit, mijn Clemens.

'Denk je dat hij daar zal blijven?' vervolgt hij, terwijl hij naar Halgadøm kijkt. Op de oever zien we nog de massa witte jassen, met de arm voor Vidkun opgeheven.

Ik haal berustend mijn schouders op.

'Het is wel zijn wereld. In dat opzicht had Anne-Marie gelijk: zijn hele leven was bestemd om hier te eindigen. Om hierop uit te komen, dit is zijn lot. Nu kan hij alles vernietigen of alles voortzetten. Dat hangt nog slechts van hem af. Voortaan is hij de enige meester. Hij is de nieuwe Führer.'

Een half jaar eerder zou een dergelijke redenatie mij de haren te berge hebben doen rijzen. Maar daar, terwijl de boot door de spleet heen vaart, tussen die twee granieten kliffen, besef ik het lot van Vidkun helemaal. Ik voel iets van nostalgie. Moet ik Clemens nu vertellen dat ik Vidkun zal missen? Dat ik hem al mis? Maar Clemens raadt het al.

'Je denkt aan hem, hè?'

'Ja.'

'Ik ook,' zegt hij met diezelfde schaduw in zijn blik, alsof hij ook op zijn manier, ondanks zijn kruisweg, de Viking mist.

We zijn door het kanaal gevaren. Voor ons opent zich de zee. De vogelmuren zullen ook in de mist vervagen, zoals de wreedste details van dit avontuur zullen vervagen. Daarna zal het de wereld worden, de echte wereld. Binnenkort – ik weet het en ik voel het – zullen er nog slechts lichtende, grandioze beelden over zijn, die mijn herinnering zullen bespoken. Ik heb in een half jaar veel beleefd. Misschien wel één, twee of drie levens? Ik heb veel geleerd, ik ben erg gegroeid. En ik ben er nog; ondanks alles leef ik nog. Een beetje volwassener, denk ik. Alles vermengt zich in mijn geest, en een golf van vertedering doorvaart mij. En dat, dat is liefde. Dat weet ik, dat voel ik ook. Ik buig me naar Clemens. Hij lacht naar me. Alles lijkt plotseling zo eenvoudig. Zo voor de hand liggend. En terwijl hij zijn lippen op de mijne drukt, terwijl de wind van de open zee onze omhelzing besproeit, denken we allebei aan die laatste kreet die door de klonen is geslaakt, op de oever van Halgadøm. Een instinctieve, afgrondelijke kreet, afkomstig uit de nacht der tijden, om met een monsterlijke intensiteit te exploderen: '*Heil Venner!*'

Parijs, Senlis, Caromb, Buck Point, Cannes, Vancouver, Boekarest, New York, La Baule, Lyon, Bergen.

September 2004–december 2006

Dankwoord

Deze roman zou niet geschreven kunnen zijn zonder de lezing van het werk van talloze schrijvers, die ik hier allemaal vermeld:

Raymond Abellio, René Alleau, Robert Ambelain, Jean-Michel Angebert, Elizabeth Antebi, Henri Azeau, Philip Aziz, Michael Baigent, Jean-Pierre Bayard, Pierre Benoît, Jacques Bergier, Christian Bernadac, Will Berthold, Helena Blavatsky, Christian Bouchet, André Brissaud, Edward Bulwer-Lytton, Louis Charpentier, Robert Charroux, Aleister Crowley, Arkon Daraul, Olivier Dard, Marc Dem, Alexandre Dumas, Guy Dumur, Umberto Eco, Dennis Eisenberg, Julius Evola, Ladislas Farago, Joachim Fest, Jean-Claude Frère, Charles Gabel, Werner Gerson, Joscelyn Godwin, Leon Goldensohn, Nicholas Goodrick-Clarcke, John Michael Greer, René Guénon, G.I. Gurdjieff, Bruno Happel, Socrate Helman, Joe Heydecker, Marc Hillel, Serge Hutin, Joseph Kessel, Francis X King, Anton LaVey, Norbert en Stephan Lebert, Johannes Leeb, Eliphas Lévi, Henry Lincoln, Jean-Paul Lippi, Paul Louvet, Jean Mabire, Maurice Magre, Pierre Mariel, Bernard Marillier, Jean Marquès-Rivière, Pierre Milza, Jean Moura, Ferdinand Ossendowski, Papus, Louis Pauwels, Jean-Charles Pichon, Robert N. Proctor, Otto Rahn, Philippe Randa, Hermann Rauschning, Trevor Ravenscroft, Sylvain Reiner, Philippe Renoux, François Ribadeau-Dumas, Pierre A. Riffard, Jean Robin, Michel Roquebert, Theodor Roszak, Jérôme Rousse-Lacordaire, Saint-Loup, Saint-Yves d'Alveydre, Jean Saunier, Denis Saurat, Edouard Schuré, Rudolf von Sebottendorff, Gérard de Sède, Jean Sendy, William Shirer, Albert Speer, Otto Strasser, Pierre-André Taguieff, Yves Ternon, André Ulmann, Dominique Venner, Jacques Weiss, Simon Wiesenthal...

Ook mag ik niet nalaten te vermelden de tijdschriften *Historia, Histora-*

ma, Enquète sur l'Histoire, Dossiers de l'Histoire mystérieuse en natuurlijk *Bres-Planète.*

Dank aan Bernard Fixot voor zijn roekeloze vertrouwen;
aan Caroline Lépée voor haar virtuose mes;
en de hele ploeg van XO.

Dank aan mijn familie voor haar geduld met mijn obsessies;
aan mijn vrienden voor het dulden van mijn eigenaardigheden;
aan Charles Rostand voor zijn tegendraadsheid;
aan Amélie voor haar oppassend en liefhebbend oog;
aan mijn moeder voor vrijwel alles.